Internationale Marketingforschung

Von

Univ.-Prof. Dr. Erich Bauer

3., grundlegend überarbeitete und aktualisierte Auflage

R. Oldenbourg Verlag München Wien

Die Deutsche Bibliothek - CIP-Einheitsaufnahme

Bauer, Erich:
Internationale Marketingforschung / von Erich Bauer. – 3., grundlegend überarb. und aktualisierte Aufl.. – München ; Wien : Oldenbourg, 2002
ISBN 3-486-27228-4

Rosenheimer Straße 145, D-81671 München
Telefon: (089) 45051-0
www.oldenbourg-verlag.de

Gedruckt auf säure- und chlorfreiem Papier
Gesamtherstellung: Druckhaus „Thomas Müntzer“ GmbH, Bad Langensalza

ISBN 3-486-27228-4

Vorwort zur dritten Auflage

Seit der Publikation der beiden vorherigen Auflagen dieses Buches haben sich im Bereich der internationalen Marketingforschung einige zum Teil sehr gravierende und kaum vorhersehbare Veränderungen vollzogen, die es notwendig machten, bei der nun anstehenden Neuauflage eine Vielzahl von Aktualisierungen, Überarbeitungen und Ergänzungen vorzunehmen.

Dabei denke ich nicht so sehr an den zwar überaus erfreulichen, gleichwohl aber für den Aufbau und Inhalt meiner Ausführungen weniger bedeutsamen Tatbestand, daß in der Zwischenzeit nicht nur *Douglas/Craig* eine überarbeitete Neuauflage ihres Lehrbuches vorgelegt haben, sondern darüber hinaus weitere interessante englisch-, aber auch deutschsprachige Monographien zu diesem lange von der akademischen Forschung vernachlässigten Themenkomplex erschienen sind. Ich denke vielmehr an die Veränderungen, die sich auf der Angebots-, der Nachfrage- und der methodischen Seite der internationalen Marketingforschung vollzogen haben.

Methodische Veränderungen betreffen insbesondere die rasant angestiegene Bedeutung des Internet als Instrument der Informationsgewinnung in der primär- und sekundärstatistischen Marketingforschung. Veränderungen auf der Angebotsseite der internationalen Marketingforschung dokumentieren sich einmal in der zunehmenden Angebotskonzentration, die vor allem durch die zahlreichen, teilweise sehr spektakulären M&A-Aktivitäten verschiedener Media-Konzerne bewirkt wurde, und zum anderen in einem verschärften Wettbewerb der Marktforschungsinstitute mit und um "branded products", d.h. mit Markennamen versehene Dienstleistungstools. Bedeutsame Veränderungen auf der Nachfrageseite der internationalen Marketingforschung sind schließlich die weiter fortschreitende Verkleinerung oder gar gänzliche Auflösung betrieblicher Marktforschungsabteilungen sowie die zunehmende Nachfrage der Unternehmungen nach qualitätszertifizierten Dienstleistungsangeboten.

Die meisten Überarbeitungen und Ergänzungen sind dementsprechend in den Kapiteln 2 und 5 zu finden, während Aktualisierungen in allen Kapiteln sowie in den Tabellen des Anhanges vorgenommen wurden.

Bei dieser Arbeit geholfen hat mit wieder in bewährter Manier Herr *Dr. Arndt-Alexander Böhnert*, *SAP Retail Solutions*, dem ich hiermit meinen Dank aussprechen möchte. Zu Dank verpflichtet bin ich auch Frau *Reinhilt Schultze*, meiner Sekretärin, sowie meinen Mitarbeitern am Lehrstuhl für Absatzwirtschaft der Universität Bremen, Frau *Dipl.-Ökon. Nicola Glusk*, Frau *Dipl.-Ökon. Svenja Seefeldt*, Herrn *Dipl.-Ökon. Detlef Schulz* und Herrn *Dipl.-Kfm. Jens Westerheide*, die mich bei der Korrekturarbeit unterstützt haben.

ERICH BAUER

Vorwort zur ersten Auflage

Zu den Grundbedingungen des Erfolges einer internationalen Unternehmenstätigkeit zählt seit jeher die planmäßig und systematisch betriebene informationelle Fundierung sowohl der strategischen als auch der operativen internationalen Marketing-Planung, d.h. die Durchführung von internationalen Marketingforschungen. Dies wird am Beispiel des globalen Siegeszuges verschiedener japanischer Unternehmungen deutlich, der ohne die von diesen Unternehmungen ebenso ex- wie intensiv betriebenen internationalen Marketingforschungen sicherlich nicht möglich gewesen wäre.

Es ist daher erstaunlich, konstatieren zu müssen, daß sich die Marketing-Theorie diesem zentralen Teilbereich des internationalen Marketing noch nicht mit dem ihm gebührenden Interesse gewidmet hat. So findet man beispielsweise in den meisten Lehrbüchern zum internationalen Marketing nur relativ knapp gehaltene Passagen, in denen einige Besonderheiten und Probleme einer internationalen Marketingforschung dargelegt werden. Das gleiche gilt für die Lehrbücher zur Markt- bzw. Marketingforschung.

Eine solche, doch sehr stiefmütterliche Behandlung der internationalen Marketingforschung wird bisweilen mit dem Argument zu rechtfertigen versucht, daß die internationale Marketingforschung sich nur peripher von der nationalen Marketingforschung unterscheide, folglich dann auch keiner tiefergehenden Betrachtung bedürfe, weil hier wie dort nur dieselben Instrumente und Methoden zur Datenerhebung und -aufbereitung, -verdichtung und -analyse eingesetzt werden könnten.

Dabei wird jedoch übersehen, daß die Datengewinnung bei einer internationalen Marketingforschung nicht nur in mehreren, sondern auch verschiedenartigeren, unbekannteren und insgesamt komplexeren Umweltsituationen als bei einer nationalen Marketingforschung erfolgt. Dies aber hat neben einer quantitativen und qualitativen Veränderung der Informationsaufgabe zur Folge, daß bei einer internationalen Marketingforschung konzeptuelle, methodologische und organisatorische Probleme auftreten, die einer nationalen Marketingforschung in der Regel fremd sind.

In der von *S.P. Douglas* und *C.S. Craig* verfaßten, bislang einzigen Monographie zu diesem Themenkomplex ("International Marketing Research", Englewood Cliffs, N.J., 1983) wird dieser Tatbestand zwar zum Ausdruck gebracht, doch meines Erachtens in einzelnen Aspekten nicht deutlich genug. Darüber hinaus sind einige Ausführungen zu sehr von einer ethnozentrischen Sichtweise geprägt oder reflektieren nicht mehr den neuesten Erkenntnis- bzw. Entwicklungsstand.

All dies gab mir Anlaß, mich während eines Forschungsfreisemesters intensiv mit der internationalen Marketingforschung zu befassen und das vorliegende Buch zu erstellen, bei dessen Lektüre dem einen oder anderen Leser sicherlich auffallen wird, daß häufiger englische oder US-amerikanische Marktforschungsinstitute und Marktforschungspraktiker erwähnt bzw. zitiert werden als deutsche. Der Grund hierfür ist darin zu suchen, daß deutsche Institute und Marktforscher nicht nur deutlich weniger über ihre internationalen Erfahrungen publizieren als ihre ausländischen Konkurrenten bzw. Kollegen, sondern auch einen manchmal völlig unverständlichen Mangel an Auskunftswilligkeit aufweisen. Daher gilt mein besonderer Dank denjenigen deutschen Instituten und Marktforschern, die mir bereitwillig Informationen zur Verfügung gestellt und somit dazu beigetragen haben, daß das Übergewicht englischer und US-amerikanischer Bezüge nicht allzu groß geworden ist.

Dank sagen möchte ich auch meiner Sekretärin, Frau *Sigrid Hösch*, für die zügige Erledigung der Schreibarbeiten und das mühsame Einfügen der Korrekturen, sowie meinen Mitarbeitern, Herrn *Dipl.-Kfm. Martin Kaufmann*, Frau *Dipl.-Stat. Sonja Kratzmair* und Herrn *Dipl.-Kfm. Peter Szabo*, für die sorgfältige Durchsicht des Buches und das Lesen der Korrekturen. Ein besonderer Dank gebührt auch Frau *cand.rer.pol. Dörte Schlünzen*, die mir vielfältige technische Hilfeleistungen erbracht hat, sowie meinem Neffen, Herrn *Dipl.-Kfm. Arndt-Alexander Böhnert*, der mit großem Geschick die zahlreichen Computergraphiken erstellt hat.

ERICH BAUER

Inhaltsverzeichnis

Verzeichnis der Abbildungen

Verzeichnis der Tabellen

1 Internationales Marketing und internationale Marketingforschung

1.1 Bedeutung und Ausprägungsformen des internationalen Marketing

In den letzten Jahren und Jahrzehnten haben sich zunehmend mehr deutsche Unternehmungen der unterschiedlichsten Größe, Rechtsform und Branchenzugehörigkeit immer stärker auf dem Wege einer funktionalen oder institutionellen Internationalisierung[1] im Auslandsgeschäft engagiert.

Welche Motive und Anreize diese Unternehmungen auch immer zur Aufnahme und Ausweitung einer Auslandsgeschäftstätigkeit veranlaßt haben mögen (Ergebnisse empirischer Untersuchungen lassen auf sehr umfängliche, vielschichtige und nach Art und Ziellandcharakter der Internationalisierung differenzierte Motivbündel schließen)[2], maßgebliche Impulse gingen hierzu sicherlich von *drei Entwicklungen* aus, nämlich

1. vor allem von dem seit 1947 in bislang (Stand 2001) acht Verhandlungsrunden[3] erweiterten und nach Abschluß der letzten dieser Verhandlungsrunden um das *„General Agreement on Trade in Services"* (*GATS*) sowie die *„Trade Related Aspects of Intellectual Property Rights"* (*TRIPS*) ergänzten **Allgemeinen Zoll- und Handelsabkommen** (*General Agreement on Tariffs and Trade*, *GATT*), dessen Einhaltung seit dem 01.01.1995 von der in Genf ansässigen **World Trade Organization** (*WTO*) überwacht wird[4],

---

1 Zum Begriff und zu den Ausprägungsformen einer funktionalen und institutionellen Internationalisierung siehe Dülfer, E. (2001), S. 169ff.

2 Vgl. hierzu ebenda, S. 108ff.

3 Diese acht Verhandlungsrunden fanden 1947 in Genf, 1949 in Annecy, 1951 in Torquay, 1956 in Genf, 1960-61 in Genf (*Dillon-Runde*), 1964-67 in Genf (*Kennedy-Runde*), 1973-79 in Genf (*Tokio-Runde*) und 1986-1994 in Marrakesch (*Uruguay-Runde*) statt. Die Durchführung einer auf drei Jahre befristeten neunten Verhandlungsrunde wurde nach Aufnahme von Taiwan und der VR China von den nunmehr 142 WTO-Staaten am 14.11.2001 in Doha (Katar) beschlossen.

4 Zur Entstehung und Entwicklung sowie den Zielen und Aufgaben von GATT und WTO siehe Hauser, H., Schanz, K.-U. (1995) sowie www.wto.org.

2. von der sukzessiven Erweiterung und integrativen Vertiefung der **Europäischen Union** (EU) und
3. schließlich von großen Fortschritten auf den Gebieten der Kommunikations- und Transporttechnologie sowie dem Auf- und Ausbau leistungsstarker grenzüberschreitender Infrastrukturen.

Denn die ersten beiden Entwicklungen verringerten oder beseitigten eine Reihe von politisch-administrativen, die letztere mancherlei technische Hemmnisse eines ungehinderten, schnellen und kostengünstigen internationalen Austausches von Informationen, Waren, Dienstleistungen und Kapital - und eröffneten damit den Unternehmungen nicht nur die Möglichkeit, sondern lösten wegen der sich verschärfenden Konkurrenz bei ihnen bisweilen auch den Zwang aus, Erfolgspotentiale eines Auslandsgeschäftes zu nutzen.

Ähnliche Impulse sind von der angestrebten Osterweiterung und der weiteren integrativen Vertiefung der Europäischen Union, insbesondere von der am 01.01.1999 (zunächst nur als Buchgeld) und 01.01.2002 (nun auch als Bargeld) in zwölf Mitgliedsländern[5] erfolgten Einführung einer gemeinsamen Währung, des **EURO**, sowie von der nach mehr als 15 Jahre dauernden Verhandlungen schließlich Ende 2001 vollzogenen Aufnahme der VR China in die WTO und den sich dort, aber auch in verschiedenen Ländern des ehemaligen Ostblocks vollziehenden politischen und/oder wirtschaftlichen Liberalisierungsprozessen zu erwarten.

Jede Auslandsgeschäftstätigkeit, gleichgültig, ob sie in Form einer lediglich funktionalen oder in Form einer institutionellen Internationalisierung erfolgt, bedingt eine zielbezogene Kommunikation mit ausländischen Interaktionspartnern, d.h. ein **Internationales Management**[6]. Diese ausländischen Interaktionspartner der internationalisierenden Unternehmung

[5] Die an der Währungsumstellung beteiligten Länder sind: Belgien, Deutschland, die Niederlande, Finnland, Frankreich, Griechenland, Italien, Irland, Luxemburg, Österreich, Portugal und Spanien.

[6] Zu dieser (weiten) Definition des Begriffes *"Internationales Management"* siehe Dülfer, E. (2001), S. 5.

sind nach *Dülfer*[7] in (unternehmungs-)externe und (unternehmungs-)interne Interaktionspartner zu unterscheiden.

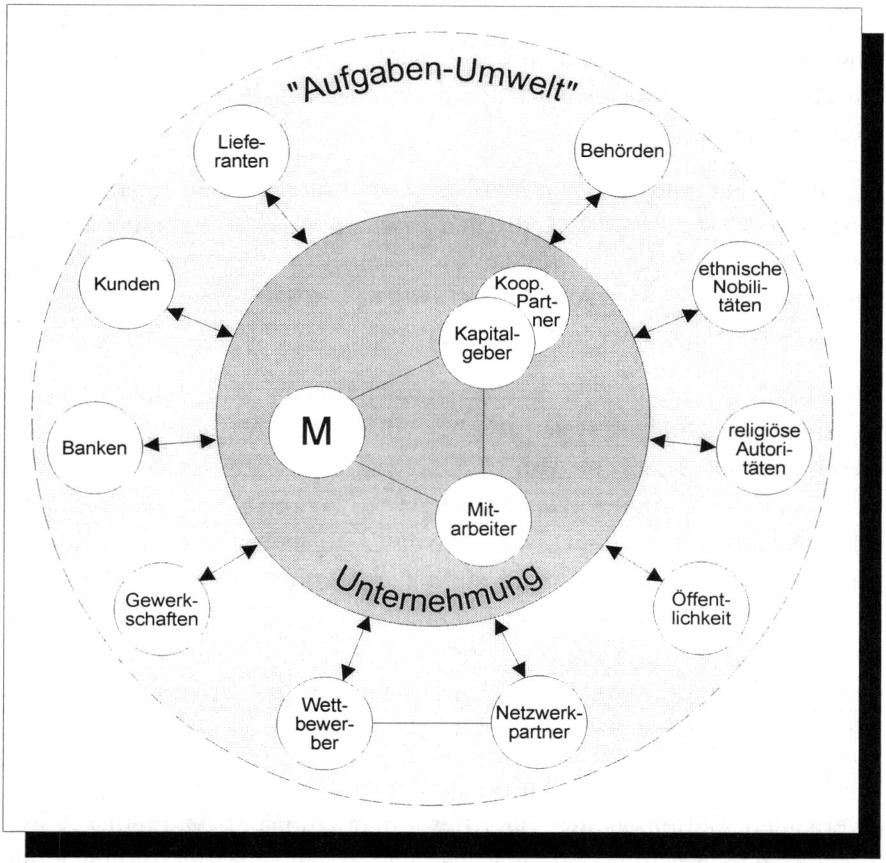

Abbildung 1: Schematische Darstellung der internen und externen Interaktionspartner einer international tätigen Unternehmung

Quelle: Dülfer, E. (2001), S. 253

[7] Vgl. ebenda, S. 249ff.

Zu den externen Interaktionspartnern zählt er (vgl. Abbildung 1) die ausländischen Lieferanten, Kunden, Banken, Gewerkschaften, Wettbewerber, Netzwerkpartner, Behörden und Meinungsführer in der breiten Öffentlichkeit sowie die in den Ländern der Dritten Welt bisweilen sehr wichtigen religiösen Autoritäten und ethnischen Nobilitäten. Ergänzend sind hierzu noch die ausländischen Absatzmittler (Handelsbetriebe) und Absatzhelfer (Werbeagenturen, Marktforschungsinstitute, Spediteure etc.) anzuführen.

Interne Interaktionspartner treten bei einer institutionellen Internationalisierung in Gestalt des ausländischen bzw. im Ausland befindlichen Unternehmungsmanagements (in der Abbildung 1 mit „M“ bezeichnet), der ausländischen bzw. im Ausland befindlichen Mitarbeiter sowie der ausländischen Kapitalgeber und Kooperationspartner auf.

Jene Kommunikation mit externen ausländischen Interaktionspartnern, die zum Zwecke einer systematischen, planvollen Analyse, Anbahnung, Gestaltung und Kontrolle von (möglichen) Transaktionen zwischen der Real- und/oder Nominalgüter anbietenden Unternehmung und ausländischen Nachfragern erfolgt, bestimmt das Aufgabengebiet des "**Internationalen Marketing**", während die anderen kommunikativen Beziehungen mit externen ausländischen Interaktionspartnern in Verfolgung einer internationalen Beschaffungs-, Produktions- und Finanzierungspolitik und die mit internen ausländischen Interaktionspartnern in Verfolgung einer internationalen Personalpolitik geknüpft werden.[8]

Mit dieser weiten, bewußt einfachen und zu der einiger anderer Autoren divergenten Definition des Begriffes "Internationales Marketing"[9] soll dreierlei zum Ausdruck gebracht werden. *Erstens* wird als Besonderheit des internationalen gegenüber dem nationalen Marketing die größere und andersartigere Ungewißheitsprobleme hervorrufende Kommunikation mit *ausländischen* Interaktionspartnern angesehen. *Zweitens* kann von einem internationalen Marketing nur dann gesprochen werden, wenn diese

---

8 Vgl. hierzu auch ebenda, S. 451ff.

9 Vgl. z.B. Keegan, W.J. (1980), S. 6ff.; Berekoven, L. (1985), S.19ff.; Meffert, H. (1988), S. 268; Wißmeier, U.K. (1992), S. 47ff.; Meurer, C. (1993), S. 36ff.; Meffert, H. (1994), S. 270f.; Hermanns, A. (1995), S. 25f.; Meffert, H., Bolz, J. (1998), S. 25.

Kommunikation aktiv, systematisch und planvoll und nicht reaktiv, unsystematisch, fallweise oder gar zufällig betrieben wird.[10] *Drittens* bezieht sich dieser Begriff auf ein mit jeglicher Art und Ausprägung einer Auslandsgeschäftstätigkeit verbundenes Marketing, ist also als ein Oberbegriff zu verstehen, dem solch andere Begriffe wie *"Exportmarketing"*, *"Außenhandelsmarketing"*, *"Auslandsmarketing"*, *"multinationales Marketing"* oder *"globales Marketing"* zu subsumieren sind.

Ebenso wie der Begriff des "Internationalen Marketing" werden auch diese Unterbegriffe bzw. verschiedenen Ausprägungsformen eines internationalen Marketing in der wissenschaftlichen Literatur sehr unterschiedlich definiert und gegeneinander abgegrenzt.[11] Als primär begriffsbildend und -unterscheidend wird dabei häufig die Anzahl und Art der Bearbeitung der ausgewählten Auslandsmärkte, die Form der Internationalisierung, die Ausprägung der Wettbewerbsorientierung sowie die Gestaltung der organisatorischen Steuerung des internationalen Marketing herausgestellt.[12]

Im folgenden sollen dagegen unter Bezugnahme auf das modifizierte *EPRG-Rahmenschema*[13] vier idealtypische Ausprägungsformen eines internationalen Marketing skizziert werden, für die allein die Art der Einstellung des Managements einer Unternehmung zur bzw. dessen Orientierung bei der Internationalisierung begriffsbildend und -unterscheidend ist. Diese vier Ausprägungsformen eines internationalen Marketing sind dem erwähnten Rahmenschema gemäß als **ethnozentrisch**, **polyzentrisch**, **regiozentrisch** und **geozentrisch orientiertes internationales Marketing** zu bezeichnen.

Wie die Abbildung 2 aufzeigt und im folgenden noch näher zu erläutern sein wird, können alle vier Ausprägungsformen eines internationalen

---

10 Siehe auch Berekoven, L. (1985), S. 20.

11 Siehe z.B. Keegan, W.J. (1980), S. 4ff.; Meffert, H., Althans, J. (1982), S. 21ff.; Berekoven, L. (1985), S. 19ff.; Meffert, H. (1988), S. 268f.; Wißmeier, U.K. (1992), S. 52ff.; Meurer, C. (1993), S. 36ff.; Meffert, H. (1994), S. 271f.; Hünerberg, R. (1994), S. 24ff.; Keegan, W.J. (1995), S. 9ff.

12 Vgl. ebenda sowie Meffert, H. (1989), Sp. 1412, und Becker, J. (1998), S. 315ff.

13 Siehe hierzu Perlmutter, H.V. (1969), S. 9ff.; Wind, Y., Douglas, S.P., Perlmutter, H.V. (1973), S. 14ff.; Kreutzer, R. (1990), S. 12ff.

Marketing zu drei verschiedenen Ausmaßen einer Internationalisierung führen, nämlich zu einer Internationalisierung, die sich erstens nur auf einige regional oder weltweit ausgewählte Länder, zweitens auf viele oder alle Länder einer bestimmten Region oder schließlich drittens auf viele oder alle Länder mehrerer Regionen bzw. viele weltweit ausgewählte Länder erstreckt. Dies bedeutet, daß von einem bestimmten Ausmaß einer Internationalisierung nicht auf eine bestimmte Ausprägungsform eines internationalen Marketing zurückgeschlossen werden bzw. ein bestimmtes Ausmaß einer Internationalisierung nicht mit einem bestimmten Orientierungsmuster der Internationalisierung gleichgesetzt werden kann - wie dies in der Literatur häufig geschieht.

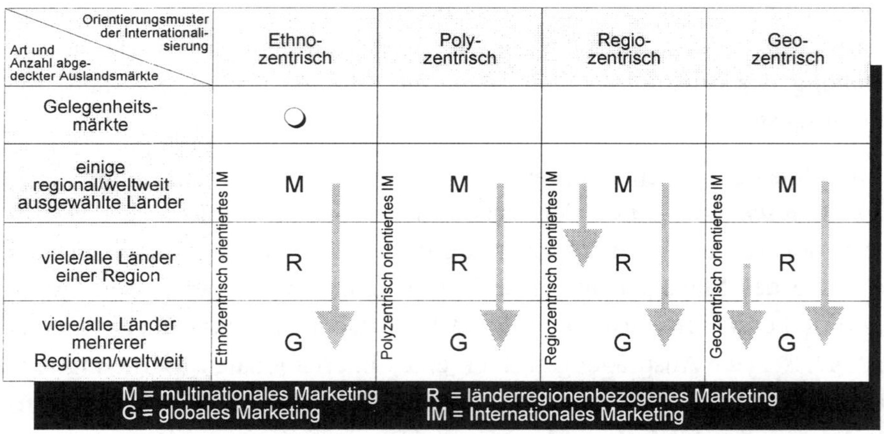

Orientierungsmuster der Internationalisierung
Art und Anzahl abgedeckter Auslandsmärkte
Ethno-zentrisch
Poly-zentrisch
Regio-zentrisch
Geo-zentrisch
Gelegenheits-märkte
einige regional/weltweit ausgewählte Länder
viele/alle Länder einer Region
viele/alle Länder mehrerer Regionen/weltweit
Ethnozentrisch orientiertes IM
Polyzentrisch orientiertes IM
Regiozentrisch orientiertes IM
Geozentrisch orientiertes IM
M
R
G
M = multinationales Marketing
G = globales Marketing
R = länderregionenbezogenes Marketing
IM = Internationales Marketing

Abbildung 2: Idealtypische Ausprägungsformen eines internationalen Marketing

Die Verknüpfung der vier Orientierungsmuster einer Internationalisierung mit den drei möglichen Ausmaßen einer Internationalisierung macht es schließlich auch möglich, mit dem *"multinationalen"*, *"länderregionenbezogenen"* und *"globalen Marketing"* drei Begriffe, die in Theorie und Praxis sehr häufig zur Kennzeichnung verschiedener Ausprägungsformen eines internationalen Marketing verwendet werden, trennschärfer und widerspruchsfreier einzuordnen (vgl. Abbildung 2).

Betrachten wir von den vier Ausprägungsformen eines internationalen Marketing zunächst das **ethnozentrisch orientierte (stammlandorientierte) internationale Marketing**, so kann dieses dadurch charakterisiert werden, daß die Bearbeitung der Auslandsmärkte unter Einsatz von Marketing-Strategien und -Instrumenten erfolgt, die weitgehend denen gleichen, die auch im Heimatmarkt zur Anwendung kommen. Daraus folgt, daß die in den Auslandsmärkten abgesetzten Produkte sich (wenn überhaupt) nur marginal von den im heimischen Markt abgesetzten Produkten unterscheiden, z.B. um damit unterschiedlichen gesetzlichen Bestimmungen, technisch-physikalischen Ge- bzw. Verbrauchsbedingungen oder geschmacklichen Präferenzen Genüge zu leisten. Ähnliches gilt für im Ausland durchgeführte distributions-, kontrahierungs- und kommunikationspolitische Aktivitäten.[14]

Diese Ausprägungsform eines internationalen Marketing ist in Verbindung mit der Bearbeitung nur einiger weniger (in der eigenen Länderregion oder weltweit) ausgewählter Auslandsmärkte typisch für Unternehmungen, die sich in einer ersten Phase des Internationalisierungsprozesses befinden. Dominante Zielsetzung eines solchen, sich nun auf mehrere Länder erstreckenden und daher auch als "*multinational*"[15] zu bezeichnenden Marketing ist die Absicherung oder der Ausbau des inländischen Unternehmensbestandes im Wettstreit mit den als Hauptkonkurrenten angesehenen inländischen Mitanbietern durch eine systematische, planvolle Nutzung lukrativer Exportmöglichkeiten oder das "Melken" institutioneller "Auslandsanhängsel"[16]. Ein passiv betriebenes Exportgeschäft, bei dem reaktiv sporadische Nachfragewünsche aus dem Ausland befriedigt werden (siehe das mit einem Kreis markierte Feld in Abbildung 2), ist (gemäß der obigen allgemeinen Definition eines internationalen Marketing) nicht als ein ethnozentrisch orientiertes internationales Marketing zu verstehen.

---

14 Vgl. hierzu und zum vorstehenden Wind, Y., Douglas, S.P., Perlmutter, H.V. (1973), S. 15ff.

15 Dies entspricht nicht der gängigen Definition eines multinationalen Marketing. Meist wird diese Form eines internationalen Marketing entweder gar nicht begrifflich erfaßt oder (unscharf) als *Exportmarketing* bezeichnet.

16 Vgl. Magaziner, I.C., Reich, R.B. (1985), S. 4ff.; Meffert, H. (1988), S. 268.

Gelingt es einer Unternehmung (wie z.B. der *Coca-Cola Comp.*)[17], im Laufe der Zeit auf die gleiche Weise innerhalb der eigenen Länderregion oder weltweit immer mehr Auslandsmärkte zu erobern, wandelt sich das ethnozentrisch orientierte *multinationale* Marketing sukzessive in ein ethnozentrisch orientiertes *länderregionenbezogenes Marketing* (z.B. *Euro-Marketing*) bzw. *globales Marketing* (vgl. Abbildung 2) und damit auch die dominante Zielsetzung des internationalen Marketing, die nunmehr auf die Erringung eines länderregionenbezogenen bzw. weltweiten Unternehmenserfolges im Wettstreit mit den länderregionalen bzw. weltweiten Hauptkonkurrenten gerichtet ist. Es ist daher zu eng gedacht, wenn man (wie häufig zu lesen)[18] das länderregionale Marketing mit einer regiozentrischen und das globale Marketing mit einer geozentrischen Orientierung gleichsetzt. So bemerkt z.B. auch *van Mesdag,* daß "most of today's global food and drink products started life in somebody's home market and were subsequently taken abroad"[19].

Bei einem **polyzentrisch orientierten (auslandsmarktorientierten) internationalen Marketing** erfolgt die Bearbeitung der Auslandsmärkte im Rahmen einer funktionalen oder institutionellen Internationalisierung unter Einsatz von international differenzierten Marketing-Strategien und -Instrumenten. Erstreckt sich die Auslandsgeschäftstätigkeit nur auf einige (regional oder weltweit) ausgewählte Auslandsmärkte, für die im Stammland bzw. in denen durch in Eigenregie, als Tochtergesellschaften oder Joint-Ventures betriebene Fertigungsstätten nationale Produktvarianten hergestellt werden, so liegt ein polyzentrisch orientiertes *multinationales* Marketing vor (vgl. Abbildung 2).

Ein solches, den Inlandsaktivitäten in seinem Stellenwert und in seiner Intensität gleichendes Engagement in mehreren Auslandsmärkten, das von einigen Autoren als ***das*** multinationale Marketing bezeichnet wird[20], zielt darauf ab, sich besser gegen die jeweiligen nationalen Mitanbieter durchzusetzen und dadurch einen internationalen Unternehmenserfolg zu

---

17 Vgl. Toyne, B., Walters, P.G.P. (1993), S. 425f.

18 Vgl. z.B. Kreutzer, R. (1990), S. 16ff.

19 Mesdag, M. van (1985), zitiert bei Whitelock, J.M. (1987), S. 34.

20 Siehe z.B. Meffert, H. (1988), S. 268; ders. (1994), S. 271.

erreichen, zu sichern oder auszubauen[21]. Diese Zielsetzung bleibt unverändert, wenn eine Unternehmung in der Lage ist, im Laufe der Zeit immer mehr Auslandsmärkte einer Region oder weltweit differenziert zu bearbeiten und damit das polyzentrisch orientierte multinationale Marketing in ein polyzentrisch orientiertes *länderregionenbezogenes* bzw. *globales* Marketing zu überführen (vgl. Abbildung 2).

Die Realisierung einer solchen, mögliche Synergiepotentiale unausgeschöpft lassenden Ausprägungsform eines internationalen Marketing mag angemessen sein, wenn die Unterschiede zwischen den einzelnen Auslandsmärkten größer sind als deren Gemeinsamkeiten. Ist dies bei einzelnen geographisch benachbarten Ländern aber nicht der Fall, so empfiehlt sich stattdessen die Verfolgung eines **regiozentrisch orientierten (regional orientierten) internationalen Marketing,** bei dem im Rahmen einer funktionalen oder institutionellen Internationalisierung innerhalb einer bestimmten Länderregion eine weitgehend standardisierte Marktbearbeitung durchgeführt wird.[22]

Die Abdeckung der relevanten Märkte einer Länderregion kann sowohl schrittweise als auch gleichzeitig erfolgen. Im ersteren Fall liegt dann ein regiozentrisch orientiertes *multinationales* Marketing, im letzteren ein regiozentrisch orientiertes *länderregionenbezogenes* Marketing vor (vgl. Abbildung 2). Von einem regiozentrisch orientierten länderregionenbezogenen Marketing kann man auch dann noch sprechen, wenn nicht nur *eine* Länderregion als Zielmarkt ausgewählt wurde, sondern zwei oder mehr, gemessen am Weltmarktvolumen insgesamt aber relativ kleine Länderregionen, die dann mit jeweils differenzierten Marketing-Strategien und -Instrumenten bearbeitet werden. Vereinen die als Zielmärkte sukzessiv oder simultan erschlossenen Länderregionen jedoch den Hauptanteil des Weltmarktvolumens auf sich (wie dies z.B. bei den Ländern der sogenannten Triade[23] der Fall ist), wandelt sich das regiozen-

---

21 Vgl. Wind, Y., Douglas, S.P., Perlmutter, H.V. (1973); Meffert, H. (1988), S. 268; Kreutzer, R. (1990), S. 14f.

22 Vgl. Toyne, B., Walters, P.G.P. (1993), S. 427.

23 Dies sind die nach *Kenichi Ohmae*, einem ehemaligen McKinsey-Consultant, drei wichtigsten Wirtschaftszentren der Welt, nämlich die USA, Europa und Japan; siehe hierzu Ohmae, K. (1985).

trisch orientierte länderregionenbezogene Marketing zu einem regiozentrisch orientierten *globalen* Marketing (vgl. Abbildung 2).

Ein **geozentrisch orientiertes (weltmarktorientiertes) internationales Marketing** reflektiert eine Ländergrenzen ignorierende, weltweite systematische und planvolle Analyse von Erfolgs- und Risikopotentialen, die im Wettstreit mit anderen, insbesondere global agierenden Mitanbietern zum Zwecke des Aufbaues, Erhaltes oder Ausbaues einer Weltmarktstellung im Rahmen einer funktionalen oder institutionellen Internationalisierung durch eine weltmarktorientierte Planung und Implementierung von Marketing-Strategien und -Instrumenten genutzt bzw. vermieden werden sollen.[24] Erfolgt die Abdeckung des Weltmarktes durch eine simultane Bearbeitung aller weltweit relevanten Auslandsmärkte, liegt ein geozentrisch orientiertes *globales* Marketing vor, während bei einem schrittweisen Vorgehen analog zu den anderen Ausprägungsformen eines internationalen Marketing von einem geozentrisch orientierten *multinationalen* bzw. *länderregionenbezogenen* Marketing gesprochen werden muß (vgl. Abbildung 2).

Abschließend muß noch einmal betont werden, daß diese vier Ausprägungsformen eines internationalen Marketing weitgehend idealtypischer Natur sind, in der Unternehmenspraxis folglich zum Teil kombinativ auftreten können. Des weiteren ist zu beachten, daß die jeweils zu realisierende Ausprägungsform kein originäres Entscheidungsproblem des internationalen Marketing-Managements darstellt, sondern sich aus der Realisierung verschiedener strategischer und operativer Entscheidungen ergibt, auf die im nachfolgenden Kapitel kurz einzugehen sein wird.

[24] Vgl. Meffert, H. (1988), S. 269ff.; Kreutzer, R. (1990), S. 16ff.

1.2 Entscheidungstatbestände im internationalen Marketing

Unternehmungen, die eine (weitergehende) Internationalisierung ihrer Geschäftstätigkeit erwägen und schließlich dann auch realisieren, stehen vor der Aufgabe, auf der Basis einer planvollen, systematischen und Schritt für Schritt tiefergehenderen, detaillierteren Analyse und Prognose der jeweiligen externen und internen Unternehmungssituation eine Reihe von interdependenten, insgesamt einen sehr komplexen Verbund bildender Teilentscheidungen zu treffen.[25]

Betrachtet man einmal alleine die im ***funktionalen*** Teilbereich des internationalen Marketing zu treffenden bzw. für ihn konstitutiven Teilentscheidungen, so lassen sich bereits ***neun Entscheidungsfelder*** identifizieren, die ihrerseits wiederum in der Regel mehrere interdependente Entscheidungstatbestände umfassen (vgl. Abbildung 3)[26]. Da eine eigentlich gebotene (weil das Geflecht von Wechselwirkungen am besten erfassende und berücksichtigende) *simultane* Lösung aller Entscheidungsprobleme der großen Komplexität dieser Aufgabenstellung wegen kaum möglich ist, müssen die Teilentscheidungen *sukzessiv*, aber durch Rückkoppelung verbunden und damit gegebenenfalls *iterativ* getroffen werden. Die sich dadurch ergebende Abfolge von Teilentscheidungen, die im internationalen Marketing zu treffen sind, kann dann zum Beispiel wie in Abbildung 3 dargestellt aussehen.

Genetisch-logisch muß es immer zuerst einmal darum gehen, unter Abwägung allgemeiner Internationalisierungschancen und -risiken sowie spezifischer Unternehmungsstärken und -schwächen darüber zu entscheiden, ob überhaupt eine (bzw. eine weitergehende) **Internationalisierung**

---

25 Vgl. auch Dülfer, E. (2001), S. 135.

26 Vgl. hierzu auch die entsprechenden Schemata bei Keegan, W.J. (1980), S. 471; Meissner, H.G. (1981), S. 33; Raffée, H., Segler, K. (1984), S. 280; Steffens, S., Thürbach, R.-P. (1984), S. 47; Wißmeier, U.K. (1992), S. 56; Meissner, H.G. (1995), S. 95 u. 103; Berndt, R., Fantapié Altobelli, S., Sander, M. (1997), S. 8; Meffert, H., Bolz, J. (1998), S. 36.

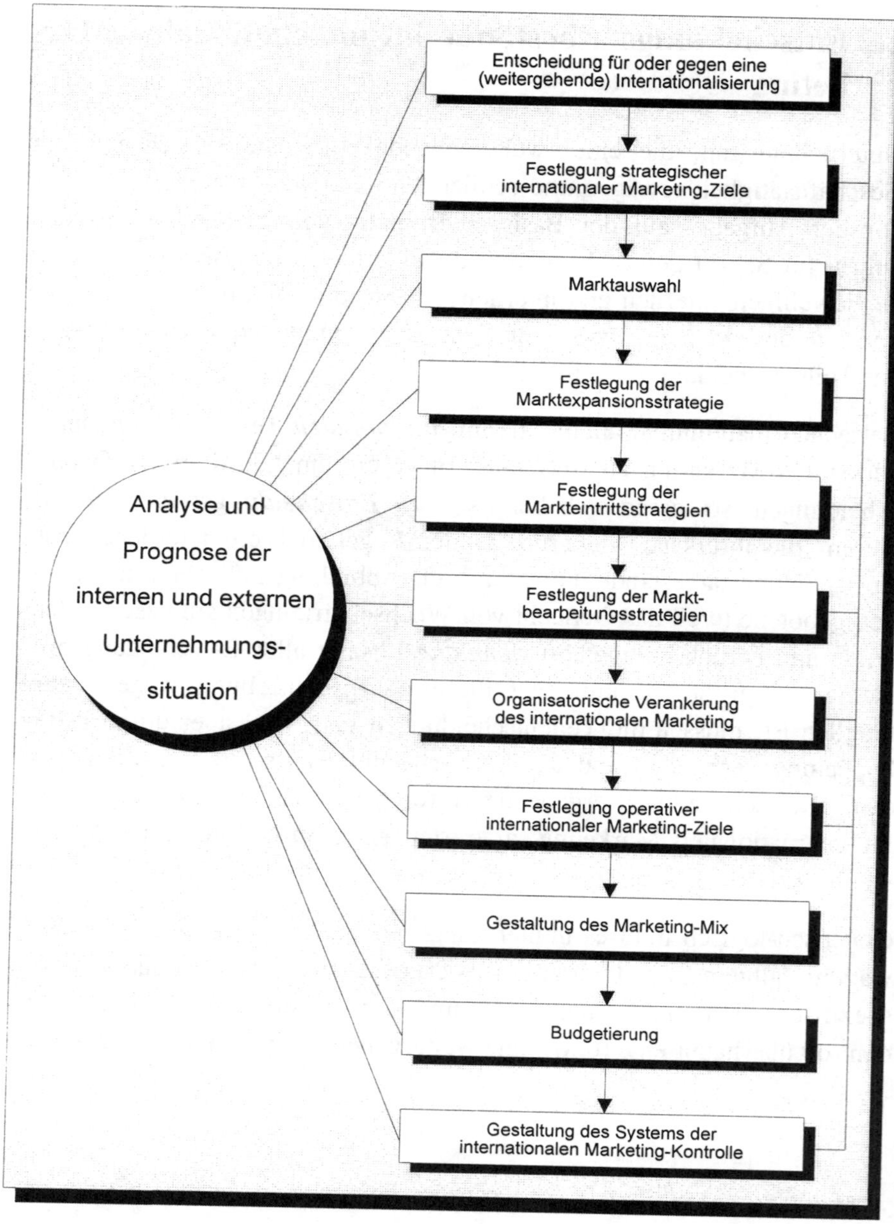

Abbildung 3: Abfolge von Teilentscheidungen im internationalen Marketing

der Geschäftstätigkeit vorgenommen werden soll. Im Falle einer positiven Entscheidung werden daran anschließend aus den Unternehmungsgesamtzielen den jeweiligen Einstellungen des Managements zur Internationalisierung (vgl. Kap. 1.1) gemäß **strategische internationale Marketingziele** abgeleitet.

Im nächsten Schritt erfolgt in einem mehrstufigen, schrittweise verfeinerten Analyse- und Auswahlprozeß unter Anwendung von Filter- und / oder Gruppierungsmethoden[27] die **Identifikation von Auslandsmärkten**, d.h. von Ländermarktbündeln, Ländermärkten, nationalen oder transnationalen Marktsegmenten, in bzw. mit denen die festgelegten Ziele erreicht werden können. Die endgültige Auswahl kann jedoch nicht losgelöst von der geplanten Marktexpansions-, Markteintritts- und Marktbearbeitungsstrategie erfolgen, die ihrerseits wiederum in vielen Fällen sich auch gegenseitig bedingen.

Mit der Festlegung der **Marktexpansionsstrategie** wird darüber entschieden, welche Märkte in welcher zeitlichen Reihenfolge mit welcher Intensität zur Zielerreichung erschlossen und bearbeitet werden sollen.[28] Hierbei ist zwischen *drei Strategiealternativen* zu wählen. Die erste Alternative besteht in der Verfolgung einer sogenannten *"Wasserfall-Strategie" (strategy of market concentration)*, bei der die als erfolgsträchtig identifizierten Auslandsmärkte sukzessive und damit unter jeweils konzentriertem Ressourceneinsatz erschlossen und bearbeitet werden. Bei der zweiten Alternative, der sogenannten *"Sprinkler-Strategie" (strategy of diversification)*, wird dazu konträr verfahren, d.h. die als erfolgsträchtig identifizierten Auslandsmärkte werden simultan und damit je Markt unter Einsatz vergleichsweise geringerer Ressourcen erschlossen und bearbeitet. Die dritte Alternative schließlich stellt eine *Kombination* der beiden vorstehend skizzierten Strategien dar. Eine solche Kombina-

[27] Zu den Methoden und Verfahren der Marktauswahl im internationalen Marketing siehe z.B. Kale, S.H., Sudharshan, D. (1987); Köhler, R., Hüttemann, H. (1989), Sp. 1428ff.; Schneider, D.J.G., Müller, R.W. (1989); Kreutzer, R. (1990), S. 203ff.; Breit, J. (1991); Schneider, D.J.G. (1992), S. 357ff.; Hünerberg, R. (1994), S. 97ff.; Backhaus, K., Büschken, J., Voeth, M. (1996), S. 51ff.; Meffert, H., Bolz, J. (1998), S. 108ff.

[28] Siehe hierzu und zum folgenden Ayal, I., Zif, J. (1979), S. 84ff.; Kreutzer, R. (1990), S. 238ff.; Hünerberg, R. (1994), S. 129ff.; Keegan, W.J. (1995), S. 41ff.; Meffert, H., Pues, C. (1997), S. 253ff.

tion kann beispielsweise so aussehen, daß sich einer zunächst sukzessive, quasi testweise betriebenen Erschließung und Bearbeitung von einigen wenigen Auslandsmärkten eine simultane Erschließung und Bearbeitung der restlichen, als erfolgsträchtig identifizierten Auslandsmärkte anschließt.

Nachdem bislang darüber befunden wurde, welche strategischen Ziele des internationalen Marketing in welchen Märkten erreicht werden sollen, geht es in den darauffolgenden Teilentscheidungen darum, festzulegen, auf welche Weise diese Ziele verwirklicht werden sollen. Damit ist zunächst einmal die Bestimmung der **Strategien des Markteintritts** und der **Marktbearbeitung** gemeint. Während im ersteren Fall eine Auswahl unter den verschiedenen Möglichkeiten einer *funktionalen Internationalisierung* (indirekter oder direkter Export, Lizenzvergabe, Franchising etc.) oder *institutionellen Internationalisierung* (Errichtung/Unterhaltung einer Verkaufsniederlassung, eines Montage- oder Fertigungsbetriebes – jeweils in Eigenregie, als Tochtergesellschaft oder Joint-Venture etc.)[29] zu treffen ist, fächert sich im letzteren Fall ein mehrdimensionales Alternativenspektrum auf.

So ist (sind) vor allem erstens mit der Fixierung der international zu realisierenden Produkt-/Markt-Kombination(en) die *internationale(n) Marktfeldstrategie(n)* festzulegen. Auswahlmöglichkeiten bestehen in den (auch kombinativ verfolgbaren) Strategien einer internationalen Marktdurchdringung/-ausschöpfung, Marktschaffung, produktpolitischen Expansion, (konzentrischen oder lateralen) Diversifikation und (vertikalen oder horizontalen) Integration.[30] Zweitens muß mit der Bestimmung der Art und Weise der vorzunehmenden internationalen Marktstimulierung (Schaffung von Kaufanreizen durch komparative Preis- oder Leistungsvorteile) über die *internationale Marktstimulierungsstrategie* (internationale Preis-Mengen- oder Präferenzstrategie)[31] entschieden werden. Drittens schließ-

---

[29] Zur näheren Darstellung der verschiedenen Formen einer funktionalen und einer institutionellen Internationalisierung siehe Kulhavy, E. (1981), S. 12ff.; Berekoven, L. (1985), S. 39ff.; Hünerberg, R. (1994), S. 115ff.; Backhaus, K., Büschken, J., Voeth, M. (1996), S. 76ff.; Meffert, H., Bolz, J. (1998), S. 124ff.; Dülfer, E. (2001), S. 169ff.

[30] Vgl. hierzu Lambin, J.-J. (1987), S. 216ff.; Wißmeier, U.K. (1992), S. 115; Becker, J. (1998); S. 148ff.

[31] Vgl. hierzu Becker, J. (1998), S. 179ff.

lich ist es notwendig, die Art bzw. den Grad der Differenzierung der internationalen Marktbearbeitung festzulegen, d.h. eine, wie *Becker*[32] sich ausdrückt, *Marktparzellierungsstrategie* auszuwählen.

Alternativen sind die Verfolgung einer Strategie der internationalen Markt-Unifizierung[33] (Einsatz eines international standardisierten Marketing-Programmes und standardisierter Marketing-Aktivitäten mit dem Ziel einer möglichst hohen Abdeckung der gesamten Auslandsmärkte), einer Strategie der internationalen Produkt-Differenzierung[34] (Einsatz differenzierter Marketing-Programme und -Aktivitäten mit dem Ziel einer möglichst hohen Abdeckung der gesamten Auslandsmärkte), einer Strategie der Markt-Segmentierung[35] (Einsatz segmentspezifisch differenzierter Marketing-Programme und -Aktivitäten mit dem Ziel einer möglichst hohen Abdeckung ausgewählter transnationaler Marktsegmente bzw. verschiedener Auslandsmarktsegmente) und einer (im industriellen Sektor allerdings bislang nur für wenige Branchen, wie zum Beispiel den Schiffs- und Großanlagenbau oder die Textilindustrie, relevanten) Strategie der internationalen Markt-Individualisierung[36] (Einsatz einzelkundenspezifisch differenzierter Marketing-Programme und -Aktivitäten mit dem Ziel der Befriedigung besonderer Bedürfnisse einzelner Auslandskunden).

Zu den Teilentscheidungen, mit denen die Art und Weise der Erreichung strategischer internationaler Marketing-Ziele festgelegt wird, können schließlich auch noch jene **Strukturentscheidungen** gezählt werden,

---

32 Vgl. ebenda, S. 237ff.

33 Zum Begriff der *"Strategie der Markt-Unifizierung"* siehe Bauer, E. (1976), S. 93; ders. (1977), S. 24f.

34 Zum Begriff der *"Strategie der Produkt-Differenzierung"* siehe Bauer, E. (1976), S. 93ff.; ders. (1977), S. 25ff.

35 Zum Begriff der *"Strategie der (internationalen) Markt-Segmentierung"* siehe Bauer, E. (1976), S. 112ff.; ders. (1977), S. 31ff.; ders. (1985), S. 144ff.; ders. (1994), S. 209ff.; ders. (2000), S.2795ff.

36 Zur *"Strategie der Markt-Individualisierung"* siehe auch Pine, B.J. (1993), S. 65ff.; Becker, J. (1994), S. 23ff.; Jobber, D. (1995), S. 223f.

welche die **organisatorische Verankerung des internationalen Marketing** betreffen.[37]

Alle diese strategischen Teilentscheidungen determinieren die nachfolgenden operativen Teilentscheidungen, die zunächst in der Festlegung operativer internationaler Marketing-Ziele und dann in der Entwicklung eines jeweils zieloptimalen Marketing-Mix, d.h. in koordinierten Maßnahmenentscheidungen im Bereich der internationalen Produkt-, Distributions-, Kontrahierungs- und Kommunikationspolitik bestehen.[38]

Die Abfolge von Entscheidungstatbeständen im internationalen Marketing endet genetisch-logisch mit der (strategischen und operativen) **Budgetierung**, d.h. der Vorgabe von Leistungsgrößen und finanziellen Mitteln für die einzelnen im internationalen Marketing tätig werdenden Organisationseinheiten[39], sowie mit der Gestaltung bislang noch nicht determinierter Elemente des Systems einer **internationalen Marketing-Kontrolle**[40].

---

[37] Siehe hierzu Dülfer, E. (1985), S. 491ff.; Raffée, H., Kreutzer, R. (1986), S. 10ff.; Welge, M.K. (1989), Sp. 1590ff.; Macharzina, K., Oesterle, M.-J. (1995), S. 309ff.; Perlitz, M. (1997), S. 609ff.; Meffert, H., Bolz, J. (1998), S. 257ff.; Dülfer, E. (2001), S. 147ff.

[38] Siehe hierzu Zentes, J. (1989), Sp. 1395ff.; Kreutzer, R. (1990), S. 273ff.; Berndt, R., Fantapié Altobelli, C., Sander, M. (1997), S. 20ff.; Meffert, H., Bolz, J. (1998), S. 160ff.

[39] Vgl. Keegan, W.J. (1980), S. 534ff.; Blödorn, N. (1994), S. 325ff.

[40] Siehe hierzu Berekoven, L. (1985), S. 216ff.; Kreutzer, R. (1990), S. 99ff.; Hünerberg, R. (1994), S. 412ff.; Auerbach, H., Meissner, H. G. (1995), S. 281ff.; Meffert, H., Bolz, J. (1998), S. 291ff.

1.3 Informationsbedarf für internationale Marketing-entscheidungen

Die Erweiterung des nationalen Marketing-Entscheidungsfeldes um eine internationale Dimension bedingt nicht nur eine **quantitative Ausweitung**, sondern in vielen Fällen darüber hinaus auch eine **qualitative Veränderung** des Informationsbedarfs der Entscheidungsträger. Die **quantitative Ausweitung** des Informationsbedarfs resultiert aus der geographischen Ausweitung der Unternehmenstätigkeit und ist in ihrem Ausmaß abhängig von der jeweils realisierten bzw. intendierten

- Ausprägungsform des internationalen Marketing,
- Marktexpansionsstrategie,
- Markteintrittsstrategie und
- Marktbearbeitungsstrategie.

Konkret bedeutet dies, daß um so mehr Informationen benötigt werden,

- je mehr sich das internationale Marketing von einer Stammlandorientierung entfernt und zu einer Weltmarktorientierung hinbewegt,
- je mehr Auslandsmärkte gleichzeitig erschlossen werden sollen,
- je höher der Grad des *"international involvement"*[41], d.h. das Ausmaß der im Ausland erbrachten Wertschöpfung, sein soll, und
- je differenzierter die Bearbeitung der Auslandsmärkte erfolgen soll.

Wie bereits erläutert, benötigen die Entscheidungsträger im internationalen Marketing häufig nicht nur umfänglichere, sondern auch andersartigere bzw. vielgestaltigere Informationen, als dies für nationale Marketingentscheidungen notwendig ist. Eine solche **qualitative Veränderung** des Informationsbedarfs entsteht, wenn

1. andere Umweltbeziehungen, -erscheinungen und -einflüsse berücksichtigt werden müssen und/oder
2. die Entscheidungsträger über kein bzw. nur ein mangelhaftes länderspezifisches Erfahrungswissen verfügen.

---

[41] Vgl. Berekoven, L. (1985), S. 39; Kulhavy, E. (1989), Sp. 832f.; Simmet-Blomberg, H. (1998), S. 235ff.

Andere Umweltbeziehungen sind zu berücksichtigen, wenn die Unternehmung in ihrer ausländischen Aufgaben-Umwelt[42] auf Interaktionspartner trifft (s. Abbildung 1), die im Stammland entweder überhaupt nicht existieren (z.B. besondere religiöse Autoritäten oder ethnische Nobilitäten) oder nicht bzw. nicht in dieser Merkmalsausprägung relevant sind (z.B. völlig andere Wettbewerber, Absatzmittler oder Kunden bzw. gleiche, aber anders strukturierte Absatzmittler oder Kunden).

Andere Umwelterscheinungen und Umwelteinflüsse kultureller und natürlicher Art (vgl. Abbildung 4) sind zu erfassen, wenn diese auf die externen ausländischen Interaktionspartner einwirken und deren Verhalten beeinflussen.[43]

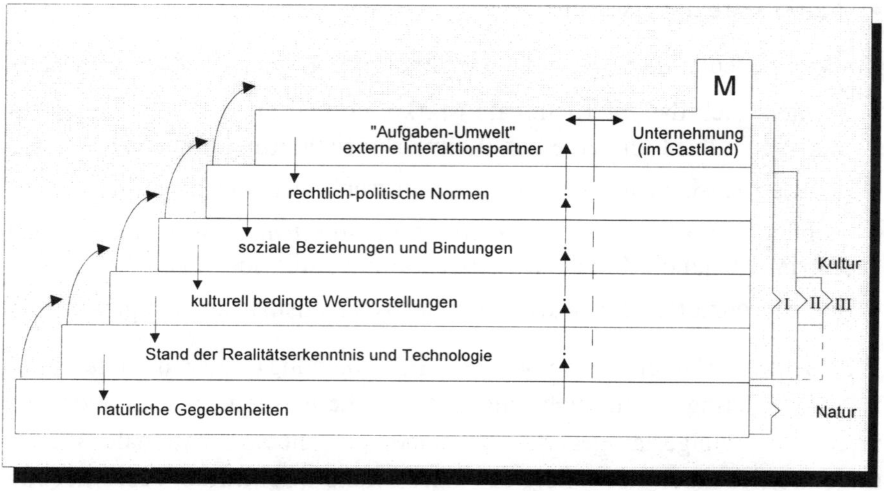

Abbildung 4: Das Schichtenmodell der Umweltberücksichtigung von Dülfer (Vertikalschnitt)
Quelle: Dülfer, E. (2001), S. 261

---

42 Zum Begriff der *"Aufgaben-Umwelt"* siehe Dülfer, E. (2001), S. 249ff.

43 Diese Zweiteilung der Umweltberücksichtigung im internationalen Marketing folgt dem zweidimensionalen genetischen Konzept der Umweltberücksichtigung im internationalen Management von *Dülfer*; siehe dazu ders. (1989), Sp. 2105ff.; ders. (2001), S. 248ff.

Schließlich werden auch solche Informationen benötigt, die im Stammland nicht beschafft zu werden brauchen, weil die Entscheidungsträger sie aus ihren täglichen Erfahrungen und Anschauungen gewonnen und gleichsam unbewußt verfügbar haben.[44] Hierzu zählen z.B. Informationen über "... Verhaltensauswirkungen von ... Glaubensüberzeugungen, religiöse oder sozialethische Tabus oder auch überlieferte, gewohnheitsrechtliche Regelungen"[45].

Diese quantitativ und qualitativ veränderten Informationsbedürfnisse reflektieren eine mit zusätzlichen und höheren Risiken verbundene größere Komplexität des um die internationale Dimension erweiterten Marketing-Entscheidungsfeldes, die es mit Hilfe von **internen** und **externen Situationsanalysen** und **-prognosen** im Verlaufe der strategischen und operativen Entscheidungsprozesse (vgl. Abbildung 3) sukzessive zu reduzieren gilt. Entsprechend den Phasen dieser Entscheidungsprozesse werden dabei Informationen sowohl für die *Planung* benötigt, die mit jeder weiteren Planungsstufe umfänglicher und detaillierter sein müssen, als auch Informationen für die *Implementierung* und *Kontrolle* der strategischen und operativen Planung (vgl. Abbildung 3).[46]

Gruppiert man die Vielzahl der unterschiedlichsten Informationen, die in der Abfolge der einzelnen Teilentscheidungen im internationalen Marketing benötigt werden, nach ihren **Inhalten**, so lassen sich grundsätzlich die folgenden **fünf Kategorien von Informationen** unterscheiden[47]:

1. Informationen über die globalen länderspezifischen Umweltmerkmale:
   - gesamtwirtschaftliche Situation und Trends,
   - gesamtgesellschaftliche Struktur und Entwicklung,
   - politisch-rechtliche Lage und Entwicklung,

---

[44] Vgl. Berekoven, L. (1985), S. 65.

[45] Dülfer, E. (2001), S. 245.

[46] Vgl. Douglas, S.P., Craig, C.S. (1983), S. 28ff.; Kulhavy, E. (1989), Sp. 834.

[47] Zum Informationsbedarf für internationale Marketingentscheidungen und dessen Kategorisierungsmöglichkeiten siehe auch Douglas, S.P., Craig, C.S. (1983), S. 28ff.; Walldorf, E.G. (1987), S. 203ff.; Groves, L. (1994), S. 33ff.; Hünerberg, R. (1994), S. 353f.; Meissner, H.G. (1995), S. 112ff.; Simmet-Blomberg, H. (1995), Sp. 109ff.; Jain, S.C. (1996), S. 341ff.; Meffert, H., Bolz, J. (1998), S. 40ff.; Craig, C.S., Douglas, S.P. (2000), S. 10ff.; Kumar, V. (2000), S. 68ff.

- natürlich-technische Bedingungen.

2. Informationen über die länderspezifischen Aufgabenumwelten:
   - Branchengröße, -struktur und -entwicklung,
   - Nachfragepotential, -volumen, -struktur und -entwicklung,
   - Zahl, Größe, Ziele und Strategien von Konkurrenten,
   - Zahl, Größe und Leistungsfähigkeit von Lieferanten, Banken, Absatz- und Beschaffungsmittlern,
   - Art und Einflußpotential relevanter Gewerkschaften, nationaler, regionaler und kommunaler Behörden, ethnischer Nobilitäten oder religiöser Autoritäten,
   - Einstellung der Öffentlichkeit zu den Aktivitäten ausländischer Unternehmungen im eigenen Land, zum Herkunftsland und zu den Produkten der Unternehmung sowie zur Unternehmung selbst.

3. Informationen über länderspezifische bzw. länderübergreifende Möglichkeiten und Instrumente zur strategischen und operativen Markteinwirkung:
   - Identifikation von kooperationsfähigen und -willigen Partnern,
   - Identifikation von übernahmebereiten/-interessanten Unternehmungen,
   - Identifikation von lukrativen (trans-)nationalen Markt-Segmenten bzw. Markt-Nischen,
   - produkt-, distributions-, kontrahierungs- und kommunikationspolitische Gestaltungsmöglichkeiten.

4. Informationen über potentielle länderspezifische bzw. länderübergreifende Marktreaktionen, d.h. über die Konsequenzen und Wirkungen, mit denen bei alternativen Marketingaktivitäten in konkreten Situationen zu rechnen ist, und Informationen über die aktuellen Reaktionen jener Auslandsmärkte, in denen die Unternehmung bereits tätig ist.

5. Informationen über die interne Situation des Unternehmens:
   - zur Internationalisierung einsetzbare Ressourcen (finanzieller, personeller, kapazitativer und anderer Art),
   - allgemeines bzw. jeweiliges länderspezifisches Internationalisierungs-Know-how,
   - allgemeine bzw. jeweilige länderspezifische Internationalisierungsstärken und -schwächen etc.

1.4 Informationsbedarfsdeckung für internationale Marketingentscheidungen

1.4.1 Informationsbedarfsdeckung durch internationale Beschaffungs-, Arbeits-, Geld- und Kapitalmarktforschungen

Die obige Auflistung von Informationen, die für internationale Marketingentscheidungen benötigt werden, läßt erkennen, was bereits bei der Skizzierung der einzelnen im internationalen Marketing zu treffenden Teilentscheidungen implizit angedeutet wurde, daß nämlich einige dieser Teilentscheidungen einen *multifunktionalen* Charakter haben[48], d.h. nicht nur den betrieblichen Funktionsbereich Marketing, sondern auch andere Funktionsbereiche, wie z.B. die Beschaffung (von Sachgütern, Dienstleistungen und Personal), Logistik, Produktion und Finanzierung, betreffen.

Drei von *Douglas/Craig* angeführte Beispiele können diesen Tatbestand verdeutlichen:

"In selecting countries, for example, an important issue may well be not only the development of market growth in that country, but also the possible sources of supply that it offers. This suggests ... identifying and evaluating alternative suppliers or sources of supply. Similarly, decisions about the mode of operation also entail decisions about the degreee of equity exposure and the location of foreign production. Consequently, analysis of political risk, foreign exchange rates, and financial markets; and investigation of the production and shipment costs associated with alternative logistical strategies will be required. Similarly, pricing decisions need take into consideration currency fluctuations, foreign exchange risk, and market factors."[49]

Zur Fundierung solcher Entscheidungen bedarf es folglich nicht nur der Informationsgewinnung durch eine (nachfolgend noch zu erläuternde) **internationale Marketingforschung**, sondern auch einer Informationsgewinnung durch eine internationale Beschaffungs-, Arbeits-, Geld- und

---

[48] Vgl. hierzu auch Douglas, S.P., Craig, C.S. (1983), S. 19f.

[49] Ebenda, S. 19.

Kapitalmarktforschung, auf die hier aber nicht näher eingegangen werden kann.[50]

1.4.2 Informationsbedarfsdeckung durch internationale Marketingforschungen

1.4.2.1 Definition, Aufgaben und Formen einer internationalen Marketingforschung

In Analogie zu dem anglo-amerikanischen Begriff *"international marketing research"*[51] kann die **internationale Marketingforschung** definiert werden als systematischer Prozeß der Gewinnung, Analyse und Interpretation von Informationen zur Fundierung von Entscheidungen im internationalen Marketing.

Mit dieser Definition wird dreierlei zum Ausdruck gebracht. Erstens ist die internationale Marketingforschung durch die Betonung ihres systematischen Charakters deutlich zur **internationalen Markterkundung** bzw. **Auslandsmarkterkundung** abzugrenzen, die lediglich ein zufälliges, gelegentliches Durchleuchten von internationalen Märkten bzw. bestimmten Auslandsmärkten beinhaltet.[52] Zweitens ist die internationale Marketingforschung als ein Informationsgewinnungs- und -verarbeitungsprozeß zu verstehen, der mehrere Phasen bzw. Stufen umfaßt (s. auch Kap. 1.4.2.5).

Und drittens schließlich wird mit der Verdeutlichung der generellen Aufgabe bzw. des generellen Zweckes der internationalen Marketingforschung auf eine Abgrenzung

- zum einen zur **internationalen Marktforschung**[53], **Auslandsmarktforschung**[54] und **Exportmarktforschung**[55] hingewiesen, die alle drei

---

[50] Siehe hierzu z.B. Lohrberg, W. (1978); Hammann, P., Lohrberg, W. (1986), S. 73ff.

[51] Siehe z.B. die Definitionen von Douglas, S.P., Craig, C.S. (1983), S.X; Toyne, B., Walters, P.G.P. (1993), S. 364.

[52] Vgl. auch Meffert, H. (1992), S. 15.

[53] Siehe hierzu Toyne, B., Walters, P.G.P. (1993), S. 364.

[54] Siehe hierzu Rippel, K. (1962), S. 28; Meissner, H.G. (1981), S. 44ff.

alleine auf eine systematisch betriebene Analyse von **Märkten**, also internationalen Märkten, bestimmten Auslands- oder Exportmärkten, fokussiert sind,

- sowie zum anderen zu einer **theorieorientierten** bzw. **akademischen internationalen Marketingforschung** abgestellt, die auf die Überprüfung einer kulturspezifischen, kulturübergreifenden oder gar universellen Gültigkeit theoretischer Konzepte und nomothetischer Aussagen über verhaltensbezogene Phänomene abzielt.[56]

Die **speziellen Aufgaben bzw. Zwecke** einer internationalen Marketingforschung lassen sich nach verschiedenen Kriterien systematisieren. Ein erstes Kriterium kann dabei der *Inhalt* oder *Bezugsbereich* der zu gewinnenden und zu verarbeitenden Informationen sein. Wie bereits in Kap. 1.3 dargelegt wurde, ergeben sich dann fünf verschiedene Aufgaben einer internationalen Marketingforschung, nämlich die Gewinnung, Analyse und Interpretation von:

- Informationen über globale länderspezifische Umweltmerkmale,
- Informationen über länderspezifische Aufgabenumwelten,
- Informationen über länderspezifische bzw. länderübergreifende Möglichkeiten und Instrumente zur Markteinwirkung,
- Informationen über aktuelle und/oder potentielle länderspezifische bzw. länderübergreifende Marktreaktionen,
- Informationen über die internationalisierungsrelevante interne Situation der Unternehmung.

Als ein zweites Systematisierungskriterium bietet sich die *Art der Teilentscheidung* im Prozeß der internationalen Marketingplanung an, für welche die internationale Marketingforschung eine informationelle Basis schaffen soll (vgl. Abbildung 3). Folgt man diesem Kriterium, hat die internationale Marketingforschung zur Aufgabe, Informationen bereitzustellen zur:

---

55 Siehe hierzu Kennessy, V. (1961); Rippel, K. (1962), S. 28.

56 Siehe hierzu z.B. Holzmüller, H.H. (1995); Salzberger, T. (1999), S. 32f. und S. 56; Craig, C.S., Douglas, S.P. (2000), S. xvi; Salzberger, T., Sinkovics, R.R., Schlegelmilch, B.B. (2001), S. 190ff.

- Entscheidung für oder gegen eine (weitergehende) Internationalisierung,
- Festlegung realistischer strategischer internationaler Marketing-Ziele,
- Auswahl erfolgversprechender Auslandsmärkte,
- Festlegung geeigneter Marktexpansions-, Markteintritts- und Marktbearbeitungsstrategien,
- Festlegung realistischer operativer internationaler Marketing-Ziele,
- Gestaltung zielführender Marketingmaßnahmenprogramme,
- Aufstellung sachlich begründeter strategischer und operativer Budgets.

Drittens kann auch noch nach den *Prozeßphasen* internationaler Marketingentscheidungen[57] in einer groben Unterteilung zwischen folgenden Aufgaben unterschieden werden:

- Bereitstellung von Informationen zur Planung von strategischen internationalen Marketing-Zielen und internationalen Marketing-Strategien,
- Bereitstellung von Informationen zur Planung von operativen internationalen Marketing-Zielen und -Maßnahmenprogrammen,
- Bereitstellung von Informationen zur strategischen internationalen Marketing-Kontrolle (Planfortschrittskontrolle, Prämissenkontrolle, strategische Überwachung),
- Bereitstellung von Informationen zur operativen internationalen Marketing-Kontrolle (Ergebniskontrolle)[58].

Der Vielzahl unterschiedlicher Informationen, die eine internationale Marketingforschung bereitzustellen hat, steht eine Vielfalt ihrer **Ausprägungsformen** gegenüber. So lassen sich einmal nach der Art der die Informationsbeschaffung, -analyse und -interpretation durchführenden Organisation die Formen der **betrieblichen internationalen Marketingforschung** und der **internationalen Institutsmarketingforschung** unterscheiden, von denen letzterer aus vielerlei Gründen (s. Kap. 4.3) die

---

57 Siehe Meffert, H., Bolz, J. (1998), S. 35ff.

58 Zu diesen Kontrollarten siehe Schreyögg, G., Steinmann, H. (1985), S. 401ff.; Böcker, F. (1988), S. 60ff.; Hasselberg, F. (1991), S. 20f.; Steinmann, H., Schreyögg, G. (1993), S. 221ff.

größere Bedeutung zukommt. Zweitens kann man nach dem Analysebereich zwischen einer **betriebsbezogenen** (d.h. auf die für ein internationales Marketing relevanten innerbetrieblichen Sachverhalte bezogenen) und einer **umweltbezogenen internationalen Marketingforschung** differenzieren.[59] Welche Informationen mit Hilfe der einen oder der anderen Form einer internationalen Marketingforschung gewonnen werden können, wurde bereits in Kap. 1.3 umrissen.

Zu einer dritten Klassifikation gelangt man, wenn die Art der Analyseeinheit einer internationalen Marketingforschung als Unterscheidungskriterium herangezogen wird. Und zwar läßt sich dementsprechend zwischen einer **länderregionen**- bzw. **ländergruppenbezogenen, länderbezogenen, länderproduktmarktbezogenen** und einer auf **(trans-)nationale Marktsegmente bezogenen internationalen Marketingforschung** unterscheiden.[60]

Traditionell waren und sind einzelne Länder die gebräuchlichsten Analyseeinheiten einer internationalen Marketingforschung.[61] Der Hauptgrund hierfür ist wohl darin zu suchen, daß die Gewinnung länderbezogener Informationen (wie z.B. über die Bevölkerungsgröße, die Höhe des Bruttosozialproduktes, des Pro-Kopf-Einkommens oder der Inflationsrate) relativ problemlos, schnell und kostengünstig erfolgen kann. Solche Analysen haben für internationale Marketingentscheidungen aber einen sehr eingeschränkten Informationswert[62], sollten daher immer nur zusammen mit länderproduktmarkt- oder segmentbezogenen Analysen durchgeführt werden.

Viertens kann man nach dem geographischen Bezug der informationell zu fundierenden internationalen Marketingentscheidungen zwischen einer **Auslandsmarketingforschung** und einer **multinationalen**, d.h. **international vergleichenden Marketingforschung** unterscheiden.[63] Als Aus-

---

59 Vgl. Douglas, S.P., Craig, C.S. (1983), S. 37f.

60 Vgl. ebenda, S. 33 ff.; Dahringer, L.D., Mühlbacher, H. (1991), S. 239f.

61 Vgl. ebenda.

62 Vgl. z.B. Liander, B. (Hrsg.) (1967) und die kritische Würdigung dieses Buches von Sethi, S.P., Holton, R.H. (1969), S. 502f.

63 Vgl. hierzu und zum folgenden Douglas, S.P., Craig, C.S. (1983), S.233ff.; Bauer, E. (1989), S. 174ff.

landsmarketingforschung ist die auf ein einzelnes Land bzw. einen einzelnen Auslandsprodukt(teil)markt fokussierte und damit national begrenzte Marketingentscheidungen fundierende internationale Marketingforschung zu bezeichnen, während eine multinationale Marketingforschung eine mehrere Länder bzw. Länderprodukt(teil)märkte vergleichende Analyse beinhaltet und damit zur Lösung mehrere Länder gemeinsam betreffender Marketingentscheidungsprobleme heranzuziehen ist.

Solche Entscheidungsprobleme stellen sich vor allem dar als:

- Probleme der Auswahl oder Aufgabe von Länderprodukt(teil)märkten oder transnationalen Marktsegmenten,
- Probleme der raum-zeitlichen Konkretisierung einer internationalen Marktexpansionsstrategie,
- Probleme der Marktbearbeitungsgestaltung (differenzierte vs. standardisierte Marktbearbeitung) und als
- Probleme der internationalen Ressourcenallokation.

Fünftens lassen sich nach der Art der Informationsgewinnung **sekundär- und primärstatistische internationale Marketingforschungen** unterscheiden (s. Kap. 2 und 3). Sekundärstatistische internationale Marketingforschungen haben die Beschaffung, Analyse und Interpretation von bereits (unternehmungsintern oder -extern) vorliegendem Informationsmaterial zur Aufgabe. Demgegenüber wird bei primärstatistischen internationalen Marketingforschungen der Informationsbedarf durch die Gewinnung, Analyse und Interpretation neuen Datenmaterials gedeckt.

Letztlich kann man sechstens gemäß dem jeweiligen Aussagegehalt der mit Hilfe einer internationalen Marketingforschung gewonnenen Informationen zwischen einer **explorativen, deskriptiven** und **kausalen (explikativen) internationalen Marketingforschung** differenzieren.[64]

Explorative internationale Marketingforschungen sind meist sekundärstatistisch oder auf dem Wege einer Gruppendiskussion bzw. Experten-

---

64 Vgl. hierzu und zum folgenden Czinkota, M.R. (1988), S. 394f.; Tietz, B. (1989), Sp. 1458f.; Toyne, B., Walters, P.G.P. (1993), S. 368; Burns, A.C., Bush, R.F. (1995), S. 102ff; Nieschlag, R., Dichtl, E., Hörschgen, H. (1997), S. 675ff.;

befragung durchgeführte Voruntersuchungen, die der Erhellung und Strukturierung des Marketing(forschungs)problems dienen. Ihr Einsatz ist immer dann angezeigt, wenn die vorhandene landes(produktmarkt)- oder segmentspezifische Problemkenntnis noch so mangelhaft oder unstrukturiert ist, daß keine präzise Identifikation und Definition des Marketing(forschungs)problems erfolgen kann.

Deskriptive internationale Marketingforschungen dienen einer möglichst genauen Erfassung und Beschreibung der interessierenden Tatbestände. Zielsetzung **kausaler (explikativer)** internationaler Marketingforschungen ist es, bereits erfaßte Tatbestände verläßlich zu erklären und entsprechende Ursachen-Wirkungszusammenhänge zu ermitteln, die dann als Entscheidungshilfen bei der Gestaltung operativer Maßnahmenprogramme oder als Grundlage für internationale Absatzprognosen Verwendung finden können.

1.4.2.2 Anforderungen an internationale Marketingforschungsinformationen

Wenn die mit Hilfe einer internationalen Marketingforschung gewonnenen Informationen die verschiedenen Teilentscheidungen, die im Verlaufe des Planungsprozesses eines internationalen Marketing zu treffen sind, auf eine abgesicherte, objektivierte informationelle Basis stellen sollen, haben sie verschiedenen Qualitätsanforderungen oder -kriterien zu genügen. Bei Durchführung einer *sekundärstatistischen* internationalen Marketingforschung bedeutet dies, daß nur jenes (unternehmungsintern oder -extern) bereits vorliegende Datenmaterial ausgewertet werden sollte, das diesen Anforderungen weitgehend standhält, während bei einer *primärstatistischen* internationalen Marketingforschung deren Anlage und Durchführung so zu gestalten sind, daß die zu erhebenden Daten die geforderten Qualitätsstandards aufweisen.

Im einzelnen sind insbesondere folgende **Qualitätskriterien** zu beachten bzw. einzuhalten[65]:

1. **Entscheidungsrelevanz.** Aufgabe einer internationalen Marketingforschung ist es nicht, breite, facettenreiche enzyklopädische Länderinformationen zur Verfügung zu stellen, sondern ganz gezielt nur solche Sachverhalte aufzuklären, die für die internationalen Marketingentscheidungen einer Unternehmung von Relevanz sind. *Terpstra* drückt dies sehr anschaulich wie folgt aus: "In courtroom language, the researcher is not interested in the "whole truth", but in that part of the "truth" that affects the firm"[66].

2. **Vollständigkeit.** Informationen sind unvollständig, wenn dem Entscheidungsträger im internationalen Marketing Teile der entscheidungsnotwendigen Informationen nicht bekannt sind. Es besteht dann folglich eine Diskrepanz zwischen den faktisch vorhandenen und den für die Entscheidungsbildung objektiv notwendigen bzw. subjektiv als notwendig erachteten Informationen. Kosten-/Nutzen-Abwägungen können allerdings bewirken, daß eine solche Informationslücke bewußt in Kauf genommen wird.[67]

3. **Aktualität.** Informationen der internationalen Marketingforschung sind um so wertvoller, je aktuellere Daten zur Beschreibung, Erklärung und Prognose der Unternehmungs- und Umweltsituationen (mit)herangezogen worden sind bzw. werden. Wenn bei einer sekundärstatistischen internationalen Marketingforschung z.B. auf die Daten amtlicher Statistiken zurückgegriffen werden muß, sind Aktualitätsdefizite allerdings sehr häufig unvermeidbar, weil in einigen Ländern Volkszählungen und andere nationale Erhebungen nur sporadisch oder in großen Zeitabständen durchgeführt werden.[68]

---

65 Vgl. zum folgenden auch Douglas, S.P., Craig, C.S. (1983), S. 78ff. und S. 236ff.; Meffert, H. (1992), S. 180f.; Jain, S.C. (1993), S. 388ff.; Toyne, B., Walters, P.G.P. (1993), S. 376f.; Terpstra, V., Sarathy, R. (1994), S. 234ff.; Simmet-Blomberg, H. (1998), S. 155ff.; Berekoven, L., Eckert, W., Ellenrieder, P. (2001), S. 26ff.

66 Terpstra, V. (1983), S. 200.

67 Vgl. hierzu z.B. Berekoven, L., Eckert, W., Ellenrieder, P. (2001), S. 29ff.

68 Vgl. Terpstra, V. (1983), S. 181.

4. **Genauigkeit.** Die Genauigkeit von Informationen ist eine an die einzelnen nationalen oder segmentbezogenen Datensätze zu stellende Anforderung, die sowohl eine formale als auch eine inhaltliche Dimension aufweist. Mit der formalen Dimension ist die *Reliabilität (Zuverlässigkeit)* von Informationen gemeint, die sich im Ausmaß der inneren Konsistenz und Zeitstabilität bzw. Reproduzierbarkeit der erhobenen Daten ausdrückt. Die materielle Dimension betrifft die *Validität (Gültigkeit)* von Informationen und bezieht sich auf die Frage, ob die erhobenen Daten tatsächlich den zu untersuchenden Sachverhalt zu beschreiben oder zu erklären vermögen. Verschiedene, später noch zu erläuternde Ursachen (s. Kap. 1.4.2.3) führen sehr oft dazu, daß die Reliabilität und Validität verschiedener nationaler Datensätze ein unterschiedliches Ausmaß aufweisen.

5. **Vergleichbarkeit.** International vergleichende bzw. multinationale Marketingforschungen, die sich (allgemein gesagt) mit der systematischen Erfassung, Klassifikation und Interpretation von länder(produktmarkt)- oder segmentbezogenen Gemeinsamkeiten und Unterschieden befassen[69] (s. Kap. 1.4.2.1), müssen auf vergleichbaren länder(produktmarkt)- oder segmentbezogenen Datensätzen basieren. Konkret bedeutet dies, daß

   - die einzelnen länder(produktmarkt)- oder segmentbezogenen Datensätze sich alle auf den gleichen Untersuchungssachverhalt beziehen und
   - die Datensatzrelationen die tatsächlichen Sachverhaltsrelationen zwischen den jeweiligen Ländern, Länderproduktmärkten oder Marktsegmenten abbilden müssen.

Diese beiden Grundbedingungen zu erfüllen, mag bei einer *primärstatistischen* internationalen Marketingforschung in einigen Fällen auf demselben Wege möglich sein wie bei einer intranational vergleichenden (z.B. den niedersächsischen und hessischen Markt für ein bestimmtes Produkt vergleichenden) Marketingforschung, nämlich dadurch, daß man immer und überall von demselben Untersuchungsplan ausgeht und die Datenerhebung auf immer dieselbe Art und Weise durchführt. In der

---

69 Vgl. auch Wich, D.J. (1989), S. 21ff.

Mehrzahl der Fälle hat die Unterschiedlichkeit der einzelnen nationalen Umweltsituationen, in denen die Informationsgewinnung erfolgt, jedoch zur Konsequenz, daß eine solche Standardisierung der multinationalen Marketingforschung entweder überhaupt nicht möglich ist (z.B. sind nicht in allen Ländern national repräsentative schriftliche oder telefonische Befragungen durchführbar) oder aber nicht sinnvoll ist, da sie zu nicht vergleichbaren nationalen Erhebungsergebnissen führt.[70]

Gefordert ist hier folglich eine den unterschiedlichen nationalen Umweltsituationen einerseits und den beiden oben dargelegten Grundbedingungen andererseits Rechnung tragende Differenzierung verschiedener Strukturelemente der multinationalen Marketingforschung.

Bei *sekundärstatistischen* internationalen Marketingforschungen führen verschiedene Ursachen dazu, daß die Vergleichbarkeit von länder(produktmarkt)bezogenen Datensätzen häufig eingeschränkt ist. Zu erwähnen sind hier beispielhaft unterschiedliche Definitionen und Klassifikationen von Erhebungseinheiten sowie unterschiedliche Erhebungszeitpunkte, Erhebungsmethoden und Auswertungsmethoden (s. hierzu auch Kap. 2.3.2).

Der Vergleichbarkeitsanforderung müssen jedoch nicht nur die Informationen einer *explizit multinationalen* Marketingforschung genügen, sondern auch jene, die im Rahmen einer (auf ein Land, einen Ländermarkt oder einen Länderteilmarkt zielenden) *Auslandsmarketingforschung* gewonnen oder beschafft, analysiert und interpretiert werden, damit die Resultate dieser Auslandsmarketingforschung später einmal mit denen anderer Auslandsmarketingforschungen verglichen werden können.[71]

---

70 Vgl. hierzu z.B. Webster, L.L. (1966), S. 14ff.; Berent, P.H. (1975), S. 293ff.; Douglas, S.P., Craig, C.S. (1983), S. 132ff.; Holzmüller, H.H. (1986b), S. 54

71 Vgl. Downham, J. (1986), S. 643.

1.4.2.3 Besonderheiten und Probleme einer internationalen Marketingforschung

In bezug auf die zur Datenerhebung, -aufbereitung, -verdichtung und -analyse verwendeten Instrumente und Methoden unterscheidet sich die internationale Marketingforschung nicht von einer nationalen Marketingforschung. Auf ihre Darstellung kann daher im weiteren verzichtet und diesbezüglich interessierten Lesern eine Lektüre der einschlägigen Lehrbücher empfohlen werden.[72]

Wie bereits erwähnt, erfolgt die Datengewinnung bei einer internationalen Marketingforschung jedoch nicht nur in mehreren, sondern auch verschiedenartigeren, unbekannteren und insgesamt komplexeren Umweltsituationen als bei einer nationalen Marketingforschung. Dies aber hat neben einer quantitativen und qualitativen Veränderung der Informationsaufgabe zur Folge, daß bei einer internationalen Marketingforschung **konzeptuelle**, **methodologische** und **organisatorische Probleme** auftreten, die einer nationalen Marketingforschung in der Regel fremd sind.

Wichtige **internationale Unterschiede der Umweltsituationen**, die solche Probleme hervorrufen und damit die Planung und Durchführung einer internationalen Marketingforschung beeinflussen, sind vor allem solche **sozio-kultureller**, **infrastruktureller**, **produktmarktbezogener** und **informationsmarktbezogener** Art.

Sozio-kulturelle Unterschiede zwischen nationalen Umweltsituationen werden zunächst einmal im Gebrauch unterschiedlicher Sprachen augenfällig. Für die internationale Marketingforschung sind solche **Sprachunterschiede** von besonderer Relevanz, weil ihr Vorliegen nicht nur Übersetzungs- und Kommunikationsprobleme, sondern in einigen Fällen auch Organisationsprobleme hervorruft.

In Anlehnung an *Sechrest/Fay/Zaidi*[73] lassen sich bei einer primärstatistischen internationalen Marketingforschung insgesamt vier Problemberei-

---

[72] Zu erwähnen sind beispielsweise die Lehrbücher von Churchill, G.A. (1991); Böhler, H. (1992); Hammann, P., Erichson, B. (1994); Kinnear, T.C., Taylor, J.R. (1996); Hüttner, M. (1997); Berekoven, L., Eckert, W., Ellenrieder, P. (2001).

[73] Vgl. Sechrest, L., Fay, T.L., Zaidi, S.M.H. (1972), S. 42f.

che einer Übersetzung unterscheiden. Der *erste*, häufig übersehene Problembereich betrifft die Übersetzung der den Untersuchungseinheiten mündlich (durch die Interviewer) oder schriftlich (in Form von Ankündigungs- oder Begleitschreiben) zu übermittelnden *Begründung des Forschungsvorhabens*.

Der *zweite* Problembereich beinhaltet die *Übersetzung von Instruktionen* für das die Feldarbeit durchführende Personal oder für die Untersuchungseinheiten - beispielsweise von Instruktionen bezüglich der Durchführung bestimmter Handlungen (wie die Art der Darbietung von Vorlagen oder des Testens von Produkten), der Art der Beantwortung bestimmter Fragen oder der Erfassung bestimmter Beobachtungen bzw. Antworten.

Der *dritte* Problembereich erstreckt sich einmal auf den wohl offensichtlichsten Übersetzungsbedarf, nämlich die *Übersetzung von Fragen* und (bei einem Vorliegen von sogenannten "geschlossenen" Fragen) von skalierten oder unskalierten *Antwortvorgaben*. Dabei ist zu beachten, daß solche Übersetzungen (zumindest teilweise) selbst dann notwendig sein können, wenn in die internationale Marketingforschung Länder desselben Sprachraumes einbezogen werden.

Dies mag zunächst widersinnig erscheinen, erklärt sich aber durch die in diesen Ländern oft vorzufindende Unterschiedlichkeit der Sprachentwicklung und des Sprachgebrauchs. So muß z.B. das in Großbritannien gebräuchliche Adjektiv *adequate* in das singapurianische Englisch mit *can do* "übersetzt" werden[74], ist das amerikanische *sofa* in Kanada eine *chesterfield* und in Australien eine *couch*, oder werden Autoreifen in Kuba als *gomas*, in Mexiko als *uantas*, in Venezuela als *cauchos*, in Argentinien als *cubiertas* und in Zentralamerika als *neumáticos* bezeichnet[75]. Der Tatbestand, daß insbesondere in den Ländern des spanischen Sprachraumes sehr große Unterschiedlichkeiten der Sprachentwicklung und des Sprachgebrauchs zu verzeichnen sind, dokumentiert sich auch darin, daß das Software-Programm *Microsoft Word* in 15 spanischspra-

[74] Vgl. Aldridge, D. (1983), S. 23.

[75] Vgl. McConnell, J.D. (1972), S. 264.

chigen Versionen angeboten wird, während die Zahl der englischsprachigen Versionen auf 9 "begrenzt" werden konnte.[76]

Zum anderen kann es sich aber auch als notwendig erweisen, *nonverbale Stimuli*, d.h. Vorlagen in der Form von Bildern, Graphiken, Fotos etc. oder graphisch unterstützte Antwortvorgaben (wie z.B. Leiter- oder Flächenskalen), wegen kulturbedingt unterschiedlicher Stimulusinterpretationen quasi zu "übersetzen" (s. hierzu Kap. 3.3.3).

Der *vierte* Problembereich umfaßt schließlich die Übersetzung der auf offene Fragen oder in einem Interview gegebenen *Antworten*. Aus Zeit- und Kostengründen empfiehlt es sich jedoch in den meisten Fällen, nicht jede individuelle Antwort zu übersetzen, sondern zunächst die Antworten in ihrer jeweiligen Sprache zu kategorisieren und dementsprechend auszuzählen, um dann daran anschließend lediglich die jeweils vorgegebenen Antwortkategorien in die Zielsprache zu übertragen. Um hierbei sicherzustellen, daß in allen Sprachen äquivalente Antwortkategorien entwickelt werden, bedarf es im Falle der erstmaligen Zusammenarbeit mit ausländischen Partnern oder Mitarbeitern allerdings einer vorherigen Übersetzung und Übermittlung der zu beachtenden Kategorisierungsregeln[77].

Bei einer *sekundärstatistischen* internationalen Marketingforschung reduziert sich zwar die Anzahl der Problembereiche (zu übersetzen ist ja lediglich das im Ausland beschaffte *Informationsmaterial*), keinesfalls aber immer auch der Schwierigkeitsgrad einer Übersetzung. So ist insbesondere auch bei diesen Übersetzungen darauf zu achten, daß die Bedeutungsinhalte von Begriffen, Symbolen und Zeichen oder die Schreib- und Ausdrucksweisen selbst zwischen den Ländern ein und desselben Sprachraumes differieren können.

Zwei kleine Beispiele mögen dies belegen: In Großbritannien (und Deutschland) ist eine Billion gleich 1 Million Millionen bzw. 1.000 Milliarden (10^{12}), in den USA (sowie in Frankreich und Rußland) dagegen 1.000 Millionen bzw. 1 Milliarde (10^9); und in Puerto Rico werden De-

---

[76] Vgl. Doctor, V. (2001b), S. 29.

[77] Vgl. Brislin, R.W. (1980), S. 403ff.

zimalbrüche mit einem Punkt, in den übrigen lateinamerikanischen Ländern dagegen mit einem Komma geschrieben.[78] Daraus wird deutlich, daß selbst bei einem gleich- bzw. zielsprachigen Informationsmaterial einige "Übersetzungsarbeit" notwendig sein kann.

Neben Übersetzungsproblemen können sprachliche Unterschiede auch Probleme bei der Kommunikation mit all jenen ausländischen Institutionen oder Einzelpersonen hervorrufen, die im Verlaufe des Planungs- und Realisationsprozesses einer internationalen Marketingforschung kontaktiert bzw. in diese Prozesse einbezogen werden müssen. Allerdings sind derartige Kommunikationsprobleme wohl nicht immer nur sprachlich begründet, die geographische Distanz und vor allem die unterschiedlichen Denkgewohnheiten, Wertvorstellungen, Konventionen und (bei einer personalen Kommunikation) Verhaltensäußerungen sind dafür häufig von noch größerer Bedeutung.[79]

Werden in die Untersuchung Länder einbezogen, in denen mehrere (Stammes-)Sprachen gesprochen werden (wie z.B. in Indien, wo es neben 19 offiziellen Amtssprachen noch mehr als 200 Dialekte gibt[80], oder in verschiedenen afrikanischen Ländern)[81], tritt bei einer *primärstatistischen* Marketingforschung das Problem auf, geeignete Interviewer zu finden, die diese Sprachen fließend sprechen. Denn die jeweils landesgebräuchliche *lingua franca* (z.B. Englisch, Französisch oder Suaheli) zu verwenden, stellt nur bei bestimmten Zielgruppenbefragungen oder bei der Ermittlung einfachster Sachverhalte, aber nicht bei national repräsentativen Befragungen oder bei der Ermittlung von sensitiven Sachverhalten eine wirklich befriedigende Lösung dieses Vielsprachenproblems dar. So betont denn auch *Downham*[82], daß "we are unlikely to get the right information on (for example) attitudes towards different products if the housewife is having to express herself in a tongue which is not her customary one".

---

78 Vgl. Toyne, B., Walters, P.G.P. (1993), S. 373.

79 Vgl. Dunn, S.W. (1974), S. 4/361f.; Downham, J. (1986), S. 631.

80 Vgl. Abel, S. (1996), S. 9.

81 Eine Auflistung von sprachlich relativ homogenen und sprachlich heterogenen Ländern ist im Anhang A zu finden.

82 Downham, J. (1986), S. 632.

Sozio-kulturelle Unterschiede zwischen nationalen Umweltsituationen drücken sich auch in dem komplexen Geflecht von **unterschiedlichen Sozialstrukturen, kollektiven Wertsystemen, Normen** und **Mentalitäten** aus. Wenn man mit Sozialstruktur all das bezeichnet, was einer Gesellschaft das i.S. einer dynamischen Kontinuität zu interpretierende Verharren in der Zeit erlaubt[83], so stellen das Netz von sozialen Beziehungen zwischen den Individuen und vor allem die Regelungen dieser Beziehungen sowie die Differenzierung der Individuen und Gruppen von Individuen in einer Gesellschaft (sozialer Status, Rolle, soziale Schichtung) wesentliche Bestandteile dieser Sozialstruktur dar. Sozialstrukturen verschiedener Länder können sich mithin in allen oder einzelnen dieser Bestandteile unterscheiden, so z.B. in der Familienstruktur (Kernfamilien vs. erweiterte Familien)[84], in der Rolle der Ehefrau (patriarchalische Familien vs. Gefährtenschaftsehen)[85], in der Art, dem Ausmaß und der Verhaltensrelevanz der sozialen Schichtung oder in dem sozialen Status sonst merkmalsgleicher Individuen.

Der internationalen Marketingforschung erwachsen aus einer solchen Unterschiedlichkeit eine Reihe von Problemen, von denen an dieser Stelle nur einige exemplarisch aufgeführt werden sollen:

- Im Gegensatz zu *Kernfamilien (nuclear families)* ist es bei *erweiterten Familien (extended families)* häufig sehr schwer festzustellen, welche Familienmitglieder welche Rollen bei bestimmten Kaufentscheidungsprozessen übernehmen, und welches die relevante Familieneinheit ist, für die der Kauf getätigt wird.[86]
- Personen, die in erweiterten Familien leben, können kaum ohne die Anwesenheit anderer Familienmitglieder interviewt werden - Einzelinterviews können sich somit sehr schnell in Gruppendiskussionen wandeln (Auftreten von sog. *Drittpersoneneffekten*).[87]

---

83 Vgl. König, R. (1964), S. 288.

84 Vgl. ebenda, S. 65.

85 Vgl. ebenda, S. 71.

86 Vgl. Terpstra, V. (1983), S. 184.

87 Vgl. z.B. Aldridge, D. (1983), S. 22.

- In Gesellschaften, die durch starke Statusunterschiede und personale Machtkonzentrationen gekennzeichnet sind, können andersgeartete Drittpersoneneffekte auftreten, wenn lokale Autoritäten das Recht beanspruchen, auch (und dann natürlich als erste) interviewt zu werden, und ihre Antworten die der nachfolgenden, eigentlich alleine interessierenden Personen beeinflussen oder gar determinieren.[88]

- Schichtungskriterien sind international zu variieren, d.h. den jeweiligen Sozialsystemen gemäß festzulegen. Denn "in der einen Gesellschaft ist etwa die *Abstammung* das Schlüsselkriterium, in einer anderen, leistungsorientierten Gesellschaft sind *Einkommen* und *Berufe* die vorrangigen Statuskriterien"[89].

- Kriterien der Interviewerauswahl müssen den sozialen, rassischen und ethnischen Unterschieden der Respondenten gemäß international differenziert werden.[90]

Besonders deutlich manifestieren sich kulturelle Unterschiede in den kollektiven Wertsystemen (d.h. in den kollektiven Vorstellungen vom Wünschenswerten, die über eine Vielzahl von Motiven und Einstellungen letztlich ein breites Spektrum von Verhaltensweisen bestimmen)[91] und Normensystemen (d.h. in den Systemen kollektiv sanktionierter Verhaltensmuster, die man auch unter den Bezeichnungen "*Umgangsformen*", "*Brauch*", "*Sitte*", "*soziale Gewohnheiten*", "*Praxis*", "*Gepflogenheiten*" u.a. zusammenfaßt)[92] sowie, wer kennt dies nicht aus eigenem (Urlaubs-)Erleben, in den Mentalitäten (dies sind vergleichsweise wenig reflektierte Komplexe von Meinungen und Vorstellungen, die aus einer gewohnheitsmäßigen Orientierung entstehen)[93].

Solche Unterschiede können bei einer internationalen Marketingforschung infolge des Auftretens folgender Phänomene zu einer kultur- bzw. nationaltypischen Verzerrung der Erhebungsergebnisse führen:

---

[88] Vgl. z.B. Mitchell, R.E. (1965), S. 679.

[89] Kroeber-Riel, W., Weinberg, P. (1996), S. 554.

[90] Vgl. z.B. Brislin, R.W., Lonner, W.J. , Thorndike, R.M. (1973), S. 73f.; Aldridge, D. (1983), S. 22.

[91] Vgl. Holzmüller, H.H. (1989), Sp. 1151; Kroeber-Riel, W., Weinberg, P. (1996), S. 548ff.

[92] Vgl. König, R. (1964), S. 55.

[93] Vgl. ebenda, S. 181.

Differierende Non-Response-Quoten. Verschiedene Untersuchungen haben gezeigt[94], daß die einzelnen Formen einer Befragung (s. Abbildung 13) in verschiedenen Ländern zu unterschiedlich hohen Non-Response-Quoten (Nichtteilnahme-Quoten) führen (*questionnaire non-response*). Dieses Problem kann aber auch in Form der Nichtbeantwortung von Einzelfragen auftreten, wenn die Sensitivität dieser Fragen kulturbedingt differiert (*item non-response*).[95] Im Gegensatz zu Deutschland oder Schweden ist es beispielsweise in vielen islamischen oder lateinamerikanischen Staaten kaum möglich, von weiblichen Respondenten Angaben bezüglich der Beurteilung oder des Konsums von Hygieneartikeln, Körperpflegemitteln oder Kosmetikprodukten zu erhalten.[96]

Höflichkeits-Bias. In einzelnen Kulturkreisen, wie z.B. im südostasiatischen, führen tradierte soziale Interaktionsmuster zu Antwortverfälschungen, da die Respondenten darum bemüht sind, die Interviewer nicht zu enttäuschen, zu verletzen oder in welcher Hinsicht auch immer unglücklich zu machen, und infolgedessen unabhängig vom tatsächlichen Sachverhalt bzw. Verständnis der Fragen nur positive, bejahende, die Interviewer vermeintlich zufriedenstellende Antworten geben.[97]

Soziale Erwünschtheit. Systematische Verzerrungen der Erhebungsergebnisse, die auf sozial erwünschte Antworten zurückzuführen sind, treten auf, wenn gesellschaftskonforme, vermeintlich statusadäquate oder einen höheren Status vortäuschende Angaben gemacht werden.[98] Vermeintlich statusadäquate Angaben sind insbesondere von besser ausgebildeten Stadtbewohnern in Entwicklungsländern zu erwarten, "... who will tend to give answers reflecting their greater sophistication and knowledge as to what they should answer, rather than their genuine beliefs"[99] während Angaben, die einen höheren Status vortäuschen, oft von Angehörigen der Mittelschicht dieser Länder kommen, denen es wi-

---

94 Vgl. z.B. Keown, C.F. (1985), S. 151ff.; Dawson, S., Dickinson, D. (1988), S. 491ff.; Jobber, D., Saunders, J. (1988), S. 483ff.; Baim, J. (1991), S. 114ff.

95 Vgl. z.B. Berrien, F.K. (1967), S. 37f.; Douglas, S., Shoemaker, R. (1981), S. 124ff.

96 Vgl. Jain, S.C. (1993), S. 392.

97 Vgl. z.B. Jones, E.L. (1963), S. 70ff.; Mitchell, R.E. (1965), S. 681.

98 Vgl. z.B. Berrien, F.K. (1968), S. 3ff.; Frey, F.W. (1970), S. 255; Keillor, B., Owens, D., Pettijohn, C. (2001), S. 63ff.

99 Douglas, S.P., Craig, C.S. (1983), S. 191.

derstrebt, ihren Status zu akzeptieren, und daher "... may take false claims in order to reflect the lifestyle of wealthier people"[100].

Differierende Antwortmuster. Kulturtypische Antwortmuster sind in mehreren empirischen Studien nachgewiesen worden in Form der Bevorzugung extremer Antwortvorgaben (*extreme response bias*)[101], der Tendenz zur durchgängigen Bejahung oder Verneinung von Fragen (*yea-saying, nay-saying bias*)[102] oder der Häufung von "Weiß-ich-nicht"-Antworten.[103] Für andere, aus nationalen Untersuchungen bekannte Antwortmuster, wie z.B. die Bevorzugung mittlerer Antwortskalenausprägungen (*midpoint responding bias*)[104], sind solche signifikanten Zusammenhänge zwar noch nicht nachgewiesen worden, es empfiehlt sich jedoch, bei der Anlage und Auswertung internationaler Befragungen auch von einem möglichen Auftreten derartiger kulturtypischer Antwortverzerrungen auszugehen.

Letztlich dokumentieren sich sozio-kulturelle Unterschiede auch im **Erziehung- und Bildungssystem** eines Landes und damit im durchschnittlichen Bildungsniveau respektive der **Alphabetismusrate** der Landesbevölkerung, die in Ländern der Dritten Welt z.T. unter 20 %[105], aber auch in manchen Regionen Europas oder bei einigen ethnischen Bevölkerungsgruppen der USA deutlich unter 100 % liegt[106]. Dabei muß man bedenken, daß offizielle Statistiken nicht immer das tatsächliche Ausmaß des Analphabetismus widerspiegeln, weil manchmal lediglich die Fähigkeit hinreicht, den eigenen Namen schreiben zu können, um als des Schreibens und Lesens kundig zu gelten.[107]

---

100 Jain, S.C. (1993), S. 392.

101 Vgl. z.B. Chun, K.-T., Campbell, J.B., Yoo, J.H. (1974), S. 465ff.; Douglas, S.P., Craig, C.S. (1983), S. 192f. und die dort zitierte Literatur.

102 Vgl. z.B. Douglas, S.P., Craig, C.S. (1983), S. 193f. und die dort zitierte Literatur; Bachmann, J.G., O'Malley, P.M. (1984), S. 491ff.

103 Vgl. z.B. Sicinski, A. (1970), S. 126ff.; Douglas, S.P., Craig, C.S. (1983), S. 194f. und die dort zitierte Literatur.

104 Vgl. hierzu und zu den vorherigen Ausführungen auch Baumgartner, H., Steenkamp, J.-B.E.M. (2001), S. 143ff.

105 Vgl. Kracmar, J.Z. (1971), S. 7; Dülfer, E. (2001), S. 308f.

106 Vgl. Downham, J. (1986), S. 634; Hernandez, S.A., Kaufman, C.J. (1990), S. 15.

107 Vgl. Downham, J. (1986), S. 634.

Dies aber reicht bei weitem nicht aus, um im Rahmen einer Marketingforschung schriftliche Anweisungen, Vorlagen und Fragen lesen und verstehen sowie schriftliche Antworten geben zu können. In Ländern bzw. bei Bevölkerungsgruppen, die eine hohe Analphabetismusrate aufweisen, ist es daher nicht möglich, schriftliche Befragungen durchzuführen oder bei mündlichen Befragungen schriftliche Vorlagen zu präsentieren. *Terpstra*[108] weist darauf hin, daß auch ein *"inhaltlicher Analphabetismus" (technical illiteracy)* die Kommunikation, und zwar selbst die mündlich erfolgende, beeinträchtigen kann. Ein solcher "Analphabetismus" tritt auf, wenn Begriffe oder Ausdrücke verwendet werden, die den Respondenten nicht geläufig sind. Die Folge ist, daß sie die Frage nicht verstehen und daher diese entweder falsch beantworten oder nicht beantworten können.

Neben sozio-kulturellen Unterschiedlichkeiten der Umweltsituationen, in denen die Informationsgewinnung erfolgt, beeinflussen auch solche **infrastruktureller** Art die Planung und Durchführung einer internationalen Marketingforschung. Auf *postalischem* Wege durchgeführte *schriftliche* Befragungen erfordern beispielsweise nicht nur eine hinreichende Lese- und Schreibkundigkeit der Respondenten, sondern darüber hinaus auch einen landesweit effizienten und zuverlässigen Postservice.

An beidem mangelt es aber in vielen, insbesondere in den ländlich strukturierten Ländern Asiens, Afrikas, Mittel- und Südamerikas. Denn wenn schon für Brasilien zutrifft, daß schätzungsweise 30 % der Privatpost den Empfänger nicht erreicht[109], ist zu vermuten, daß diese Quote in weniger entwickelten Ländern noch höher liegt. Die Hauptgründe hierfür sind wohl in der mangelnden postalischen Erschließung des ländlichen Raumes und in dem häufigen Fehlen von Straßenbezeichnungen, Hausnummern etc. zu sehen. Postalische Befragungen sollten in diesen Ländern folglich selbst dann vermieden werden, wenn eine Lese- und Schreibkundigkeit der Respondenten vorliegt.

Telefonische Befragungen wären zwar prinzipiell dazu geeignet, die aus einem Analphabetismus der Respondenten und/oder einer unzuverlässi-

---

108 Vgl. Terpstra, V. (1983), S. 185.

109 Vgl. hierzu und zum folgenden Terpstra, V. (1983), S. 186; Malhotra, N.K. (1991), S. 74ff.

gen Postzustellung resultierenden Probleme zu umgehen, stoßen aber in den erwähnten Ländern wegen der noch immer sehr geringen Verbreitung von privaten Telefonanschlüssen (s. Kap. 3.2.1.1) auf noch größere Durchführungshemmnisse. Möglich sind hier (wie im übrigen auch in einigen europäischen Ländern) lediglich Befragungen von Zielgruppen, die aufgrund ihres Berufes oder Einkommens über einen Telefonanschluß verfügen (müssen), mithin kaum zu den Analphabeten oder zur ländlichen Bevölkerung zählen, aber keine national repräsentativen Befragungen.

Wenn der erwähnten Gründe wegen postalische oder telefonische Befragungen nicht durchführbar sind, verbleibt als letzte Befragungsmöglichkeit die *mündliche* Befragung, die zwar auch einige Probleme bereiten kann, doch sind diese durchaus lösbar und bei weitem nicht so gravierend, wie die der anderen Befragungsmethoden. Neben den bereits angesprochenen Problemen, die aus der sozialen Interaktion zwischen den Interviewern und Respondenten resultieren, und den noch darzulegenden Problemen der Respondentenauswahl, ist hier das aufgrund mangelhafter Verkehrsverbindungen besonders in Ländern der Dritten Welt auftretende Problem der generell oder zeitweilig (z.B. während der Regenzeit) erschwerten physischen Erreichbarkeit ländlicher Bewohner anzuführen.

Die meisten der oben genannten Probleme würden nicht auftreten, wenn die (primärstatistische) Informationsgewinnung nicht auf dem Wege einer Befragung, sondern auf dem Wege einer persönlichen oder apparativen *Beobachtung*[110] erfolgen könnte. Allerdings gibt es einmal eine Vielzahl von Sachverhalten (wie z.B. Einstellungen, Meinungen, Präferenzen und Verhaltensabsichten), die durch eine Beobachtung nicht zu ermitteln sind (die Befragung ist daher trotz ihrer z.T. beträchtlichen Probleme immer noch der "Königsweg" der nationalen und internationalen Marketingforschung), und zum anderen sind ihrem verbreiteten internationalen Einsatz ebenfalls infrastrukturelle Grenzen der verschiedensten Art gesetzt (z.B. ungenügende Verbreitung von Scanner-Systemen oder anderer

---

110 Siehe hierzu z.B. Hüttner, M. (1997), S. 158ff.; Berekoven, L., Eckert, W., Ellenrieder, P. (2001), S. 146ff.

technischer Beobachtungshilfsmittel und fehlendes technisches Know-how)[111].

Produktmarktbezogene Unterschiede der Umweltsituationen, die bei der Planung und Durchführung einer internationalen Marketingforschung zu berücksichtigen sind, können sich äußern in divergierenden

- Produktverwendungen,
- Produktanforderungen,
- Konsumverhaltensmustern,
- Nachfragergruppen bzw. Kaufentscheidungsträgern,
- Marketingsituationen.[112]

Einige kleine Beispiele, die in der einschlägigen anglo-amerikanischen Literatur immer wieder angeführt werden[113], mögen diese Sachverhalte zu verdeutlichen helfen. Heiße Milchmixgetränke (wie z.B. *Ovaltine* oder *Horlicks*) werden in den USA und Großbritannien als Einschlafhilfe vor dem Zubettgehen getrunken, in vielen asiatischen und lateinamerikanischen Ländern hingegen als Energiespender vor dem Arbeitsbeginn. Fahr- und Motorräder haben in hochentwickelten Ländern die Funktion von Freizeitgestaltungsmitteln, in unterentwickelten Ländern hingegen die von Transportmitteln.

Physisch gleiche oder gleichartige Produkte können mithin in verschiedenen Ländern ganz unterschiedlichen Verwendungszwecken dienen und somit dann auch von Land zu Land in sehr divergenten Produktmärkten positioniert sein, d.h. mit unterschiedlichen Produkten in einer Konkurrenzbeziehung stehen. Andererseits wird aus diesen Beispielen ebenfalls deutlich, daß zur Befriedigung des gleichen Bedürfnisses in verschiedenen Ländern oft ganz unterschiedliche Produkte herangezogen werden.

Darüber hinaus haben artgleiche Produkte, die in verschiedenen Ländern demselben Verwendungszweck dienen, manchmal von Land zu Land

---

111 Siehe hierzu Kap. 3.2.1.

112 Vgl. auch Berent, P.H. (1975), S. 295.

113 Siehe z.B. ebenda, S. 293ff.; Mayer, C.S. (1978a), S. 79f.; ders. (1978b), S. 8ff.; Stanton, J.L., Chandran, R., Hernandez, S.A. (1982), S. 129; Hibbert, E. (1993), S. 223; Jain, S.C. (1993), S. 371f.; Toyne, B., Walters, P.G.P. (1993), S. 369.

sehr unterschiedlichen Produktanforderungen zu genügen. So müssen z.B. Vollwaschmittel der verschiedenen technischen Merkmale der Waschmaschinen oder der verschiedenen Waschgewohnheiten wegen in Großbritannien eine andere chemische Zusammensetzung aufweisen als in Deutschland und in Deutschland wiederum eine andere als in einem afrikanischen oder asiatischen Land.

Zu welchen Resultaten eine mangelnde Berücksichtigung divergierender Konsumverhaltensmuster bei einer internationalen Marketingforschung führen kann, zeigt exemplarisch der *European Survey* der *Reader's Digest Association, Inc.* aus dem Jahre 1963, der u.a. das unsinnige Ergebnis erbrachte, daß Franzosen und Deutsche mehr Spaghetti und Makkaroni essen als Italiener. Der Fehler lag hier offensichtlich darin, daß man bei der Transformation der *eigentlich* zu erforschenden Frage "Wieviel Prozent der Haushalte in Frankreich, Deutschland, Italien, Luxemburg, Belgien und Holland konsumieren regelmäßig Spaghetti und Makkaroni?" in die dann *tatsächlich* gestellte Frage fälschlicherweise von einer internationalen Gültigkeit US-amerikanischer Konsumverhaltensmuster ausgegangen war und folglich nur nach dem Konsum von *abgepackten* Markenprodukten gefragt hatte. Dementsprechend blieb bei dieser Untersuchung dann auch der insbesondere in Italien verbreitete Konsum von unabgepackten, markenlosen oder selbsthergestellten Nudeln dieser Art völlig unberücksichtigt.

Unterschiedliche Produktverwendungen oder kulturelle, sozio-ökonomische und rechtliche Bedingungen können zur Folge haben, daß nicht in jedem Land die gleichen Personengruppen als Produktnachfrager oder Kaufentscheidungsträger auftreten. Folglich ist es dann auch geboten, nicht gleichdefinierte, sondern dementsprechend unterschiedlich definierte Respondenten in eine internationale Produktmarktforschung einzubeziehen. So erwies es sich beispielsweise als notwendig, bei einer 8-Länder-Studie, die eine vergleichende Analyse des ärztlichen Verschreibungsverhaltens bezüglich eines bestimmten ethischen Arzneimittels beinhaltete, aufgrund der national unterschiedlichen Regelungen der Verschreibungsberechtigungen in Holland Klinik- und Fachärzte, in Belgien dagegen vor allem Allgemeinmediziner zu befragen.[114]

Die Marketingsituation schließlich kann von Land zu Land in vielerlei Hinsicht divergieren, sei es z.B. in Hinsicht auf die vorherrschenden Zahlungsgewohnheiten der Produktkäufer, die von ihnen als selbstverständlich erwarteten Kundendienstleistungen, die Zahl und Art der Konkurrenzprodukte oder die Distributionsstruktur, und somit auch in dementsprechend vielfältiger Weise (andere/zusätzliche Fragen, Untersuchungsobjekte oder -subjekte) die Anlage einer internationalen Marketingforschung beeinflussen.[115]

Aus all dem folgt, daß sich die Planung einer internationalen Marketingforschung zur Vermeidung von irreführenden Untersuchungen nicht an den heimischen Produktmarktverhältnissen orientieren darf, sondern an etwaigen nationalen Produktmarktbesonderheiten ausgerichtet werden muß. Damit zeichnet sich jedoch ein Dilemma ab, in dem sich internationale Marketingforscher sehr häufig befinden. Einerseits setzt nämlich die Planung einer internationalen Marketingforschung (wie gerade verdeutlicht wurde) das Vorliegen von Informationen über die verschiedenen nationalen Produktmarktbedingungen voraus, andererseits ist die Sammlung solcher Informationen zumeist aber erst durch eine derartige Marketingforschung möglich.

Wenn kein diesbezügliches Erfahrungswissen vorliegt oder vorher erworben werden kann (s. Kap. 1.4.3), müssen daher explorative Voruntersuchungen (in Form von Expertenbefragungen oder sekundärstatistischen Untersuchungen) durchgeführt werden, um aus diesem Informationsdilemma zu gelangen.

Letztlich beeinflussen auch **informationsmarktbezogene Unterschiede** der Umweltsituationen, in denen die Informationsgewinnung erfolgt, maßgeblich die Planung und Durchführung einer internationalen Marketingforschung. Zu erwähnen ist hier einmal der Tatbestand, daß nicht in respektive von allen Ländern und Länderprodukt(teil)märkten ein Ange-

---

[114] Vgl. Hibbert, E. (1993), S. 223.

[115] Siehe hierzu Douglas, S.P., Craig, C.S. (1983), S. 177ff.

bot bzw. ein sowohl quantitativ als auch qualitativ hinreichendes Angebot von Sekundärdatenmaterialien vorhanden ist, das für sekundärstatistische Untersuchungen oder für eine international einheitliche Gestaltung der im Rahmen von Primäruntersuchungen notwendigen Auswahl von Erhebungseinheiten genutzt werden kann (s. Kap. 2).

Ein fehlendes Angebot von Sekundärdatenmaterialien ist darauf zurückzuführen, daß in einigen Ländern bestimmte Daten entweder überhaupt nicht erhoben werden (beispielsweise ist in Entwicklungsländern das Angebot von Sekundärdatenmaterialien relativ schmal)[116] oder zwar erhoben, aber nicht veröffentlicht werden. Quantitative Angebotsdefizite von Sekundärdatenmaterialien haben dieselben Ursachen, während qualitative Angebotsdefizite sehr vielfältig begründet sein können - beispielsweise durch eine mangelnde Objektivität der Daten aufgrund einer bewußt positiv oder negativ gefärbten Selbstdarstellung von Nationen[117] oder durch eine mangelnde Vergleichbarkeit der Daten wegen der Verwendung von unterschiedlich definierten Erhebungseinheiten, Untersuchungsobjekten etc. (s. Kap. 2.3.2).

All dies kann dazu führen, daß die benötigten Informationen in einem Land sekundärstatistisch zu gewinnen sind, in einem anderen Land aber nur primärstatistisch, oder daß in Land A die Erhebungseinheiten durch eine Zufallsstichprobe auf Adressenbasis, im Land B durch eine Quotenstichprobe und im Land C durch eine Zufallsstichprobe auf der Basis von Landkarten und Stadtplänen ausgewählt werden können bzw. müssen.

So stellt denn auch *John Price*, Präsident von *InfoAmericas*, in seinem Anfang 2001 publizierten *"Latin America Outlook"* u.a. fest, daß

- "the absence of secondary data requires heavy investment in costlier primary research,
- telephone penetration amongst consumers ranges from 10-20 lines per 100 people and is only effective as a broad-based tool for B2B research,

---

116 Vgl. Jain, S.C. (1996), S. 355.

117 Vgl. Schopphoven, I. (1991), S. 33f.; Czinkota, M.R., Ronkainen, I.A., Tarrant, J.J. (1995), S. 30; Thielbeer, S. (1998), S. 20.

- survey techniques that work require very large samples"[118].

Erhebliche Unterschiede bestehen von Land zu Land sehr häufig auch

- bezüglich der staatlichen Auflagen, die bei einer primärstatistischen Datenerhebung zu beachten sind,
- zwischen den jeweiligen Dienstleistungsangeboten auf dem Gebiet der Marketingforschung,
- im Hinblick auf die jeweils gebräuchlichsten Methoden und Formen der Marketingforschung und
- bei den Kosten von Marketingforschungsuntersuchungen.

Die den ersten Punkt betreffenden Unterschiedlichkeiten dokumentieren sich einmal in dem Tatbestand, daß es in einigen Ländern einer staatlichen Genehmigung bedarf, um eine primärstatistische Datenerhebung durchführen zu können. Dies trifft z.B. ganz generell für Ägypten und (seit dem 15.10.1999) im Falle von Datenerhebungen, die im ausländischen Kundenauftrag (wozu z.B. auch im Lande ansässige Joint-Ventures zählen, an denen der chinesische Partner keine Mehrheits-Beteiligung hält, sowie Auslandsunternehmen und Auftraggeber aus Hongkong) durchgeführt werden sollen, für die VR China zu.

Genehmigungsbehörde ist in der VR China das Statistische Amt der jeweiligen Provinz oder das Statistische Amt der VR China, dem nicht nur das Forschungsprojekt (einschließlich des Forschungsplanes und -vertrages) zur Genehmigung vorzulegen ist, sondern auch die Forschungsergebnisse präsentiert werden müssen, über deren Weiterleitung an den Kunden dann ebenfalls dort entschieden wird.[119]

Aufgrund von Interventionen seitens der *EU*, des *US China Business Council* und der *ESOMAR* wurde im Jahre 2000 insofern eine gewisse Lockerung dieser Auflagen erreicht, als nun einer Anzahl von Marktforschungsinstituten eine permanente Lizenz zur Durchführung von Marktforschungsuntersuchungen erteilt wurde. Diese Institute können ab dem 01.07.2000 Untersuchungen ohne eine vorherige Genehmigung durchführen und brauchen deren Ergebnisse auch nicht mehr dem jeweiligen

---

[118] Price, J. (2001), S. 5.

[119] Vgl. Savage, M. (1999b), S. 14.

Statistischen Amt vorlegen. Sie müssen diesem jedoch alle zwei Monate mitteilen, welche Untersuchungen sie durchgeführt haben.[120]

Zum anderen äußert sich die Unterschiedlichkeit der für primärstatistische Datenerhebungen relevanten staatlichen Auflagen auch in den verschieden gestalteten staatlichen Datenschutzvorschriften.[121]

Unterschiede zwischen den nationalen Dienstleistungsangeboten auf dem Gebiet der (primärstatistischen) Marketingforschung dokumentieren sich vor allem in der Zahl der Marktforschungsinstitute und ihrer jeweiligen quantitativen und qualitativen Leistungsfähigkeit, die wiederum von der Zahl der Mitarbeiter, den finanziellen Ressourcen, der Zahl internationaler Niederlassungen oder Kooperationspartner, dem methodischen Know-how, der geschäftsfeldbezogenen Erfahrung und der Einhaltung notwendiger Qualitätsstandards (bei der Stichprobenbildung, Feldarbeit, Datenaufbereitung und -analyse) bestimmt wird (s. auch Kap. 4.3.2.2).

Eine von *Währer* vor über zehn Jahren durchgeführte Analyse der Geschäftsfeldschwerpunkte europäischer Marktforschungsinstitute hatte seinerzeit z.B. folgende bemerkenswerte Unterschiede aufgedeckt (s. auch Tabelle 1):

"In der Werbemittel- und Verpackungsforschung zeigt sich bei Frankreich und Großbritannien ein eindeutiger Schwerpunkt. In den Niederlanden ist hingegen dieses Feld im länderweisen Vergleich von untergeordneter Bedeutung. Die internationale Marktforschung dominiert überzufälligerweise in Großbritannien, neben der nationalen Orientierung der europäischen Wirtschaft spielt hier die "Verteilungsfunktion" der englischen Institute für die Marktforschung im europäischen Raum eine Rolle. Auch in der stark im internationalen Geschäft tätigen Bundesrepublik ... wird bei der internationalen Marktforschung ein ausgezeichneter Schwerpunkt gesetzt. Defizite in der Angebotsstruktur – falls man die europaweite Meßlatte heranzieht – sind in der Marktforschungsszene Italiens bei der internationalen Marktforschung zu sehen.

[120] Vgl. o.V. (2000a), S. 9.

[121] Siehe hierzu z.B. Blyth, B. (2000), S. 10f.; Wiegand, E. (2001), S. 16f.; Wilson, V. (2001), S. 16f.

Geschäftsfelder	Ges. %	D %	F %	UK %	I %	NL %
Consumer marketing research	91,10	89,30	95,70	93,20	88,90	86,10
Product testing, new prod. res.	88,80	91,10	89,40	87,80	86,70	88,90
Advertising and/or packaging res.	**88,40***	86,40	**91,50**	**91,90**	86,70	75,00
Tracking studies / brand image res.	85,30	89,30	85,10	85,10	86,70	77,80
International marketing research	**84,50****	**92,90**	80,90	**91,90**	68,90	80,60
Food & drink	82,20	83,90	80,90	77,00	91,10	80,00
Financial/corporate image res.	79,80	83,90	74,50	84,10	75,60	75,00
Market segment., structure. typ. st.	77,10	87,50	78,70	73,00	73,30	72,20
Business / industrial research	**75,20***	78,60	72,30	**82,40**	60,00	77,80
Pricing / promotions research	71,70	66,10	63,80	73,00	73,30	86,10
Travel/tourism/motorist studies	70,90	76,80	65,90	78,40	60,00	66,70
Social and/or opinion research	70,90	67,90	65,90	74,30	71,10	75,00
Media research	69,40	66,10	66,00	67,60	75,60	75,00
Medical/pharmaceutical research	67,40	71,40	65,90	56,80	71,10	80,60
Wholesale or retail research	**67,40***	71,40	51,10	68,90	68,90	**77,80**
Personnel and staff surveys	**54,60****	58,90	46,80	**64,90**	35,60	61,10
Child studies	53,10	58,90	57,50	46,00	57,80	47,20
Agricultural research	43,40	33,90	53,20	41,90	42,20	50,00
Market modelling	36,40	35,70	27,70	33,80	44,40	44,40
Signifikanz des chi²-Koeffizienten; * = p ≤ 0.10; ** = p ≤ 0,05; n = 258						

Tabelle 1: Geschäftsfeldschwerpunkte von Marktforschungsinstituten in verschiedenen europäischen Ländern
Quelle: Wührer, G.A. (1989), S. 44

Überdurchschnittlich häufig sind deutsche und niederländische Institute im Geschäftsfeld der Groß- und Einzelhandelsforschung tätig, deutlich unter dem europäischen Durchschnitt liegen hier die Institute in Frankreich.

Als fünftes Geschäftsfeld differenziert die Personal- und Organisationsforschung signifikant zwischen den einzelnen Ländern. Am häufigsten bieten in diesem Feld wieder die englischen Institute ihre Dienste an. Auch in den Niederlanden und in der Bundesrepublik arbeiten hier überdurchschnittlich häufig Institute.

Deutlich unter dem europäischen Schnitt liegen hingegen die Institute in Frankreich und Italien."[122]

Wie die jährlich von der in Amsterdam (NL) residierenden ESOMAR (*European Society for Opinion and Marketing Research*) publizierten Branchendaten erkennen lassen, hat sich in der Zwischenzeit allerdings einiges an diesem Bild geändert.[123] So sind zwar deutsche Institute zusammen mit den britischen Instituten nach wie vor führend im Geschäftsfeld der internationalen Marktforschung tätig (beide vereinten im Jahre 1998 mit 34 bzw. 31,5 Prozentpunkten insgesamt nicht weniger als 65,5 % der europaweit in diesem Geschäftsfeld getätigten Umsätze auf sich), doch die niederländischen Institute sind (mit 2,4 %) nicht nur hinter die aus Frankreich (9 %) und Italien (7,1 %), die beide im Vergleich zum Vorjahr ein starkes Wachstum verzeichnen konnten, sondern auch hinter die aus Spanien (2,9 %) zurückgefallen.

Die Zahlen des Jahres 1998 weisen ebenfalls aus, daß die Umsatzbedeutung des Geschäftsfeldes der Groß- und Einzelhandelsforschung bei deutschen Instituten weit unter den europäischen Durchschnitt gesunken ist, während sie bei britischen Instituten knapp darüber liegt und bei französischen und italienischen Instituten genau diesem Wert entspricht.[124]

Im Hinblick auf die gebräuchlichsten Methoden und Formen der Marketingforschung sind von Land zu Land ebenfalls beträchtliche Unterschiede zu konstatieren (s. dazu auch Tabelle 2). So werden z.B. die Erhebungseinheiten bei einer primärstatistischen Marketingforschung in Großbritannien vorzugsweise mittels Zufallsstichproben ausgewählt, in den anderen europäischen Ländern dagegen mittels Quotenstichproben.[125]

---

[122] Wührer, G.A. (1989), S. 45.

[123] Vgl. ESOMAR (2000), S. 7f.

[124] Vgl. Ebenda, S. 19.

[125] Vgl. Mitchell, D. (1983), S. 30.

Methoden	**Ges. %**	**D %**	**F %**	**UK %**	**I %**	**NL %**
Personal fieldwork and / or mail surveys	**85,70***	**94,60**	76,60	82,40	88,90	86,10
Qualitative / psychological marketing research	84,90	87,50	87,20	89,20	82,20	72,20
Statist. analysis. interpret. survey data	78,70	89,30	70,20	77,00	80,00	75,00
Telephone fieldwork	73,60	83,90	68,10	78,40	62,20	69,40
Desk res., market analysis or -research	65,10	78,60	63,80	58,10	62,20	63,90
Business and / or research consultancy	**61,60****	**67,90**	55,30	**73,00**	42,20	61,10
Data processing, computer facilities	59,70	67,90	61,70	50,00	64,40	58,30
Panel and / or continuous surveys	**49,60****	**60,70**	34,00	**58,10**	48,90	36,10
Laboratory test facilities	**39,90*****	**69,60**	29,80	14,90	**55,60**	38,90
Omnibus surveys	38,40	41,10	36,20	41,90	31,10	38,90
Educational services	15,50	17,90	17,00	9,50	15,60	22,20
Signifikanz des chi²-Koeffizienten; * = p ≤ 0.10; ** = p ≤ 0,05; *** = p ≤ 0.001; n = 258						

Tabelle 2: Methodenschwerpunkte von Marktforschungsinstituten in verschiedenen europäischen Ländern
Quelle: Wührer, G.A. (1989), S. 39

Bei den Befragungsmethoden dominiert

- in Deutschland und den meisten anderen mitteleuropäischen Ländern sowie in den Ländern Süd- und Zentralamerikas und den meisten Ländern Asiens die persönliche Befragung,

- in den USA, Kanada, Australien, Neuseeland und Singapur sowie in der Schweiz, Belgien und den nordeuropäischen Ländern die telefonische Befragung,
- in Portugal, Spanien und Italien keine dieser beiden Befragungsformen, beide haben hier die gleiche Umsatzbedeutung,
- in der VR China, Pakistan, Großbritannien, der Schweiz, Norwegen, Südafrika und in den Ländern Süd- und Zentralamerikas die häusliche gegenüber der außerhäuslichen Befragung,
- in Südkorea, Spanien und den USA die außerhäusliche gegenüber der häuslichen Befragung.[126]

Im Gegensatz zu den anderen europäischen Ländern sind Panel- und andere Längsschnittuntersuchungen in Deutschland, Österreich und Dänemark sehr gebräuchlich, während in Frankreich, Belgien und Großbritannien mehr Wert auf die Durchführung von Ad-hoc-Studien, in Frankreich insbesondere auf solche qualitativer, psychologischer Art gelegt wird.[127]

Schließlich variieren, wie erwähnt, auch die Kosten für Marketingforschungsstudien bzw. für bestimmte Formen von Marketingforschungsstudien sehr stark von Land zu Land. Von der *ESOMAR* erhobene Daten zeigen, daß die Durchschnittspreise, die Marktforschungsinstitute für eine nationale Untersuchung in Rechnung stellen, im weltweiten Vergleich um über 500 Prozent differieren können (s. Abbildung 5).

---

126 Vgl. Wührer, G.A. (1989), S. 39f.; Malhotra, N.K. (1991), S. 74ff.; Samuels, J. (2001c), S. 14f.

127 Vgl. ESOMAR (2000), S. 22.

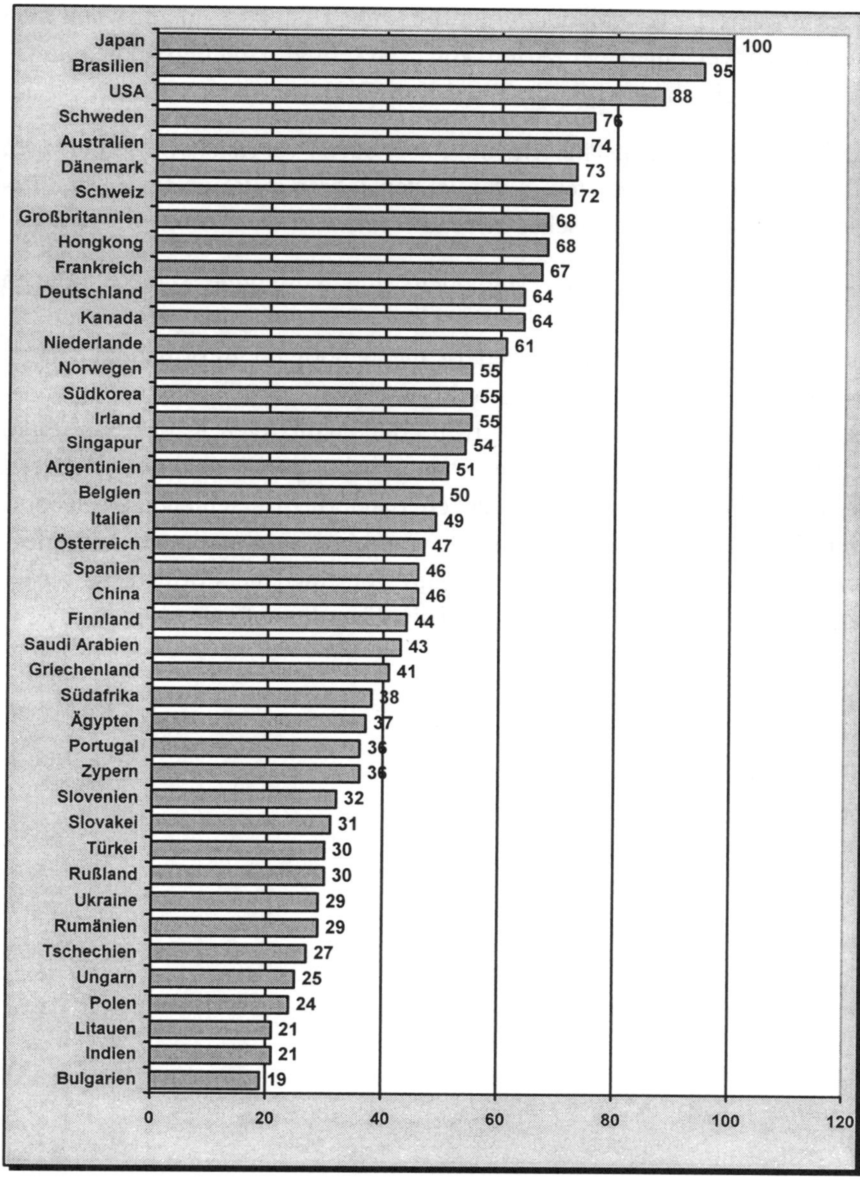

Abbildung 5: Durchschnittliche Kosten einer Marketingforschungs-untersuchung im internationalen Vergleich

Quelle: ESOMAR (1998a), S. 7 (Indexwert 100 = Durchschnittskosten in Höhe von 37.000 US $)

Noch größere Unterschiede werden in einigen Fällen evident, wenn man die Kosten verschiedener Arten von Marketingforschungsstudien international vergleicht (s. Tabelle 3 und Kap. 3.2).

In vielen Entwicklungsländern sind die ehemals vergleichsweise geringen Marketingforschungskosten in den letzten Jahren stetig gestiegen und haben zum Teil ein europäisches Niveau erreicht.[128]

Diese nationalen Instituts-, Methoden- und Kostenunterschiede können zur Folge haben, daß (des beschränkten Forschungsbudgets wegen) in einigen (uninteressanteren) Ländern die benötigten Informationen nicht primär-, sondern sekundärstatistisch gewonnen werden müssen, in anderen (ihrer beschränkten quantitativen oder qualitativen Kapazität wegen) keine inländischen Institute zur Datenerhebung und -analyse eingesetzt werden sollten oder in verschiedenen Ländern (des fehlenden Angebots oder der mangelnden Vertrautheit von/mit bestimmten Marketingforschungsformen und -methoden wegen) verschiedene Formen oder Methoden der Marketingforschung realisiert werden müssen.

---

128 Vgl. Downham, J. (1986), S. 639.

	Nationale Verbrauchs- und Einstellungsstudie	Nationale Verbraucher-Tracking-Studie (telefonische Befragung)	Nationale Verbraucher-Tracking-Studie (Straßeninterviews)	Studio-Test von TV-Spots mit Produktverwendern	Gruppendiskussionen mit Produktverwendern	Intensivinterviews mit Produktverwendern	Telefonische B-to-B-Befragung
Argentinien	62	52	55	56	41	31	43
Ägypten	34	k.A.	36	k.A.	38	38	36
Australien	87	75	62	100	69	57	43
Belgien	60	45	40	49	53	46	37
Brasilien	71	92	87	82	92	100	100
Bulgarien	14	20	17	17	21	20	19
China	54	21	5	57	46	47	30
Dänemark	69	80	k.A.	63	87	69	51
Deutschland	66	63	61	50	74	52	59
Finnland	50	35	38	38	49	46	31
Frankreich	69	65	62	56	86	65	50
Griechenland	34	36	34	37	42	46	38
Großbritannien	64	58	49	69	71	77	55
Hongkong	68	53	70	44	79	94	50
Indien	12	k.A.	12	26	28	20	21
Irland	58	k.A.	39	67	46	62	36
Italien	49	41	48	44	64	54	31
Japan	100	100	100	93	96	95	83
Kanada	71	59	k.A.	k.A.	45	64	71
Litauen	19	k.A.	16	14	35	12	k.A.
Niederlande	53	51	58	54	66	79	44
Norwegen	62	54	62	35	79	38	44
Österreich	41	k.A.	k.A.	k.A.	56	34	40
Polen	24	24	26	21	27	22	20
Portugal	33	30	38	25	44	46	23
Rumänien	27	k.A.	28	25	34	25	30
Rußland	24	26	27	23	33	31	31
Saudi Arabien	37	k.A.	41	42	41	37	39
Schweden	79	62	76	86	77	85	43
Schweiz	67	56	63	76	97	58	55
Singapur	46	47	46	k.A.	55	65	40
Slowakei	24	33	25	27	33	28	31
Slowenien	33	28	36	k.A.	36	k.A.	33
Spanien	46	42	43	38	47	50	39
Südafrika	42	k.A.	40	45	31	41	26
Südkorea	50	36	59	47	59	78	k.A.
Tschechien	21	26	23	21	33	25	25
Türkei	25	29	29	22	38	34	23
Ukraine	25	k.A.	24	18	41	19	36
Ungarn	22	26	26	18	29	30	21
USA	99	87	98	62	100	66	80
Zypern	28	28	32	31	36	52	25

Die jeweils höchsten Durchschnittskosten wurden gleich 100 gesetzt.

Tabelle 3: Kosten verschiedener Arten von Marketingforschungsuntersuchungen im internationalen Vergleich
Quelle: ESOMAR (1998a), S. 5f.

1.4.2.4 Äquivalenzbedingungen einer internationalen Marketingforschung

Wie bereits in Kap. 1.4.2.2 erläutert wurde, müssen die auf dem Wege einer internationalen Marketingforschung gewonnenen Informationen der zentralen Qualitätsanforderung genügen, daß sie international vergleichbar sind; und es wurde dort weiter ausgeführt, daß diese Anforderung nur selten durch ein international standardisiertes Vorgehen zu erfüllen ist, sondern der unterschiedlichen Umweltsituationen wegen, in denen die Informationsgewinnung erfolgt, eine internationale Differenzierung verschiedener Strukturelemente der internationalen Marketingforschung erforderlich macht.

Nachdem das anschließende Kapitel dann deutlich gemacht hat, in welcher Hinsicht die einzelnen nationalen Umweltsituationen sich unterscheiden und somit zu einer Differenzierung der internationalen Marketingforschung Anlaß geben können, ist es nun möglich, näher darauf einzugehen, wie die Strukturelemente einer internationalen Marketingforschung bei einer sekundärstatistischen Untersuchung gestaltet worden sein müssen bzw. bei einer primärstatistischen Untersuchung gestaltet werden müssen, damit trotz unterschiedlicher Umweltsituationen eine Vergleichbarkeit oder **Äquivalenz der nationalen Datensätze** vorliegt bzw. erzielt werden kann.

Prinzipiell gilt zunächst, daß vor allem folgende Strukturelemente selbst auch den Bedingungen der Äquivalenz genügen müssen, damit eine Äquivalenz der nationalen Datensätze ermöglicht wird[129]:

- die nationalen Untersuchungssachverhalte,
- die nationalen Untersuchungsmethoden,
- die nationalen Untersuchungseinheiten,
- die nationalen Untersuchungssituationen,
- die nationalen Untersuchungsdatenaufbereitungen.

---

[129] Vgl. hierzu und zum folgenden Bauer, E. (1989), S. 176 ff.; Holzmüller, H.H. (1995), S. 91ff.; Salzberger, T. (1999), S. 73ff.

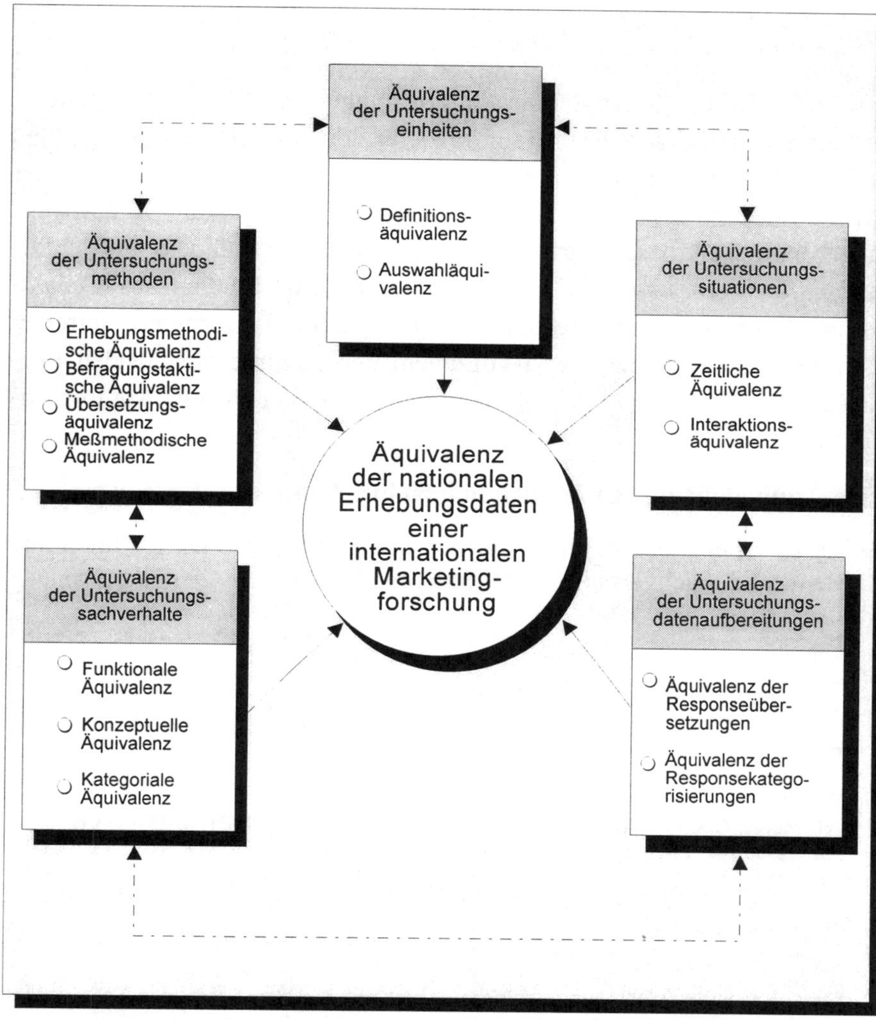

Abbildung 6: Bedingungen für eine Äquivalenz der nationalen Erhebungsdaten einer internationalen Marketingforschung

Die Äquivalenz dieser Strukturelemente ist wiederum jeweils unter Beachtung mehrerer Äquivalenz-Teilaspekte sicherzustellen oder zu überprüfen. Die Abbildung 6 macht diesen Tatbestand deutlich.

Bevor eine Erläuterung der einzelnen Äquivalenz-Teilaspekte erfolgt, muß darauf hingewiesen werden, daß es neben dieser Klassifikation der von einer internationalen Marketingforschung zu erfüllenden Äquivalenzbedingungen noch eine Reihe anderer, divergenter Klassifikationen gibt[130], die allerdings nur zu einem geringen Teil für Untersuchungen der internationalen Marketingforschung entwickelt worden sind[131] – der weitaus größere Teil dieser Klassifikationen bezieht sich vielmehr auf *"cross-national"*-, *"cross-societal"*- oder *"cross-cultural"*-Studien des *Comparative Marketing*[132], des *Comparative Management*[133], der interkulturellen Konsumentenforschung[134] und vor allem der kulturvergleichenden Psychologie[135], Soziologie[136], Politologie[137] sowie der Kultur-Anthropologie[138].

Eine **Äquivalenz der Untersuchungssachverhalte** liegt vor[139], wenn

1. die zu erhebenden objekt- oder verhaltensbezogenen Daten funktional identische Sachverhalte repräsentieren (*funktionale Äquivalenz)* oder

---

130 Siehe Johnson, T.P. (1998), S. 2ff.

131 Vgl. Mayer, C.S. (1978a), S. 79ff.; Douglas, S.P., Craig, C.S. (1983), S. 137ff.; Choudhry, Y.A. (1986), S. 19ff.; Toyne, B., Walters, P.G.P. (1993), S. 368ff.; Douglas, S.P., Craig, C.S. (1995), S. 68ff.; Malhotra, N.K., Agarwal, J., Peterson, M. (1996), S. 19ff.; Cavusgil, S.T., Das, A. (1997), S. 72ff.; Craig, C.S., Douglas, S.P. (2000), S. 157ff.; Usunier, J.-C. (2000), S. 211ff.

132 Vgl. Lamb, C.W. (1975), S. 167ff.

133 Vgl. z.B. Nath, R. (1969), S. 195ff.; Keller, E.v. (1982), S. 545ff.; Harpas, I. (1996), S. 40ff.

134 Vgl. Green, R.T., White, P.D. (1976), S. 81ff.; Wind, Y., Douglas, S.P. (1982), S. 29ff.; Holzmüller, H.H. (1986a), S. 47; ders. (1986b), S. 55ff.; Parameswaran, R., Yaprak, A. (1987), S. 36; Wich, D.J. (1989), S. 24ff.

135 Vgl. z.B. Frijda, N., Jahoda, G. (1966), S. 116ff.; Boesch, E.E., Eckensberger, L.H. (1969), S. 536ff.; Eckensberger, L.H., (1970), S.40ff.; Berry, J.W. (1980), S. 9ff.; Vijver, F. van de, Leung, K. (1997), S. 8ff.

136 Vgl. z.B. Warwick, D.P., Osherson, S. (1973), S. 11ff.; Elder, J.W. (1976), S. 216ff.; Vijver, R. van de, Leung, K. (1997), S. 8ff.

137 Vgl. z.B. Almond, G.A., Verba, S. (1963), S. 57ff.; Verba, S. (1971), S. 314ff.; Przeworski, A., Teune, H. (1973), S. 123ff.; Niedermayer, O. (1997), S. 89ff.; Widmaier, U. (1997), S. 109ff.

138 Vgl. z.B. Naroll, R. (1973), S. 889ff.

139 Vgl. hierzu auch Green, R.T., White, P.D. (1976), S. 81f.; Berry, J.W. (1980), S. 9f.; Douglas, S.P., Craig, C.S. (1983), S. 137ff.; Wich, D.J. (1989), S. 24ff.

2. die Operationalisierungen der zu erforschenden theoretischen Konstrukte in einer äquivalenten Relation zu diesen Konstrukten stehen *(konzeptuelle Äquivalenz)* und

3. Kategorisierungen von Objekten, Stimuli oder Verhaltensweisen nationalen Besonderheiten Rechnung tragen *(kategoriale Äquivalenz)*.

Wie bereits ausgeführt wurde (s. Kap. 1.4.2.3.3), kann ein und dasselbe Produkt in verschiedenen Ländern unterschiedlichen Zwecken dienen, bzw. können unterschiedliche Produkte in verschiedenen Ländern die gleichen Funktionen erfüllen. Ähnliche nationale Divergenzen können auch die zwischen Handlungen und Zwecksetzungen oder Funktionen bestehenden Beziehungen betreffen, d.h. gleiche Handlungen können in verschiedenen Ländern unterschiedliche Funktionen erfüllen (der Nahrungsmitteleinkauf wird z.B. von amerikanischen Hausfrauen mehr als Teil ihrer Hausarbeit, von französischen Hausfrauen dagegen als integraler Bestandteil ihrer täglichen sozialen Interaktion gesehen)[140], bzw. können unterschiedliche Aktivitäten in verschiedenen Ländern der gleichen Zwecksetzung dienen (z.B. häusliche Einladungen in Deutschland vs. außerhäusliche Einladungen in Frankreich von Kollegen, Geschäftspartnern etc. aus Anlaß einer Feier, eines Besuches etc.).

Damit die national zu erhebenden objekt- und verhaltensbezogenen Daten international vergleichbar sind, ist folglich darauf zu achten, daß eine funktionale Äquivalenz der in den Daten abgebildeten Objekte oder Aktivitäten vorliegt.

Theoretische Konstrukte (wie z.B. Einstellungen und Motivationen), die zur Beschreibung und Erklärung des Konsumentenverhaltens herangezogen werden[141], können der Vergleichbarkeitserfordernis wegen häufig nicht international identisch operationalisiert werden, sondern müssen in einigen Ländern im Ausdruck unterschiedlicher Indikatoren gemessen werden. So wurde bei einer internationalen Untersuchung beispielsweise das Konstrukt "männlicher Lebensstil" in den USA durch die Häufigkeit der Lektüre des *"Playboy"* oder durch das Ausmaß des Interesses an Sportnachrichten indiziert, in Mexiko dagegen vor allem durch die Be-

---

140 Vgl. Toyne, B., Walters, P.G.P. (1993), S. 369.

141 Vgl. hierzu Kroeber-Riel, W., Weinberg, P. (1996), S. 29ff.

suchsfrequenz von Stierkampfveranstaltungen.[142] Politisches Interesse, um ein Beispiel aus der kulturvergleichenden Politologie zu zitieren, läßt sich nur in demokratischen Ländern im Ausmaß der Beteiligung an Wahlen messen, in diktatorischen Ländern muß hingegen ein anderer, aber konzeptuell äquivalenter Indikator (z.B. die Kenntnis von politischen Witzen) gewählt werden.[143]

Unterschiedliche Indikatoren für theoretische Konstrukte gefährden somit nicht die Vergleichbarkeit nationaler Datensätze, sondern stellen sie häufig gerade erst her. Allerdings sollte gefordert werden, daß sowohl der Prozeß der Indikatorenfestlegung als auch dessen theoretische Begründungszusammenhänge offengelegt und damit überprüf- und kritisierbar gemacht werden.

Kann bei der Indikatorenfestlegung nicht auf gesichertes Wissen zurückgegriffen werden, ist die Durchführung von explorativen Vorstudien unter Einsatz von solchen Analysemethoden unumgänglich, mit deren Hilfe verschiedene Indikatoren auf ihre konzeptuelle Äquivalenz hin überprüft werden können.[144] Derartige Analysemethoden sind z.B. die Prüfung der internationalen Eindimensionalität (bei einem gleichzeitigen Vorliegen von international identischen und nationenspezifischen Indikatoren) oder die internationale Validierung (bei einem ausschließlichen Vorliegen von nationenspezifischen Indikatoren).

Bei der Überprüfung oder Schaffung einer Äquivalenz der Untersuchungssachverhalte ist schließlich auch darauf zu achten, daß Objekte, Stimuli oder Verhaltensweisen in verschiedenen Ländern unterschiedlich kategorisiert sein können. Gleiche Produkte werden z.B. in dem einen Land einer anderen Produktkategorie zugerechnet als in einem anderen Land, und umgekehrt assoziiert man mit einer bestimmten Produktkategorie im Land X andere Produkte und Produktarten als in einem Land Y.

---

142 Vgl. Plummer, J.T. (1977), S. 5ff.

143 Vgl. Boesch, E.E., Eckensberger, L.H. (1969), S. 543f.

144 Vgl. hierzu und zum folgenden Frey, F.W. (1970), S. 284ff.; Niedermayer, O. (1997), S. 95.

So berichtet *Berent*[145], daß Bier in den mediterranen Ländern mehr zu den Erfrischungsgetränken gezählt wird, in den mittel- und nordeuropäischen Ländern dagegen zu den alkoholischen Getränken, und *Douglas/Craig*[146] führen aus, daß die nationalen Märkte für Dessertprodukte sehr unterschiedliche Produktarten umfassen können, angefangen bei Apfelstrudel, Gelatine- und Eiscreme, über Reispudding, Zabaione und Baklava, bis hin zu Kuchen und Gebäck.

Daraus folgt, daß jeweils unterschiedliche Produkte und Produktarten bei der Erforschung verschiedener nationaler Produktmärkte einbezogen werden müssen. Darüber hinaus können auch die Dimensionen der Produktwahrnehmung und -beurteilung von Land zu Land differieren. *Douglas/Craig* schreiben dazu, daß "in France, for example, the hot-cold continuum is a key attribute in characterizing consumers' perceptions of fragrance. In the United States and the United Kingdom, however, this is not an attribute that is perceived as relevant by consumers"[147].

Die Sicherstellung einer **Äquivalenz der Untersuchungsmethoden** erfordert

1. einen sich als notwendig erweisenden Einsatz unterschiedlicher Erhebungsmethoden (z.B. schriftliche Befragung in Land A - aufgrund der hohen Analphabetismusrate mündliche Befragung in Land B) so zu gestalten, daß sowohl eine äquivalente Repräsentanz der einzelnen nationalen Stichproben als auch eine äquivalente interne Validität der nationalen Erhebungsergebnisse erzielt werden kann *(erhebungsmethodische Äquivalenz)*[148],
2. die Entwicklung von z.T. nationenspezifischen Frageformen (statt direkter indirekte Fragen, statt geschlossener offene Fragen) und Frageformulierungen, die dazu geeignet sind, die für die jeweiligen Länder typischen Verzerrungen der Erhebungsergebnisse (item non-response, Höflichkeits-Bias, sozial erwünschte Antworten, kulturtypische Ant-

---

145 Vgl. Berent, P.H. (1975), S. 294.

146 Vgl. Douglas, S.P., Craig, C.S. (1983), S. 139.

147 Ebenda.

148 Vgl. Kracmar, J.Z. (1971), S. 29ff.; Casley, D.J., Lury, D.A. (1981), S. 72ff.; Kiregyera, B. (1982), S. 153ff.; Stanton, J.L., Chandran, R., Hernandez, S.A. (1982), S. 133ff.

wortmuster) zu eliminieren oder zumindest minimieren zu helfen *(befragungstaktische Äquivalenz)*[149],

3. eine bedeutungsinvariante Übersetzung der verbalen und non-verbalen Stimuli *(Übersetzungsäquivalenz)*[150] und

4. den Einsatz von kulturspezifischen oder kulturfreien Meßmethoden *(meßmethodische Äquivalenz)*[151].

Verschiedene Meßmethoden enthalten kulturgebundene Elemente und sollten demzufolge in Kulturkreisen, in denen sie nicht entwickelt und validiert worden sind, auch nicht eingesetzt werden. So sind z.B. die in den westlichen Industriegesellschaften entwickelten und validierten Methoden zur Messung von Einstellungen in anderen Industriegesellschaften oder in Agrargesellschaften entweder überhaupt nicht oder nur in entsprechend angepaßter Form anwendbar. Aber auch innerhalb der westlichen Industriegesellschaften sind bestimmte Meßmethoden, wie z.B. verschiedene Persönlichkeitstests, nicht ohne weiteres außerhalb des jeweiligen Entwicklungslandes dieser Meßmethode einsetzbar.

Um international vergleichbare nationale Datensätze zu erhalten, sind daher (wenn nötig) an die jeweiligen kulturellen Gegebenheiten angepaßte *(culture fair)* Meßmethoden oder aber (wenn möglich) kulturfreie *(culture free)* Meßmethoden zu verwenden. Die Zahl kulturfreier Meßmethoden ist allerdings ebenso gering (beispielsweise können die apparativen Meßmethoden dazu gezählt werden), wie ihr Einsatzgebiet schmal ist.

In diesem Zusammenhang ist darauf zu achten, daß die in der Marketingforschung sehr häufig zur Messung eingesetzten Ratingskalen nicht immer gleichstufig gestaltet werden sollten, da dies eine oft nicht vorhandene transkulturelle Fähigkeit zu einem bzw. Gewöhnung an ein

---

149 Vgl. Mitchell, R.E. (1965), S. 679ff.; Aldridge, D. (1983), S. 22f.; Holzmüller, H.H. (1986b), S. 60f.

150 Vgl. Sechrest, L., Fay, T.L., Zaidi, S.M.H. (1972), S. 41ff.; Elder, J.W. (1976), S. 222f.; Douglas, S.P., Craig, C.S. (1983), S. 141f.; Bauer, E. (1989), S. 181ff.

151 Vgl. hierzu und zum folgenden Strauss, M.A. (1969), S. 233ff.; Boesch, E.E., Eckensberger, L.H. (1969), S. 593ff.; Eckensberger, L.H. (1970), S. 46ff.; Green, R.T., White, P.D. (1976), S. 82ff.; Douglas, S.P., Craig, C.S. (1983), S. 140ff.; Bhalla, G., Lin, L.Y.S. (1987), S. 278f.; Wich, D.J. (1989), S. 51ff.

gleich stark differenzierenden (differenzierendes) "skalierenden (skalierendes) Denken" voraussetzen würde. So sind z.B. in den USA 5- oder 7-stufige Ratingskalen zur Messung von Präferenzen, Einstellungen u.ä. gebräuchlich, während man in anderen Ländern (z.B. wegen eines entsprechenden Bewertungssystems für schulische Leistungen) an 10- oder 20-stufige Ratingskalen gewöhnt ist.[152]

Eine **Äquivalenz der Untersuchungseinheiten** setzt zweierlei voraus, nämlich

1. eine äquivalente empirische Definition der Untersuchungseinheiten, die durch eine Totalerhebung erfaßt oder durch eine Teilerhebung repräsentiert werden sollen *(Definitionsäquivalenz)*[153] sowie (wenn eine Totalerhebung nicht möglich oder nicht sinnvoll ist)
2. die Anwendung von Auswahlprinzipien, Auswahlverfahren und Auswahltechniken, die zu einer äquivalenten Repräsentanz der nationalen Stichproben führen *(Auswahläquivalenz)*[154].

Grundbedingung jeder internationalen Marketingforschung ist, daß in den einzelnen Ländern über funktional identische Untersuchungseinheiten Informationen gewonnen werden, beispielsweise über die aktuellen/potentiellen Käufer/Verwender eines Produktes X, die hauptsächlichen Konkurrenten, die relevanten Groß- und Einzelhandelsbetriebe oder die erwachsene Bevölkerung in den verschiedenen Ländern.

Funktionale Identität als Produktkäufer/-verwender, Konkurrent etc. bedeutet jedoch nicht, daß auch die sonstigen Merkmale oder Merkmalsausprägungen dieser Untersuchungseinheiten identisch sind. Funktional identische Untersuchungseinheiten können vielmehr von Land zu Land durch unterschiedliche (demographische, sozio-ökonomische, psychographische etc.) Merkmale (z.B. Haushaltsvorstand als Käufer von Produkt X in Land A, Dienstboten als Käufer in Land B) oder durch un-

---

[152] Vgl. Douglas, S.P., Craig, C.S. (1983), S. 142.

[153] Vgl. Casley, D.J., Lury, D.A. (1981), S. 186ff.; Kiregyera, B. (1982), S. 153ff.; Wich, D.J. (1989), S. 142ff.; Toyne, B., Walters, P.G.P. (1993), S. 374f.

[154] Vgl. Mitchell, R.E. (1965), S. 667ff.; Green, R.T., White, P.D. (1976), S. 84f.; Bulmer, M. (1983), S. 91ff.; Mitchell, D. (1983), S.30.

terschiedliche Ausprägungen gemeinsamer Merkmale (z.B. verschiedene Alters- und/oder Einkommensabgrenzungen) gekennzeichnet sein.

Bei der für jede Total- wie Teilerhebung notwendigen empirischen Definition der einzelnen nationalen Untersuchungseinheiten sind daher funktionsäquivalente Merkmale oder Merkmalsausprägungen (die evtl. erst in explorativen Vorstudien ermittelt werden müssen) heranzuziehen. Keinesfalls aber sollte ungeprüft eine internationale Gültigkeit der von einer nationalen (z.B. der heimischen) Population her bekannten Merkmale oder Merkmalsausprägungen unterstellt werden.

Ist eine Totalerhebung nicht möglich oder sinnvoll, tritt infolge der national unterschiedlichen (infrastrukturellen und informationsmarktbezogenen) Bedingungen das Problem hinzu, international nicht die gleichen Auswahlprinzipien, Auswahlverfahren oder Auswahltechniken realisieren zu können. Folglich müssen die nationalen Stichprobendesigns z.T. modifiziert werden. Diese Veränderung sollte so geschehen, daß bei (in Beziehung zum jeweiligen Erfolgspotential) relativ gleich hohen nationalen Ausgaben- und Zeitbudgets die einzelnen nationalen Stichproben ihre jeweiligen Grundgesamtheiten in einer äquivalenten Weise repräsentieren (s. auch Kap. 3.3.4).

Das häufig in der Literatur vorgebrachte Argument, daß national repräsentative Stichproben wegen ihrer i.d.R. ungleichen Merkmalsstrukturen die nationale Vergleichbarkeit der mit ihnen erhobenen Daten beeinträchtigen (im Gegensatz zu parallelisierten, d.h. strukturgleichen nationalen Stichproben, die folglich von einigen Autoren präferiert werden)[155], ist u.E. nur für akademische internationale Forschungen (z.B. auf dem Gebiet der kulturvergleichenden Konsumentenforschung oder Psychologie) von Relevanz, wo die Ermittlung und Analyse rein national bzw. kulturell bedingter Unterschiedlich- und Ähnlichkeiten im Vordergrund des Interesses steht, nicht aber für die (angewandte) internationale Marketingforschung, bei der es die Einflüsse sämtlicher marketingrele-

---

155 Siehe z.B. Choudhry, Y.A. (1986), S. 26; Douglas, S.P., Craig, C.S. (1983), S. 218f.; Holzmüller, H.H. (1986b), S. 61; Wich, D.J. (1989), S. 146ff.; Toyne, B., Walters, P.G.P. (1993), S. 375, und die dort jeweils zitierte Literatur.

vanter Merkmale der verschiedenen nationalen Untersuchungseinheiten auf die von ihnen erhobenen Daten zu erfassen und zu analysieren gilt.

Eine **Äquivalenz der Untersuchungssituationen** (s. Abbildung 6) ist gegeben, wenn

1. die nationalen Feldarbeiten zeitlich so durchgeführt werden, daß sowohl zeit**ablauf**bezogene Einflußfaktoren gesellschaftlicher Art (z.B. Wertewandel), politischer Art (z.B. Gesetzesänderungen) oder wirtschaftlicher Art (z.B. Konjunkturveränderungen) als auch zeit**punkt**bezogene Einflußfaktoren natürlicher Art (z.B. Jahreszeit, Wetter), politischer Art (z.B. Wahlen), religiöser Art (z.B. Feiertage, Fastenzeiten) oder wirtschaftlicher Art (z.B. Saisoneinflüsse) kontrolliert werden können *(zeitliche Äquivalenz)*[156], und
2. bei allen nationalen Erhebungen Interviewer- und Drittpersoneneinflüsse, die möglicherweise auf die dyadischen Interaktionssequenzen zwischen Fragenden und Befragten einwirken, in einer äquivalenten Weise kontrolliert werden können *(Interaktionsäquivalenz)*[157].

Eine **Äquivalenz der Untersuchungsdatenaufbereitungen** schließlich beinhaltet, daß

1. bei notwendigen Response-Übersetzungen eine semantische Äquivalenz zwischen den originären und den übersetzten Antworten erzielt wird *(Äquivalenz der Response-Übersetzungen)*[158] und
2. bei notwendigen Kategorisierungen der Antworten eine Äquivalenz der Kategorisierungsschemata hergestellt wird *(Äquivalenz der Response-Kategorisierungen)*[159].

Viele der vorstehend skizzierten Äquivalenzbedingungen sind nicht unabhängig voneinander zu erfüllen, sondern stehen (wie die gestrichelten Verbindungslinien in der Abbildung 6 verdeutlichen sollen) in einer wechselseitigen Beziehung zueinander.

---

[156] Vgl. hierzu Mayer, C.S. (1978a), S. 79f.; Holzmüller, H.H. (1986b), S. 48; Wich, D.J. (1989), S. 131f.

[157] Vgl. hierzu Mitchell, R.E. (1965), S. 679ff.; Boesch, E.E., Eckensberger, L.H. (1969), S. 555ff.; Brislin, R.W., Lonner, W.J., Thorndike, R.M. (1973), S. 68ff.; Wich, D.J. (1989), S. 114ff.

[158] Vgl. hierzu Sechrest, L., Fay, T.L., Zaidi, S.M.H. (1972), S. 41ff.

[159] Vgl. ebenda.

Ob nun als Folge einer Beachtung der Äquivalenz der einzelnen Strukturelemente einer internationalen Marketingforschung tatsächlich die letztlich angestrebte Äquivalenz der nationalen Erhebungsdaten vorliegt, lässt sich prinzipiell auf zwei verschiedenen Wegen empirisch überprüfen, nämlich

1. mit den Methoden der konfirmatorischen Faktorenanalyse (*multiple group structural equation modelling approach*) auf der Basis der klassischen Testtheorie oder
2. mit den Methoden der Itemfunktionsanalyse (*differential item functioning*) auf der Basis der probabilistischen Testtheorie *(latent trait theory*).[160]

Des hohen Aufwandes wegen, der mit einer solchen empirischen Überprüfung verbunden ist, kommt diese wohl nur für die akademische internationale Marketingforschung, nicht aber auch für die im Rahmen dieses Buches alleine interessierende praxis- oder entscheidungsorientierte internationale Marketingforschung in Frage. Auf eine nähere Darstellung der erwähnten Prüfmethoden kann daher verzichtet werden.[161]

1.4.2.5 Prozeßphasen einer internationalen Marketingforschung

Der Prozeß einer internationalen Marketingforschung unterscheidet sich formal nicht von dem einer nationalen Marktingforschung. Denn in dem einen wie in dem anderen Fall sind im Prinzip die gleichen Phasen zu durchlaufen, wenn es darum geht, dem Marketing-Management die zur Lösung bestimmter nationaler oder internationaler Marketing(entscheidungs)probleme benötigten Informationsgrundlagen zur Verfügung zu stellen.[162]

---

160 Siehe hierzu Sinkovics, R,. Salzberger, T., Holzmüller, H.H. (1998), S. 270ff.; Salzberger, T. (1999), S. 93ff.; Salzberger, T., Sinkovics, R., Schlegelmilch, B.B. (2001), S. 194ff.

161 Siehe hierzu ebenda.

162 Vgl. hierzu beispielsweise die Prozeßmodelle einer *nationalen* Marketingforschung von Churchill, G.A. (1991), S. 70ff.; Böhler, H. (1992), S. 23f.; Meffert, H. (1992), S. 179; Kinnear, T.C., Taylor, J.R. (1996), S. 64ff.; Berekoven, L., Eckert, W., Ellenrieder, P. (2001), S. 34ff.; sowie die Prozeßmodelle einer *internationalen* Marketingforschung von Douglas, S.P.,

Unterschiede ergeben sich jedoch hinsichtlich der Aufgabenstellungen, die von den Marketingforschern im Verlaufe der einzelnen Prozeßphasen zu bewältigen sind. Sie sind (wie bereits ausgeführt wurde) der spezifischen Anforderungen, Besonderheiten, Probleme und Äquivalenzbedingungen wegen bei einer internationalen Marketingforschung sowohl umfänglicher als auch komplexer als bei einer nationalen Marketingforschung.

Eingeleitet wird der Prozeß einer internationalen Marketingforschung bereits mit der alleinverantwortlich vom Marketing-Management vorzunehmenden **Identifikation und Definition von Marketing(entscheidungs)problemen** (vgl. Abbildung 7), die entweder auf einzelne Auslandsmärkte beschränkt sind oder zwar internationale Bezüge haben, ihrer weiteren Analyse und Lösung wegen aber in nationale Marketingentscheidungsprobleme aufgespaltet werden müssen, wenn die internationale Marketingforschung

- durch die Bereitstellung von Kontroll- und "Frühwarndaten"[163] zur Identifikation von Marketing(entscheidungs)problemen beitragen und / oder
- auf dem Wege einer explorativen Voruntersuchung das zu einer genauen, vollständigen Definition von internationalen Marketing(entscheidungs)problemen sowie zu einer genauen, vollständigen und umweltsituationsgerechten Definition von nationalen Marketing(entscheidungs)problemen notwendige Hintergrundwissen zur Verfügung stellen soll.

Craig, C.S. (1983), S. 26ff.; Czinkota, M.R. (1988), S. 184 und S. 392ff.; Toyne, B., Walters, P.G.P. (1993), S. 365ff.; Jain, S.C. (1996), S. 338ff.; Kumar, V. (2000), S. 53ff.

163 Vgl. Böhler, H. (1992), S. 26.

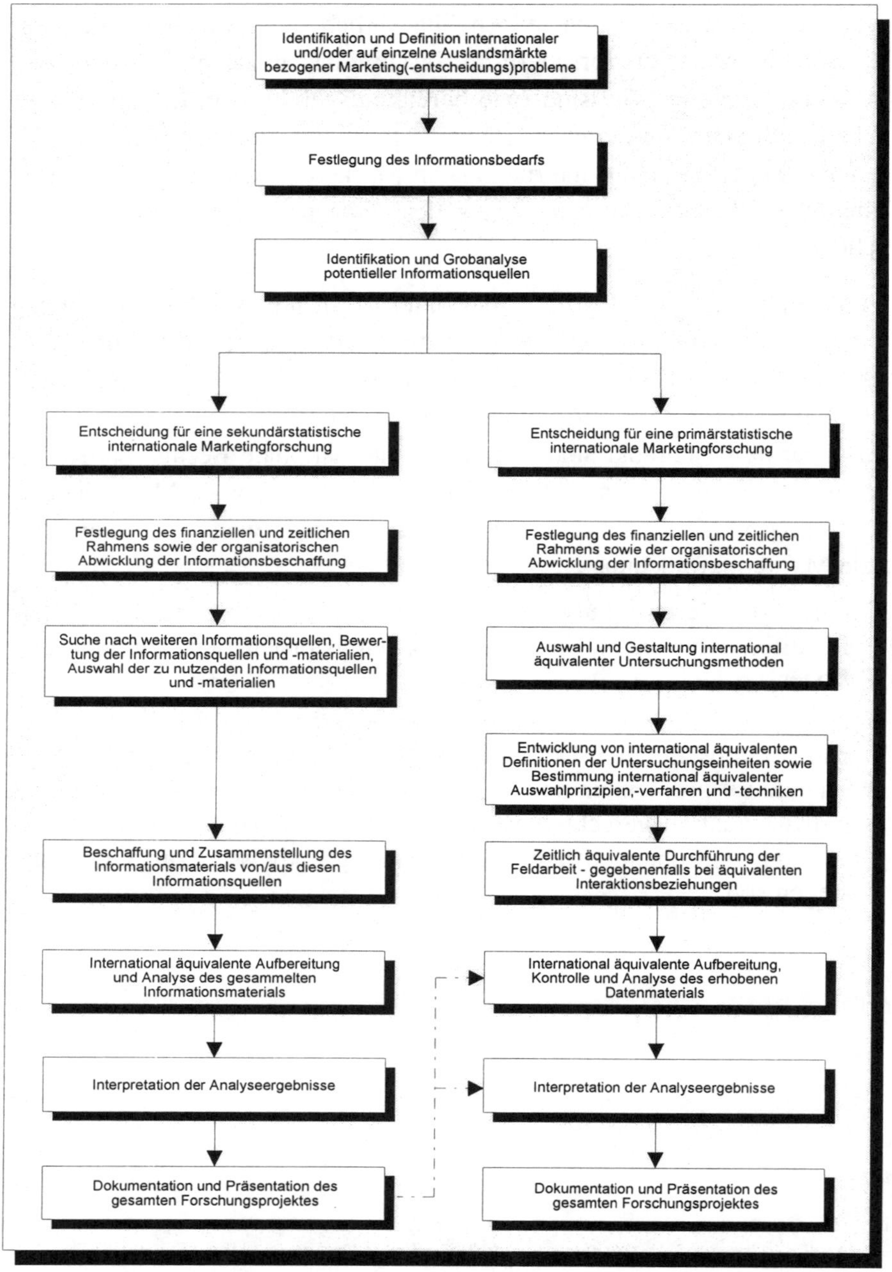

Abbildung 7: Prozeßphasen einer internationalen Marketingforschung

Nach der Identifikation und Definition internationaler bzw. auf einzelne Auslandsmärkte bezogener Marketing(entscheidungs)probleme ist im weiteren (gegebenenfalls nach zusätzlichen explorativen Voruntersuchungen) in Abstimmung mit dem Marketing-Management der zur Problemlösung benötigte **Informationsbedarf** nach *Art* (Frage: Deskriptive und / oder kausale Aussagen?), *Inhalt* (Frage: Informationen über wen oder was?), *Umfang* (Frage: Welche Informationen über wen oder was?) und *Deckungszeitpunkten* (Frage: Wann werden welche Informationen spätestens benötigt?) festzulegen. Soweit dies nicht schon bei der umweltsituationsgerechten Definition der nationalen Marketing(entscheidungs)-probleme implizit berücksichtigt wurde, ist hierbei auf die Sicherstellung einer Äquivalenz der Untersuchungssachverhalte (vgl. Abbildung 6) zu achten.

In der nächsten Prozeßphase der internationalen Marketingforschung sind **potentielle Informationsquellen** zu identifizieren und im Hinblick auf die Art und Weise ihrer Nutzbarkeit, die Qualität der durch sie zu gewinnenden Daten sowie den finanziellen, zeitlichen und organisatorischen Aufwand ihrer Nutzung einer groben Analyse zu unterziehen. Wie die Tabelle 4 verdeutlicht, lassen sich vier verschiedene Arten von Informationsquellen unterscheiden, nämlich *inländische inner- und außerbetriebliche* sowie *ausländische inner- und außerbetriebliche Informationsquellen*, die zunächst einmal dahingehend zu untersuchen sind, ob ihre Nutzung auf einem *sekundärstatistischen* Wege erfolgen kann oder aber nur auf einem *primärstatistischen* Wege möglich ist.

Sekundärstatistisch nutzbaren Informationsquellen ist sodann wegen ihrer generellen Aufwandsvorteilhaftigkeit zunächst einmal das alleinige weitere Analyseinteresse zu widmen, d.h. es ist zu untersuchen, ob diese Informationsquellen entscheidungsrelevante, vollständige, aktuelle, genaue und international vergleichbare Daten (vgl. Kap. 1.4.2.2) enthalten bzw. zur Verfügung stellen können. Trifft dies zu, wird man sich für eine **sekundärstatistische internationale Marketingforschung** entscheiden (vgl. Abbildung 7), in deren Verlaufe dann sukzessive folgende Arbeitsschritte durchzuführen sind (vgl. Abbildung 7):

- Festlegung des finanziellen und zeitlichen Rahmens sowie der organisatorischen Abwicklung der Informationsbeschaffung,

Informationsquellen \ Informationsgewinnungsmethoden		Sekundärstatistische Erhebungsmethoden	Primärstatistische Erhebungsmethoden
inländische	unternehmungs-interne	• Kostenrechnung, • Statistiken, • Dateien, • Berichte etc.	• Außendienstmitarbeiter etc.
	unternehmungs-externe	• amtliche Statistiken, • Publikationen, • Archivmaterialien, • Datenbanken etc.	• Länderexperten etc.
ausländische	unternehmungs-interne	• Kostenrechnung, • Statistiken, • Dateien etc. der "Auslandstöchter"	• im Ausland tätige Mitarbeiter etc.
	unternehmungs-externe	• Statistiken internationaler Organisationen, • AHK-Mitteilungen, • ausl. Datenbanken etc.	• aktuelle/potentielle Produktkäufer oder -verwender etc.

Tabelle 4: Informationsquellen und Informationsgewinnungsmethoden einer internationalen Marketingforschung

- Suche nach weiteren Informationsquellen, Bewertung der Informationsquellen und ihrer Materialien, Auswahl der zu nutzenden Informationsquellen und -materialien,
- Beschaffung und Zusammenstellung des relevanten Informationsmaterials von bzw. aus diesen Informationsquellen,
- International äquivalente Aufbereitung und Analyse des gesammelten Informationsmaterials,
- Interpretation der Analyseergebnisse,
- Dokumentation und Präsentation des gesamten Forschungsprojektes.

Führt die Analyse sekundärstatistisch auswertbarer Informationsquellen zu dem Ergebnis, daß deren Daten keine Entscheidungsrelevanz oder gravierende Vollständigkeits-, Aktualitäts-, Genauigkeits- und/oder Vergleichbarkeitsdefizite aufweisen, muß eine **primärstatistische interna-**

tionale Marketingforschung durchgeführt werden, in deren Verlaufe dann folgende Arbeitsschritte erforderlich sind (vgl. Abbildung 7):

- Festlegung des finanziellen und zeitlichen Rahmens sowie der organisatorischen Abwicklung der Informationserhebung,
- Auswahl und Gestaltung international äquivalenter Untersuchungsmethoden (vgl. Abbildung 6),
- Entwicklung von international äquivalenten Definitionen der Untersuchungseinheiten sowie Bestimmung international äquivalenter Auswahlprinzipien, -verfahren und -techniken (vgl. Abbildung 6),
- Zeitlich äquivalente Durchführung der Feldarbeit - gegebenenfalls unter Schaffung äquivalenter Interaktionsbeziehungen zwischen Fragenden und Befragten (vgl. Abbildung 6),
- International äquivalente Aufbereitung, Kontrolle und Analyse des erhobenen Datenmaterials (vgl. Abbildung 6),
- Interpretation der Analyseergebnisse,
- Dokumentation und Präsentation des gesamten Forschungsprojektes.

Sekundär- und primärstatistische internationale Marketingforschungen gleichen sich mithin in den letzten drei Prozeßphasen. Die gestrichelten Verbindungslinien in der Abbildung 7 machen weiter deutlich, daß **erstere** Methode der Informationsgewinnung nicht nur zur Durchführung von **Vor-** oder **Hauptstudien** eingesetzt werden kann, sondern auch zur Durchführung von **Begleitstudien**, deren Ergebnisse die Analyse und Interpretation der Primärdaten der Hauptstudie erleichtern helfen.

Beachtet werden muß schließlich, daß die skizzierten Prozeßphasen einer internationalen Marketingforschung keine genetisch-logische Abfolge, sondern lediglich eine systematisierende Zusammenstellung von notwendigen Arbeitsschritten darstellen. Realtypische Forschungsprozesse weisen z.T. andere Arbeitsschrittabfolgen, Simultanentscheidungen und Rückkopplungsbeziehungen zwischen einzelnen Arbeitsschritten auf.[164]

---

[164] Vgl. auch ebenda, S. 23; Berekoven, L., Eckert, W., Ellenrieder, P. (2001), S. 35.

1.4.3 Informationsbedarfsdeckung durch Gewinnung von Erfahrungswissen

Folgt man einem Vorschlag von *Penrose*[165], so läßt sich das Wissen, über das ein Individuum verfügt, nach der Art und Weise, in der dieses Wissen erworben wurde, in zwei Kategorien unterteilen, nämlich in ein **objektives Wissen** einerseits und ein **subjektives Wissen** andererseits. Objektives Wissen wird durch die Suche nach und Auswertung von (mündlich oder schriftlich übermittelten) Daten erlangt und kann, wenn notwendig, geäußert und anderen Individuen mitgeteilt werden. Subjektives Wissen wird hingegen durch persönliche Erfahrung gewonnen, ist also (kurz gesagt) **Erfahrungswissen.**

Zur persönlichen Erfahrung und dem durch sie gewonnenen Wissen führt *Penrose* weiter folgendes aus:

"Experience produces increased knowledge about things and contributes to objective knowledge in so far as the results can be transmitted to others. But experience itself can never be transmitted; it produces a change, frequently a subtle change, in an individual and cannot be separated from them."[166]

Daten der internationalen Marketingforschung sowie der internationalen Beschaffungs-, Arbeits-, Geld- und Kapitalmarktforschung tragen somit maßgeblich dazu bei, den objektiven Wissensstand des Marketing-Managements zu erhöhen. Ein hoher objektiver Wissensstand ist nun aber nach Ansicht bzw. Erkenntnis von *Johanson/Vahlne, Sood* und *Seringhaus*[167] zwar eine notwendige, aber noch keine hinreichende Voraussetzung für ein erfolgreiches internationales Marketing. Es bedarf vielmehr der Ergänzung durch ein entsprechendes subjektives Wissen, da erst dieses dazu beiträgt, objektive Daten richtig interpretieren, fremde Kulturen, ausländische Märkte, Kunden und Wettbewerber besser verstehen, Erfolgschancen und alternative Markteintrittsstrategien profunder beurteilen zu können etc.[168]

---

165 Vgl. Penrose, E.T. (1959), S. 53f.

166 Ebenda, S. 53.

167 Vgl. Johanson, J., Vahlne, J. (1979), S. 23ff.; Sood, J. (1980), S. 545ff.; Seringhaus, R. (1986/87), S. 26ff.

168 Vgl. auch Fletcher, K., Wheeler, C. (1989), S. 30ff.

Mit einem objektiven Wissen alleine lassen sich hingegen nur wenige Tatbestände verzerrungsfrei erfassen bzw. Entscheidungen hinreichend fundieren. *Sood*[169] nennt als Beispiele die Definition von Zielmärkten, die Abschätzung von Marktvolumina und Markttrends, das Begreifen von rechtlichen, politischen und wirtschaftlichen Systemen, die Identifikation von bedeutenden Käufern und Verkäufern, die Abschätzung von Kostenvorteilen der Konkurrenzunternehmungen sowie die Erfassung der jeweiligen Markteintrittsbedingungen.

Subjektives, d.h. durch eigene Erfahrung gewonnenes Wissen ist beim Marketing-Management gerade zu Beginn der Prüfung oder Aufnahme von erstmaligen bzw. weitergehenden grenzüberschreitenden Geschäftstätigkeiten nicht oder nur insoweit vorhanden, wie einzelne Entscheidungsträger über private (z.B. bei Urlaubsreisen gewonnene) länder- oder kulturbezogene Erfahrungen verfügen. Ein solches punktuelles Erfahrungswissen ist jedoch ebensowenig hinreichend, wie ein nur von einigen wenigen (und vielleicht sogar hierarchisch tiefer angesiedelten) Entscheidungsträgern im Verlaufe von grenzüberschreitenden Geschäftstätigkeiten gewonnenes subjektives Wissen. Vielmehr sollte sowohl vor als auch während jeder (weitergehenden) Internationalisierung auf allen relevanten hierarchischen Ebenen systematisch Erfahrungswissen durch den Besuch von Auslandsmessen, Handelsmissionen, potentiellen bzw. aktuellen Geschäftspartnern, Absatzmittlern und Kunden, eigenen Auslandsniederlassungen etc.[170] oder durch eine zeitweilige Auslandstätigkeit gewonnen werden.

Ein solches Vorgehen wird offensichtlich von der *Fa. Andreas Stihl (Waiblingen)* realisiert, die sich nach Aussage von *Robert Mayr*, einem Mitglied der Geschäftsführung, zum Prinzip gemacht hat, "... daß die Mitarbeiter die Märkte aus eigener Anschauung kennen müssen"[171], und er führt dann weiter aus: "Einen Markt persönlich zu "erfahren", sehen wir als eine der wichtigsten Marktforschungsmethoden an. In diesen

169 Vgl. Sood, J. (1980), S. 545ff.

170 Vgl. Fuß, J., Meyer, W., Stern, H. (1989), S. 28ff.; Groves, L. (1994), S. 23ff.; Simmet-Blomberg, H. (1998), S. 248 ff.

171 Mayr, R. (1990), S. 112.

Prozeß schaltet sich selbstverständlich auch die Geschäftsführung ein, die alljährlich in vielen Märkten präsent ist."[172]

Verschiedene empirische Studien[173] haben jedoch ergeben, daß dieses keineswegs ein für alle oder die Mehrzahl der international tätigen Unternehmungen typisches Beispiel ist. Viele dieser Unternehmungen betreiben entweder überhaupt keine derartige systematische Informationsbeschaffung oder verlassen sich weitgehend auf objektive Informationen, weil sie nicht willens sind, die zur Erlangung von subjektivem Wissen nun einmal notwendigen zeitlichen und finanziellen Investitionen zu tätigen.

[172] Ebenda.

[173] Vgl. z.B. Bilkey, W.J. (1978), S. 33ff.; Lee, W.Y., Brasch, J.J. (1978), S. 85ff.

2 Internationale Sekundärforschung

2.1 Charakteristik, Ausprägungsformen und Entscheidungstatbestände einer internationalen Sekundärforschung

Sekundärstatistische internationale Marketingforschungen (oder kurz gesagt: internationale Sekundärforschungen) sind dadurch gekennzeichnet, daß bereits vorliegende, zu einem früheren Zeitpunkt und für andere oder ähnliche Zwecke erhobene Daten, erstellte Analysen oder publizierte Berichte beschafft, zusammengestellt und unabhängig von ihren ursprünglichen Zwecken und Bezugsrahmen dem internationalen Marketing(entscheidungs)problem bzw. dem von ihm ausgelösten Informationsbedarf gemäß aufbereitet, analysiert und interpretiert werden.[174]

Informationen werden bei dieser Form einer internationalen Marketingforschung somit nicht durch eigens zu diesem Zweck erhobene Daten gewonnen, sondern durch die Auswertung von unternehmungsintern oder -extern vorhandenen Informationsmaterialen. Je nachdem, von welcher Art diese Informationsmaterialien sind, lassen sich *drei Varianten* von internationalen Sekundärforschungen unterscheiden, nämlich

1. Sekundärforschungen auf der Basis von statistischen Daten (z.B. Daten der amtlichen, halbamtlichen oder betrieblichen Statistik),
2. Sekundärforschungen auf der Basis von empirisch fundierten Länder(markt)analysen, Verbraucheranalysen, Konkurrentenanalysen, Mediaanalysen etc.,
3. Sekundärforschungen auf der Basis von Berichten, Mitteilungen und ähnlichen Veröffentlichungen (z.B. Zeitungsberichte, Geschäftsberichte, Reisenden- und Vertreterberichte, Kataloge, Nachschlagewerke, Veröffentlichungen im World Wide Web).

Diese Unterschiedlichkeit des Informationsmaterials bedingt eine Unterschiedlichkeit des Auswertungsprocedere und der Auswertungsmethoden. Während bei der ersten Variante die beschafften Daten nach einer

---

[174] Zum allgemeinen Begriff der *"Sekundärforschung"* vgl. auch Stewart, D.W. (1984), S. 11ff.; Friedrichs, J. (1990), S. 353 ff.; Böhler, H. (1992), S. 55ff.; Hüttner, M. (1997), S. 22 u. 194.

eventuellen (weiteren) Aufbereitung unter Einsatz von statistisch-mathematischen Methoden (wie z.B. der Clusteranalyse oder zeitreihenanalytischer Verfahren) grundlegend analysiert und die erhaltenen Ergebnisse (z.B. Länderclusters) interpretiert werden müssen, kann bei der zweiten Variante nach einer eventuellen Re-Analyse das vorliegende Analyseergebnis zusammen mit anderen Daten (z.B. im Rahmen einer Länder-Portfolio-Analyse)[175] weiterverarbeitet oder aber so übernommen werden. Die dritte Variante erlaubt bei einem Vorliegen rein textlicher Informationsmaterialien eine systematische Extraktion und Zusammenstellung relevanter Sachverhalte bzw. bei einem Vorliegen alpha-numerischer Informationsmaterialien (z.B. in Form von Geschäftsberichten) darüber hinaus noch die Ermittlung verschiedener Kennzahlen (z.B. von Bilanzkennzahlen).

Alle drei Arten von Informationsmaterialien können entweder in gedruckter Form vorliegen oder aber in Online-Systemen (wie z.B. dem Internet)[176] publiziert bzw. in elektronischen Datenbanken (d.h. Online-Datenbanken oder CD-ROMs)[177] gespeichert sein. Folglich läßt sich der jeweiligen Präsentationsform der Informationsmaterialien gemäß, zwischen **konventionellen "Buchrecherchen"** einerseits, bei denen gedrucktes Material ausgewertet wird, und **elektronischen Recherchen** andererseits differenzieren, die als **Off-** oder **Online-Recherchen**[178] vom Unternehmen selbst oder von beauftragten Informationsbrokern, Marktforschungsinstituten, Unternehmensberatern o.a. durchgeführt werden können.

Stellt man die Herkunft des ausgewerteten Informationsmaterials in den Vordergrund des Interesses, kann man zwischen einer **internen** und einer **externen internationalen Sekundärforschung** unterscheiden. In-

---

175 Siehe hierzu z.B. Schneider, D.J.G. (1992), S. 366ff.

176 Zum entsprechenden Informationsangebot kommerzieller und nicht-kommerzieller Online-Systeme siehe z.B. Keeler, L. (1995), S. 75ff.; Lescher, J.F. (1995); Schmitz, M. (1996), S. 109ff.; Berkman, R., Hammond-Tooke, A. (2001), S. 31ff.

177 Zum Begriff und Informationsgehalt elektronischer Datenbanken siehe z.B. Staud, J.L. (1993); Boni, M. (1994); Weber-Schäfer, U. (1995), S. 32ff.; Einsporn, T. (1996), S. 4ff.

178 Zur Durchführung von elektronischen Offline-Recherchen (d.h., Nutzung von CD-ROMs) und (nicht-)datenbankbezogenen Online-Recherchen siehe ebenda sowie die in Fußnote 176 zitierte Literatur.

terne internationale Sekundärforschungen (die sowohl betriebsbezogene als auch umweltbezogene Forschungen sein können)[179] werten unternehmungsintern vorhandene Informationsmaterialien aus, externe internationale Sekundärforschungen greifen dagegen auf unternehmungsextern vorhandene Informationsmaterialien zurück, wobei die konkrete Informationsquelle in beiden Fällen sowohl im Inland als auch im Ausland angesiedelt sein kann[180].

Interne internationale Sekundärforschungen sind zwar billiger, schneller und organisatorisch problemloser durchzuführen als jede andere Form einer Marketingforschung[181], weisen aber den gravierenden Nachteil auf, daß ihnen nur umfänglich wie inhaltlich begrenzte Informationsmaterialien zur Verfügung stehen. Bei externen internationalen Sekundärforschungen existiert dagegen in aller Regel ein so breites Angebot prinzipiell nutzbarer Informationsquellen und -materialien, daß dieses aus zeitlichen und finanziellen Gründen gar nicht vollständig ausgeschöpft werden kann. Hier bedarf es dann folglich einer planvollen Selektion der tatsächlich zu nutzenden Informationsquellen und -materialien.

Sekundärstatistische internationale Marketingforschungen können schließlich, wie bereits erwähnt wurde (vgl. Kap. 1.4.2.5), sowohl als **Vor-** oder **Begleitstudien** zu primärstatistischen Untersuchungen als auch als den gesamten Informationsbedarf deckende **Hauptstudien** durchgeführt werden. Die Tatbestände, über die im Prozeßverlaufe einer internationalen sekundärstatistischen Marketingforschung entschieden werden muß (vgl. Abbildung 7), sind jedoch in allen drei Fällen prinzipiell die gleichen.

Nachdem nach einer **Identifikation** und **groben Analyse** (Screening) **potentieller Informationsquellen** entschieden worden ist, den zur Lösung eines internationalen Marketing(entscheidungs)problems notwendigen Informationsbedarf auf dem Wege einer internationalen Sekundärforschung zu decken (vgl. Kap. 1.4.2.5), ist zunächst der **finanzielle** und **zeitliche Rahmen** sowie die **organisatorische Abwicklung** der Informationsbe-

179 Vgl. Kap. 1.4.2.1.

180 Vgl. ebenda.

181 Vgl. auch Churchill, G.A. (1991), S. 248.

schaffung festzulegen. Dies bedeutet, daß vom Marketing-Management (in eventueller Abstimmung mit der betrieblichen Marktforschung)

1. die Höhe des Budgets bestimmt werden muß, das für die internationale Sekundärforschung maximal zur Verfügung steht,
2. die Termine fixiert werden müssen, zu denen bestimmte Zwischenergebnisse und die Endergebnisse der Untersuchung spätestens präsentiert werden sollen,
3. entschieden werden muß, ob die Untersuchung ganz oder teilweise im eigenen Haus oder außer Haus durchgeführt werden soll (s. Kap. 4).

Wer auch immer mit der Durchführung der internationalen Sekundärforschung betraut wird, hat zu eruieren, ob neben den bereits bekannten und grob analysierten Informationsquellen weitere Informationsquellen zur Informationsbedarfsdeckung nutzbar sind. Dabei sollte insbesondere überprüft werden, ob es möglich ist, anstelle von Sekundärquellen **Primärquellen** zu erschließen.[182]

Als Primärquellen sind die **originären** Quellen von Informationen zu bezeichnen – dies sind folglich die Veröffentlichungen all jener Institutionen (z.B. der statistischen Ämter), welche die publizierten Daten selbst erhoben haben, oder sich selbst betreffende Veröffentlichungen von Unternehmungen (z.B. Geschäftsberichte und Bilanzen). **Sekundärquellen** (wie z.B. Nachschlagewerke oder Länderberichte) schöpfen hingegen nur Primärquellen ab, indem sie aus diesen Daten übernehmen, Aussagen zitieren etc.

Die Bevorzugung von Primärquellen ist einmal darin begründet, daß häufig alleine nur sie die Qualität der Informationen zu beurteilen erlauben, weil sie im Gegensatz zu Sekundärquellen z.B. darüber Auskunft geben, welche Methoden im jeweiligen Fall bei der Informationsgewinnung und -verarbeitung eingesetzt worden sind.[183] Zum anderen informieren Primärquellen in aller Regel auch genauer und vollständiger als Sekundärquellen, die häufig unterlassen, "to reproduce significant footnotes, or textual comments, by which the primary source had qualified

---

182 Vgl. ebenda, S. 251.

183 Vgl. ebenda.

the data or the definition of units"[184], oder selbst nur auf anderen Sekundärquellen fußen und dabei hin und wieder von anderen bzw. früher gemachte Übertragungs- oder Auswertungsfehler reproduzieren[185].

Wenn die Suche nach weiteren nutzbaren Informationsquellen abgeschlossen ist, muß die Qualität dieser und der bereits bekannten Informationsquellen sowie der durch sie erschließbaren Informationsmaterialien bewertet und die letztendlich zu nutzenden Informationsquellen und -materialien ausgewählt werden.

Maßgebliche Kriterien der Qualitätsbeurteilung von Informations**quellen** sind die Ursprünglichkeit, Objektivität und Professionalität der Informationsquelle bzw. der hinter dieser stehenden Institution[186], während die Qualität des Informations**materials** im Ausmaß seiner Entscheidungsrelevanz, Vollständigkeit, Aktualität, Genauigkeit und Vergleichbarkeit (vgl. Kap. 1.4.2.2) überprüft werden kann. Hierauf wird in Kap. 2.3 noch näher einzugehen sein.

2.2 Informationsquellen

Die weltweite Vielzahl und Vielgestaltigkeit der im Rahmen einer internationalen Sekundärforschung potentiell nutzbaren Informationsquellen ist derart groß, daß weder eine vollständige Erfassung noch eine hinreichende Charakterisierung dieser Informationsquellen möglich ist. Die folgende Darstellung muß daher darauf beschränkt bleiben, für die einzelnen Kategorien von Informationsquellen (s. Tabelle 4) einige typische Beispiele anzuführen.[187]

---

[184] Nemmers, E.E., Myers, J.H. (1966), S. 38, zitiert nach Churchill, G.A. (1991), S. 251.

[185] Über einen Übertragungsfehler, der jahrzehntelang reproduziert wurde, berichtete z.B. das von Churchill, G.A. (1991), S. 251, zitierte Wall Street Journal.

[186] Vgl. Czinkota, M.R. (1988), S. 198f.; Churchill, G.A. (1991), S. 251; Schopphoven, I. (1991), S. 33f.

[187] Einen Überblick über mögliche Quellen einer Sekundärforschung verschafft auch das vom *inma Institut für Marktforschung*, München, herausgegebene Quellen-Lexikon der Marktforschung "desk research".

2.2.1 Unternehmungsinterne Informationsquellen

Von allen Informationsquellen sollten ihres problemlosen, schnellen und billigen Zuganges wegen (vgl. Kap. 2.1) zunächst einmal die unternehmungsinternen ausgeschöpft werden, die man weiter in in- und ausländische Informationsquellen unterteilen kann.

2.2.1.1 Inländische unternehmungsinterne Informationsquellen

Zu den inländischen unternehmungsinternen Informationsquellen zählen jene Informationsquellen, die aus der Sicht der jeweiligen Marketingentscheidungsträger, für welche die Sekundärforschung durchgeführt wird, im eigenen Unternehmen bzw. im inländischen Unternehmensteil lokalisiert sind. In erster Linie sind hier zu erwähnen[188]:

- Umsatzstatistiken,
- Auftrags- und Bestellstatistiken,
- Unterlagen der Kostenrechnung,
- Kunden- und Lieferantenkorrespondenzen,
- Kunden- und Lieferantenkarteien,
- Absatz- und Beschaffungsmittlerdateien,
- Kunden- und Außendienstberichte,
- Einkäuferberichte,
- Lagerstatistiken,
- vorhandene eigene oder fremdbezogene Studien über Länder, Märkte, Verbraucher etc.

Umsatz-, Auftrags-, Bestell- und andere Statistiken sowie die Unterlagen der Kostenrechnung liefern jedoch nur dann entscheidungsrelevante Informationen, wenn ihre Daten nicht nur nach Produkten bzw. Produkt-

[188] Vgl. hierzu auch Böhler, H. (1992), S. 56; Meffert, H. (1992), S. 197; Hammann, P., Erichson, B. (1994), S. 61; Patzer, G.L. (1995), S 39 ff.; Berekoven, L., Eckert, W., Ellenrieder, P. (2001), S. 43.

gruppen, Kunden bzw. Kundengruppen und Absatzmittlern, sondern auch nach Länderregionen, Ländern, Länderteilmärkten oder transnationalen Marktsegmenten untergliedert sind oder, falls dies noch nicht geschehen ist, zum Zwecke der Marketingforschung ex post untergliedert werden können.[189]

Da eine derartige nachträgliche Untergliederung aber sehr aufwendig oder manchmal nicht mehr möglich ist, ein dergestaltiger Informationsbedarf aber immer wieder auftreten wird, empfiehlt es sich, die für eine internationale Marketingforschung relevanten Statistiken und Teile der Kostenrechnung gleich mit einer solchen Untergliederung anzulegen. Keine Probleme sollte hingegen eine entsprechende Auswertung der anderen Informationsquellen bereiten.

2.2.1.2 Ausländische unternehmungsinterne Informationsquellen

Im Falle einer institutionellen Internationalisierung ist darauf zu achten, daß bei allen ausländischen "Unternehmungsablegern" (Verkaufsniederlassungen, Montage- oder Produktionsbetrieben etc.) die gleichen Statistiken, Dateien, Berichte und Kostenrechnungen auf die gleiche Weise angelegt und durchgeführt werden wie bei der Muttergesellschaft, so daß entsprechende Daten bzw. Informationsmaterialien immer und überall verfügbar sind und ohne Schwierigkeiten international verglichen werden können.

2.2.2 Unternehmungsexterne Informationsquellen

Das aus unternehmungsinternen Quellen gewonnene Daten- und Informationsmaterial kann zwar zur Aufdeckung, Analyse und Lösung einiger Marketing(entscheidungs)probleme beitragen, bedarf aber in der Mehrzahl der Fälle der Relativierung oder Ergänzung durch Daten- und In-

---

189 Vgl. auch Böhler, H. (1992), S. 56f.

formationsmaterial, das nur aus unternehmungsexternen Quellen erhältlich ist.

Ein solches, z.T. sogar kostenlos zu bekommendes Daten- und Informationsmaterial liegt in einer hypertrophen Fülle vor, die für jemanden, der noch nie eine internationale Sekundärforschung durchgeführt hat, kaum vorstellbar ist. Die nachfolgenden Ausführungen vermögen daher auch nur andeutungsweise aufzuzeigen, welche unternehmungsexternen Quellen mit welchen Daten- und Informationsmaterialien aufwarten können.

2.2.2.1 Inländische unternehmungsexterne Informationsquellen

Eine internationale Sekundärforschung, bei der alleine oder hauptsächlich inländische unternehmungsexterne Informationsquellen genutzt werden können, hat den großen Vorteil, daß die Informationssammlung schneller, billiger und unproblematischer erfolgen kann, als wenn auf entsprechende ausländische Informationsquellen zurückgegriffen werden muß.[190] Überdies ist auch die Informationsauswertung häufig mit weniger Schwierigkeiten verbunden, weil die Informationen meist in der Sprache des (inländischen) Auswerters und nicht in der jeweiligen Landessprache vorliegen und übermittelt werden. Nach den unternehmungsinternen Informationsquellen sollte daher diesen Informationsquellen im Procedere einer internationalen Sekundärforschung das nächstfolgende Analyseinteresse gewidmet werden.

Allgemein können die folgenden inländischen unternehmungsexternen Quellen als Lieferanten von auslandsbezogenen Daten- und Informationsmaterialien in Frage kommen:

(1) Publikationen von Ministerien und Behörden,

(2) Publikationen nationaler Statistischer Ämter,

(3) Publikationen der Nationalbank,

(4) Publikationen von inter-/supranationalen Organisationen,

---

190 Vgl. Jain, S.C. (1996), S. 350.

(5) Publikationen, Archiv-Material und Informationsdienste von

- nationalen Handelskammern,
- nationalen Wirtschaftsverbänden,
- Ländervereinen und Ländergesellschaften,
- Wirtschaftsforschungsinstituten,
- sonstigen Institutionen,
- Banken, Investment- und IT-Analysten, Consulting-Unternehmen, Wirtschaftsprüfungs- und Steuerberatungsgesellschaften sowie Werbeagenturen,
- nationalen Repräsentanten inter-/supranationaler Organisationen,
- ausländischen Botschaften und Konsulaten,
- im Inland residierenden ausländischen Handelsförderungsstellen und Handelskammern,

(6) Publikationen, Archiv-Material und Studien von

- Marktforschungsinstituten und
- Verlagen,

(7) Kataloge und Berichte von inländischen internationalen Messen und Ausstellungen sowie auf diesen gesammelte Firmenkataloge, -prospekte und -preislisten,

(8) im Inland publizierte Nachschlagewerke,

(9) im Inland erstellte muttersprachliche CD-ROM-Datenbanken,

(10) Online-Datenbanken inländischer Hosts,

(11) Originär muttersprachliche Web-Sites,

(12) Informationsangebote von Hilfsbetrieben der Sekundärforschung.

Welche konkreten staatlichen Institutionen, Verbände, Vereine, Unternehmungen etc. konsultiert werden können und welche konkreten Daten und Informationsmaterialien von diesen erhältlich sind, differiert naturgemäß von Land zu Land. Aus der Sicht eines deutschen Sekundärforschers[191] ergeben sich beispielsweise die im folgenden aufgeführten Konkretisierungen.

(1) <u>Publikationen von Ministerien und Behörden</u>

(1.1) Auf ***Bundesebene*** sind vor allem folgende Publikationen des *Bundesministeriums für Wirtschaft und Technologie (BMWi)*, des *Bundesministeriums für wirtschaftliche Zusammenarbeit (BMZ)* und des *Auswärtigen Amtes (AA)* von Relevanz:

- <u>*BMWi*:</u>
  - Jahres-, Quartals- und Monatsberichte,
  - Leistung in Zahlen 20..,
  - Jahreswirtschaftsbericht 20..,
  - Exportfibel,
  - Nationale und multilaterale Finanzierungsinstrumente für Exporte und Auslandsinvestitionen (Dokumentation),

- <u>*BMZ:*</u>
  - Jahresbericht,
  - Zusammenarbeit mit Entwicklungsländern,

- <u>*AA:*</u> -
  - Die Bundesrepublik Deutschland und Lateinamerika (Dokumentation),
  - Die Bundesrepublik Deutschland und der Nahe Osten (Dokumentation),
  - Adreßbuch der deutsch-britischen Zusammenarbeit (Broschüre),
  - Adreßbuch der deutsch-amerikanischen Zusammenarbeit (Broschüre).

Aktuelle Informationen über diese und andere Publikationen der genannten Ministerien enthalten deren Homepages im Internet, die über die folgende Web-Adresse zu erreichen sind: *www.bundesregierung.de*.

---

191 Eine Konkretisierung aus der Sicht eines US-amerikanischen Sekundärforschers findet sich bei Stewart, D.W., Kamins, M.A. (1993), S. 6ff.; Patzer, G.L. (1995), S. 81ff.; Jain, S.C. (1996), S. 345ff.

(1.2) Auf ***Länderebene*** veröffentlichen einzelne Wirtschaftsministerien ebenfalls

- Monats-, Quartals- und Jahresberichte sowie
- Sonderberichte über Auslandsaktivitäten.

(1.3) Von herausragender Bedeutung sind die umfangreichen Publikationen, aber auch die weiteren Informationsdienste (auf die schon an dieser Stelle hingewiesen werden soll) der in Köln (Hauptsitz) und Berlin (Außenstelle) ansässigen ***Bundesagentur für Außenwirtschaft (bfai)***[192], die zum Geschäftsbereich des ***BMWi*** gehört und durch die Bereitstellung von Informationen über Auslandsmärkte der Förderung der deutschen Außenwirtschaft dienen soll (vgl. Abbildung 8).

Die **bfai-Schriften** sind in sechs Kategorien unterteilt und informieren in verschiedenen Publikationsreihen über folgende, mehr als 150 Länder betreffende Sachverhalte:

1. *Geschäftspraxis* (Länderprofile, Exportinformationen, Tips zur erfolgreichen Messebeteiligung und Handelsvertretersuche, Geschäftsanbahnung und -abwicklung etc.),
2. *Geschäftskontakte* (Adressen bzw. Adressverzeichnisse von Firmen und Verbänden, Rechtsanwälten, Geschäftswünsche ausländischer Unternehmen, Projekte etc.),
3. *Wirtschaftsklima* (volkswirtschaftliche Eckdaten, Wirtschaftstrends, Prognosen und Konjunkturberichte),
4. *Regionen und Sektoren* (Industriestandorte, Energiewirtschaft, Forschung und Technologie, Umweltschutz),
5. *Marktanalysen* (Absatzchancen, Vertriebswege, Einfuhrabgaben, Kontaktanschriften etc. bezogen auf ausgewählte Produktmärkte),
6. *Recht & Zoll* (Wirtschafts-, Handels- und Vertragsrecht, Hilfen zur Vertragsgestaltung, Zolltarife und -vorschriften etc.).

---

192 Vor 2001 als "Bundesstelle für Außenhandelsinformationen" bezeichnet.

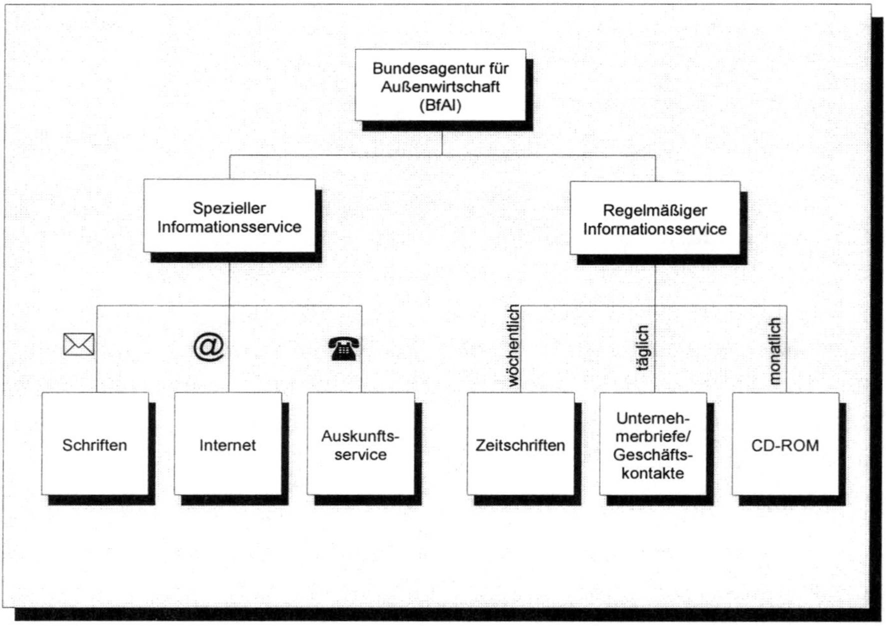

Abbildung 8: Informationsdienstleistungen der Bundesagentur für Außenwirtschaft (bfai)
Quelle: bfai

Darüber hinaus werden unter Rubrum *Dokumente* ausländische Originaltexte über Rechts-, Steuer- und Zollvorschriften bzw. -verfahren, Projekte etc. zugänglich gemacht.

Welche Schriften über welches Land vorliegen, dokumentiert das jährlich erscheinende und monatlich durch Neuerscheinungsblätter aktualisierte Publikationsverzeichnis *"Erfolg im Ausland. Publikationen Januar 20.. bis Dezember 20.."*, das kostenlos bezogen werden kann und neben den *bfai*-eigenen Veröffentlichungen noch eine Auswahl von Publikationen der deutschen Außenhandelskammern aufweist, die von der *bfai* vertrieben werden.

Über die Neuerscheinungen informieren fortlaufend auch die Mitteilungsblätter der Kammern und Verbände sowie die von den *VWD (Vereinigte Wirtschaftsdienste)* herausgegebenen, börsentäglich erscheinenden

"Nachrichten für Außenhandel". Darüber hinaus berichten die *NfA* über Wirtschaftsklima und -politik sowie Markttrends in allen wichtigen Ländern, über Investitionsvorhaben und Ausschreibungen im Ausland, konkrete Geschäftswünsche ausländischer Unternehmen, Branchen und Marktsegmente sowie den Europäischen Binnenmarkt. Ferner werden in unregelmäßigen zeitlichen Abständen in der normalen Ausgabe oder in Beilagen Schwerpunktthemen behandelt (im Jahre 1998 waren dies u.a. folgende Schwerpunktthemen: "Geschäftsreisen", "Messen und Ausstellungen 1999", "Aserbeidschan" und "Euro und Außenhandel").

Seit dem 01.01.1997 eröffnet die **Web-Site** der *bfai* (*www.bfai.de*) die Möglichkeit, einen kostenlosen Überblick über das komplette *bfai*-Informationsangebot zu gewinnen und die ersten Zeilen aller Dokumente zu lesen sowie kostenpflichtige Volltextrecherchen in den folgenden drei Datenbanken, die zusammen mehr als 60.000 Dokumente beinhalten, vorzunehmen:

1. *Märkte* (Informationen über Länder und Märkte, Investitions- und Entwicklungsvorhaben, Ausschreibungen und Geschäftswünsche im Ausland),
2. *Kontaktadressen* (Informationen über Auskunfts- und Kontaktstellen sowie Rechts- und Patentanwälte),
3. *Publikationsangebot* (Übersicht über die *bfai*-Schriften, die von hier im PDF-Format heruntergeladen werden können, Hinweise auf bei der *bfai* erhältliche Publikationen - z.B. von Organisationen, Verbänden, Kammern, Behörden - sowie Originaltexte zu Recht, Zöllen, Verfahren, Branchen und Anschriften).

Daneben bestehen noch Recherchemöglichkeiten in der Zoll- und Förderdatenbank. Alle diese Recherchen sind (wie vor dem 01.01.97) auch noch über die Hosts *GENIOS, FIZ Technik, GBI, S.P.A.* und *ips-Daten Center* möglich.[193]

Durch den telefonischen **Auskunftsservice**, der pro angefangener halben Stunde z.Zt. 20,- € kostet, können Informationen erschlossen werden,

---

[193] Siehe hierzu die weiter unten folgenden Ausführungen zu *"(10) Online-Datenbanken deutscher Hosts"*.

die wegen ihrer Vielfalt und Differenziertheit von der *bfai* in ihren Schriften und Datenbanken sowie in ihrer noch zu erläuternden *"CD-ROM ZUR AUSSENWIRTSCHAFT"* nur zum Teil veröffentlicht worden sind.

Wöchentlich, 14-tägig oder monatlich erscheinen 7 **BfAI-Zeitschriften** mit den folgenden Inhalten:

- *bfai-Info Asien, bfai-Info Lateinamerika, bfai-Info Nahost, bfai-Info Osteuropa* (Wirtschaftslage, Branchentrends, Tips zur Geschäftspraxis, Geschäftswünsche in bzw. aus der jeweiligen Weltregion) - 14-tägig,
- *Geschäftskontakte* (Projekte, Ausschreibungen und Geschäftswünsche im Ausland) - wöchentlich,
- *Zoll spezial* (Entwicklungen bei Zollbestimmungen und Einfuhrverfahren) - monatlich,
- *Recht & Steuern* (Veränderungen im Wirtschafts- und Steuerrecht) - monatlich.

Die jeweils nur vier Seiten umfassenden 157 Publikationen mit dem Namen ***"Wirtschaftsdaten aktuell"*** beinhalten für 102 Länder halbjährlich und für die restlichen 55 Länder in unregelmäßigen Abständen aktualisierte volkswirtschaftliche Eckdaten.

Die ***"bfai-Unternehmerbriefe"*** stellen einen maßgeschneiderten Informationsdienst dar, bei dem ein Interessent regelmäßig die jeweils neuesten Informationen aus der Datenbank *"Länder und Märkte"* zugestellt bekommt, die von ihm benannte Branchen und Länder betreffen. Das gleiche gilt für die ***"bfai-Geschäftskontakte"***, bei denen für spezifizierte Länder und Produkte bzw. Branchen über tagesaktuelle

- Anfragen ausländischer Unternehmen nach deutschen Waren (neu oder gebraucht) und Kooperationspartnern,
- Vertretungsangebote und -gesuche von ausländischen Unternehmen,
- Ausschreibungen des öffentlichen Sektors (insbesondere in Osteuropa und der Dritten Welt) sowie
- Investitions- und Finanzierungsvorhaben im Rahmen der internationalen Entwicklungshilfe

informiert wird.

Die *bfai* stellt ihr über das Internet nutzbare Informationsangebot auch als ***"CD-ROM ZUR AUSSENWIRTSCHAFT"*** zur Verfügung, die sich im Rahmen eines Jahresabonnements durch updates monatlich oder durch einen Online-Zusatzservice jederzeit aktualisieren läßt. Eine zweite CD-ROM, die im Jahre 1998 herausgebrachte CD-ROM ***"Polen - Informationen zur Außenwirtschaft"***, bündelt die der *bfai* vorliegenden Informationen über Polen, dem wichtigsten Handelspartner und Investitionsstandort von deutschen Unternehmen in Osteuropa. Weitere Länder-CD-ROMs liegen über Brasilien, Rußland und die Türkei vor.

Seit Anfang 2001 koordiniert das *bfai* schließlich auch das auf Initiative des *BMWi* ins Leben gerufene und z. Zt. noch im Aufbau befindliche Außenwirtschaftsportal *iXPOS* (*www.ixpos.de*), unter dem sämtliche wichtigen Akteure der deutschen Außenwirtschaftsförderung, dies sind insgesamt ca. 50 Organisationen und Verbände, gemeinsam ihre diesbezüglichen Förderangebote und Serviceleistungen für die mittelständischen Unternehmen präsentieren. Mit *iXPOS* soll der schon lange artikulierten Forderung nach mehr Transparenz in der Außenwirtschaftsförderung Rechnung getragen werden.

Bei der Informationsbeschaffung stützt sich die *bfai* vor allem auf ein Netz von ca. 45 Marktbeobachtern, die praxisnah und aktuell aus allen Teilen der Welt über Themen aus ihrem Gastland berichten, die für deutsche Unternehmen von besonderem Interesse sind. Ferner werden von den 163 Mitarbeitern, die in Köln und Berlin tätig sind, neben einer Vielzahl in- und ausländischer Informationsquellen insbesondere die Wirtschaftsberichte der deutschen Botschaften und Konsulate sowie die Berichte der Außenhandelskammern ausgewertet.

(1.4) Sonstige amtliche Veröffentlichungen, die in Einzelfällen als Informationsquellen in Betracht kommen können, sind

- der Bundesanzeiger und
- der Jahreswirtschaftsbericht der Bundesregierung.

(2) Publikationen des Statistischen Bundesamtes (Stat.BA)

Eine weitere ergiebige inländische unternehmungsexterne Informationsquelle stellen die folgenden Veröffentlichungen des *Statistischen Bundesamtes (Stat.BA) (www.destatis.de)* in Wiesbaden dar, die über den Buchhandel bzw. direkt durch den *Metzler-Poeschel-Verlag* (Stuttgart) zu beziehen oder in den meisten wissenschaftlichen Bibliotheken einzusehen sind:

- *"Statistisches Jahrbuch für die Bundesrepublik Deutschland"*, das u.a. Angaben enthält über
  - Ein- und Ausfuhren (nach Waren, Branchen, Ländern, Ländergruppen, Verbrauchs- und Käuferländern differenziert),
  - den Außenhandel mit den wichtigsten Ländern und Ländergruppen.
- *"Statistisches Jahrbuch für das Ausland"*, das umfassende Informationen über die Europäischen Gemeinschaften sowie Daten des wirtschaftlichen und sozialen Lebens aus fast allen Ländern der Welt enthält,
- *"Fachserien"* mit monatlicher bis zweijähriger Erscheinungsfolge der jeweils zugeordneten Publikationen, und zwar
  - Fachserie 1 *"Bevölkerung und Erwerbstätigkeit"* mit der Publikationsreihe 1 (Bevölkerung im Ausland),
  - Fachserie 4 *"Produzierendes Gewerbe"* mit der Publikationsreihe 3.1 (Produzierendes Gewerbe im Ausland),
  - Fachserie 7 *"Außenhandel"* mit den Publikationsreihen 1 (Zusammenfassende Übersichten), 2 (Spezialhandel nach Waren und Ländern), 3 (Spezialhandel nach Ländern und Warengruppen),
  - Fachserie 16 *"Löhne und Gehälter"* mit der Publikationsreihe 5 (Löhne, Gehälter und Arbeitskosten im Ausland),
  - Fachserie 17 *"Preise"* mit den Publikationsreihen 8 (Preise und Preisindizes für die Ein- und Ausfuhr), 10 (Internationaler Vergleich der Preise für die Lebenshaltung) und 11 (Preise und Preisindizes im Ausland).
- *"Vierteljahreshefte zur Auslandsstatistik"*, die für eine Vielzahl von Ländern ausgewähltes Zahlenmaterial enthalten, auf diese Weise das

"Statistische Jahrbuch für das Ausland" ergänzen und aktualisieren sowie letztlich die Möglichkeit zu internationalen Vergleichen bieten.

- *"Länderberichte"*, die in jährlich ca. 40 Ausgaben insbesondere für die außereuropäischen Länder und die Staaten Mittel- und Osteuropas (vielfach in einem zweijährlichen Turnus) ausführlich kommentiertes Zahlenmaterial über Bevölkerung und Wirtschaft enthalten. Die Angaben beziehen sich in aller Regel auf einzelne Länder, z.T. aber auch auf Staatengruppen.

Neben diesen herkömmlichen Formen der Bereitstellung statistischer Ergebnisse sowie CD-ROM-Versionen des "Statistischen Jahrbuchs für die Bundesrepublik Deutschland" und des "Statistischen Jahrbuchs für das Ausland" bietet das *Stat.BA* noch weitere Informationsdienste in Form des *"Statistischen Informationssystems des Bundes" (STATIS-BUND) (www-ec.statistik-bund.de)* an.

Damit wird ein EDV-gestütztes Informationssystem bezeichnet, das Interessenten die Möglichkeit eröffnet, per

- Online-Zugriff,
- Mailboxservice BASIS-BUND,
- Diskettenbezug oder
- Informationsvermittler

statistische Ergebnisse in Form von Zeitreihen und Tabellen mit Strukturdaten aus allen Bereichen der amtlichen Statistik abzurufen, aufzubereiten, mit Hilfe verschiedener statistisch-mathematischer Verfahren zu analysieren und diese Ergebnisse abschließend graphisch darzustellen.[194]

*(3) **Publikationen der Deutschen Bundesbank***

Von Relevanz können folgende Veröffentlichungen der *Deutschen Bundesbank (www.bundesbank.de)* sein:

- Geschäftsberichte der Deutschen Bundesbank,
- Monatsberichte der Deutschen Bundesbank,

---

[194] Siehe hierzu ebenda sowie die Ausführungen unter "(9) In Deutschland erstellte deutschsprachige CD-ROM-Datenbanken ".

- Statistische Beihefte zu den Monatsberichten der Deutschen Bundesbank und
- Mitteilungen der Deutschen Bundesbank.

(4) Publikationen von im Inland ansässigen inter-/supranationalen Organisationen

Von den in Deutschland ansässigen inter-/supranationalen Organisationen ist vor allem die in Frankfurt a.M. residierende ***Europäische Zentralbank (EZB)*** als Informationsquelle von Interesse. Welche Publikationen und Statistiken von der *EZB* (meist auch online) bezogen werden können, ist aus ihrer Web-Site (*www.ecb.int*) ersichtlich.

(5) Publikationen, Archiv-Material und Informationsdienste von ...

(5.1) ... Industrie und Handelskammern (IHK)

Die Außenwirtschaftsabteilungen der lokalen IHK *(www.ihk.de)* und deren Zentralorgan, der *Deutsche Industrie- und Handelskammertag (DIHK)* in Berlin *(www.diht.de)*, bieten ihren Mitgliedsunternehmen u.a. folgende Informations- und Beratungsdienste an:

- Übermittlung von Informationen über politische, wirtschaftliche und rechtliche Rahmenbedingungen für Handel und Investitionen in einzelnen Ländern durch
  - individuelle Beratungen,
  - Seminare, Vorträge, Sprechtage,
  - Erfahrungsaustausch in Länder-Arbeitskreisen,
  - Merkblätter und Broschüren,
  - Beiträge in den monatlich erscheinenden *"Außenwirtschafts-Nachrichten"* und in der Kammerzeitschrift der jeweiligen IHK etc.
- Unterstützung bei der Suche nach ausländischen Handels- bzw. Kooperationspartnern,
- Information und Beratung bezüglich
  - der Teilnahme an Auslandsmessen,

- der Abwicklung von Export- und Importgeschäften sowie
- der Rechtsbestimmungen, die bei Auslandsinvestitionen und Auslandsprojekten in einem bestimmten Land zu beachten sind.

*(5.2) ... **Wirtschaftsverbänden***

Die wichtigsten Dach- und Fachverbände international operierender Wirtschaftszweige sind

- der *Bundesverband der Deutschen Industrie e.V. (BDI) (www.bdi-online.de)*, Berlin, zu dessen Mitgliedern u.a. zählen
  - der *Verband der Automobilindustrie e.V. (VDA)*, Frankfurt a.M.,
  - der *Verband der Chemischen Industrie e.V.*, Frankfurt a.M.,
  - der *Zentralverband der Elektrotechnik- und Elektronikindustrie e.V. (ZVEI)*, Frankfurt a.M.,
  - der *Verband Deutscher Maschinen- und Anlagenbau e.V. (VDMA)*, Frankfurt a.M.,
- der *Bundesverband des Deutschen Groß- und Außenhandels e.V. (BGA) (www.bga.de)*, Berlin, mit zahlreichen Fachverbänden bzw. regionalen Sparten, wie z.B.
  - der *Außenhandelsvereinigung des Deutschen Einzelhandels e.V.*, Köln, und
  - dem *Bundesverband des Deutschen Exporthandels e.V.*, Berlin.

Die Geschäftsstellen oder spezielle Institutionen dieser Verbände (z.B. das *Institut der Deutschen Wirtschaft* des *BDI*) können folgende Informations- und Beratungsmöglichkeiten anbieten:

- Branchenbezogene Dokumentationen, wie z.B.
  - *"Außenhandelsstatistik verschiedener Länder"* (ZVEI, jährlich),
  - *"ZVEI-Messekalender für die Elektroindustrie, Inland und Ausland"* (ZVEI, jährlich),
  - *"Chemiewirtschaft in Zahlen"* (Verband der Chemischen Industrie),

- *"Länderberichte"* (Bundesverband der Deutschen Holzindustrie und verwandter Industriezweige e.V., Wiesbaden, unregelmäßig),
- *"Maschinenaußenhandel der Bundesrepublik Deutschland"* (VDMA, vierteljährlich),
- *"Das Auto - International - Zahlen"* (VDA),
- *"Länder-Merkblätter"* (Wirtschaftsverband Stahlbau- und Energietechnik, Köln),

- periodische Information der Verbandsmitglieder durch Rundschreiben, Kurznachrichten u.ä.,
- Erteilung von Einzelauskünften an Verbandsmitglieder,
- Vermittlung/Hilfe bei der Anbahnung von Auslandskontakten.

Beim *BDI* liegt ferner die Federführung für folgende zwei Gemeinschaftseinrichtungen der deutschen Wirtschaft, die sich mit außenwirtschaftlichen Fragen befassen und dementsprechende Auskünfte erteilen können:
- Ost-Ausschuß der Deutschen Wirtschaft,
- Arbeitsgemeinschaft Entwicklungsländer.

Darüber hinaus nimmt der *BDI* eine koordinierende Funktion innerhalb der Geschäftsführung des *Asien-Pazifik-Ausschusses der Deutschen Wirtschaft (APA)* wahr, der es sich zur Aufgabe gemacht hat, die Informationsversorgung insbesondere mittelständischer Unternehmen über die asiatisch-pazifischen Märkte zu verbessern. Träger des *APA* sind der *BDI*, der *DIHK* sowie der *Ostasiatische Verein (OSV)*.

(5.3) ... Ländervereinen und Ländergesellschaften

Ländervereine sind branchenübergreifende gemeinnützige Wirtschaftsverbände zur Förderung der Wirtschaftsbeziehungen zwischen Deutschland und der jeweiligen Länderregion. Hauptaufgabe dieser Wirtschaftsverbände ist die Unterstützung von Unternehmen und Verbänden, die Wirtschaftsbeziehungen in diese Regionen unterhalten bzw. auf- und ausbauen wollen.

Dies geschieht durch Informationsdienste, individuelle Beratungen, Schulungen, Erfahrungsaustausch, Vermittlung von Kontakten und durch die Wahrnehmung wirtschaftlicher Interessen gegenüber in- und ausländischen Behörden und Regierungen. Alle diese Aufgaben werden in enger Zusammenarbeit mit anderen Wirtschaftsverbänden, den deutschen Handelskammern im Inland sowie insbesondere den jeweiligen Auslandshandelskammern und Delegierten-Büros durchgeführt.

Gegenwärtig existieren folgende sechs Ländervereine, von denen einige auf eine jahrzehntelange, im Einzelfall sogar bis in das neunzehnte Jahrhundert reichende Tradition zurückblicken können:

- *Afrika-Verein e.V. (AV) (www.afrikaverein.de)*, Hamburg.
- *Australien-Neuseeland Verein e.V. (ANV) (www.oav.de)*, Hamburg. Der *ANV* hat sich 1952 als selbständiger Wirtschaftsverband aus dem *Ostasiatischen Verein* gelöst, arbeitet aber weiterhin mit diesem eng zusammen.
- *Ibero-Amerika Verein e.V. (IAV) (www.ibero-amerikaverein.de),* Hamburg.
- *Nah- und Mittelost Verein e.V. (NuMOV) (www.numov.de)*, Hamburg.
- *Ostasiatischer Verein e.V. (OAV) (www.oav.de)*, Hamburg.
- *Ost- und Mitteleuropa-Verein e.V. (www.omv.de)*, Hamburg.

Das Publikationsangebot dieser Ländervereine, die alle auch unter der Web-Adresse *www.aussenwirtschaftszentrum.de* aufzufinden sind, umfaßt u.a. folgende Schriften:

- Ostasien-Telegramm (1x monatlich),
- Asien-Pazifik Report (4x jährlich),
- FAZ/OAV Länderanalysen,
- Asien/Pazifik Kontakter,
- Länder- und Branchenberichte,
- Afrika-Informationen (1x monatlich).

Der *OAV* und über ihn auch der *ANV* offerieren ihren Mitgliedern ferner den Online-Recherche-Dienst *APOLDA*, mit dem ein Zugriff auf über

1.000 nationale und internationale Datenbanken und Archive verschiedener Hosts (z.B. *Data-Star* und *Dialog*)[195] möglich ist.

Ländergesellschaften sind ebenfalls gemeinnützige Vereine im Sinne des § 52 der Abgabenverordnung, die sich die Anbahnung und Intensivierung des jeweiligen bilateralen Kulturaustausches zum Ziel gesetzt haben. Hierzu werden vor allem Vorträge, Ausstellungen, Konzerte u.ä. veranstaltet sowie Schüler- und Studentenaustauschprogramme gefördert. Als unmittelbare länderspezifische Informationsquellen sind Ländergesellschaften im Rahmen einer internationalen Sekundärforschung daher in aller Regel nicht zu nutzen, sondern lediglich als Hinweisgeber auf potentielle in- oder ausländische Informationsquellen.

Genannt seien beispielhaft folgende Ländergesellschaften:

- *Deutsch-Arabische Gesellschaft e.V. (www.d-a-g.de)*, Berlin.
- *Deutsch-Australische Gesellschaft e.V.*, Frankfurt a.M.,
- *Deutsch-Kanadische Gesellschaft e.V. (www.dkg-online.de)*, Köln,
- *Deutsch-Koreanische Gesellschaft e.V.*, Bonn,
- *Deutsch-Südafrikanische Gesellschaft e.V. (www.wuerzburg.de/dsag)*, Würzburg.

(5.4) ... Wirtschaftsforschungsinstituten

Renommierte Wirtschaftsforschungsinstitute, deren Bibliotheken, Archive und Kataloge ausgewertet werden können, sind:

- *Deutsches Institut für Wirtschaftsforschung (DIW)*, Berlin *(www.diw-berlin.de)*,
- *Hamburgisches Welt-Wirtschafts-Archiv (HWWA)*, Hamburg, *(www.hwwa.de)*,
- *Institut der deutschen Wirtschaft (IW)*, Köln, *(www.iwkoeln.de)*,
- *Institut für Weltwirtschaft an der Universität Kiel (IfW)*, Kiel, *(www.uni-kiel.de:8080/ifw)*,

195 Siehe hierzu ebenda.

- *Ifo-Institut für Wirtschaftsforschung*, München, *(www.ifo.de)*,
- *Rheinisch-Westfälisches Institut für Wirtschaftsforschung (RWI)*, Essen, *(www.rwi-essen.de)*,
- *Institut für Wirtschaftsforschung*, Halle, *(www.iwh.uni-halle.de)*.

Ferner führen diese Institute eigene Studien und Untersuchungen durch, die in regelmäßigen oder unregelmäßigen Abständen publiziert werden und damit der allgemeinen Öffentlichkeit zugänglich sind. Zu erwähnen sind beispielsweise folgende Institutsveröffentlichungen:

- *Wochenberichte* (DIW, wöchentlich),
- *Veröffentlichungen zur Außenwirtschaft* (HWWA, unregelmäßig),
- *Intereconomics* (HWWA, monatlich),
- *Bibliographien der Wirtschaftspresse* (HWWA, monatlich),
- *Konjunktur von Morgen* (HWWA, vierzehntägig),
- *Weltkonjunkturdienst* (HWWA, vierteljährlich),
- *Internationale Wirtschaftszahlen* (IW, jährlich),
- *Weltwirtschaftliches Archiv* (IfW, vierteljährlich),
- *Kieler Studien/Vorträge/Diskussionsbeiträge* (IfW, unregelmäßig),
- *Die Weltwirtschaft* (IfW, Halbjahresschrift),
- *Ifo-Schnelldienst* (dreimal monatlich),
- *Afrika-Studien* (Ifo, unregelmäßig),
- *Ifo-Japan Branchendienst* (unregelmäßig),
- *RWI-Mitteilungen* (viermal jährlich),
- *RWI-Konjunkturberichte* (viermal jährlich).

Darüber hinaus werden z.T. gegen Kostenerstattung auch Einzelauskünfte in Form von

- einmaligen Kurzinformationen,
- Spezialdokumentationen oder
- laufenden problem-, produkt- oder länderspezifischen Informationen

erteilt.

In diesem Zusammenhang besonders zu erwähnen ist die *Informationsstelle Japan/Asien* des *Ifo*-Institutes, die Anfragen nach Daten und Fakten über Japan und die asiatisch-pazifische Region kompetent zu beantworten in der Lage ist. Vor allem deren Online-Anbindung an japanische Datenbanken, die man außerhalb Japans höchst selten findet, eröffnet eine einzigartige Informationsquelle.[196]

(5.5) ... sonstigen Institutionen

Drei andere Institutionen, deren Publikationen nutzbare Informationen beinhalten, sind das ***Rationalisierungs-Kuratorium der Deutschen Wirtschaft (RKW) e.V.***, Eschborn, der ***Ausstellungs- und Messe-Ausschuß der Deutschen Wirtschaft e.V. (AUMA)***, Berlin, und die ***Centrale Marketinggesellschaft der Deutschen Agrarwirtschaft mbH (CMA)***, Bonn.

Im 1921 gegründeten ***RKW*** arbeiten Spitzenorganisationen der Wirtschaft, der Gewerkschaften, der Wissenschaft, Technik und Betriebswirtschaft sowie Unternehmungen und Einzelpersonen zusammen, um einen Beitrag zur Bewältigung wirtschaftlicher, technischer und sozialer Probleme zu leisten. Das *RKW* ist in die wirtschafts- und technologiepolitischen Maßnahmen des Bundes und der Länder eingebunden und mit der Förderung der Produktivität in Klein- und Mittelbetrieben beauftragt.

Über seine Zentrale in Eschborn und seine 15 vor Ort arbeitenden Landesgruppen bietet es den einzelnen Unternehmungen und Politikern eine Vielfalt von Problemlösungen an, die sowohl längerfristige strukturelle Veränderungen der Wirtschaft berücksichtigen als auch den aktuellen Anforderungen des betrieblichen Alltages entsprechen. Vorrangige Zielgruppen sind dabei das Management und die Beschäftigten in mittelständischen Produktions- und Dienstleistungsunternehmen.

Die Tätigkeiten der Zentrale erstrecken sich vor allem auf die Informationsvermittlung durch die im eigenen Fachverlag herausgegebenen Publikationen, die monatlich erscheinende Fachzeitung *"Wirtschaft & Produktivität"*, den ZID Zeitschriften-Informationsdienst *"Betriebswirtschaft und Personalwesen"*, die *"RKW-Informationen aus Fachzeitschriften"* und eine Kooperationsbörse, während die Landesgruppen hierfür Ar-

---

[196] Siehe hierzu auch Koch, M., Weidner, C. (1997), S. 10f.

beitskreise und Erfahrungsaustauschgruppen bilden sowie darüber hinaus auch noch individuelle Beratungen und inner- wie überbetriebliche Weiterbildung betreiben.

Publikationen des *RKW*, die im Rahmen einer internationalen Sekundärforschung ausgewertet werden können, sind beispielsweise die im folgenden aufgeführten:

- Einstieg in die Märkte Asiens. Erfolgsstrategie und Erfahrungen deutscher Firmen, 1998,
- Dostal/Götz: Vertrieb Osteuropa. Ergebnisse einer Befragung von deutschen Unternehmen, 1997,
- Marktchancen in der Region Kansai, Japan, 1996,
- Zukunftsmarkt Vietnam erkennen, erfahren, erschließen, 1995,
- Gerber: Einstieg in den nordamerikanischen Markt, 1993,
- Dostal/Dumpe: Checkliste Osteuropa. Leitfaden zum Markteinstieg in Osteuropa, 1992.

Weitere Informationen über Auslandsmärkte können über die Web-Site des RKW (*www.rkw.de*) erschlossen werden.

Da eine der zentralen Aufgaben des *RKW* darin besteht, insbesondere kleinere und mittlere Unternehmen im Hinblick auf ein Engagement in Süd- und Südostasien zu motivieren und bei ihrer Entscheidungsfindung zu unterstützen, bieten die Zentrale (Asien-Pazifik-Referat) und die Landesgruppen am jeweiligen individuellen Bedarf ausgerichtete Informations- und Beratungsmodule zur Zielmarktauswahl, Geschäfts- und Marketingstrategieentwicklung sowie zur Maßnahmenplanung und -implementierung an.

Den Kernpunkt dieser Förderkonzeption, über die auch die Web-Site des *RKW* Auskunft gibt, bilden folgende konkrete Aktivitäten des Kuratoriums:

- Durchführung von Maßnahmen zur Verbesserung der Marktzugangsbedingungen für deutsche KMU in Ost- und Südostasien z.B. durch Verbesserung des strategischen Marktauswahlverhaltens, des Informationsmanagements und der strategischen Unternehmensplanung: d.h. von der Konzeption und Steuerung bis hin zur endgültigen Kontrolle.

- Umsetzung von bewährten Beratungsinstrumenten, um deutsche KMU systematisch in die ost- und südostasiatischen Märkte einzuführen (z.B. durch Beratung über die Ausrichtung des Marktauswahlprozesses oder die strategische Marketing-Analyse).
- Veröffentlichung von sektor- und branchenbezogenen Publikationen über einzelne ost- und südostasiatische Länder.
- Durchführung von internationalen Begegnungen (z.B. Fachtagungen und Workshops), um deutsche und asiatische KMU über Möglichkeiten der Zusammenarbeit in dem Bereich Technologietransfer sowie über Marktpotential und Absatzchancen in Deutschland und Ost- und Südostasien zu informieren.
- Planung, Organisation und Durchführung von Messebesuchen und Firmenbesichtigungen sowohl in Deutschland als auch in Ost- und Südostasien zur Initiierung von Geschäftskontakten und zur Anbahnung von Kooperationen.
- Konzeption und Durchführung von Primär- und Sekundärerhebungen sowie von Unternehmensumfragen zur Analyse der Markt- und Investitionsbedingungen und zur Stärkung der Kooperationsbereitschaft in Deutschland und in Ost- und Südostasien.
- Beschaffung, Erfassung, Auswertung und operationale Aufbereitung von Informationen über produktivitätsfördernde einzel- bzw. gesamtwirtschaftliche Aktivitäten in Ost- und Südostasien.
- Durchführung von kooperationsbegleitenden Maßnahmen zur Systematisierung und Verfestigung des Kooperationsprozesses z.B. durch Erstellung von Feasibility Studien.

Der ***AUMA*** *(www.auma.de)* informiert und berät als Spitzenorganisation der deutschen Messewirtschaft über Termine, das Angebot sowie über Aussteller- und Besucherstrukturen von in- und ausländischen Messen und Ausstellungen mit dem Ziel, interessierten Ausstellern und Besuchern Entscheidungshilfen für eine Messeteilnahme oder den Besuch einer Messe zu liefern. Dazu sammelt der AUMA jährlich umfangreiches Datenmaterial über mehr als 4.000 Messen und Ausstellungen und publiziert dieses dann in verschiedenen Schriften.

Informationen über ausländische Veranstaltungen werden im *"AUMA-Handbuch International"* veröffentlicht, das jeweils im April und Oktober erscheint. Die hierin enthaltenen Daten sind auch als *"AUMA-Messe Daten"* auf Diskette erhältlich. Weitere Hinweise für Auslandsmessebeteiligungen beinhaltet die Broschüre *"Erfolg auf Auslandsmessen - Ein Ratgeber für Auslandsmessebeteiligungen"*. Darüber hinaus stehen Mitarbeiter der AUMA allen Interessenten jederzeit für individuelle Auskünfte zur Verfügung.

Die Abteilung "Ausland" der ***CMA*** *(www.cma.de)* ist mit Fragen der Exportförderung für land- und ernährungswirtschaftliche Produkte befaßt. Exportinteressierte Unternehmen der Agrarwirtschaft können sich mit Fragen und Problemen an die Zentrale in Bonn oder an die Außenstellen im Ausland (die in Brüssel, Paris, Athen, Wimbledon, Mailand, Riscone, Madrid, New York und Tokio residieren) wenden und individuell beraten werden.

Neben weiteren Serviceleistungen sind bei der *CMA* u.a. folgende Informationsschriften erhältlich:

- Handbuch für den Agrarexport,
- Agrar-Exportbrief,
- Exportmerkblätter,
- Auslandsmarktdaten,
- Branchenberichte.

(5.6) ... Banken, Investment- und IT-Analysten, Consulting-Unternehmen, Wirtschaftsprüfungs- und Steuerberatungsgesellschaften sowie Werbeagenturen

Die international agierenden deutschen Banken wie auch die deutschen Niederlassungen ausländischer Banken sind häufig sehr ergiebige Quellen von auslandsbezogenen Informationen. So unterhalten viele dieser Banken nicht nur gut sortierte Bibliotheken mit Nachschlagewerken jeglicher Art, die auch für einzelne externe Interessenten zugänglich gemacht werden, sondern informieren oder beraten ihre Kunden auch aktiv durch

- eine Reihe von Veröffentlichungen,
- regelmäßig erscheinende Kurzberichte oder Auslandsinformationsdienste,
- elektronische Informationsangebote (Web-Sites)[197],
- Einzelauskünfte,
- länderspezifische Beratungen,
- Online-Datenbankrecherchen,
- Direktkontakte über ausländische Niederlassungen oder Korrespondenzbanken,
- im Ausland von Partnern durchgeführte Marktanalysen.

Ähnliche, allerdings meist nicht so umfangreiche Informationen und Beratungen sind von den international tätigen deutschen oder in Deutschland tätigen ausländischen Consulting-Unternehmen, Wirtschaftsprüfungs- oder Steuerberatungsgesellschaften, IT-Analysten und Werbeagenturen erhältlich. Beispielhaft seien die folgenden, in unregelmäßigen Abständen immer wieder aktualisierten Broschüren zweier amerikanischer Wirtschaftsprüfungs- und Steuerberatungsgesellschaften genannt, die über ihre deutschen Niederlassungen kostenlos erhältlich sind:

- *Peat, Marwick, Mitchell & Co.* (Hrsg.) (n.J.): Informationen für Ausländer zur Planung unternehmerischer Investitionen in den Vereinigten Staaten, Frankfurt a.M.,
- *Peat, Marwick, Mitchell & Co.* (Hrsg.) (n.J.): Investment in the United States, ohne Ortsangabe,
- *Price Waterhouse* (Hrsg.) (n.J.): Doing business in the United States, ohne Ortsangabe,
- *Price Waterhouse* (Hrsg.) (n.J.): Acquisitions in the U.S.A., ohne Ortsangabe.

Hinzuweisen ist auch auf die von *Dr. Höfner & Partner*, Management-Beratung, München, durchgeführte Untersuchung *"Fünf neue, einkommensstarke Verbraucherzielgruppen in Westeuropa"* (April 1987).

---

[197] Beispielhaft sei mit *www.dbresearch.de* die Web-Site der Deutschen Bank genannt.

(5.7) ... nationalen Repräsentanzen inter-/supranationaler Organisationen

Verschiedene inter- bzw. supranationale Organisationen unterhalten in Deutschland Repräsentanzen, Beratungsstellen oder Informationsbüros, durch die Informationsmaterial bezogen oder Auskünfte erteilt werden können. Die wichtigsten seien nachfolgend kurz vorgestellt:

- *EU-Beratungsstellen*. Die Europäische Union hat in Deutschland mehrere Beratungsstellen eingerichtet[198], die ein breites Spektrum von Informationsserviceleistungen anbieten, das u.a. folgendes umfaßt:
  - Marktinformationen für Export-/Importgesellschaften,
  - Informationen zur Gesetzgebung der EU,
  - Unterstützung bei öffentlichen Ausschreibungen der EU,
  - Auskünfte über Finanzierungen/Beihilfen der EU,
  - Daten über Forschungs- und Entwicklungsprogramme, Pilot- und Demonstrationsprojekte, Innovationen sowie Technologietransfer.

- *EU-Presse- und Informationsbüros*. Neben den Beratungsstellen unterhält die EU in Deutschland noch Presse- und Informationsbüros in Bonn, Berlin und München. Über das Bonner Büro können eine Vielzahl von Statistiken bezogen werden, die von der EU kontinuierlich herausgegeben werden.

- *OECD Publications and Information Centre* (Bonn). Hierüber können die vielfältigen Veröffentlichungen der *"Organisation for Economic Cooperation and Development" (OECD)* bezogen werden, von denen insbesondere folgende von Interesse sind:
  - *The OECD Member Countries* (jährlich),
  - *OECD Economic Surveys* (jährlich),
  - *OECD Economic Outlook* (halbjährlich),
  - *Monthly Statistics of Foreign Trade*.

---

198 Diesbezügliche Adressen finden sich bei Schöttle, K.M. (1990), S. 391ff.

(5.8) ... ausländischen Botschaften und Konsulaten

Die in Deutschland residierenden Botschaften und Konsulate ausländischer Staaten wie auch die Vertretungen US-amerikanischer Staaten oder kanadischer Provinzen sind in einem unterschiedlichen Ausmaß bereit und fähig, Informationsmaterial zur Verfügung zu stellen oder beratend tätig zu werden.

Von der amerikanischen Botschaft in Berlin wird beispielsweise zweimonatlich in deutscher Sprache die Publikation *"USA-Handel"* herausgegeben und unentgeltlich an Abonnenten oder andere Interessierte in Deutschland, Österreich und der Schweiz verschickt. Sie enthält ausgewählte Geschäftsangebote und Beschreibungen neuer Erzeugnisse der amerikanischen Industrie sowie Nachrichten über Sonderausstellungen amerikanischer Firmen auf europäischen Messen und über Messen und Ausstellungen in den USA. Als Beilage wird auch die zehnmal im Jahr erscheinende Publikation *"Commercial News USA"* des amerikanischen Handelsministeriums versandt, in der neue amerikanische Produkte vorgestellt werden.

Daneben stehen in den Handelsbibliotheken der Botschaft und Generalkonsulate sowie z.T. auch in den Bibliotheken der Amerika-Häuser und Deutsch-Amerikanischen Institute Nachschlagewerke, Prospektmaterial, Kataloge, Zeitschriften und anderes Quellenmaterial zur Auswertung zur Verfügung. Eine aktive persönliche Information und Beratung ist schließlich noch durch in der Botschaft und den Generalkonsulaten tätige Mitarbeiter des US-Handelsministeriums möglich.

(5.9) ... im Inland residierenden ausländischen Handelsförderungsstellen und Handelskammern

In Deutschland residierende ausländische Handelsförderungsstellen und Handelskammern dienen primär dem Zweck, Unternehmungen ihres eigenen Landes bei der Analyse und Bearbeitung des deutschen Marktes behilflich zu sein. Gleichwohl sind auch sie in einem unterschiedlichen Ausmaß bereit, Informationsmaterial über ihr Land zur Verfügung zu stellen, Kontakte anzubahnen etc.

Wichtige ausländische Handelsförderungsstellen und Handelskammern sind[199]:

- *Französische Handelskammer (www.ccfc.de)*, Saarbrücken/Düsseldorf,
- *Französische Handelsdelegation*, Berlin/Frankfurt/Hamburg etc.,
- *British Chamber of Commerce in Germany (www.bccg.de)*, Köln,
- *Italienische Handelskammer (www.itkam.de)*, Frankfurt/Berlin/Hamburg etc.,
- *American Chamber of Commerce in Germany (www.amcham.de)*, Frankfurt/Berlin,
- *JETRO Japan External Trade Organisation (www.jetro.de)*, Berlin/Düsseldorf/München/Frankfurt/Hamburg.

(6) Publikationen, Archiv-Material und Studien von Marktforschungsinstituten und Verlagen

Von einigen in Deutschland ansässigen Marktforschungsinstituten (beispielsweise von der *GfK*, *ACNielsen* und *NFO Infratest*) können primärstatistische Untersuchungen, Studien und Analysen gekauft werden, die diese entweder auf eigene Rechnung oder in Form von Mehrkunden-Studien erstellt haben. Auf diese Weise kann man schnell und kostengünstig an hochqualifizierte, problemorientierte Daten und Analyseergebnisse gelangen, für die sonst eine eigene primärstatistische internationale Marketingforschung durchgeführt werden müßte.

Zu erwähnen sind hier beispielsweise:

- die in Zusammenarbeit mit anderen europäischen Instituten erstellte europaweite Life-Style-Analyse *"Euro-Styles"*[200] der *GfK*, Nürnberg,
- die online abrufbaren Daten der *Euro-Scan System Research*[201] der *GfK*, Nürnberg,
- die monatlich oder quartalsweise erscheinenden Grundlagenstudien (zum Konsum-, Spar- und Strukturklima etc.) der *GfK*, Nürnberg,

---

199 Eine ausführliche Auflistung findet sich nebst Adressen ebenda, S. 391ff.

200 Siehe hierzu die ausführliche Darstellung und Würdigung von Kramer, S. (1991), S. 203ff.

201 Siehe hierzu und zum folgenden Image-Broschüren der GfK AG, Nürnberg.

- die Studien zur Finanzmarkt-, Wirtschafts-, Marketing- und Textilmarktforschung der *GfK*,
- die *GfK*-Regionaldaten,
- der *International Database-Service*[202] (international vergleichbare Warengruppenreports auf der Basis regionaler Marktberichte) von *ACNielsen Deutschland*, Frankfurt a.M.,
- der *International Market Review Service* (Standardreports mit Informationen zu Markt- und Markenentwicklungen aus europäischen und außereuropäischen Ländern) von *ACNielsen Deutschland*, Frankfurt a.M.

Detaillierte Unternehmensprofile von Forschungsinstituten, Feldorganisationen, Beratern, Studios und anderen Dienstleistern in der Marktforschung in Deutschland, Österreich, der Schweiz und Spanien enthält das vom *Berufsverband Deutscher Markt- und Sozialforscher e.V.* (Offenbach) jährlich herausgegebene *"BVM Handbuch der Marktforschungsunternehmen"*. Ein jährlich aktualisiertes Quellen-Lexikon der Marktforschung bietet das *inma Institut für Marktforschung GmbH*, München, unter dem Titel *"desk research"* an.

In Deutschland ansässige Zeitungs- und Zeitschriftenverlage bieten ebenfalls eine Reihe von Informationsmöglichkeiten in Form von

- Archiven, die konventionell oder meist zusammen mit anderen tagesaktuellen Informationsangeboten online auswertbar sind. Beispielhaft genannt seien:
  - *Der Spiegel (www.spiegel.de)*,
  - *Financial Times Deutschland (www.ftd.de)*,
  - *Frankfurter Allgemeine Zeitung (www.faz.net)*,
  - *Handelsblatt (www.handelsblatt.com)*,
  - *Horizont (www.horizont.net)*,
  - *Lebensmittelzeitung (www.lz-net.de)*.

  Bei der Online-Auswertung wird von diesen Informationsanbietern immer mehr die Möglichkeit zu einer personalisierten Informations-

---

[202] Siehe hierzu und zum folgenden Image-Broschüren der ACNielsen Deutschland GmbH, Frankfurt a.M.

bereitstellung und -übermittlung eröffnet (so z.B. durch *myfaz.net* und *My LZ / NET, www.lz-net.de*).

- Informationsdiensten, die publizierte Zeitungs- und Zeitschriftenartikel themenspezifisch zusammenstellen oder (z.T. gemeinsam mit anderen Organisationen) entsprechende Fachpublikationen herausgeben - anzuführen sind hier beispielsweise die Länder- und Branchendienste des *FAZ-Institutes*, die u.a. folgende Publikationen anbieten:
  - *Länderanalysen* von 35 Staaten (halbjährlich) mit folgenden Inhalten:
  - Analysen und Prognosen zur gesamtwirtschaftlichen Entwicklung (politischer Hintergrund, Wachstum, Inflation, Staatshaushalt, Außenhandel, Wechselkurse, Auslandsverschuldung, Finanzmärkte),
  - Handels- und Wirtschaftsbeziehungen zu Deutschland,
  - Außenhandels- und Investitionsbedingungen,
  - Länderrating,
  - Sonderbeiträge zu aktuellen Themen.

    Die den Länderanalysen zugrundeliegenden Dateien können zusätzlich auf Diskette bezogen werden.
  - *Mittel- und Osteuropa Perspektiven, Jahrbuch 20.. / 20..*,
  - *Investitionsführer Mittel- und Osteuropa* (13 Bände),
  - *Investitionsführer Asien* (4 Bände),
  - *Investitionsführer Lateinamerika*,
  - *Investitionsführer Naher Osten*,
  - *Förderprogramme und Finanzierungsinstrumente für Mittel- und Osteuropa*,
  - *Förderprogramme und Finanzierungsinstrumente für Asien*,
  - *Förderprogramme und Finanzierungsinstrumente für Lateinamerika*,
  - *Wirtschaftshandbuch Asien-Pazifik 20.. / 20..*,
  - *Wirtschaftshandbuch China* (7 Bände),
  - *Wirtschaftshandbuch Rußland* (7 Bände),
  - *Wirtschaftshandbuch Polen* (6 Bände),
  - *Asia Bridge* (monatlicher Newsletter).

Über Aktualisierungen und Ergänzungen des Publikationsangebotes informiert die Homepage des *FAZ-Institutes / Länder- und Branchendienste* (*www.laenderdienste.de*).

- Dokumentation eigener internationaler Sekundärforschungen (z.B. die vom *SPIEGEL-Verlag*, Hamburg, im Oktober 1993 herausgegebene Dokumentation *"Europa, Daten, Fakten, Trends")*,
- Publikationen eigener internationaler Primärforschungen (z.B. die vom Verlag *Das Beste GmbH*, Stuttgart, im Jahre 1991 herausgegebene *"Executive Summary"* und der Gesamtbericht einer im Auftrag von *The Reader's Digest Association, Inc* durchgeführten Verbraucherbefragung in 17 europäischen Ländern).

Eine Bibliographie frei verkäuflicher Marketingstudien von deutschen Marktforschungsinstituten und Verlagen, aber auch von Herstellern, Universitäten und anderen Institutionen haben erstmals die *Publication Services Helga Marcotty, Düsseldorf* unter der Bezeichnung *"Markt & Forschung 92"* erstellt.[203] Jährlich aktualisierte Fortschreibungen dieser Bibliographie erscheinen jeweils zum Jahresende.

Nach Branchen geordnete Verzeichnisse (die seit 1998 auch auf einer CD-ROM erfaßt sind) von über 3.500 deutschen und internationalen Marktstudien (mit einer ausführlichen Darstellung des Inhaltes und Angaben zu Preis, Umfang und Bezugsquelle) sind von der Firma *Märkte & Branchen Info-Service, Düsseldorf*, erhältlich.[204]

(7) Kataloge und Berichte von inländischen internationalen Messen und Ausstellungen sowie auf diesen gesammelte Firmenkataloge, -prospekte und -preislisten

Diese von und auf den wichtigen inländischen internationalen Messen und Ausstellungen, wie z.B. der *HEIMTEXTIL* (Frankfurt), *Internationalen Lederwarenmesse* (Offenbach), *CeBIT* (Hannover), *Interstoff* (Frankfurt), *Internationalen Frankfurter Messe, Igedo* (Düsseldorf) oder der *ORGATEC* (Köln), gesammelten Informationen sind für eine pro-

---

203 Vgl. Kastin, K.S. (1995), S. 136.

204 Vgl. Balve, J. (1998), S. 28 u. 30.

funde Analyse der auch in den zu analysierenden Auslandsmärkten tätigen Konkurrenten nahezu unerläßlich.

(8) Im Inland publizierte Nachschlagewerke

- *J+W BUSINESS INTERNATIONAL*; Telex-Verlag Jaeger + Waldmann, Darmstadt (internationales Kommunikationsverzeichnis der Wirtschaft),
- *Wer liefert was? Buchausgabe Westeuropa*, Wer liefert was? GmbH, Hamburg (Produkt- und Firmeninformationen von Unternehmen aus Deutschland, Österreich, der Schweiz, den Niederlanden, Belgien und Luxemburg),
- *Wer liefert was? Buchausgabe Zentraleuropa*, Wer liefert Was? GmbH, Hamburg (Produkt- und Firmeninformationen aus der Tschechischen Republik, der Slowakei, Slowenien und Kroatien),
- *ABC EUROP PRODUCTION-EUROPEX,* Europ Export Edition GmbH, Darmstadt (Einkaufsführer der europäischen Exportindustrie),
- *Biedermann Export-Handbuch*, Verlag Biedermann Export-Handbuch GmbH, Grävenwiesbach (Handbuch des Export-Handels und der Exportindustrie der Bundesrepublik Deutschland),
- *Birkner 98 - European and International PaperWorld*, Birkner & Co. Hamburg (Nachschlagewerk für die gesamte Papierbranche),
- *Birkner's Beverage World*, Birkner & Co., Hamburg (Nachschlagewerk für die Getränkeindustrie),
- *Brauereien und Mälzereien in Europa*, Verlag Hoppenstedt, Darmstadt (Firmenberichte über ca. 2.000 Brauereien und Mälzereien aus 29 Ländern Europas),
- *Große und mittelständische Unternehmen in Österreich*, 2 Bände, Verlag Hoppenstedt, Darmstadt (Handbuch über die 10.000 größten österreichischen Unternehmen),
- *J+W BANKING INTERNATIONAL*, Telex-Verlag Jaeger + Waldmann, Darmstadt (internationales Kommunikationsverzeichnis der Bank- und Finanzinstitute),

- *J+W Travel International*, Telex-Verlag Jaeger + Waldmann, Darmstadt (internationales Verzeichnis der Hotels, Reisebüros und Touristikunternehmen),
- *MEIER-DUDY,* Verlag von Meier's Adressbuch - Rudolf Dudy GmbH, Grävenwiesbach (internationaler Einkaufsführer),
- *Meier's Adreßbuch der Exporteure und Importeure*, Verlag Meier's Adressbuch - Rudolf Dudy GmbH, Grävenwiesbach (Export/Importhandelshäuser Hamburgs, Branchenverzeichnis der deutschen Export-Fabrikanten),
- *Verbände, Behörden, Organisationen der Wirtschaft Deutschland + Europa*, Verlag Hoppenstedt, Darmstadt,
- *Verzeichnis des Versandhandels Deutschland - Österreich - Schweiz,* FID Verlag, Bonn (Unternehmensdaten von 2.700 Versandhäusern),
- *Yearbook of International Organizations*, 3 Bände (Bd. 1: Organization Descriptions and Cross-References; Bd. 2: Geographic Volume by Country; Bd. 3: Classified Subject Volume), hrsg. von der *Union of International Associations*, Saur Verlag, München,
- *Who's Who in International Organizations*, 3 Bände, hrsg. von der *Union of International Associations*, Saur Verlag, München,
- *Handbuch für deutsch-internationale Beziehungen*, hrsg. von B. Herbote, Saur Verlag, München (Verzeichnis deutscher und ausländischer Vertretungen, Verbindungsbüros und Informationsstellen in Politik, Wirtschaft, Kultur, Medienwirtschaft und Tourismus).

Einen Überblick darüber, welche Nachschlagewerke aktualisiert worden bzw. zusätzlich erhältlich sind, verschafft das kostenlos vom *VDAV - Verband Deutscher Auskunfts- und Verzeichnismedien e.V.*, Düsseldorf (*www.vdav.de*), beziehbare Jahrbuch *"Auskunfts- und Verzeichnismedien"*, das immer im Juni erscheint und seit der Ausgabe 1998/99 auch auf CD-ROM erhältlich ist.

(9) <u>In Deutschland erstellte deutschsprachige CD-ROM-Datenbanken</u>

Die hohe Speicherkapazität, die CD-ROMs (**C**ompact **D**isc - **R**ead **O**nly **M**emory) heute aufweisen[205], macht zweierlei möglich:

- erstens, daß eine riesige Menge von Daten, die vorher in einer großen Anzahl von (unterschiedlichen) Datenquellen (insbesondere in Printversionen) dokumentiert waren, nun auf einem einzigen Datenträger erfaßt werden kann,
- zweitens, daß Datenbanken, die vorher nur online zugänglich waren, nun auch auf diesem Medium angeboten werden.

Die dadurch ermöglichten Offline-Datenbankrecherchen haben gegenüber den konventionellen Buchrecherchen den Vorteil, daß sie in aller Regel zu schnelleren, kostengünstigeren und (wegen der Kombinierbarkeit von Suchbegriffen) auch quantitativ wie qualitativ besseren Rechercheresultaten führen. Aber auch gegenüber Online-Datenbankrecherchen bestehen eine Reihe von Vorteilen[206]:

- Die Nutzungskosten sind nicht variabel, sondern fix, d.h. durch den Anschaffungspreis (und eventuelle Update-Kosten) determiniert.
- Dadurch können zeitlich unbegrenzte Recherchen durchgeführt und Graphiken ohne Zeitdruck auf den Bildschirm geladen werden.
- Der Zugriff auf eine Datenbank ist (bei konstanten Nutzungskosten) beliebig häufig bzw. für beliebig viele Mitarbeiter einer Unternehmung möglich.
- Die Menüführungen sind zumeist einfacher.

Diesen Vorteilen stehen jedoch auch einige Nachteile gegenüber[207], die wie folgt umrissen werden können:

- Die gespeicherten Informationen weisen häufig einen geringeren Aktualitätsgrad auf, weil sie nicht täglich oder wöchentlich, sondern nur in größeren Zeitabständen (monatlich bis jährlich) aktualisiert

---

[205] Siehe hierzu Mülder, W., Weis, H.C. (1996), S. 87.

[206] Vgl. auch Einsporn, T. (1996), S. 5.

[207] Vgl. ebenda, S. 6.

in größeren Zeitabständen (monatlich bis jährlich) aktualisiert werden können.

- Die Anschaffungs- und Update-Kosten sind in einigen Fällen relativ hoch.

Trotz dieser Nachteile haben Offline-Datenbankrecherchen mit CD-ROMs eine zunehmende Verbreitung gefunden, die in Zukunft sicherlich auch noch weiter anhalten wird, wenn zum einen die Preise (weiter) gesenkt und zum anderen die Angebote (weiter) verbreitert werden.

Einen kleinen, keinesweg erschöpfenden Überblick über deutschsprachige CD-ROMs, die für internationale Sekundärforschungen genutzt werden können, vermittelt die folgende Tabelle 5.

Datenbank-name	Inhalte	Verlag, Heraus-geber	Dokument-art	Umfang	Erfas-sungs-zeitraum	Aktuali-sierung
ABC EUROPEX, Marketing-Datenbank	Ausführliche Firmenberichte exportierender Hersteller aus 40 Ländern mit Angabe von Produktions- u. Exportprogramm	Europ Export Edition, Darmstadt	bibliographische Daten, Fakten	100.000	aktuelle Informationen	halbjährlich
CD-ROM ZUR AUßEN-WIRTSCHAFT	Märkte im Ausland, Projekte, Auslandsanfragen, Kontakte	Bundesagentur für Außenwirtschaft (bfai)	Volltext, bibliographische Daten	90.000	aktuelle Informationen	monatlich
CD-ROM: Polen - Informationen zur Außenwirtschaft	Vielfältige Daten und Informationen über Polen,polnische Märkte und den Geschäftsverkehr mit Polen	Bundesagentur für Außenwirtschaft (bfai)	Volltext, Fakten	k.A.	k.A.	k.A.
China Monthly Statistics	Chinesische Wirtschafts- und Unternehmensdaten	DSI Data Service & Information Rheinberg	Fakten	k.A.	aktuelle Informationen	monatlich
Einkaufen in Europa	Bezugsquellen aus Deutschland, Österreich und der Schweiz; Produkte und Hersteller	Deutscher Adreßbuchverlag	Fakten	500.000	1994	jährlich
European Kompass	Firmenprofile und Produkte aus dem westeuropäischen Wirtschaftsraum	Kompass	Fakten	390.000	aktuelle Informationen	k.A.

EUROSTAT	Statistisches Jahrbuch der EU; Statistiken zur Makroökonomie, regionale Statistiken, Handelsstatistiken	DSI Data Service & Information Rheinberg	Fakten	k.A.	aktuelle Informationen	halbjährlich
International Statistical Yearbook (ISY)	Datenreihen von verschiedenen nationa--len und supranationalen Organisationen	DSI Data Service & Information Rheinberg	Fakten	k.A.	aktuelle Informationen	jährlich
MARKUS	Firmenprofile deutscher und österreichischer Unternehmen, Informationen aus dem Bundesanzeiger	Creditreform Verlag und Vertrieb	Fakten	700.000	k.A.	vierteljährlich
Markt-Info	Deutsche und internationale Marktstudien und Branchenanalysen	Märkte & Branchen Info-Service, Düsseldorf	bibliographische Daten	3.500	k.A.	halbjährlich
OECD Statistical Compendium (OSC)	Datenreihen der OECD	DSI Data Service & Information Rheinberg	Fakten	k.A.	aktuelle Informationen	halbjährlich
Statistisches Jahrbuch	Statistisches Jahrbuch für die Bundesrepublik Deutschland	Statistisches Bundesamt	Fakten	-	aktuelle Information	jährlich
	Statistisches Jahrbuch für das Ausland	Statistisches Bundesamt	Fakten	-	aktuelle Information	jährlich
UN Statistical Yearbook (SYB)	Jahrbuch der Vereinten Nationen	DSI Data Service & Information Rheinberg	Fakten	k.A.	aktuelle Informationen	halbjährlich
Wer liefert was?	CD-BOOK: Produkte und Dienstleistungen von Firmen aus D, A, der Schweiz und den Benelux-Staaten CD-MARKETING: Adressen, Kommunikationsdaten, Produkte und Dienstleistungen	Wer liefert was? GmbH, Hamburg	bibliographische Daten, Fakten	191.000	aktuelle Informationen	jährlich bzw.
WISO-BANK	Enthält die Dokumente aus den Online-Datenbanken BLISS und MIND: deutsche und internationale Zeitschriften, Bücher, Graue Literatur aus den Bereichen Geschäfte, Management, Bank und finanzielle Dienst leistungen	GBI, Gesellschaft für Betriebswirtschaftliche Information, München	bibliographische Daten	200.00	ab 1975	vierteljährlich

World Consumer Markets	Mengen und wertmäßige Marktvolumina für über 230 Konsumgüter von Euromonitor	DSI Data Service & Information Rheinberg	Fakten	k.A.	1990-1955, mit Prognosen für 2000	k.A.
World Marketing Data and Statistics	Marketingrelevante Daten und Statistiken von Euromonitor	DSI Data Service & Information Rheinberg	Fakten	k.A.	aktuelle Informationen	k.A.
World Marketing Forecasts (1997)	Prognosedaten (1995 - 2010) für 54 Länder von Euromonitor	DSI Data Service & Information Rheinberg	Fakten	k.A.	-	k.A.
Yearbook Plus	Internationale Organisationen und Biographien	Saur Verlag, München	bibliographische Daten	k.A.	k.A.	jährlich

Tabelle 5: Ausgewählte deutschsprachige CD-ROMs zur internationalen Sekundärforschung

Quelle: Einsporn, T. (1996), S. 26ff.; Mülder, W., Weis, H.C. (1996), S. 222ff.; eigene Ergänzungen

Einen kompletten Überblick über das ständig wachsende nationale (und internationale) CD-ROM-Angebot gibt die dreimal jährlich von der Firma *Scientific Consulting Dr. Schulte-Hillen* herausgegebene CD-ROM *"Lieferbare CD-ROMs"*, die in Verbindung mit dem *"Handbuch lieferbarer CD-ROMs"* (Verlag Hoppenstedt, Darmstadt) oder im Abonnement bezogen werden kann.

(10) <u>Online-Datenbanken deutscher Hosts</u>

Deutsche Anbieter (*Hosts*) von Online-Datenbanken, die für eine Recherche im Rahmen einer internationalen Sekundärforschung von Interesse sein können, sind[208]:

- *Creditreform*, Neuss (*www.creditreform.de*),
- *D&B Schimmelpfeng*, Frankfurt a.M.,
- *FIZ-Technik*, Frankfurt (*www.fiz-technik.de*),
- *GENIOS-Wirtschaftsdatenbanken*, Düsseldorf (*www.genios.de*),

---

208 Vgl. auch Sandmaier, W. (1990), S. 144ff.; Kastin, K.S. (1995), S. 142.

- *GBI*, München (*www.gbi.de*).

Insbesondere die 1985 gegründeten *GENIOS-Wirtschaftsdatenbanken*, ein Unternehmensbereich der *Verlagsgruppe Handelsblatt GmbH* (Düsseldorf/Frankfurt a.M.), bieten mit ca. 400 Datenbanken ein umfangreiches Informationsangebot für internationale Sekundärforschungen.

Erhältlich sind u.a. Firmeninformationen des *Hoppenstedt Verlages*, des *Verbandes der Vereine Creditreform* und der *BBE-Unternehmensberatung*. Zur Verfügung stehen im Volltext neben den Publikationen der eigenen Verlagsgruppe (z.B. *Handelsblatt* und *Wirtschaftswoche)* auch Zeitungs- und Fachzeitschriftenveröffentlichungen anderer Verlage - beispielsweise die vollständigen Artikel aus der *Süddeutschen Zeitung*, dem *Tagesspiegel* und der *Neuen Zürcher Zeitung* sowie den Fachzeitschriften der *Verlagsgruppe Deutscher Fachverlag*.

Tagesaktuelle Meldungen sind aus den Zeitungsdatenbanken und Datenbanken der Nachrichtenagenturen *dpa* (Deutsche Presse Agentur), *VWD* (Vereinigte Wirtschaftsdienste), *SDA* (Schweizerische Depeschenagentur) und *afp* (Agence France Press) abrufbar.

Spezialinformationen über Märkte und Branchen sind u.a. in der abgespeicherten Datenbank *"bfai-Märkte im Ausland"* der *Bundesagentur für Außenwirtschaft (bfai)* sowie in den gleichfalls erfaßten Veröffentlichungen des *Deutschen Instituts für Wirtschaftsforschung (DIW)*, Berlin, des *Ifo-Instituts für Wirtschaftsforschung*, München, und des *Instituts für Wirtschaftsforschung*, Halle, enthalten. Daneben kann auf die Länderanalysen des *Deutschen Sparkassenverlages* und den *"BBE-Marktforschungspool"* der *BBE-Unternehmensberatung*, Köln, zurückgegriffen werden, der aktuelle Marktdaten von über 180 Branchen beinhaltet.

Im Datenbankangebot sind ferner eine Fülle von Spezialdatenbanken enthalten (so z.B. eine Datenbank der Werbung, mit der Werbekampagnen verglichen werden können), die in ihrer ganzen Breite und Vielfältigkeit an dieser Stelle aber nicht benannt werden können. Einige, für eine internationale Sekundärforschung besonders interessante Datenbanken sind im Anhang D aufgeführt.

Datenbankanbieter	Schwerpunkte	Anzahl der angebotenen Datenbanken
Creditreform Verband der Vereine für Creditreform e.V., Neuss	Nationale und internationale Unternehmensdaten, Kreditinformationen.	1
D&B Schimmelpfeng GmbH, Frankfurt a.M.	Internationale Unternehmensdaten, Kreditinformationen.	ca. 10
FIZ Technik Fachinformationszentrum Technik, Frankfurt a.M.	Fahrzeugtechnik, Bauwesen, Bergbau, Betriebswirtschaft, Chemische Industrie, Computerindustrie, Einkaufsführer, Elektronik, Elektrotechnik, Firmeninformationen, Förderprogramme, Geographie, Geowissenschaften, Maschinenbau, Medizinische Technik, Meß- und Regelungstechnik, Normen, Regeln, Patente, Physik, Produktinformationen, Sicherheitstechnik, Technik, Textilien, Transportwesen, Umwelt und Umweltschutz, Verfahrenstechnik, Wirtschaft, Wissenschaft und Technik.	ca. 120
GBI Gesellschaft für Betriebswirtschaftliche Information, München	Presse, Wirtschaftsmagazine und -zeitschriften, deutsche und internationale Unternehmensinformationen, Branchen und Märkte, Management, Know How.	ca. 120
GENIOS Wirtschaftsdatenbanken, Düsseldorf/Frankfurt a.M.	Ausschreibungen, Betriebswirtschaft, Branchen- und Marktberichte, Einkaufsführer, Firmeninformationen, Förderprogramme, Konjunkturforschung, Management, Marktforschung, Medien, Politik, Recht, Wirtschaftsnachrichten.	ca. 270

Tabelle 6: Ausgewählte deutsche Hosts und deren Datenbankangebot

Quelle: Einsporn, T. (1996), S. 10f.

Über die Anzahl der von den anderen deutschen Hosts angebotenen Datenbanken und deren inhaltliche Schwerpunkte gibt die Tabelle 6 Aufschluß. Das Internet bietet die Möglichkeit, über die entsprechenden Homepages der Hosts (s.o.) Informationen über das konkrete Datenbankangebot und dessen Veränderungen abzurufen oder gar direkt in den angebotenen Datenbanken zu recherchieren (wie z.B. bei *FIZ-Technik*, *GBI* und *GENIOS*).

(11) Originär deutschsprachige Web-Sites

Insbesondere seit Entstehung des *World Wide Web (WWW)* im Jahre 1992 hat das Internet als Informationsquelle für internationale Sekundärforschungen von Jahr zu Jahr zunehmend mehr an Bedeutung gewonnen.[209] Denn die Zahl der Unternehmen, Organisationen, staatlichen Institutionen etc., die mit eigenen Sites im WWW vertreten sind und über diese Informationen der verschiedensten Art zugänglich machen, ist seitdem mit jährlich steigenden Zuwachsraten rasant angewachsen, und es ist davon auszugehen, daß dieses Wachstum sich in den nächsten Jahren so weiter fortsetzen wird.

Im Rahmen einer internationalen Sekundärforschung kann das Internet bzw. WWW für folgende vier Zwecke genutzt werden:

1. Zur Ermittlung und/oder Lokalisierung von externen Informationsquellen, die
   - konventionell,
   - per Offline-Datenbankrecherchen oder
   - per Online-Datenbankrecherchen

   sekundärstatistisch ausgewertet werden können.
2. Zur Durchführung einer Online-Datenbankrecherche.
3. Zur Durchführung einer nicht auf Datenbanken bezogenen Internet-Recherche.
4. Zur sekundärstatistischen Vorbereitung einer primärstatistischen Untersuchung.

---

[209] Zur Entwicklung und Struktur des Internet und des WWW sowie ihrer Nutzung im Rahmen von (internationalen) Sekundärforschungen siehe z.B. Lescher, J.F. (1995), S. 123ff.; Schmitz, M. (1996), S. 109ff.; Lampe, F. (1998), S. 35ff.; Potempa, T., Franke, P., Osowski, W., Schmidt, M.-E. (2000).

Bei Verfolgung des **ersten Nutzungszweckes** geht es darum, festzustellen, *wer* (d.h. welche Behörde, welche Kammer, welcher Verein, welches Unternehmen etc.) *wo* (d.h. an welchem Ort bzw. unter welcher Adresse) *welche Informationen* (Länder-, Markt-, Produkt-, Unternehmensinformationen etc.) in gedruckter Form, auf CD-ROMs oder in einer Online-Datenbank bereithält, die dazu geeignet sein könnten, zumindest zur teilweisen Befriedigung des jeweiligen internationalen Informationsbedarfs beizutragen. Dies bedeutet, daß wir uns hier in der Phase *"Identifikation und Grobanalyse potentieller Informationsquellen"* (vgl. Abbildung 7) des Prozesses einer internationalen Marketingforschung, also in einer der internationalen Sekundärforschung vorgeschalteten Phase befinden und je nach Vorkenntnis eine *ungezielte* oder (wenn "*wer*" und in Form einer Internet-Adresse auch "*wo*" bekannt sind) eine *gezielte* Suche durchzuführen haben.

Bei Verfolgung des **zweiten** und **dritten Nutzungszweckes** wird bereits eine Datensammlung im Rahmen einer internationalen Sekundärforschung durchgeführt: im *ersteren Fall gezielt* durch Kontaktierung derjenigen Hosts, die diese Möglichkeit eröffnen (in Deutschland sind dies, wie bereits oben erwähnt, z.B. die Hosts *GBI* und *GENIOS,* aber auch der Verlag *Hoppenstedt* zählt dazu, der unter seiner Web-Site *"www.firmendatenbank.de"* täglich aktualisierte Portraits von ca. 135.000 Firmen aus der Industrie, von Dienstleistern, Banken, Versicherungen sowie Wirtschaftsverbänden/-organisationen zur Verfügung stellt), im *letzteren* dagegen (je nach Kenntnis relevanter Internet-Adressen) entweder *gezielt* durch Kontaktierung der bekannten Internet-Adressen oder *ungezielt* über die Nutzung von Suchhilfen (Themenkatalogen, Suchmaschinen, Meta-Suchmaschinen, Besprechungsdiensten, Agenten)[210].

Der **vierte Nutzungszweck** impliziert vor allem die Suche nach Marktforschungsinstituten, die geeignet sind, internationale Primärforschungen alleine oder mit anderen vollständig oder in Teilen (z.B. nur die Feldarbeit) durchzuführen. Auch diese Suche ist (je nach Kenntnis oder Vorlie-

210 Vgl. o.V. (1997a), S. 21.

gen von Internet-Adressen, die über qualifizierende Institutsverzeichnisse verfügen) entweder *gezielt* oder *ungezielt* vorzunehmen.

Welche *Suchstrategie* angewendet werden könnte oder sollte, wenn bei Verfolgung des ersten, dritten oder vierten Nutzungszwecks eine *ungezielte*, d.h. nicht auf konkrete Internet-Adressen gerichtete Suche notwendig ist, kann an dieser Stelle nicht dargelegt werden. Der hieran interessierte Leser sei auf die entsprechende Internet-Spezialliteratur verwiesen.[211]

Jede ungezielte Suche im Internet ist dessen Struktur wegen im Prinzip stets eine Länder- und Sprachgrenzen überschreitende Suche. Dagegen kann die direkte Suche explizit auf originär muttersprachliche Internet-Sites begrenzt werden. Welche originär deutschsprachigen Web-Sites für die vier verschiedenen sekundärstatistischen Nutzungszwecke des Internet beispielsweise in Frage kommen können, zeigt die folgende Tabelle 7 auf.

Internet-Adresse http://www.	Name	Informationsangebot
1. Ermittlung und/oder Lokalisierung von externen Informationsquellen:		
telebuch.de	ABC Bücher- und Mediendienst	Ermittlung und Bestellung von Buchveröffentlichungen
hbz-nrw.de/hbz/germlst/	Hochschulbibliotheks-zentrum des Landes NRW	Bibliotheksrecherchen
auswaertiges-amt.de	Auswärtiges Amt	Außenwirtschaftsrelevante Adressen
europages.com	Euredit S.A.	Europaweite Adressenlisten
ihk.de/dihthome.htm	DIHK	Links zu IHK, AHK, ausländischen Wirtschaftsvertretungen etc.
fiz-technik.de	FIZ-Technik	Datenbankangebot
destatis.de	Statistisches Bundesamt	Links zu Statistischen Ämtern und anderen Organisationen, die Statistiken anbieten; weltweit
2. Durchführung einer Online-Datenbankrecherche:		
fiz-technik.de	FIZ-Technik	ca. 120 Online-Datenbanken
gbi.de	GBI	ca. 120 Online-Datenbanken

[211] Siehe hierzu z.B. die in Fußnote 209 zitierte Literatur.

genios.de	Genios	ca. 270 Online-Datenbanken
3. Durchführung einer nicht auf Datenbanken bezogenen Internet-Recherche:		
wlw.de	Wer liefert was?	Aktuelle Informationen über mehr als 208.000 Unternehmen aus 10 europäischen Ländern
commerzbank.de/ daten/daten.htm	Commerzbank AG	Aktuelle Konjunkturtrends, Lagebeurteilungen und Analysen der deutschen und internationalen Wirtschaft
commerzbank.de/daten/ indust/indust.htm	Commerzbank AG	Aktuelle Konjunkturtrends mit Lagebeurteilungen, Analysen und Prognosen zu Frankreich, Italien, Großbritannien, den USA und Japan
wk.or.at/aw/	Wirtschaftskammer Österreich	Außenwirtschaftsrelevante Länderinformationen
uni-duisburg.de/ FB5/VWL/OAWI/ JAPAN/japan.html	Universität Duisburg, FB 5	Wirtschaftsbezogene Informationen über Japan
localglobal.de	Local Global	Online-Magazin für Außenwirtschaft
vwd.de	Vereinigte Wirtschaftsdienste	Aktuelle Wirtschafts- und Finanzmarktinformationen
laenderdienste.de	FAZ-Länderdienste	Länderanalysen, Wirtschaftsprognosen etc.
//eur-op.eu.int/ indexde.htm	Europäische Union	Informationen über Industrie und Unternehmen in der EU
4. Sekundärstatistische Vorbereitung einer primärstatistischen Untersuchung:		
contest-census.com	contest census	Globales Netzwerk von Marktforschungsinstituten
imas-international.de	IMAS International	Osteuropäische Tochter- und Partnerinstitute
gfk.de	GfK	Internationale Tochter- und Partnerinstitute
link.ch	Link International	Internationale Tochter- und Partnerinstitute
psyma.com	Psyma	Internationale Tochter- und Partnerinstitute
inra.com	INRA	Internationale Tochter- und Partnerinstitute

Tabelle 7: Für die vier verschiedenen sekundärstatistischen Nutzungszwecke des Internet geeignete originär deutschsprachige Web-Sites

Ergänzend zu den in dieser Tabelle aufgeführten Web-Sites ist noch auf die folgenden Web-Sites hinzuweisen:

- *Market-Zone (www.market-zone.com)* – enthält eine nach Themen, Branchen und Ländern systematisierte Datenbank,
- *BVM · empirix.net (marktforschungsnetz.de)*, über die mit dem sogen. *"Market Research Wizard"* eine Such- und Auswahlmaschine der empirischen Forschung zugänglich ist,
- *Verlag Marcotty*, Nettetal *(www.euresearch.net)* – bietet einen kostenlosen Zugang zu mehr als 4.500 freiverkäuflichen Marketing-Studien aus Deutschland und dem europäischen Ausland,
- *Freshfields Bruckhaus Deringer (www.bruckhaus.com)*, eine der großen wirtschaftsberatenden Kanzleien im deutschsprachigen Raum, die im August 2000 aus der Fusion der deutschen Kanzlei *Bruckhaus Westrick Heller Löber* mit der englischen Kanzlei *Freshfields Deringer* hervorging, über die vor allem rechtsrelevante Beiträge über China und andere asiatische Länder erschlossen werden können, und
- *BizLinX (bizlinx.de)*, ein Arbeitsteam von *akademie.de*, das Informationen zu Themen wie Außenwirtschaft, Import, Export und Interkulturelles sammelt und vermittelt, um den Auf- und Ausbau internationaler Geschäftskontakte für kleinere und mittlere Unternehmungen zu erleichtern. Aktueller Hauptschwerpunkt der Linksammlung von *BizLinX*, über die man gezielt auf deutsch- und englischsprachige Informationen zugreifen kann, ist Asien und der Raum Asien-Pazifik.

(12) Informationsangebote von Hilfsbetrieben der Sekundärforschung

Wenn ein fallweises Zusammentragen von Informationsmaterial im Rahmen von konventionellen internationalen Sekundärforschungen (Buchrecherchen) zu arbeitsintensiv und zeitaufwendig ist oder ein fallweises Recherchieren in elektronischen Datenbanken zu teuer und ineffizient ist, empfiehlt es sich, dafür die Dienste entsprechend spezialisierter Unternehmungen in Anspruch zu nehmen.

Solche Hilfsbetriebe der Sekundärforschung, wie *Hüttner* sie bezeichnet[212], sind vor allem

- Zeitungsausschnittbüros,
- Adressenbüros,

[212] Vgl. Hüttner, M. (1997), S. 201.

- Informationsdienste,
- Informationsvermittlungsstellen und
- Informationsbroker.[213]

Zu den bedeutendsten deutschen Informationsdiensten zählen die bereits an einer früheren Stelle erwähnten *vwd Vereinigte Wirtschaftsdienste GmbH*, Eschborn, an denen zu gleichen Teilen die *Frankfurter Allgemeine Zeitung GmbH*, Frankfurt, die *Verlagsgruppe Handelsblatt GmbH*, Düsseldorf, und die *Dow Jones & Company, Inc.*, New York, beteiligt sind.

Von den *vwd*-Redaktionen werden täglich ca. 1.000 Wirtschafts-, Politik- und Finanzmeldungen erarbeitet sowie Kurse und Preise von weltweit 126.000 Werten geliefert. Diese Informationen werden sowohl elektronisch *(www.vwd.de)* als auch in gedruckter Form übermittelt.

Bis auf wenige Ausnahmen börsentäglich publiziert werden neben den schon unter Gliederungspunkt (1) aufgeführten *"Nachrichten für Außenhandel"* ca. dreißig anzeigenfreie Informationsdienste zu nahezu allen relevanten Branchen (*"vwd Branchendienste"*), den bedeutendsten Wirtschaftsregionen (*"vwd Regionaldienste"*, mit Ausgaben z.B. über China und Ostasien, Südostasien, Rußland, die GUS-Republiken, Südosteuropa, Mittel- und Osteuropa) sowie wichtigen Themen und Märkten (*"vwd Themendienste"*, u.a. mit den Ausgaben *"Umweltmärkte"*, *"Außenhandelsdienst"* und *"Euro Inside"*).

Da die redaktionelle Arbeit in der Regel etwa vier Stunden später als bei der überregionalen Wirtschaftspresse abgeschlossen wird, sind die Fachinformationsdienste von *vwd* aktueller als vergleichbare andere gedruckte Publikationen.

Als ein weiterer deutscher Hilfsbetrieb der internationalen Sekundärforschung ist das 1985 gegründete Unternehmen *DSI Data Service & Information GmbH (www.dsidata.com)*, Rheinberg, anzuführen, das sich darauf spezialisiert hat, elektronisch gespeicherte statistische Informationen

213 Adressen deutscher Hilfsbetriebe finden sich bei Schöttle, K.M. (1990); Einsporn, T. (1996), S. 129ff.

via Disketten, CD-ROMs[214] und seit wenigen Jahren auch online über das Internet zu *(www.statistischeDaten.de)* distribuieren. Hierbei kooperiert *DSI* u.a. mit *Eurostat*, der *OECD*, der *UNIDO*, der *Deutschen Bundesbank*, dem *Statistischen Bundesamt* sowie *Statistics Canada* und *Statistics China*. Darüber hinaus werden auch noch Publikationen der *EU*, *OECD*, *UNO*, *Weltbank*, *WTO*, der US-Regierung und der britischen Regierung sowie von *Euromonitor*, *Enerdata*, *Cambridge University Press*, *Business MONITOR International* etc. vertrieben.

2.2.2.2 Ausländische unternehmungsexterne Informationsquellen

Trotz aller Vorteile, die eine alleine oder hauptsächlich auf inländischen unternehmungsexternen Informationsquellen basierende internationale Sekundärforschung aufweist, ist es in den meisten Fällen wohl unumgänglich, in einem größeren Ausmaß ausländische unternehmungsexterne Informationsquellen auszuschöpfen. Denn inländische unternehmungsexterne Informationsquellen sind häufig zu unergiebig oder vermitteln kein aktuelles Daten- und Informationsmaterial.[215]

In Analogie zu den Kategorien inländischer unternehmungsexterner Informationsquellen können folgende Arten von ausländischen unternehmungsexternen Informationsquellen unterschieden werden, die als Lieferanten von auslandsbezogenen Daten- und Informationsmaterialien in Frage kommen können:

(1) Publikationen ausländischer Ministerien und Behörden,
(2) Publikationen ausländischer Statistischer Ämter,
(3) Publikationen ausländischer Nationalbanken,
(4) Publikationen von im Ausland ansässigen inter-/supranationalen Organisationen,
(5) Publikationen, Archiv-Material und Informationsdienste von
   - Außenhandelskammern,

---

[214] Siehe hierzu auch Tabelle 1.

[215] Vgl. Jain, S.C. (1996), S. 350.

- ausländischen Handelskammern und Wirtschaftsverbänden,
- deutschen Botschaften und Konsulaten,
- ausländischen Wirtschaftsforschungsinstitutionen,
- sonstigen ausländischen Institutionen,
- im Ausland ansässigen Banken, Investment- und IT-Analysten, Consulting-Unternehmen, Wirtschaftsprüfungs- und Steuerberatungsgesellschaften sowie Werbeagenturen,

(6) Publikationen, Archiv-Material und Studien von im Ausland ansässigen
  - Marktforschungsverbänden,
  - Marktforschungsinstituten und
  - Verlagen,

(7) Kataloge und Berichte von ausländischen internationalen Messen und Ausstellungen sowie auf diesen gesammelte Firmenkataloge, -prospekte und -preislisten,

(8) im Ausland publizierte Nachschlagewerke,

(9) im Ausland erstellte fremdsprachige CD-ROM-Datenbanken,

(10) Online-Datenbanken ausländischer Hosts,

(11) Originär fremdsprachliche Web-Sites,

(12) Informationsangebote von ausländischen Hilfsbetrieben der Sekundärforschung.

Welche konkreten ausländischen bzw. im Ausland ansässigen Institutionen, Verbände, Vereine, Unternehmungen etc. konsultiert werden können und welche konkreten Daten- und Informationsmaterialien von diesen erhältlich sind, kann ihrer weltweiten Vielzahl und Vielgestaltigkeit wegen nicht erschöpfend aufgeführt werden. Die folgenden Ausführungen zu den obigen zwölf Kategorien von ausländischen unternehmungsexternen Informationsquellen können sich daher weitgehend nur auf einige wenige Beispiele beziehen.

(1) <u>Publikationen ausländischer Ministerien und Behörden</u>

Ähnlich wie von deutschen Ministerien und Behörden sind auch von den Ministerien und Behörden anderer Staaten, insbesondere von denen westlicher Industrieländer, verschiedene Daten- und Informationsmaterialien erhältlich, die für eine internationale sekundärstatistische Marketingforschung von Interesse sein können.

Die Identifikation relevanter Ministerien und Behörden, Feststellung ihrer Anschriften, Kontaktstellen und Kontaktpersonen kann auf vielfältige Weise geschehen. Zu erwähnen ist neben einer diesbezüglichen Anfrage bei (ausländischen wie deutschen) Botschaften, Konsulaten, Handelsförderungsstellen, Handelskammern, Ländervereinen oder -gesellschaften die Durchsicht von speziellen Nachschlagewerken oder anderen Verzeichnissen.

Auf weltweiter Basis informiert z.B. *"20.. Worldwide Government Directory"* (erhältlich von *Find/SVP*), während über die US-amerikanischen gesamt- und bundesstaatlichen Ministerien und Behörden sowie deren Informationsangebote u.a. folgende Verzeichnisse Auskunft geben:

- *United States Government Manual* (zu beziehen über: Superintendent of Documents, U.S. Government Printing Office, Washington, D.C., 20402),
- *State & Local Statistics Sources 20..* (zu beziehen über: FIND/ SVP, 625 Avenue of the Americas, New York, NY 10011),
- *Lesko's Info-Power Sourcebook* bzw. *Software* (Buch bzw. Diskette, zu beziehen über: FIND/SVP),
- Lesko, M. (1986): 101 Free or Low Cost Sources of Computer Readable Information and what to Do with Them when you Get Them, SPSS Inc., Chicago.

(2) <u>Publikationen ausländischer Statistischer Ämter</u>

Die nationalen Statistischen Ämter anderer Staaten, insbesondere wiederum die der westlichen Industrieländer, offerieren gleichfalls eine Fülle verschiedenster Datenmaterialien in gedruckter oder computerlesbarer Form. Links zu Statistischen Ämtern in Nord-, Süd-, West- und Osteuropa, Nord-, Mittel- und Südamerika, Ost-, Südost- und Westasien sowie Ozeanien weist die Web-Site *destatis.de/allg/d/link/link98.htm* des *Statistischen Bundesamtes* auf.

(3) Publikationen ausländischer Nationalbanken

Diese Informationsquellen sind allem Anschein nach noch unergiebiger als die entsprechenden nationalen Informationsquellen, so daß hier auf ein weiteres Eingehen verzichtet werden soll.

(4) Publikationen von im Ausland ansässigen inter-/supranationalen Organisationen

- Statistisches Amt der Europäischen Gemeinschaften (Eurostat), Luxemburg.

  Eurostat, das aus dem 1953 gegründeten *"Statistischen Dienst der Hohen Behörde der Gemeinschaft für Kohle und Stahl"* hervorgegangen ist und heute als eine der Generaldirektionen zur Kommission der *Europäischen Gemeinschaften* gehört, hat den generellen Auftrag, der *Europäischen Union* einen qualitativ hochwertigen Informationsdienst bereitzustellen und damit für die Kommission und andere EU-Institutionen, aber auch für Politiker, Handel, Industrie, private und öffentliche Institutionen eine Grundlage für deren Entscheidungsprozesse zu liefern.

  In Erfüllung dieses Auftrages werden von *Eurostat* alle statistischen Daten, die von jedem Statistischen Amt der 15 Mitgliedsstaaten der EU nach gleichen Regeln erhoben werden, gesammelt und, wenn notwendig, konsolidiert und harmonisiert. Eine solche Datenharmonisierung, die bei Vollendung eines von *Eurostat* angestrebten integrierten europäischen Statistiksystems *(ESS)* in der EU gänzlich entbehrlich werden wird, erfolgt insbesondere auch bei den statistischen Daten, die vor allem zu Vergleichszwecken von wichtigen Partnerländern der EU, d.h. den Mitgliedsländern des *Europäischen Wirtschaftsraumes*, einschließlich der Schweiz, sowie den USA und Japan, zusammengetragen werden.

  Die von *Eurostat* gesammelten, konsolidierten und harmonisierten statistischen Daten werden in Form von (zum großen Teil auch deutschsprachigen) Printpublikationen, gedruckten, auf Magnetbändern, Disketten bzw. CD-ROMs gespeicherten oder per E-Mail abrufbaren statistischen Dokumenten und online nutzbaren elektronischen Datenbanken verbreitet und damit praktisch jedermann zugänglich gemacht.

Über die konkreten Inhalte des Datenangebotes und die Konditionen seines Bezuges informieren zum einen die Web-Site von *Eurostat* *(www.europa.eu.int/eurostat.html)* und zum anderen ein jährlich in Deutsch, Englisch und Französisch publizierter Katalog, der vom *Amt für Amtliche Veröffentlichungen der Europäischen Gemeinschaften* (L-2985 Luxemburg), den nationalen *Data Shops* (in Deutschland ist dies das Statistische Bundesamt - Berlin, Information Service, Eurostat Data Shop, Otto-Braun-Straße 70-72, 10178 Berlin, *www.eu-datashop.de*) oder von den *Verkaufsbüros* von *Eurostat* (in Deutschland ist dies der Bundesanzeiger Verlag, Breite Straße 78-80, 50667 Köln, *www.bundesanzeiger.de*) bezogen werden kann.

- <u>UN - United Nations (Vereinte Nationen).</u>

Die *UN (www.un.org)* und ihre Unterorganisationen *(FAO, UNIDO* etc.) veröffentlichen eine Vielzahl von Publikationen, die entweder über das New Yorker Verkaufsbüro der *UN (United Nations Publications,* Sales Office, New York, NY 10017) oder das UN-Informationsbüro in Bonn (*UNIC*, Martin-Luther-King-Str. 8, 53175 Bonn) erhältlich sind.

Für eine internationale sekundärstatistische Marketingforschung interessant sind beispielsweise folgende Veröffentlichungen:

- *Statistical Yearbook of the United Nations* (jährlich),
- *Economic Survey of Europe* (jährlich),
- *Economic Survey of Asia and the Far East* (jährlich),
- *Economic Survey of Latin America* (jährlich),
- *Economic Developments in the Middle East* (jährlich),
- *World Economic Survey* (jährlich),
- *World Trade Annual.*

- <u>WTO - World Trade Organization (Welthandelsorganisation).</u>

Von der *WTO (www.wto.org)* erhältliche Publikationen sind z.B.:

- *Analytical Bibliography* (produkt- und länderbezogene Marktstudien),
- *Guide to Sources of Information on Foreign Trade Regulations,*
- *Compilation of Basic Information on Export Markets,*
- *Compendium of Sources: International Trade Statistics,*
- *Manual on Export Marketing Research for Developing Countries,*
- *World Directory of Industry and Trade Associations,*

- *Directory of Product and Industry Journals.*

- *IMF - International Monetary Fund (IWF - Internationaler Währungsfond).*

  Die Veröffentlichungen des *IMF (www.imf.org)* können bei ihm direkt (Washington, D.C., 20431) oder über das UN-Informationsbüro in Bonn bezogen werden, so z.B.:
  - *International Financial Statistics* (monatl.),
  - *International Financial Statistics Yearbook,*
  - *World Economic Outlook.*

- *WB - World Bank (Weltbank).*

  Die in Washington, D.C. (1818 H Street, N.W.) beheimatete *Weltbank (www.worldbank.org)* bietet u.a. folgende Publikationen an:
  - *World Bank Annual Report,*
  - *World Development Report* (jährlich),
  - *World Tables* (jährlich),
  - *Trends in Developing Countries,*
  - *Publications Update* (monatlich) - führt von der *Weltbank* durchgeführte Forschungsstudien auf.

(5) Publikationen, Archiv-Material und Informationsdienste von ...

(5.1) ... Auslandshandelskammern, Delegierten und Repräsentanten der deutschen Wirtschaft

Das aus *Auslandshandelskammern (AHK), Delegiertenbüros* und *Repräsentanzen der Deutschen Wirtschaft* bestehende Auslandshandelskammernetz erstreckt sich gegenwärtig auf über 75 Länder und 110 Standorte.[216] Kernaufgabe dieses Netzes ist die Förderung bilateraler Wirtschaftsbeziehungen.

Auslandshandelskammern, die von ihren heute etwa 40.000 Mitgliedern (Einzelpersonen, Unternehmen und Organisationen im Sitzland und aus

---

216 In welchen Ländern und an welchen Standorten Auslandshandelskammern, Delegierte und Repräsentanzen der Deutschen Wirtschaft tätig sind und wie deren Anschriften lauten, zeigt eine Broschüre des DIHK sowie die Web-Site *www.ahk.de* auf.

Deutschland) sowie vom Bund getragen werden, sind vor allem in marktwirtschaftlich geprägten Ländern angesiedelt. Die fachlich und organisatorisch dem *DIHK* unterstellten *Delegiertenbüros*, die sich im Gegensatz zu den *AHK* nicht auf Mitglieder und Kammervorstände stützen, sowie die ausschließlich mit lokalem Personal besetzten *Repräsentanzen* residieren in Ländern, in denen marktwirtschaftliche Strukturen noch nicht so stark ausgeprägt sind (z.B. in der VR China), in denen die Gründung einer *AHK* nach deutschem Autonomieverständnis nicht möglich ist oder in denen durch sie der Aufbau einer *AHK* vorbereitet wird.

Das Aufgabenspektrum einer *AHK* bzw. eines *Delegiertenbüros* umfaßt zwei Hauptbereiche:

- Erstens den direkten Auskunfts-, Beratungs- und Organisationsdienst für die am bilateralen Wirtschaftsverkehr interessierten bzw. beteiligten Einzelpersonen, Unternehmen und Organisationen.
- Zweitens die aus einer Summe verschiedener Einzeltätigkeiten resultierende Forumsfunktion für die bilaterale Wirtschaft und Politik.

Für die Zwecke einer internationalen Sekundärforschung von Relevanz sind:

- die von einzelnen *AHK* herausgegebenen Kammerzeitschriften, die je nach Land 6-12 mal jährlich erscheinen,
- die gemeinsam von verschiedenen *AHK* einer Länderregion herausgegebenen Firmennachschlagewerke, die unter dem Namen *"KONTAKTER"* publiziert werden (zur Zeit sind dies der Asien/Pazifik, Lateinamerika, Eurasia & Afrika und Mittel + Ost-Europa KONTAKTER),
- die von einigen *AHK* veröffentlichten Spezialpublikationen zu bestimmten Sachgebieten (wie z.B. *"Buchführung und Jahresabschluß in der Tschechischen Republik"*, *"Doing Business in Colombia"*, *"Der Kosmetikmarkt in Frankreich"*, *"Vertriebswege im französischen Konsumgütersektor"*, *"Vertrieb von Investitionsgütern in der VR China"*),

die aber auf keiner zentralen Liste erfaßt worden sind, sondern dezentral ermittelt werden müssen[217].

(5.2) ... *ausländischen Handelskammern und Wirtschaftsverbänden*

Ausländische Handelskammern und Wirtschaftsverbände, wie z.B. die *American Chamber of Commerce, Japan Chamber of Commerce and Industry* oder *Electronic Industries Association of Japan*, haben zwar vorrangig die Informationsbedürfnisse ihrer heimischen Mitgliedsunternehmungen zu befriedigen, sind aber in einem unterschiedlichen Ausmaß auch bereit, auf Anfrage ausländischen Unternehmungen Informationen zu übermitteln.

Anschriften von Industrie- und Handelskammern in 31 europäischen Ländern und Israel sind von *EUROCHAMBRES* (Brüssel), der *Vereinigung der europäischen Industrie- und Handelskammern*, erhältlich, und zwar entweder online über das Internet *(www.eurochambres.be)* oder offline auf dem Wege einer Broschüre[218], die darüber hinaus auch die von diesen Kammern angebotenen Dienstleistungen aufführt.

Weitere (z.T. auch online erhältliche) Publikationen von *EUROCHAMBRES*, die für eine internationale Sekundärforschung von Interesse sein können, sind:

- *ABC-Address List of Bilateral Chambers of Commerce and Industry of the European Union* (Okt. 1997),
- *Eurochambres Economic Survey 2001 (European Analysis)*,
- *Corporate Readiness for Enlargement in Central Europe* (Nov. 2000),
- *Non Tariff Barriers in Third Countries* (Okt. 1996),
- *Non Tariff Barriers in the European Union* (Okt. 1994).

---

217 Eine Liste der von der *Deutsch-Koreanischen Industrie- und Handelskammer*, Seoul, herausgegebenen Publikationen kann man beispielsweise unter der folgenden Web-Site finden: *www.asienhaus.org/library/korea2/PERSONEN/K1-00026.HTM*.

218 Siehe Eurochambres (1997).

Ein weltweites Verzeichnis von Industrie- und Handelskammern ist über die Web-Site *www.worldchambers.com* des *World Network of Chambers of Commerce* abrufbar.

(5.3) ... deutschen Botschaften und Konsulaten

Wie *Walldorf* [219] feststellt, genießen deutsche Botschaften und Konsulate als Informationsquellen keinen sehr hohen Stellenwert. Als Grund führt er an, "... daß sie - im Gegensatz zu ihren ausländischen "Kollegen" - ihre Repräsentanz-Funktion bisher eher auf diplomatischer Ebene gesehen haben"[220].

(5.4) ... ausländischen Wirtschaftsforschungsinstituten

Eine Aufstellung europäischer und außereuropäischer Wirtschaftsforschungsinstitute sowie sonstiger Institute, die bei Unternehmungen und Verbrauchern Konjunkturumfragen durchführen, findet sich bei *Schöttle, K.M.* (1990), S. 353ff. und S. 389ff.

(5.5) ... im Ausland ansässigen Banken, Investment- und IT-Analysten, Consulting-Unternehmen, Wirtschafts- und Steuerberatungsgesellschaften sowie Werbeagenturen

Von diesen Unternehmungen, insbesondere den größeren und international agierenden, sind vielfältige Veröffentlichungen zu erlangen, die entweder nur für ihre jeweiligen heimischen Kunden bzw. Klienten oder aber für einen internationalen Interessentenkreis herausgegeben werden.

Lediglich als Beispiel zu erwähnen sind folgende Unternehmungen und deren Web-Zugänge bzw. Veröffentlichungen:

- *Banken und Investment-Analysten:*

  Die hier angeführten Informationsquellen sind insbesondere zur Gewinnung eines vorurteilsfreien, ungeschönten Bildes von anderen Un-

---

219 Vgl. Walldorf, E.G. (1987), S 237.

220 Ebenda.

ternehmungen (z.B. ausländischen Konkurrenten oder potentiellen Geschäftspartnern) zu empfehlen.

- *Thomson Corporation*, Toronto (Kanada): *Investext*, Web-Zugänge: *investext.com*; *thomsoninvest.net*; *dialog.com*, File 545; *lexis.com*, Files INVTXT und INVLNU; etc.,
- *Multex.com*, New York: *MultexNet On-Demand*, Web-Zugang: *multex.com*,
- *Lehman Brothers, Merrill Lynch, Warburg Dillon Read* etc., New York: *Profound's BrokerLine*, Web-Zugang: *profound.com*,
- *Wall Street Research Network (WSRN)*, New York: *Baseline*, *Provestor Plus* und *QuickSource*, Web-Zugang: *wsrn.com*,
- *Ford Investor Services*, San Diego, Cal.: *The Ford Value Report* und *Ford Investment Management Report*, Web-Zugang: *fordinv.com*.

• <u>*IT-Analysten:*</u>

- *Aberdeen Group*, Boston, Mass., *(www.aberdeen.com)*,
- *AMR Research*, Boston, Mass., *(www.amrresearch.com)*,
- *Forrester Research*, Cambridge, Mass., *(www.forrester.com)*,
- *The Gartner Group*, Stamford, Con., *(www.gartner.com)*,
- *Giga Information Group, Inc.*, Cambridge, Mass., *(www.gigaweb.com)*,
- *IDC*, Framingham, Mass., *(www.idc.com)*,
- *META Group*, Stamford, Con., *(www.metagroup.com)*,
- *Yankee Group*, Boston, Mass., *(www.yankeegroup.com)*,
- *Zona Research*, *(www.zonaresearch.com)*.

• <u>*Consulting-Unternehmen, Wirtschafts- und Steuerberatungsgesellschaften sowie Werbeagenturen:*</u>

- *Anderson Consulting (arthurandersen.com)*, Chicago, Ill.: *The Arthur Anderson European Community Sourcebook*; *The Arthur Andersen American Business Sourcebook*,
- *Frost & Sullivan (www.frost.com)*, New York: *800 Service Markets*; *The U.S. Market for Portable Computers*; *World Telecom and Datacom Test Equipment Markets*; *The European Markets*

for Industrial Paints, ... Financial Software, ... Flat Panel Displays, ... Prescription Dermatology Pharmaceuticals; etc.

- *Peachtree Consulting Group (www.peachtreeconsulting.com)*, Atlanta, Georgia: *The Upscale Major Appliance Market - Refrigeration Systems, ... - Cooking Systems*; etc.
- *Price Waterhouse Coopers (www.pwcglobal.com)*, New York, publiziert eine Reihe von Broschüren über die Geschäftsbedingungen in jenen Ländern, in denen dieses Unternehmen tätig ist,
- gleiches gilt für *KPMG (www.kpmg.com)*,
- *Kokusai Konsarutein· Saabisu Kyokai*, ein japanisches Beratungs- und Marktforschungsunternehmen, veröffentlichte in den letzten Jahren eine Reihe von englischsprachigen Marktstudien, die mehr oder weniger regelmäßig aktualisiert werden.[221]

(6) Publikationen, Archiv-Material und Studien von im Ausland ansässigen Marktforschungsverbänden, Marktforschungsinstituten und Verlagen

Als pars pro toto seien hier lediglich die Veröffentlichungen der *ESOMAR* (Amsterdam), der *Market Research Society* (London), des *Yano Research Institute Ltd.* (Tokio), von *Taylor Nelson Sofres plc.* (London), des *Economist* (London), der *Financial Times* (London) und von *Euromonitor* (London) angeführt:

- *European Society for Opinion and Marketing Research (ESOMAR)*, Amsterdam, eine internationale Vereinigung von Markt-, Sozial- und Meinungsforschern, veröffentlicht in englischer Sprache jährlich in einer Printversion, auf CD-ROM und per Web-Site *(www.esomar.nl)* ein qualifizierendes

  - *Directory 20.., Research Organisations* (Vol. 1 und 2)

  sowie mehre Reports und Berichtsbände von Seminaren, Symposien und Konferenzen, wie z.B.

  - *Marketing in Asia: The Contribution of Research* (1996),
  - *The Dynamic of Change in Latin America* (1997),

---

[221] Siehe die Auflistung bei Koch, M., Weidner, C. (1997), S. 56f.

- *The Changing Retail Scene: Opportunities, Threats and Innovation* (1997),
- *From International to Cross-Cultural Marketing - The Qualitative Connection* (1997).

- *The Market Research Society (MRS)*, London *(www.mrs.org.uk)*, " ... the UK's professional association for those individuals involved in compiling or using market, social or economic research"[222], publiziert
  - eine Reihe von *"Country Notes"* über ausgewählte westeuropäische, osteuropäische, fernöstliche, nord- und lateinamerikanische Länder,
  - bereits in der 19. Auflage (2001) *"The Research Buyer's Guide 2000"* (frühere Bezeichnung: *"Orgs Book"*).

- *Yano Research Institute Ltd.*, Tokio, ein auch in New York vertretenes Marktforschungsinstitut, gibt japanischsprachige Periodika (z.B. *Yano News, Yano Report, Market Share Monthly, Brand Name Market Report*) heraus, pflegt eine Datenbank mit Marketing-Informationen, die *Yano Data Bank (YDB)*, und offeriert neben japanischsprachigen auch einige englischsprachige Marktstudien und Nachschlagewerke.[223] Beispielhaft seien folgende genannt:
  - *The Japanese Toiletries & Healthcare Products Market,*
  - *The Japanese OTC Market,*
  - *The Japanese Food Industry,*
  - *The Japanese Computer Industry.*

- *Taylor Nelson Sofres plc.*, London *(www.tnsofres.com)*, das im Jahre 2000 weltweit viertgrößte Marktforschungsinstitut, macht eine Reihe von selbst- und zusammen mit dem *Office for National Statistics (ONS)* erstellten Marktstudien der Öffentlichkeit zugänglich[224], wie z.B.
  - *The "Over the Counter" Market* (1997),
  - *The Toiletries Market* (1997),
  - *The Prescriptions Market* (1997),

---

[222] The Market Research Society (1994), S. 8.

[223] Siehe Koch, M., Weidner, C. (1997), S. 60ff.

[224] Eine Gesamtübersicht bietet die Web-Site von *Taylor Nelson Sofres*.

- *Financial Lifestyles* (1996).

- The Economist Intelligence Unit (EIU), eine Tochter des Zeitungsverlages *The Economist*, London *(www.eiu.com)*, publiziert eine Vielzahl von Büchern und Reports, wie z.B.

  - *The World in Figures*,
  - *Multinational Business, Retail Business, Special Industry Reports*,
  - *Marketing in Europe* (vierteljährlich),
  - *E.I.U. World Outlook* (jährlich),

  und bietet darüber hinaus einen Online-Zugang zu einer Vielzahl von Länderdaten.

- Die *Financial Times*, London *(www.ft.com)*, bringt in ihrer Sparte *"FT Retail & Consumer Publishing"* verschiedene Markt-, Länderreports und andere marketingrelevante Publikationen heraus[225], beispielsweise:

  - *Strategic Directions in European Food & Drink*,
  - *European Market Opportunities in Children's Food & Drink*,
  - *Retailing Opportunities in Indonesia, Malaysia and Thailand*,
  - *Retailing in Latin America*,
  - *Retailing in Central and Eastern Europe*,
  - *Retailing in East Asia*,
  - *UK Brand Strategies*.

- Euromonitor plc., London *(www.euromonitor.com)*, ein Verlags- und Consulting-Unternehmen, bietet eine Vielzahl von Marktstudien, Handbüchern, Quellenverzeichnissen und CD-ROM-Datenbanken an[226], von denen beispielhaft nur folgende genannt seien:

  - *European Marketing Data and Statistics 20..*,
  - *International Marketing Data and Statistics 20..*,
  - *China Marketing Data and Statistics 20..*,
  - *The Word Economic Factbook 20..*,

[225] Eine Gesamtübersicht bietet die Web-Site www.ftretail.com.

[226] Eine Gesamtübersicht bietet die Web-Site von Euromonitor sowie die Ende 2001 eröffnete spezielle Web-Site für "take-away"-Daten *www.MajorMarketProfiles.com*.

- *Consumer Europe / Eastern Europe / International / Asia / China,*
- *The World Directory of Business Information Libraries /... Trade and Business Associations /... Marketing Information Sources / ... Non-Official Statistical Sources,*
- *Asia/China: A Directory and Sourcebook,*
- *Directory of Consumer Brands and Their Owners 20..: Europe / Eastern Europe / Latin America / Asia Pacific.*

Eine weitere Vielzahl von Marktforschungsreports, -studien, -umfragen, Unternehmungsporträts, Nachschlagewerken etc. ist in folgenden Quellen aufgeführt:

- *FINDEX 20.., The Worldwide Directory of Market Research Reports, Studies and Surveys*, hrsg. von *MarketResearch.com*, New York *(www.marketresearch.com)*, enthält Angaben über mehr als 40.000 Marktforschungsstudien von insgesamt ca. 350 Anbietern,
- *The Information Catalog* (quartalsweise), *MarketResearch.com*, New York,
- *Marketsearch 20..*, hrsg. von *Marketsearch*, London *(www.marketsearch-dir.com)*, enthält Angaben über ca. 20.000 Marktforschungsstudien von insgesamt 700 Anbietern,
- *IMRI - International Market Research Information* (Jahrbuch sowie elektronische Datenbank, Zugang über *Knight-Ridder Information*),
- *The AQRP Directory and Handbook of Qualitative Research*, Cambridgeshire, UK,
- *JETRO's Market Information Database (www.jetro.go.jp/ec/e/market/index.html))*,
- *GreenBook, The Worldwide Directory of Marketing Research Companies and Services* (Jahrbuch sowie elektronische Datenbank, Zugang über *www.greenbook.org*),
- *Blue Book, Research Services Directory* (Jahrbuch sowie elektronische Datenbank der *Marketing Research Association, MRA*, Rocky Hill, Conn., Web-Zugang über *www.mra-net.org* oder *www.bluebook.org*).

(7) ***Kataloge und Berichte von ausländischen internationalen Messen und Ausstellungen sowie auf diesen gesammelte Firmenkataloge, -prospekte und -preislisten***

Über relevante Auslandsmessen können die jeweiligen Fachverbände Auskunft geben.

(8) ***Im Ausland publizierte Nachschlagewerke***

Neben den bereits oben aufgeführten Nachschlagewerken seien beispielhaft noch folgende genannt:

- *State Data and Database Finder, Information USA, Inc.,*
- *Encyclopedia of Geographic Information Sources*, Detroit,
- *Reference Book for World Traders,* Loseblattsammlung mit monatlichen Ergänzungslieferungen, Queens Village, New York,
- *Sources of European Economic Information*, Cambridge,
- *World Advertising Expenditures*, 20.. edition, New York,
- *World Trade Directory*, 20../.. edition,
- *World Business Publications*, London,
- *The Statesman's Year-Book*, London,
- *Kompass Directories*, die für verschiedene Länder herausgegeben werden, beispielsweise:
  - *Kompass Belgium Sectional Directories*,
  - *Kompass Denmark, France, Holland, Italy, Luxembourg, Norway, Sweden, Switzerland, Spain, United Kingdom*,
- *Encyclopedia of Business Information Sources: Europe*, ed. by M. Balochandran, Gale Research Inc., Detroit,
- *Bradford's Directory of Marketing Research Agencies and Management Consultants in the U.S. & the World* (erhältlich über: *MarketResearch.com*),
- *TV Europe: The European Television Databook*, 20.. edition, NTC Publications, Henley-on-Thames,
- *European Marketing Pocket Book,* 20.. edition, NTC Publications, Henley-on Thames,
- *The DHL International Business Pocket Book*, 20.. edition, NTC Publications, Henley-on-Thames,
- *The Parliament and Government Pocket Book,* 20../.. edition, NTC Publications, Henley-on-Thames,

- *Asia Pacific Marketing & Media Yearbook,* 20.. edition, NTC Publications, Henley-on-Thames,
- *The Directory of Continuous Market Research,* 20.. edition, NTC Publications, Henley-on-Thames.

Informationen über den europäischen Adreßbuchmarkt erhält man beim *Europäischen Adreßbuchverleger-Verband (www.eadp.be)*, Brüssel.

(9) Fremdsprachige CD-ROM-Datenbanken

Nachdem im vorherigen Kapitel unter dem gleichen Gliederungspunkt (9) bereits auf die Nutzungsmöglichkeiten sowie die Vor- und Nachteile von CD-ROM-Datenbankrecherchen eingegangen worden ist, soll an dieser Stelle wiederum nur ein kleiner Überblick über fremdsprachige CD-ROMs, die für internationale Sekundärforschungen genutzt werden können, präsentiert werden (s. Tabelle 8).

Datenbankname	Inhalte	Anbieter
World Marketing Data and Statistics1998	Statistische Daten der letzten 20 Jahre von 209 Ländern	Euromonitor
World Marketing Forecasts 1997	Weltweite Trends (1995-2010) in 239 Marktsektoren	Euromonitor
World Consumer Markets 1997/8	Daten bezogen auf 248 Produktsektoren in 56 Ländern	Euromonitor
World Database of Business Information Sources	Weltweite Erfassung von 25.000 Organisationen, Publikationen, Bibliotheken und Online-Datenbanken	Euromonitor
World Database of Consumer Brands and their Owners 1998	Erfassung von 214 Produktsektoren	Euromonitor
Directory 1998	Verzeichnis der Mitglieder und Forschungsinstitute	ESOMAR
UN Statistical Yearbook	Statistisches Jahrbuch der UN	DSI
International Statistical Yearbook	Daten von Eurostat, OECD, IMF, UNIDO, FAME etc.	DSI
EUROPROMS	Vergleichbare Daten der Produktion, des Außenhandels und der Märkte von 4.400 industriellen Produkten in der EU	DSI
China Monthly Statistics	Daten der amtlichen chinesischen Statistik	DSI
China Economic Atlas and Statistics	Demographische, ökonomische und soziale Daten, Landkarten, statistische Diagramme	DSI

China's Top 40 Cities	Ökonomische und demographische Daten	DSI
Year Book Australia	Jahrb. des Australian Bureau of Statistics	DSI
Canada Yearbook	Jahrbuch von Statistics Canada	DSI
Japan Trade Directory 1997-1998	Informationen über japanische Unternehmen, die Kontakte zu ausländischen Unternehmen suchen	JETRO
Market Studies Library	Volltext von über 200 (älteren) Marktforschungsreports	FIND/SVP
Directory of U.S. Importers & Exporters	Aktuelles Verzeichnis aller US-Im- und Exporteure	Knight-Ridder
EIU - African Business Intelligence	Länderreports, -profile und andere Daten zur Analyse einer Geschäftstätigkeit in 20 afrikanischen Ländern	Knight-Ridder
EIU - Asia-Pacific Business Intelligence. Vol.1: North Asia and Australasia	Länderreports, -profile und andere Daten zur Analyse einer Geschäftstätigkeit in Ländern dieser Region	Knight-Ridder
EIU - Asia-Pacific Business Intelligence. Vol.2: Southeast Asia and the Indian Subcontinent	Länderreports, -profile und andere Daten zur Analyse einer Geschäftstätigkeit in Ländern dieser Region	Knight-Ridder
EIU - China Business Intelligence	Daten und deren Analyse im Hinblick auf eine Geschäftstätigkeit in China	Knight-Ridder
EIU - East European Business Intelligence	Praxisorientierte Hinweise für eine Geschäftstätigkeit in Ländern dieser Region	Knight-Ridder
EIU - Latin American Business Intelligence	Länderreports, -profile und andere Daten zur Fundierung einer Geschäftstätigkeit in Ländern dieser Region	Knight-Ridder
EIU - Middle Eastern Business Intelligence	Länderreports, -profile und andere Daten zur Fundierung einer Geschäftstätigkeit in Ländern dieser Region	Knight-Ridder
EIU - West European Business Intelligence	Informationen über den größten Markt der Welt	Knight-Ridder
Market Research Locator / Findex	Bis 1985 zurückreichendes weltweites Verzeichnis von Marktforschungsreports, -studien und -umfragen	Knight-Ridder
Standard & Poor's Corporations	Daten von über 55.000 US-Unternehmen	Knight-Ridder
Financial Focus	Finanzinformationen über die Top-5.000 Unternehmen in Thailand	Advanced Reserch Group, Bangkok
World Service	100 Länderreports und -prognosen, Political Risk Letter etc.	PRS Group

Tabelle 8: Ausgewählte fremdsprachige CD-ROMs zur internationalen Sekundärforschung

Eine erschöpfendere Erfassung des entsprechenden CD-ROM-Angebotes findet man auf der bereits erwähnten CD-ROM *"Lieferbare CD-ROMs"* (*Verlag Hoppenstedt*, Darmstadt), im jährlich von *DSI Data Service & Information* (Rheinberg) herausgegebenen Katalog *"The World's Statistics on CD-ROM in Print"* sowie im Band 2 des *"Gale Directory of Databases"* der *Gale Research, Inc.* (Detroit), das auch online über *Data Star* (GDDB) oder *DIALOG* (File No. 230) auswertbar ist.

(10) Online-Datenbanken ausländischer Hosts[227]

Über die verschiedenen, hauptsächlich in anderen Industrieländern residierenden, z.T. aber auch in Deutschland (z.B. *LEXIS-NEXIS* und *Knight-Ridder* in Frankfurt a.M.) mit Informationsbüros vertretenen ausländischen Hosts lassen sich eine enorme Fülle von Online-Datenbanken erschließen, die für internationale Sekundärforschungen von unschätzbarem Wert sein können.

In der Tabelle 9 sind einige dieser Hosts angeführt, und zwar solche, die wegen der expliziten EU-Bezüge bzw. der Größe und/oder überwiegenden Englischsprachigkeit ihrer Datenbankangebote für deutsche Sekundärforscher wohl von einem vorrangigen Interesse sind.

Welche anderen ausländischen Hosts es gibt und über welches Datenbankangebot diese verfügen, darüber informieren z.B. folgende Nachschlagewerke und Datenbanken:

- *"Gale Directory of Databases"*, Vol. 1: Online Databases, hrsg. von Gale Research, Inc. (Detroit),
- Datenbank *"Gale Directory of Databases"* (GDDB), Data Star,
- Datenbank *"Gale Expanded Directory of Databases"* (File No.230), DIALOG,
- *"Finding Market Research on the Web"*, Berkman, R., Hammond-Tooke, A., MarketResearch.com, 2001,

---

[227] Siehe hierzu auch Karake, Z.A. (1990), S. 462ff.

Datenbankanbieter	Schwerpunkte	Anzahl der angebotenen Datenbanken
ECHO European Commission Host Organisation Luxemburg	Ausschreibungen, Rechtswissenschaften, Übersetzungen, Informationssysteme, Förderprogramme und -projekte, Wirtschaft und Industrie, Forschung und Entwicklung	ca. 25
ESA - IRS European Space Agency - Information Retrieval Service	Luft- und Raumfahrt, Umwelt, Technologie, Werkstoff- und Ingenieurwissenschaften, Mathematik, Wirtschaft, Management, Finanzwesen	ca. 200
Knight-Ridder Information Palo Alto, Ca. (USA)	***Datenbank DataStar:*** Pharmazeutische, medizinische und Gesundheitspflegeinformationen jeglicher Art (von Forschungs- bis Geschäftsinformationen), Informationen über europäische Unternehmen, Informationen über die EU, Außenhandelsinformationen, Länder- und Marktreports, Informationen über die Kraftfahrzeug- und Nahrungsmittelindustrie (sowohl technischer als auch wirtschaftlicher Art)	ca. 300
	Datenbank DIALOG: Weltweite Unternehmensinformationen, Brancheninformationen (Daten, Trends, Analysen), internationale und US-amerikanische Nachrichten, US-Regierungsnachrichten (einschließlich Informationen über Gesetze und Verordnungen), Patente und Warenzeichen, Chemie, Umwelt, Wissenschaft und Technik, allgemeine Informationen (Bücher, Personen, Verbrauchernachrichten, Reise etc.)	ca. 450
LEXIS-NEXIS Dayton, Oh. (USA)	Internationale Rechts(wissenschafts)informationen, internationale Länder-, Markt-, Unternehmens- und Produktinformationen, Marktstudien und Marktforschungsreports (z.B. von ACNielsen, Frost & Sullivan, Datamonitor, FIND/SVP und Euromonitor), Wirtschafts-, Finanz- und Presseinformationen etc.	ca. 7.300
Questel-Orbit Richmond (GB)	Wirtschaftsinformationen, Patente, Gebrauchsmuster, Umweltinformationen	ca. 200

Tabelle 9: Ausgewählte ausländische Hosts und deren Informationsangebot

Quelle: Einsporn, T. (1996), S. 10ff.; eigene Ergänzungen und Aktualisierungen

- *Directory of Japanese Databases*, hrsg. von *Database Promotion Center, Japan (DPC)*, Tokio (informiert über die wichtigsten japanischen Datenbanken in japanischer und englischer Sprache),
- Datenbank *"Alphaline"* (ALPH), GENIOS,
- *Information Market Guide*, hrsg. von ECHO (Luxembourg),
- *Handbuch der Wirtschaftsdatenbanken, Inhalte und Anbieter – weltweit*, hrsg. von *Scientific Consulting Dr. Schulte-Hillen*, Verlag Hoppenstedt (Darmstadt).

Die große Zahl der Datenbanken, die von den in der Tabelle 9 angeführten Hosts offeriert wird, läßt es nicht zu, jede einzelne der für eine internationale Sekundärforschung geeigneten Datenbanken zu benennen und zu beschreiben und damit das gesamte Spektrum der auf diesem Wege nutzbaren Informationen zu verdeutlichen. Um dennoch zumindest einen kleinen Eindruck von dem großen Informationspotential zu vermitteln, das Online-Datenbanken für internationale Sekundärforschungen aufweisen, sind im Anhang D einige ausgewählte Datenbanken aus dem *DIALOG*- und *Data Star*-Angebot von *Knight-Ridder Information* verschiedenen Informationsbereichen zugeordnet und kurz beschrieben worden.

Das umfangreiche Datenbankangebot, über das dieser Host verfügt, weist zwar ein überaus breites Themen- und Typenspektrum auf, beinhaltet gleichwohl aber keine statistischen Datenbanken. Das gleiche gilt im übrigen auch für das Angebot der früher erwähnten deutschen Hosts. Statistische Daten sind alleine von hierauf spezialisierten Hosts zu erhalten, zu denen vor allem *Datastream International* (London), *DRI - Data Resources, Inc.* (Lexington/London), *Reuters Limited* (London) und *WEFA* (mit einem Büro in Frankfurt a.M.; *www.wefa.de*) gehören. Eine Auswahl der von *WEFA* angebotenen statistischen Datenbanken ist im Anhang D zu finden.

Gegenüber den konventionellen Methoden der internationalen Sekundärforschung ("Buchrecherchen") weisen solche internationalen Online-Datenbankrecherchen zunächst einmal die Vorteile auf, die auch nationalen Online-Datenbankrecherchen zu eigen sind[228], nämlich:

- Größere Schnelligkeit und niedrigere Kosten der Datengewinnung.
- Größere Schnelligkeit der Datenauswertung durch Herunterladen der Daten auf den PC des Nutzers und Einspeisung in vorhandene Analyseprogramme.
- Quantitative und qualitative Verbesserung der Rechercheresultate durch Realisierung mehrdimensionaler Suchmöglichkeiten (Verknüpfung von Suchkriterien).
- Räumliche und zeitliche Unabhängigkeit bei der Nutzung der Informationsquellen.
- Möglichkeit der Auswertung einer größeren Anzahl von Informationsquellen.

Allerdings treten diese Vorteile bei einer internationalen Online-Datenbankrecherche ausgeprägter zutage als bei einer rein nationalen Online-Datenbankrecherche. Darüber hinaus sind noch zwei Vorteile anzuführen, die nur bei dieser Form der Online-Datenbankrecherche zu verzeichnen sind[229]:

- Erstens können weltweit Informationsquellen erschlossen werden, die prinzipiell über Printmedien nicht oder nur sehr schwer zugänglich sind (z.B. nationale Patentverzeichnisse).
- Zweitens werden von ausländischen, insbesondere amerikanischen Hosts häufig englische Übersetzungen der von ihnen in ihren Datenbanken erfaßten anderssprachigen Informationsmaterialien vorgenommen, während in ausländischen Printmedien die entsprechenden Informationen nur in der jeweiligen Landessprache vorliegen. Dadurch werden Informationen, die sonst verstreut und wegen mangelnder Sprachkenntnisse einer Nutzung verschlossen wären, zusammengeführt und auswertbar.

---

[228] Vgl. hierzu auch Weber-Schäfer, U. (1995), S. 324ff.

[229] Vgl. ebenda.

Die diesen Vorteilen gegenüberstehenden Schwächen von internationalen Online-Datenbankrecherchen sind vor allem in folgenden Punkten zu sehen[230]:

- Unüberschaubarkeit des Datenangebotes wegen mangelnder Transparenz und hoher Dynamik des betreffenden Marktes,
- unterschiedliche Retrievalsprachen erschweren die Nutzung verschiedener Datenbankanbieter,
- relativ geringe Entscheidungsrelevanz vieler Datenbankinformationen, weil das Informationsangebot häufig zu stark von dokumentarischen Gesichtspunkten geprägt wird,
- benutzerunfreundliche Präsentationsform verschiedener Informationsangebote,
- Unvollständigkeit, Veralterung oder Parallelität des Informationsangebotes wegen mangelnder Datenbankpflege,
- zeitlich verzögertes Angebot von neuen Informationsmaterialien, um zuerst den Verkauf der Printausgaben zu forcieren,
- Längsschnittanalysen sind nicht immer möglich, weil in einigen Fällen keine älteren, sondern immer nur die neuesten Informationsmaterialien dokumentiert werden.

Insbesondere die im ersten Punkt angesprochenen Schwächen von internationalen Online-Datenbankrecherchen verlieren jedoch zunehmend an Relevanz, seitdem immer mehr Hosts ihr Datenbankangebot auch per Internet publik und zugänglich machen.

(11) Originär fremdsprachige Web-Sites

Im Rahmen einer internationalen Sekundärforschung eröffnen originär fremdsprachige Web-Sites naturgemäß noch weitaus größere Möglichkeiten als muttersprachliche Sites in der Verfolgung der unter dem Gliederungspunkt (11) im vorangegangenen Kapitel erläuterten vier Nutzungszwecke des Internet bzw. WWW.[231]

---

230 Vgl. ebenda, S. 327f.; Graumann, S. (1997), S. 9.

231 Vgl. hierzu auch Graumann, S. (1997).

Die in der folgenden Tabelle 10 erfolgte Auflistung verschiedener Web-Sites kann diesen Tatbestand verständlicherweise nur in Ansätzen verdeutlichen.

Internet-Adresse http://www.	Name	Informationsangebot
1. Ermittlung und/oder Lokalisierung von externen Informationsquellen:		
tnsofres.com	Taylor Nelson Sofres plc.	Angebotene Marktforschungsreports und andere Publikationen
grnlt.com	Green Light Communications, Inc.	Marketing Pros' Links
frost.com	Frost & Sullivan	Angebotene Publikationen
lcweb.loc.gov/homepage/ lchp.html	Library of Congress (USA)	Bibliotheksangebot, Informationen über Gesetzesvorhaben
doc.gov	US-Department of Commerce	Wirtschaftlich relevante US-Links
findsvp.com	FIND/SVP	Angebotene Markt-/Länderreports und andere Publikationen
freedoniagroup.com	The Freedonia Group	Angebotene Markt-/Länderreports und andere Publikationen
worldchambers.com	Chambers of Commerce World Network	Weltweites Verzeichnis von Industrie- und Handelskammern
eurochambres.be	Eurochambres	Europaweites Verzeichnis der Industrie- und Handelskammern
euromonitor.com	Euromonitor	Angebotene Markt-/Länderreports und andere Publikationen
jetro.go.jp/ec/e/market/ index.html	JETRO	Kostenlos angebotene Reports über japanische Märkte
jetro.go.jp/it/e/pub/ index.html	JETRO	Verfügbare englischsprachige JETRO-Publikationen und Videos
//coombs.anu.edu.au/ WWWVL-AsianStudies.html	Australian National University	Gateway zu asiatischen Sites mit Länder- und Unternehmensdaten
asiarisk.com/wwwsites.html	PERC Ltd.	Gateway zu asiatischen Sites mit Länder- und Unternehmensdaten
latinworld.com/regions/ index.html	Latinworld	Gateway zu Sites mit Informationen über lateinamerikanische Länder
Corpfinet.com	Corporate Finance Network	Gateway zu Sites mit Unternehmensfinanzinformationen
moneypages.com/syndicate/	The Syndicate	Gateway zu Sites mit Unternehmensfinanzinformationen

ftretail.com	Financial Times	Angebotene Markt-/Länderreports und andere Publikationen
destatis.de/allg/d/link/ link98.htm	Statistisches Bundesamt	Weltweite Links zu Statistischen Ämtern
2. Durchführung einer Online-Datenbankrecherche:		
securities.com	Internet Securities, Inc.	Nachrichten/Informationen aus den Bereichen Wirtschaft, Politik u. Finanzen aus den aufstrebenden Märkten in Osteuropa, Lateinamerika, China und Indien
businessmonitor.co.uk	Business Monitor Online	Markt-/Wirtschaftsanalysen, Berichte über Finanzmärkte, Ratschläge zu gesetzlichen Bestimmungen
echo.lu	European Community Host	s. Tabelle 4
stat-usa.gov	US-Handelsministerium	Statistische Datenbanken
europages.com	Euredit S.A.	Internet-Version der Europages
http://dsweb.krinfo.ch	DataStar	s. Tabelle 4 und Anhang D.2.
http://diaöog.krinfo.com	DIALOG	s. Tabelle 4 und Anhang D.2.
lexis-nexis.com	LEXIS-NEXIS	s. Tabelle 4
countrydata.com	PRS Group	Länderdaten und -prognosen
3. Durchführung einer nicht auf Datenbanken bezogenen Internet-Recherche:		
fuld.com	Fuld & Comp., Inc.	General Business / Industry-Specific / International Internet Resources
prsgrpup.com/mktnew/	PRS Group	Nachfragetrends und Marktanalysen von Lateinamerika, Europa, Asien und Afrika / Mittlerer Osten
polrisk.com	PRS Group	Daten über politische / finanzielle / wirtschaftliche Risiken von 100 Ländern
unicc.org	UN, ECE	Länderprofile, Statistiken für Europa und Nordamerika
worldbank.org	Weltbank	Länderreports, Abstracts von WB-Veröffentlichungen etc.
embpage.org	Embassy Page	Länderinformationen
europa.eu.int/en/comm/ eurostat/eurostat.htm	Eurostat	Statistische Daten über die EU-Mitgliedsländer
fedworld.gov	FedWorld	Vielzahl von Informationen durch Links zu verschiedenen Ministerien und anderen staatlichen Institutionen
whitehouse.gov/fsbr/ esbr.html	Weißes Haus (USA)	Aktuelle Kennzahlen und Schaubilder der Bundesbehörden
//ssdc.ucsd.edu/gpo/ econt.html	University of California	Volltextdatenbanken des Government Printing Office der USA

odci.gov/cia/publications/ pubs.html	Central Intelligence Agency (CIA)	"World Factbook" mit ausführlichen (auch ökon.) Informationen über alle Länder der Welt, "Handbook of International Economic Statistics"
bea.doc.gov	Bureau of Economic Analysis (USA)	Kostenloses Angebot von STAT-USA-Daten
who.ch	WHO	Demographische Länderdaten
oecd.org	OECD	Länderinformationen, OECD-Publikationen, Nachrichten
iwf.org	IWF	Verschiedene IWF-Daten
wir.org	World Resources Institute	Vielzahl verschiedener Informationen
epa.go.jp	Economic Planning Agency	Informationen über die japanische Wirtschaft inkl. zentraler Kennzahlen
nytimes.com	New York Times	Nachrichten
reuters.com	Reuters	Nachrichten
businessweek.com	Business Week	Wirtschaftsnachrichten
economist.com	The Economist	Wirtschaftsnachrichten
fortune.com	Fortune	Wirtschaftsnachrichten
wsj.com	Wall Street Journal	Wirtschaftsnachrichten
bloomberg.com	Bloomberg	Wirtschaftsnachrichten
wsrn.com	Wallstreet Research Net	Unternehmensinformationen und -links
nasdaq.com	NASDAQ	Börsenkurse, -reports, Unternehmensinformationen (USA)
dowjones.com	Dow Jones News	Börsenkurse, -reports, Unternehmensinformationen (USA)
sec.gov/edgarhp.htm	Securities & Exchange Commission (USA)	EDGAR-Unternehmensinformationen (Electronic Data Gathering, Analysis, and Retrieval)
vkco.com	Van Kasper Research	Unternehmensfinanzinformationen
comfind.com/search/comfind	ComFind	Unternehmenslinks
www.worldopinion.com	WorldOpinion	Verschiedene Informationen zur Marktforschung
quirks.com	Quirks Marketing Research	Verschiedene Informationen zur Marktforschung
ami-group.com	AMI - Asia Market Intelligence	"Asia Market Profiles" (Länder- und Marktreports)
4. Sekundärstatistische Vorbereitung einer primärstatistischen Untersuchung:		
esomar.nl	ESOMAR	Internationales Verzeichnis von Marktforschungsinstituten
greenbook.org	AMA New York Chapter	Internationales Verzeichnis von Marktforschungsinstituten

quirks.com/ source.index.htm	Quirks Marketing Research	Internationales Verzeichnis von Marktforschungsinstituten
IMRIresearch.com	Int. Market Research Information	Internationales Verzeichnis von Marktforschungsinstituten
casro.org	CASRO (USA)	Verzeichnis der CASRO-Institute mit Links zu diesen
marketresearch.org.uk	MRS (GB)	Verzeichnis der MRS-Mitglieder-Institute
qrca.org	Qualitative Research Consultants Ass. (USA)	Verzeichnis der QRCA-Institute

Tabelle 10: Für die vier verschiedenen sekundärstatistischen Nutzungszwecke des Internet geeignete fremdsprachliche Web-Sites

Ergänzend zu den hier angeführten Informationsquellen muß noch auf folgende interessante Informationsangebote hingewiesen werden:

- *MrWeb Ltd.* (London), ein seit 1998 mit eigener Rechtspersönlichkeit ausgestatteter Dienstleistungsbereich von *Soloman Business Research* (London, *www.sb2b.com*), der Marktforschungsinstituten Hilfestellungen bei der Durchführung von nationalen oder internationalen Sekundärforschungen zu leisten anbietet, führt auf seiner Web-Site *www.mrweb.com* u.a. für eine Vielzahl der Länder dieser Erde drei Arten von Links auf, nämlich Links zu *"White Pages"* (alphabetische Unternehmensverzeichnisse), Links zu *"Yellow Pages"* (branchenspezifische Unternehmensverzeichnisse) und Links zu unternehmensbezogenen *"Web Sites"* bzw. *"Web Site Directories"* oder *"Best Asian / African Trade Sites"*.
- *MIT - Market Tracking International Ltd.* (London), ein 1993 gegründetes Unternehmen, das sich auf die Publikation von Marktforschungsreports und die Beratung von Unternehmen spezialisiert hat, beschreibt auf seiner Web-Site www.marketfile.co.uk/mtihome.htm die von ihm zusammen mit führenden Wirtschaftszeitschriften angebotenen gedruckten Publikationen sowie die auf einer CD-ROM erfaßten Profile von 175 Ländern.
- *USADATA.com, Inc. (www.usadata.com)*, einer der führenden Anbieter von Marketing-, Unternehmens-, Werbe- und Konsumverhaltensdaten in den USA, ermöglicht einen weitgehend kostenpflichtigen

Zugriff auf (US-amerikanische) Unternehmens- und Konsumprofile, Werbeaufwendungen, Online-Werbedaten, Mailinglisten und Kartendarstellungen.

- *China Information Services* (Chicago, Ill.) offeriert unter dem Namen *ChinaOnline* einen auf China bezogenen Wirtschaftsinformationsdienst, dessen Informationen Subskribenten über E-Mail oder die Web-Site *www.chinaonline.com* zugänglich sind.
- *Japan Information Network (http://jin.jcic.or.jp)* bietet eine Fundgrube an Informationsmöglichkeiten über Japan, so z.B. über *"Trends in Japan"* (Business & Economy, Culture & Society, Science & Technology), *"The Japan of Today"* (Government & Diplomacy, Economy, Science & Technology, Society, Culture), *"Japan Insight"* (Social Changes, Movers and Shakers etc.), *"Regions & Cities"*, *"Statistics"*, *"Directory"* (mit Links zu sämtlichen Ministerien, staatlichen Behörden, Organisationen der Wirtschaft, Tageszeitungen u.a.).
- *World Advertising Research Center (WARC) (www.warc.com),* die nach eigenen Angaben weltweit größte Wissensbasis über Werbung, Marketing, Media- und Marketingforschung.
- *Wright Investors' Service (www.corporateinformation.com)* eröffnet den Zugang zu ca. 20.000 Firmenprofilen.
- Weitere länder- bzw. länderregionenbezogene Informationen sind über folgende Web-Sites abrufbar:

  - Ägypten: *egtrade.com,*
  - Asien: *asiannet.com; asiansources.com,*
  - China: *cebis.de; china-inc.com; wtdb.com; ccpit.org; chinamarket.com,*
  - Frankreich: *france.abcexports.com,*
  - Italien: *italtrade.net,*
  - Indien: *trade-india.com,*
  - Indonesien: *indobiz.com,*
  - Lateinamerika: *eulabis.com,*
  - Schweiz: *swissdir.ch,*
  - Südkorea: *infokorea.com,*
  - Taiwan: *gio.gov.tw,*
  - USA: *exim.gov/main.html; MarketingPower.com,*
  - Venezuela: *ddex.com,*

- World Wide
  Yellow Pages: *wtn-de.com/tradedi/wwyellow.html.*

(12) Informationsangebote von ausländischen Hilfsbetrieben der Sekundärforschung

Von besonderer Relevanz für eine internationale Sekundärforschung sind auch die Informationsangebote der großen Informationsdienste[232] wie z.B. *Dun & Bradstreet, MarketResearch.com, Kalorama Information, Washington Researchers, MarketLine International, Packaged Facts, Predicasts* und *PRS Group*, die hier in aller Ausführlichkeit nicht aufgeführt werden können. Genannt seien lediglich einige wichtige Veröffentlichungen dieser Unternehmungen:

- ***Dun & Bradstreet (www.db.com):***
  - *International Market Guide - Continental Europe,*
  - *Who Owns Whom - Continental Europe,*
  - *The Reference Book of Dun and Bradstreet,*
  - *Exporter's Encyclopedia,*
  - *Million Dollar Directory,*
  - *International Million Dollar Directory,*
  - *Moody's Industrial Manual.*
- ***MarketResearch.com (www.marketresearch.com):***
  - *The Maturity Market,*
  - *The Complete Demographic Reference Guide,*
  - *The Asian-American Market,*
  - *The Bottled Water Market,*
  - *The Market for Ice Cream & Other Frozen Desserts,*
  - *Emerging Markets in Virtual Reality,*
  - Unternehmungsreports, die von führenden Wall-Street-Analytikern erstellt wurden, z.B. über: *Abbott Labs, The Coca-Cola Comp., Colgate-Palmolive, Dow Chemical, Gilette, Lockheed*

232 Es ist darauf hinzuweisen, daß einige der unten angeführten Unternehmen auch eigene Primärerhebungen durchführen und einige der unter Gliederungspunkt (6) angeführten Unternehmungen auch als Informationsvermittler tätig sind. Die jeweilige Zuordnung ist also keine eindeutige, sondern reflektiert nur die jeweiligen Schwerpunkte der Unternehmenstätigkeit.

Corporation, Nabisco, Nike, McGraw-Hill, Pepsico Inc., Procter & Gamble, The Quaker Oats Comp., Saatchi & Saatchi.

- ***Washington Researchers (www.washingtonresearchers.com):***
  - *How to Find Information about Companies*, Part 1-3,
  - *Researching Markets, Industries & Business Opportunities,*
  - *Who knows What: A Guide to Experts*,
  - *How to Find Business Intelligence in Washington*,
  - *Latin American / European / Asian Markets: A Guide to Company and Industry Information Sources*,
  - *The International Information Report* (monatlich),
  - *How to Find Information about Private Companies*,
  - *How to Find Information about Divisions, Subsidiaries, and Products*.

- ***MarketLine International (www.datamonitor.com):***
  - *Consumer Markets in Latin America/Asia Pacific/Europe/Canada /France/Germany/Italy/Japan/Mexico/Spain/South Africa/the UK/ the USA,*
  - *Latin American/Asian Pacific/European Soft Drink Markets,*
  - *Latin American/Asian Pacific/European Alcoholic Drink Markets*,
  - *Latin American/Asian Pacific/European Food Makets*,
  - *Latin American/Asian Pacific/European Cosmetics and Toiletries Markets,*
  - *Latin American/Asian Pacific/European White Goods Markets,*
  - *Latin American/Asian Pacific/European Consumer Electronics Markets*.

- ***Packaged Facts (www.marketresearch.com):***
  - *The Lawn and Garden Market,*
  - *The Suncare Products Market,*
  - *The Feminine Hygiene Market,*
  - *The Shampoo and Conditioner Market*,
  - *The "Spread" Market,*
  - *The Bread Market.*

- ***Predicasts (www.predicasts.org):***
  - *Predibriefs* (Wirtschaftsnachrichten - Reports über 35 Länder),

- *Worldcasts* (kurz- und langfristige Prognosen über die Entwicklung ausgewählter Branchen in verschiedenen Ländern),

- ***The PRS Group (www.prsgroup.com):***
  - *Country Reports,*
  - *Regional Report Service,*
  - *World Service,*
  - *International Country Risk Guide,*
  - *Political Risk Letter,*
  - *Country Forecasts,*
  - *Market: Europe; ... Africa/Mid-East; ... Latin America; ... Asia Pacific,*
  - *Consumers in Spain; ... France; ... India; ... Brazil*; etc.

2.3 Evaluation von Informationsquellen und Informationsmaterialien

Trotz der vorstehend aufgezeigten breiten Palette potentiell nutzbarer Informationsquellen und -materialien sind der Durchführung oder dem Aussagewert von internationalen Sekundärforschungen häufig enge Grenzen gesetzt, weil die in ihrem Prozeßverlauf durchzuführenden Grob- und Feinanalysen (s. Kap. 2.1) erkennen lassen, daß viele dieser Informationsquellen oder die durch sie vermittelten Informationsmaterialien gravierende Qualitätsdefizite aufweisen.

Welche Kriterien zur Qualitätsbeurteilung von Informationsquellen und Informationsmaterialien heranzuziehen sind, wurde bereits (in Kap. 2.1) ausgeführt - noch nicht aber, wie diese Kriterien überprüft werden können, bzw. worin die Ursachen für die häufige Nichterfüllung dieser Kriterien liegen können. Hierauf soll nun im folgenden näher eingegangen werden.

2.3.1 Evaluation von Informationsquellen

Maßgebliche Kriterien der Qualitätsbeurteilung von potentiell nutzbaren bzw. tatsächlich genutzten Informationsquellen sind die **Ursprünglichkeit, Objektivität** und **Professionalität** der jeweiligen Informationsquelle bzw. der hinter dieser stehenden Institution.[233]

Das Kriterium der **Ursprünglichkeit** hebt auf die Überprüfung der Frage ab, ob es sich bei der betrachteten Informationsquelle um eine Primär-, Sekundär- oder gar noch weiter nachgelagerte Informationsquelle handelt. *Primärquellen* (wie z.B. die Statistiken der nationalen Statistischen Ämter) sind der bereits dargelegten Gründe wegen (s. Kap. 2.1) immer *Sekundär-* oder *Tertiärquellen* (wie z.B. den Statistiken internationaler Institutionen, die häufig lediglich verschiedene nationale Statistiken zusammenfassen) vorzuziehen.

Die **Objektivität** einer Informationsquelle wird in einem starken Maße von dem *Zweck* bestimmt, den die hinter dieser Informationsquelle stehende Institution oder Organisation mit der Veröffentlichung der jeweiligen Informationen verfolgt. Liegt der Zweck der Veröffentlichung in der Durchführung eines gesetzlichen Auftrages (z.B. Publikationen Statistischer Ämter), in der Erfüllung einer gesetzlichen Aufgabe (z.B. Bilanzen und Geschäftsberichte publizierungspflichtiger Unternehmungen) oder in der Verfolgung des Sachzieles einer privaten Unternehmung (z.B. eines Informationsdienstes oder eines Marktforschungsinstitutes) begründet, kann von einer weitgehenden Objektivität der Informationsquelle ausgegangen werden.

Wohingegen "sources published to promote sales, to advance the interests of an industrial or commercial or other group, to present the cause of a political party, or to carry on any sort of propaganda, are suspect. Data published anonymously, or by an organization which is on the defensive, or under conditions which suggest a controversy, or in a form

233 Vgl. Kap. 2.1 sowie Røhme, N. (1985), S. 30ff.

which reveals a strained attempt at 'frankness', or to controvert inferences from other data, are generally suspect"[234].

Regierungen von Ländern der Dritten Welt wird beispielsweise zu wiederholten Malen nachgewiesen, daß sie in Verfolgung gezielter Selbstdarstellungsabsichten ihre nationalen Statistiken verbessern oder verschlechtern. So wurde von saudi-arabischen Regierungsstellen die Bevölkerungszahl aus Prestigegründen von 8 auf 17 Millionen "hochgeschwindelt", während von nigerianischen Regierungsstellen gleich 30 Millionen Einwohner mehr als tatsächlich vorhanden ausgewiesen wurden, um dadurch in den Genuß höherer UN-Hilfsgeldzahlungen zu gelangen.[235] Aber auch die amtlichen Zahlen des Statistischen Zentralbüros der VR China geben wegen ihrer häufig festzustellenden Widersprüchlichkeit immer wieder Rätsel auf.[236]

Je nachdem, ob andere, objektivere Informationsquellen vorhanden und erschließbar sind oder nicht, sollten Informationsmaterialien von Informationsquellen, die eine mangelnde Objektivität aufweisen oder vermuten lassen, entweder überhaupt nicht oder nur mit Vorsicht bzw. Vorbehalt in eine sekundärstatistische internationale Marketingforschung einbezogen werden.

Gleiches gilt für Informationsmaterialien, die von Institutionen oder Organisationen stammen, denen keine allzu hohe **Professionalität** bezüglich der Gewinnung und Verarbeitung bestimmter Informationen zugebilligt werden kann. Statistische Ämter sind aufgrund ihres spezifischen Erfahrungspotentials beispielsweise Marktforschungsinstituten überlegen, wenn es um die Gewinnung und Verarbeitung typischer *Zensus-Daten* geht, wohingegen die Marktforschungsinstitute wiederum typische *Umfrage-Daten* professioneller erheben und verarbeiten können als die Statistischen Ämter.

Andererseits ist aber auch zu beachten, daß die Professionalität von Statistischen Ämtern, Marktforschungsinstituten und anderen Organisatio-

---

[234] Nemmers, E.E., Myers, J.H. (1966), S. 43, zitiert bei Churchill, G.A. (1991), S. 253.

[235] Vgl. Dederichs, M.R. (1994), S. 116.

[236] Vgl. hierzu z.B. Thielbeer, S. (1998); Savage, M. (2000).

nen, die Informationsmaterialien generieren, von Land zu Land sehr stark differieren kann. Die Statistischen Ämter vieler Entwicklungsländer verfügen z.B. in aller Regel weder über die qualitativen noch über die quantitativen Kapazitäten, um auf einem den westlichen Industrieländern vergleichbaren professionellen Niveau Zensen durchführen zu können. Die von ihnen weitgehend auf dem Wege von Schätzungen erstellten Statistiken reflektieren daher häufig mehr Wunsch- oder Zielvorstellungen als die Realität.[237]

2.3.2 Evaluation von Informationsmaterialien

Die Qualität von potentiell nutzbaren bzw. tatsächlich genutzten Informationsmaterialien kann (wie in den Kapiteln 1.4.2.2 und 2.1 bereits aufgezeigt wurde) anhand der Kriterien **Entscheidungsrelevanz, Vollständigkeit, Aktualität, Genauigkeit** und **Vergleichbarkeit** beurteilt werden. Dies soll im folgenden näher erläutert werden.

Entscheidungsrelevanz. Zu Beginn jeder Evaluation von Informationsmaterialien muß überprüft werden, ob diese Materialien dazu beitragen können, den in den ersten Prozeßphasen einer internationalen Marketingforschung festgestellten Informationsbedarf (s. Abbildung 7) zu decken bzw. das jeweilige Marketingentscheidungsproblem zu lösen.[238] Denn Informationsmaterialien mögen noch so aktuell, vollständig und genau sein, sie sind trotzdem für eine Sekundäranalyse völlig wertlos, wenn sie keinerlei Entscheidungsrelevanz aufweisen.

Ob Informationsmaterialien eine Entscheidungsrelevanz testiert werden kann oder nicht, ist zunächst einmal von deren *Inhalten* bzw. *inhaltlichen Bezügen* abhängig. So ist beispielsweise bei einer sekundärstatistischen Erforschung theoretischer Konstrukte zu untersuchen, ob die Sachverhalte, die in den Informationsmaterialien erfaßt sind, für diese Konstrukte als Indikatoren dienen können.[239] Dies bedeutet, daß genau umgekehrt vorzugehen ist wie bei einer Primärforschung: man leitet

[237] Vgl. Czinkota, M.R. (1988), S. 199.

[238] Vgl. ebenda.

[239] Vgl. auch Friedrichs, J. (1990), S. 359.

nicht von einem theoretischen Konstrukt geeignete Indikatoren ab und erhebt dann die entsprechenden Indikatordaten, sondern überprüft, ob in den vorhandenen Daten Indikatoren des zu erforschenden Konstruktes erfaßt sind - oder allgemeiner gesagt: man leitet nicht von einem festgelegten Informationsbedarf ab, welche Daten zu erheben sind, sondern untersucht, ob vorhandene Daten diesem Bedarf entsprechen.

Diese Überprüfungen führen aber nicht immer bzw. gleich zu einem positiven Resultat, da "information available outside the firm usually is gathered for a large general audience, and much of it is not specific to the needs of the firm"[240].

Kann eine inhaltliche Entscheidungsrelevanz von Informationsmaterialien festgestellt werden, ist weiter von Belang, ob diese Materialien hinreichend *detaillierte* Informationen beinhalten. Damit soll keiner größtmöglichen Feingliederung das Wort geredet werden, sondern einer dem jeweiligen Entscheidungsproblem adäquaten Disaggregation der Informationsmaterialien.[241] Während z.B. für eine Grobanalyse von Ländern oder Ländermärkten hoch aggregierte gesamtwirtschaftliche oder branchenbezogene Daten durchaus hinreichend sein können, ist dies bei Feinanalysen oder die Marktbearbeitung betreffenden strategischen und operativen Entscheidungen nicht der Fall. Hier benötigt man sehr ins Detail gehende Informationen, die jedoch auf einem sekundärstatistischen Wege häufig nur selten oder gar nicht gewonnen werden können (vgl. Kap. 2.4.2). Die Gefahr ist daher groß, daß man in Ermangelung detaillierter Daten einen sogenannten *"ökologischen Fehlschluß"* begeht und von Zusammenhängen in den vorliegenden Daten einer hohen Aggregationsstufe auf entsprechende Zusammenhänge in den nicht vorliegenden Daten einer niedrigeren Aggregationsstufe schließt.[242]

Vollständigkeit. Die Evaluation von Informationsmaterialien anhand des Kriteriums der Vollständigkeit rückt deren inhaltliche *Breite* in den Mittelpunkt des Bewertungsinteresses und beinhaltet somit die Überprüfung der Frage, ob die vorhandenen Informationen ausreichen, den Informati-

---

240 Terpstra, V. (1983), S. 200.

241 Vgl. auch Schopphoven, I. (1991), S. 36; Williams, S.C. (1996), S. 90

242 Vgl. hierzu Friedrichs, J. (1990), S. 365.

onsbedarf vollständig zu decken. Auch hier ist das Resultat dieser Überprüfung sehr stark abhängig von der jeweiligen Marketingentscheidung, die durch eine internationale Sekundärforschung informationell fundiert werden soll. Insbesondere operative, aber auch manche strategische Entscheidungen verlangen im Regelfall Informationen, die zu einem Großteil nur primärstatistisch zu gewinnen sind. Zu nennen sind hier beispielhaft Informationen über die von den aktuellen oder potentiellen Kunden einer Unternehmung vorgenommenen Produkt-, Preis- und Werbebeurteilungen.

Aktualität. Wenn man einmal von der (in der internationalen Marketingforschung weniger häufigen) Durchführung von *Längsschnittanalysen* absieht, sind Informationsmaterialien umso wertvoller, je aktuellere Daten sie beinhalten. Nun hat zwar jede gedruckte oder elektronisch gespeicherte Information zwangsläufig einen historischen Charakter, sie braucht jedoch selbst dann noch lange nicht veraltet zu sein, wenn der Zeitpunkt der Veröffentlichung bzw. Speicherung oder der originären Datenerhebung schon um einiges zurückliegt.

Denn die Aktualität von Informationen wird nicht alleine von der *Länge des Zeitraumes* bestimmt, der zwischen der Nutzung und der Publikation oder Speicherung bzw. originären Erhebung der Daten liegt, sondern auch (und zwar maßgeblich) davon, welche *Dynamik* den Bestimmungsgrößen dieser Daten innewohnt.[243] In Wahlkampfzeiten können die Ergebnisse von politischen Meinungsumfragen schon wenige Tage nach deren Durchführung obsolet sein, während manche statistische Daten (wie z.B. die Alphabetismusquote, die Altersverteilung oder das Pro-Kopf-Einkommen einer Landesbevölkerung) über mehrere Jahre hinweg Bestand haben können.[244]

Es ist daher unproblematisch, auch ältere Informationsmaterialien in eine internationale Sekundärforschung einzubeziehen, wenn diese Daten enthalten, von denen man weiß, daß sie sich im Zeitablauf kaum verändern. Wenig geeignet sind hingegen ältere Informationsmaterialien, die sich

---

243 Vgl. Terpstra, V. (1983), S. 199; Schopphoven, I. (1991), S. 35; Berekoven, L., Eckert, W., Ellenrieder, P. (2001), S. 27 und 47.

244 Vgl. Terpstra, V. (1983), S. 199.

auf dynamische Märkte und Wettbewerber oder auf Länder beziehen, die eine dynamische Bevölkerungs- oder Wirtschaftsentwicklung aufweisen.

Genauigkeit. Eine Evaluation der Informationsmaterialien anhand des Kriteriums der Genauigkeit würde den beiden Dimensionen dieses Kriteriums gemäß (vgl. Kap. 1.4.2.2) eine Überprüfung zweier Aspekte erforderlich machen, nämlich einmal der *Reliabilität* (formale Dimension) und zum anderen der *Validität* (inhaltliche Dimension). Eine solche Überprüfung ist jedoch nur in wenigen Fällen möglich, weil häufig keinerlei Auskünfte darüber erteilt werden, auf welche methodische Art und Weise bei der Erstellung der Informationsmaterialien vorgegangen wurde.[245]

Angesichts der bereits konstatierten Professionalitätsunterschiede (vgl. Kap. 2.3.1), die von Land zu Land zwischen den Sekundärmaterialien erstellenden Institutionen oder privatwirtschaftlichen Organisationen bestehen, wie auch der in einigen Ländern (insbesondere denen der Dritten Welt) bestehenden Schwierigkeiten (erhebungsmethodischer oder geographischer Art), methodisch saubere Untersuchungen anzulegen und durchzuführen, ist aber davon auszugehen, daß die Reliabilität und die Validität nationaler Datensätze sehr stark differieren und in Entwicklungsländern am niedrigsten sein werden, so daß höchste Vorsicht bei der Auswertung derartiger Informationsmaterialien angeraten ist.[246]

Vergleichbarkeit. Die Erfordernis einer internationalen Vergleichbarkeit der auszuwertenden Informationsmaterialien ist nicht nur der zentrale Evaluationsaspekt, sondern gleichzeitig auch die Achillesferse jeder internationalen Sekundärforschung, weil die Zahl der die Vergleichbarkeit gefährdenden Faktoren allzu groß ist, als daß man erwarten könnte, immer völlig vergleichbare Informationsmaterialien zu erhalten - zumal auch die Zahl der Fälle, in denen es möglich ist, alle benötigten, verschiedene Länder oder Länder(teil)märkte betreffende Informationen aus *einer* die Vergleichbarkeit garantierenden Quelle (wie z.B. *EUROSTAT*) zu erhalten, sehr gering sein dürfte.

---

245 Vgl. auch Jaufmann, D., Kistler, E. (1988), S. 54.

246 Vgl. auch Douglas, S.P., Craig, C.S. (1983), S. 79; Terpstra, V. (1983), S. 199; Czinkota, M.R. (1988), S. 199f.; Jain, S.C. (1993), S. 388.

Welche Faktoren zu Vergleichbarkeitsproblemen führen können und daher bei einer entsprechenden Evaluation überprüft werden müssen, sei nun im folgenden näher erläutert.

(1) Begriffliche Unterschiede. In Informationsmaterialien, die aus verschiedenen nationalen Quellen stammen, werden häufig Begriffe unterschiedlich definiert, abgegrenzt und operationalisiert. Dies ist eine Erfahrung, die international vergleichende Sekundärforscher (gleich welcher Wissenschaftsdisziplin) immer wieder haben machen müssen.[247]

Beispielsweise variiert die Definition von *"urban"*, die im *Statistical Yearbook* der UN benutzt wird, um den Anteil der städtischen Landesbevölkerung zu erfassen, von Land zu Land in Abhängigkeit von der jeweiligen Bevölkerungsdichte.[248] So muß in Japan eine Gemeinde mehr als 50.000 Einwohner aufweisen, um als Stadt bezeichnet zu werden, während der entsprechende Grenzwert in Indien 5.000, in Kenia, Zaire, Deutschland und Frankreich 2.000 und in Norwegen und Schweden sogar nur 200 beträgt. Ganz anders wird hingegen in Nigeria verfahren. Hier werden unabhängig von der tatsächlichen Bevölkerungszahl die 40 größten Gemeinden des Landes als Städte bezeichnet.

Internationale Unterschiede bestehen u.a. ferner bei den Definitionen und Operationalisierungen der Begriffe *"Bildung"*[249], *"Einkommen"*[250], *"Vermögen"*[251], *"Haushalt"*[252], *"Haushaltsvorstand"*[253], *"Familie"*[254], *"Mediareichweite"*[255], *"Status"* und *"soziale Klasse"*[256]. Eine im Jahre 1980 von *ESOMAR* (Amsterdam) initiierte Arbeitsgruppe von Marktfor-

---

247 Vgl. z.B. Rettig, R., Hoyer, W.H. u.a. (1979), S. 115ff.; Jaufmann, D., Kistler, E., Jänsch, G. (1989), S. 29ff.; Müller, W. (1997), S. 125ff.; Hoffmeyer-Zlotnik, J.H.P., Warner, U. (1998), S. 30ff.

248 Vgl. hierzu und zum folgenden Schopphoven, I. (1991), S. 34f.

249 Vgl. Lüttinger, P., König, W. (1988), S. 1ff.; Müller, W. (1997), S. 128ff.

250 Vgl. Hoffmeyer-Zlotnik, J.H.P., Warner, U. (1998), S. 30ff.

251 Vgl. Rettig, R., Hoyer, W.H. u.a. (1979), S. 115ff.

252 Vgl. Kiregyera, B. (1982), S. 157; Casley, D.J., Lury, D.A. (1981), S. 186ff.; Jarvis, I. (1996), S. 72f.

253 Vgl. Jarvis, I. (1996), S. 74f.

254 Vgl. ebenda, S. 73f.

255 Vgl. Landwehr, R. (1989), S. 326.

256 Vgl. Müller, W. (1997), S. 131ff.

schern aus mehreren europäischen Ländern, die sich zum Ziel gesetzt hatte, Vorschläge für eine europaweite Harmonisierung demographischer und sozio-ökonomischer Variablen zu entwickeln, führt in ihrem Ergebnisbericht dazu beispielsweise folgendes aus:

"The major part of the committee's work has been devoted to the problem of defining, and working with, social class. Where a variable such as social class is in use in several countries, almost every system of defining it varies widely, ranging from judgements by interviewers to classifying respondents according to their occupation, sometimes in combination with income, education, type of housing etc. Variations occur not only between countries but also within countries individually and sometimes even within the same institute."[257]

Als Ergebnis der Arbeit dieser und nachfolgend zusammengetretener Arbeitsgruppen[258] empfiehlt *ESOMAR* den europäischen Marktforschungsinstituten, zur Erleichterung europaweiter Vergleiche die in der Abbildung 9 wiedergegebenen Definitionen demographischer Merkmale zu verwenden sowie zur Ermittlung der Merkmale *"soziale Klasse"* und *"ökonomischer Status"* auf zwei entsprechende, mittlerweile auch empirisch überprüfte Meßverfahren zurückzugreifen.

(2) Kategoriale und klassifikatorische Unterschiede. Die in der Abbildung 9 aufgeführten Harmonisierungsvorschläge der *ESOMAR* betreffen nicht nur die Merkmalsdefinitionen, sondern in einigen Fällen auch die Kategorisierungen ihrer Ausprägungen und weisen damit auf einen weiteren, die Vergleichbarkeit von Sekundärmaterialien gefährdenden Faktor hin, nämlich die kategoriale Unterschiedlichkeit von *Umfragedaten*.

Eine solche Unterschiedlichkeit ist jedoch unschädlich, wenn es möglich ist, Datensätze ex post neu zu kategorisieren oder zu recodieren (z.B. eine feinere Kategorisierung in eine gröbere zu transformieren) - sie ist sogar in manchen Fällen unabdingbar, um eine Vergleichbarkeit von Datensätzen zu erzielen. So ist z.B. noch auf einige Zeit das Merkmal

257 o.V. (1984), S. 183.

258 Vgl. ebenda, S. 182ff.; Røhme, N., Veldman, T. (1983), S. 1ff.; Bates, B.A. (1990), S. 25ff.; ESOMAR Working Party (1990), S. 176ff.; Marbeau, Y. (1990), S. 180ff.; ders. (1992), S. 33ff.; Quatresooz, J., Vancraeynest, D. (1992), S. 41ff.; ESOMAR (1998b).

1.Haushalt
Ein Haushalt kann aus einer oder mehreren Personen bestehen. Bei mehreren Personen gilt, daß sie zusammen leben und die meisten Mahlzeiten zusammen einnehmen.

2. Hauptverdiener
Die Person im Haushalt, die den größten Teil zum Haushaltseinkommen beisteuert, ungeachtet ihres Geschlechts, Alters oder Tätigkeitsstatus.

3."Hausfrau"
Diejenige Person, die hauptsächlich für die Haushaltsführung verantwortlich ist, wie z.B. für das Kochen oder Einkaufen. Diese Person kann männlichen oder weiblichen Geschlechts sein.

4. Stellung im Haushalt
Hauptverdiener: "Ehemann"; "Hausfrau"; andere Person,
Nicht-Hauptverdiener: "Ehemann"; "Hausfrau"; andere Person.

5. Ehestand
Das Komitee ist der Auffassung, daß der gesetzliche Status eines zusammenlebenden erwachsenen Paares für die Harmonisierung demographischer Daten irrelevant ist.

6. Zusammensetzung des Haushalts
Anzahl der dauernd im Haushalt lebenden Personen, eingeteilt nach Altersgruppen:
0-4; 5-9; 10-15/17*; 16/18 (Erwachsene) Jhr.
Diese Altersgruppen sind wie folgt mit einer Einteilung nach Familientypen zu kombinieren:
Alleinlebende: 16/18-34 Jhr.; Alleinlebende: 35 Jhr. und älter; Paare (2 oder mehrere Erwachsene) mit einer "Hausfrau" im Alter von 34 Jhr. oder jünger; Paare mit einer "Hausfrau" im Alter von 35 Jhr. oder älter; Familien (Erwachsene mit Kindern) mit Kindern im Alter von:
a) 0-4 Jhr. (mit/ohne ältere Geschwister);
b) 5-9 Jhr. (mit/ohne ältere Geschwister, aber mit jüngeren Geschwistern);
c) 10-16 Jhr. (Keine Geschwister)
*Die Altersgrenze zwischen Kind und Erwachsenem liegt gewöhnlich bei 16 oder 18 Jahren.

7. Alter
Die Altersgruppen sollten folgendermaßen eingeteilt werden:
15-17 (oder 16-17); 18-24; 25-34; 35-44; 45-54; 55-64; 65-74; 75 Jhr. und älter
Bei Integration der jüngeren Altersgruppen schlagen wir folgende Einteilung vor:
0-4; 5-9; 10-14 (oder 10-15) Jhr.
Beim Vergleich verschiedener Länder müssen die unterschiedlichen Obergrenzen berücksichtigt werden.

8. Größe des Haushalts
Alleinlebend, 2, 3, 4, 5 oder mehr Personen.

9. Einkommen
Falls das Einkommen interessiert, empfehlen wir die Frage nach dem "Haushaltsgesamteinkommen vor Steuern, inklusive Löhne, Gehälter, Rentenzahlungen etc."

10. Wohnung
Eigenes Haus; Eigentumswohnung; gemietetes Haus; Mietwohnung; andere.

11.Bezahlte Voll-/Teilzeitarbeit
Vollzeitarbeit: mind. 30 Std. pro Woche; Teilzeitarbeit: 16-29 Std. pro Woche;
Teilzeitarbeit: weniger als 15 Std. pro Woche; keine bezahlte Arbeit.
Zur zweiten Gruppe zählen diejenigen Personen, die mindestens zwei volle Tage - oder vier halbe Tage - arbeiten, aber keine Vollzeitstelle haben, zur dritten Gruppe Personen mit unregelmäßiger Arbeitszeit (z.B. 1-2 Std./Tag) und zu der letzten Gruppe alle Personen mit unbezahlter inner- oder außerhäuslicher Arbeit. Die Gesamtzahl aller Personen eines Haushaltes, die den drei Kategorien bezahlter Arbeit zuzurechnen sind, kann ebenfalls von Interesse sein.

12. Ortsgröße
Es wird empfohlen, diese Variable nicht zu kategorisieren, sondern die länderspezifischen Definitionen zu gebrauchen. Eine Kategorisierung ist am besten bei der Kodierung vorzunehmen.

13. Region
Dank der europaweiten Präsenz von Nielsen, gibt es für die meisten Länder eine Einteilung in Nielsen-Gebiete, deren Nutzung wir empfehlen.

Abbildung 9: Empfehlungen der ESOMAR bezüglich der Definition verschiedener demographischer Merkmale
Quelle: o.V. (1984), S. 184

"Bildungs- und Ausbildungsabschluß" in den alten und neuen Bundesländern ebensowenig mit demselben Kategorienschema erhebbar wie das Merkmal *"Stellung im Beruf"*.[259]

Ähnliche Schwierigkeiten bestehen bei *Zensusdaten* oder anderen *Daten der amtlichen Statistik*, wenn z.B. zur Klassifikation von Berufen, Gütern oder Wirtschaftszweigen keine internationalen Standardklassifikationen[260] (s. Tabelle 11), sondern verschiedene nationale Klassifikationsschemata verwendet worden sind. Zur Erleichterung internationaler Vergleiche haben zwar einige internationale Organisationen (z.B. die *UN, OECD, ILO* und *EU*) sogenannte Umsteigeschlüssel entwickelt (die bekanntesten sind die *ISCO, International Standard Classification of Occupations,* und die *ISIC, International Standard Industry Classification of all Economic Activities*), durch die nationale Klassifikationsschemata in internationale Standardklassifikationen überführt werden können[261], sämtliche Konventionen des jeweiligen Standards können damit aber nicht erfüllt werden. Solche Differenzen mögen im Einzelfall durchaus eher gering sein, sie können sich jedoch zu gravierenden Inkompatibilitäten kumulieren, wenn mehrere Länder auf diese Weise miteinander verglichen werden.

(3) Unterschiede bei den Strukturdaten. Bei jeder Umfrage werden von den Befragten demographische Strukturdaten erhoben, die einmal für die Deskription der realisierten Stichprobe und zum anderen als unabhängige Variablen in Erklärungsansätzen von Bedeutung sind. Sollen verschiedene nationale Umfragedaten nun miteinander verglichen und in vergleichbare Dependenzanalysen einbezogen werden, ist es daher erforderlich, daß in allen nationalen Umfragen ein Satz gleicher Basisvariablen erhoben worden ist (wobei diese Basisvariablen im Sinne der obigen Ausführungen gleichartig definiert, kategorisiert und operationalisiert worden sein müssen).

---

259 Vgl. Hoffmeyer-Zlotnik, J.H.P., Hartmann, P.H. (1991), S. 268.

260 Siehe hierzu Ebensberger, H. (1986), S. 79ff.; Polte, V. (1994), S. 89f.

261 Vgl. hierzu und zum folgenden Elias, P., Birch, M. (1991); Müller, W. (1997), S. 126f.

Herausgeber		Bezeichnung
RZZ, Brüssel	NRZZ	Nomenklatur des Rates für die Zusammenarbeit auf dem Gebiet des Zollwesens Nomenclature for the Classification of Goods and Custom Tariffs (CCCN)
	HS	Harmonisiertes System zur Beschreibung und Codierung von Waren Harmonized Commodity Description and Coding System
UN	SITC	Standard International Trade Classification Internationales Warenverzeichnis für den Außenhandel
	ISIC	International Standard Industrial Classification of all Economic Activities Internationale Systematik der Wirtschaftszweige
	CCIO	Classification of Commodities by Industrial Origin Gütersystematik nach Herkunftsbereichen
	ICGS	International Standard Classification of all Goods and Services Internationale Systematik aller Waren und Dienstleistungen nach Herkunftsbereichen
	CPC	Central Product Classification Zentrale Gütersystematik
UN, EU	SINAP	Integriertes System von Wirtschaftszweig- und Gütersystematiken Système intégré de nomenclatures d´activités et de produit Integrated System of Classifications of Activities and Products (ISCAP)
EU	NACE	Allgemeine Systematik der Wirtschaftszweige in den Europäischen Gemeinschaften Nomenclature générale des activités économiques dans les communautés européennes
	GZT	Gemeinsamer Zolltarif der Europäischen Gemeinschaft Common Tariff Nomenclature of the European Communities (CTN)
	NIMEXE	Warenverzeichnis für die Statistik des Außenhandels der Gemeinschaft und des Handels zwischen den Mitgliedstaaten Nomenclature des marchendises pour les statistiques d´importation et d´exportation des communautés européennes
	NIPRO	Gemeinsames Verzeichnis der industriellen Erzeugnisse Nomenclature commune des produits industriels
	ELL	Erzeugnislisten zur Abgrenzung der Produktionsbereiche Erzeugnisse der Landwirtschaft und der Jagd sowie Rohholz
	KN	Kombinierte Nomenklatur
	CPA	Statistische Güterklassifikation in Verbindung mit den Wirtschaftszweigen Classification of Products by Activity

Tabelle 11: Internationale Wirtschaftszweig- und Gütersystematiken
Quelle: Ebensberger, H. (1986), S. 95f.; Polte, V. (1994), S. 89ff.

Eine solche Voraussetzung ist allerdings häufig nicht gegeben, weswegen sich *ESOMAR* auch dazu veranlaßt sah, einen Vorschlag für eine europaweite *Standarddemographie* zu entwickeln (vgl. Abbildung 10), die bei jeder Umfrage (möglicherweise zusätzlich zu den traditionellen, nationaltypischen Strukturdaten) erhoben werden sollte und damit eine internationale Vergleichbarkeit von Umfrageergebnissen sicherstellt.[262]

Der gleichen Voraussetzungen bedarf es, wenn auf einer internationalen Ebene verschiedene nationale Zensusdaten oder auf einer nationalen Ebene Ergebnisse von Umfragen mit denen der amtlichen Statistik verglichen werden sollen. Denn auch hier müssen die in den einzelnen Ländern erhobenen sozialstatistischen Merkmale bzw. die demographischen Strukturdaten der Umfrageforschungen und die sozialstatistischen Merkmale der Erhebungen der amtlichen Statistik zumindest in einem Kernbereich deckungsgleich sein, damit solche Vergleiche möglich sind.[263]

Dank der von der *UN, ILO (International Labour Office)* und *EU* entwickelten Vielzahl von internationalen Empfehlungen zur Definition und Erhebung demographischer Merkmale erfüllen die nationalen Zensusdaten vieler Länder diese Voraussetzungen[264] (vgl. auch Tabelle 12), während ein Vergleich von nationalen Umfrage- und Zensusdaten nur in wenigen Ländern problemlos durchzuführen ist. In den USA wurde beispielsweise von einer Arbeitsgruppe des *Social Science Research Council* eine amerikanische Standarddemographie erarbeitet, die von zahlreichen amerikanischen Markt- und Sozialforschungsinstituten sowie von der amtlichen Statistik als verbindliche Empfehlung anerkannt und entsprechend angewendet wird.[265]

---

262 Vgl. ESOMAR Working Party (1990), S. 176ff.; Polte, V. (1994), S. 89ff.

263 Vgl. Ehling, M., Hoffmeyer-Zlotnik, J.H.P., Lieser, H. (1988), S. 4ff.; Hoffmeyer-Zlotnik, J.H.P., Hartmann, P.H. (1991), S. 266.

264 Vgl. Ehling, M., Hoffmeyer-Zlotnik, J.H.P., Lieser, H. (1988), S. 4ff.

265 Vgl. ebenda, S. 4.

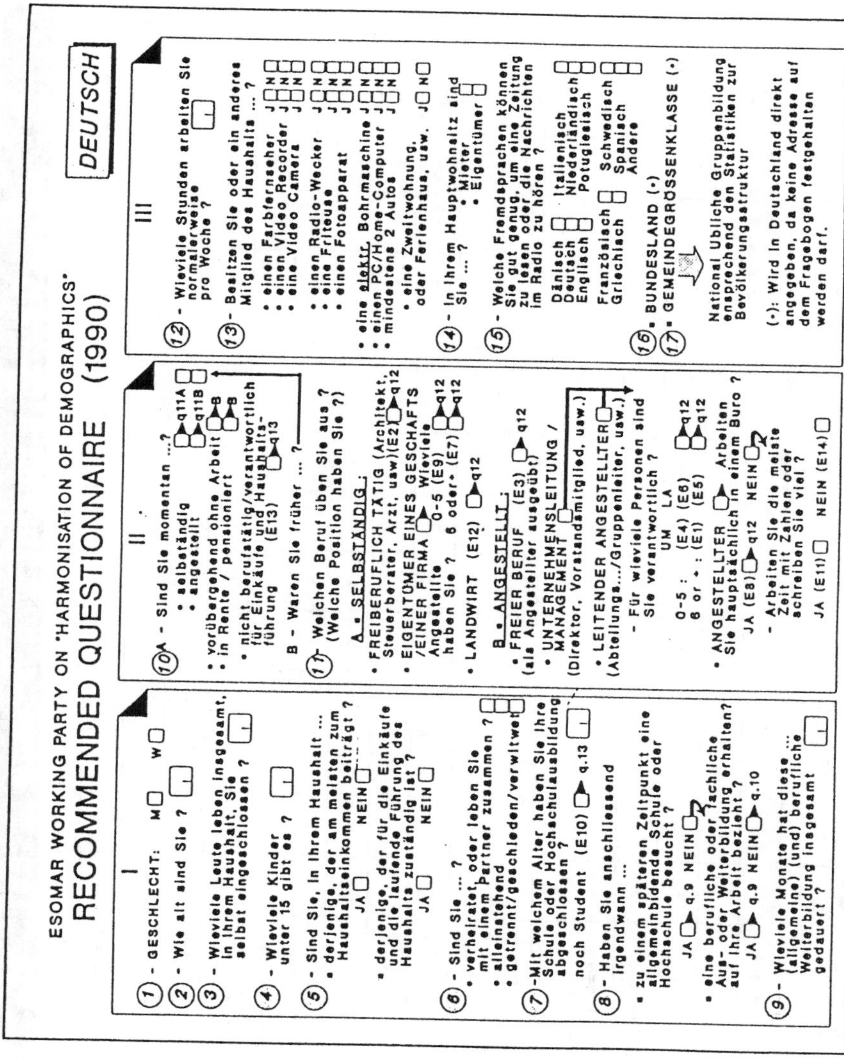

ESOMAR WORKING PARTY ON "HARMONISATION OF DEMOGRAPHICS"
RECOMMENDED QUESTIONNAIRE (1990)
DEUTSCH

I

1 - GESCHLECHT: M ☐ W ☐
2 - Wie alt sind Sie ?
3 - Wieviele Leute leben insgesamt, in Ihrem Haushalt, Sie selbst eingeschlossen ?
4 - Wieviele Kinder unter 15 gibt es ?
5 - Sind Sie, in Ihrem Haushalt ...
• derjenige, der am meisten zum Haushaltseinkommen beiträgt ? JA ☐ NEIN ☐
• derjenige, der für die Einkäufe und die laufende Führung des Haushalts zuständig ist ? JA ☐ NEIN ☐
6 - Sind Sie ... ?
• verheiratet, oder leben Sie mit einem Partner zusammen ? ☐
• alleinstehend ☐
• getrennt/geschieden/verwitwet ☐
7 - Mit welchem Alter haben Sie Ihre Schule oder Hochschulausbildung abgeschlossen ?
noch Student (E10) ☐ ▶ q.13
8 - Haben Sie anschliessend irgendwann ...
• zu einem späteren Zeitpunkt eine allgemeinbildende Schule oder Hochschule besucht ?
JA ☐ ▶ q.9 NEIN ☐
• eine berufliche oder fachliche Aus- oder Weiterbildung erhalten? auf Ihre Arbeit bezieht ?
JA ☐ ▶ q.9 NEIN ☐ ▶ q.10
9 - Wieviele Monate hat diese ... (allgemeine) (und) berufliche Weiterbildung insgesamt gedauert ?

II

10 A - Sind Sie momentan ...?
• selbständig ☐ ▶ q11A ☐
• angestellt ☐ ▶ q11B ☐
• vorübergehend ohne Arbeit ☐ ▶ B
• in Rente / pensioniert ☐ ▶ B
• nicht berufstätig/verantwortlich für Einkäufe und Haushaltsführung (E13) ☐ ▶ q13
B - Waren Sie früher ... ?
11 - Welchen Beruf üben Sie aus ? (Welche Position haben Sie ?)
A • SELBSTÄNDIG :
• FREIBERUFLICH TÄTIG (Architekt, Steuerberater, Arzt, usw)(E2) ☐ ▶ q12
• EIGENTÜMER EINES GESCHAFTS /EINER FIRMA ☐ ▶ Wieviele Angestellte haben Sie ? 0-5 (E9) ☐ ▶ q12 6 oder+ (E7) ☐ ▶ q12
• LANDWIRT (E12) ☐ ▶ q12
B • ANGESTELLT :
• FREIER BERUF (E3) ☐ ▶ q12 (als Angestellter ausgeübt)
• UNTERNEHMENSLEITUNG / MANAGEMENT ☐ (Direktor, Vorstandsmitglied, usw.)
• LEITENDER ANGESTELLTER ☐ (Abteilungs.../Gruppenleiter, usw.)
- Für wieviele Personen sind Sie verantwortlich ?
UM LA
0-5 : (E4) (E6) ☐ ▶ q12
6 or + : (E1) (E5) ☐ ▶ q12
• ANGESTELLTER ☐ ▶ Arbeiten Sie hauptsächlich in einem Buro ?
JA (E8) ☐ ▶ q12 NEIN ☐
- Arbeiten Sie die meiste Zeit mit Zahlen oder schreiben Sie viel ?
JA (E11) ☐ NEIN (E14) ☐

III

12 - Wieviele Stunden arbeiten Sie normalerweise pro Woche ?
13 - Besitzen Sie oder ein anderes Mitglied des Haushalts ... ?
• einen Farbfernseher J ☐ N ☐
• einen Video Recorder J ☐ N ☐
• eine Video Camera J ☐ N ☐
• einen Radio-Wecker J ☐ N ☐
• eine Friteuse J ☐ N ☐
• einen Fotoapparat J ☐ N ☐
• eine elektr. Bohrmaschine J ☐ N ☐
• einen PC/Home-Computer J ☐ N ☐
• mindestens 2 Autos J ☐ N ☐
• eine Zweitwohnung, oder Ferienhaus, usw. J ☐ N ☐
14 - In Ihrem Hauptwohnsitz sind Sie ... ?
• Mieter ☐
• Eigentümer ☐
15 - Welche Fremdsprachen können Sie gut genug, um eine Zeitung zu lesen oder die Nachrichten im Radio zu hören ?
Dänisch ☐ Italienisch ☐
Deutsch ☐ Niederländisch ☐
Englisch ☐ Potugiesisch ☐
Französisch ☐ Schwedisch ☐
Griechisch ☐ Spanisch ☐
Andere ☐
16 • BUNDESLAND (•)
17 • GEMEINDEGRÖSSENKLASSE (•)
National Ubliche Gruppenbildung ensprechend den Statistiken zur Bevölkerungsstruktur
(•): Wird in Deutschland direkt angegeben, da keine Adresse auf dem Fragebogen festgehalten werden darf.

Abbildung 10: Empfehlungen der ESOMAR bezüglich einer europäischen Standarddemographie
Quelle: ESOMAR Working Party (1990), S. 178

Gegenstand der Nachweisung	Bundesrepublik Deutschland 1987	Schweiz 1980	Ungarn 1980	Vereinigte Staaten von Amerika 1980	Belgien 1981	Deutsche Demokratische Republik 1981	Großbritannien und Nordirland 1981	Italien 1981	Luxemburg 1991	Österreich 1981	Frankreich 1982	Japan 1985	Australien 1986	Irland 1986	Kanada 1986
Fragen zur Person															
Alter	X	X	X	X	X	X	X	X	X	X	X	X	X	X	X
Geschlecht	X	X	X	X	X	X	X	X	X	X	X	X	X	X	X
Familienstand	X	X	X	X	X	X	X	X	X	X	X	X	X	X	X
Staatsangehörigkeit	X	X	—	X	X	—	—	X	X	X	X	X	X	—	X
Religion	X	X	—	—	—	—	—	—	—	X	—	—	X	—	X
Fragen zur Beteiligung am Erwerbsleben															
Beschäftigungs-Status	X	X	X	X	X	X	X	X	X	X	X	X	X	X	X
Beruf	X	X	X	X	X	X	X	X	X	X	X	X	X	X	X
Stellung im Beruf	X	X	X	X	X	X	X	X	X	X	X	X	X	X	X
Arbeitsort	X 2)	X	X	X	X	X	X	X	X	X	X	X	X	X	X
Wirtschafts-/bzw. Beschäftigungssektor	X	X	X	X	X	X	—	X	X	X	X	X	X	X	X
Geleistete Arbeitszeit 1)	X	X	—	X	X	—	—	—	X	X	—	—	X	—	X
Verkehrsmittel für die Fahrt zum Arbeitsort 1)	X	X	—	X	X	—	X	X	X	X	—	—3)	X	X	—
Zeitbedarf für den Weg zum Arbeitsort 1)	X	X	—	X	X	—	—	X	X	X	—	—3)	—	X	—
Fragen zur Bildung															
Höchster Schulabschluß	X	X	X	X	X	X	—	X	—	X	X	—3)	X	X	X
Diplome usw. sowie Fachrichtung	X	X	X	—	X	X	X	X	—	X	X	—3)	X	X	X

1) Diese Merkmale sind in den UNECE-Empfehlungen für 1990 als sogenannte Zusatzmerkmale vorgeschlagen. 2) Wird nur als Hilfsmittel erhoben d.h. das Merkmal dient nur zur organisatorischen Durchführung der Zählung, keine statistische Auswertung. 3) Bei der Volkszählung in der Mitte der Dekade handelt es sich um ein verkürztes Fragenprogramm. Bei den Zählungen am Anfang der Dekade werden auch diese Merkmale erfragt.

Tabelle 12: Vergleich soziodemographischer Merkmale in Fragenprogrammen der Volkszählungen ausgewählter Länder
Quelle: Störtzbach, B. (1987), S. 209

Vorschläge bezüglich einer von der deutschen Markt- und Sozialforschung sowie der amtlichen Statistik gleichermaßen zu erhebenden Standarddemographie wurden in gemeinsamer Arbeit vom *Statistischen Bundesamt*, dem *Arbeitskreis Sozialwissenschaftlicher Institute (ASI)*, dem *Arbeitskreis Deutscher Marktforschungsinstitute (ADM)* und dem *Zentrum für Umfragen, Methoden und Analysen (ZUMA)* entwickelt.[266]

(4) Unterschiede bei den Meßeinheiten. Es ist nicht ungewöhnlich, bei monetär erfaßbaren Sachverhalten sogar der Regelfall, daß die gleichen empirischen Sachverhalte von Land zu Land in unterschiedlichen Einheiten gemessen werden. Ein internationaler Vergleich ist daher nur dann durchführbar, wenn es möglich ist, die verschiedenen Meßeinheiten in eine einzige Meßeinheit umzurechnen.

Bei *monetär* erfaßten Sachverhalten bedeutet dies, daß die in verschiedenen Währungen angegebenen Beträge in eine Währung (z.B. US-Dollar) umgerechnet werden müssen. Dies ist eine leicht erscheinende, gleichwohl aber nicht problemfreie Aufgabe, da in der Regel hierbei nicht die offiziellen Wechselkurse, die sowohl vom Außenhandel als auch vom Geldmarkt abhängig sind und nicht unbedingt die realen Kaufkraftunterschiede widerspiegeln, zugrunde gelegt werden können, sondern entsprechend gewichtete Wechselkurse verwendet werden müssen.[267] Bei Längsschnittuntersuchungen sind die monetären Zeitreihen der einzelnen Länder überdies konsistent von inflationären Einflüssen zu bereinigen, was erhebliche Probleme mit sich bringen kann, da in vielen Ländern die Inflationsrate nur unzureichend erfaßt wird.[268]

Bei *nicht* oder *nicht nur monetär* erfaßbaren Sachverhalten kann die Umrechnungsproblematik sehr unterschiedlich ausgeprägt sein. Während z.B. eine Umrechnung verschiedener Längen- oder Gewichtsmaße keinerlei Probleme bereitet, ist es schlichtweg unmöglich, eine einheitliche Meßeinheit festzulegen und entsprechende Umrechnungen vorzunehmen, wenn z.B. die Größe von Einzelhandelsbetrieben in einem Land durch

---

[266] Vgl. Hoffmeyer-Zlotnik, J.H.P., Hartmann, P.H. (1991), S. 266ff.; Hoffmeyer-Zlotnik, J.H.P., Ehling, M. (1991), S. 29ff.; Ehling, M., Heyde, C. von der, Hoffmeyer-Zlotnik, J.H.P., Quitt, H. (1992), S. 29ff.

[267] Vgl. Schurawitzki, R. (1980), S. 456f.; Widmeier, U. (1997), S. 110.

[268] Vgl. ebenda.

den Umsatz bestimmt wird, in einem anderen durch die Verkaufsfläche und in einem dritten durch die Zahl der Beschäftigten.

(5) Unterschiedliche Grundgesamtheiten. Die Tatsache, daß sich oft die nationalen Grundgesamtheiten unterscheiden, über die in Informationsmaterialien Aussagen getroffen werden, kann zu einer Gefährdung der Vergleichbarkeit führen, andererseits aber auch diese im Sinne des Äquivalenzpostulates erst möglich machen. Welcher von beiden Fällen der zutreffende ist, muß in jedem Einzelfall geprüft werden. Zu verzerrten Vergleichsergebnissen wird aber immer eine Auswertung von quellenheterogenen Datenmaterialien führen, wenn verschiedene Institutionen oder privatwirtschaftliche Organisationen dieselben Erhebungsergebnisse auf unterschiedlich definierte Grundgesamtheiten beziehen.

	Zensus	OECD	International Demographics	Statistical Abstract of Latin America	Statistics Canada	Annual Abstract of Statistics, UK
USA	55 [1985]	63	54	—	—	—
Kanada	52 [1981]	62	61	—	46	—
Japan	49 [1985]	57	57	—	—	—
Großbritannien /	47 [1981]	—	—	—	—	—
UK	46 [1981]	59	57	—	—	49
Australien	46 [1981]	53	52	—	—	—
Deutschland	39 [1980]	49	49	—	—	—
Italien	33 [1981]	41	41	—	—	—
Venezuela	31 [1984]	—	24	21	—	—
Mexiko	28 [1980]	—	—	17	—	—
Brasilien	27 [1980]	—	39	20	—	—

Tabelle 13: Inkonsistente Zahlenwerte verschiedener statistischer Quellen – dargestellt am Beispiel des Prozentsatzes berufstätiger Frauen in 10 Ländern

Quelle: Bartos, R. (1989), S. 207

So hat beispielsweise *Bartos* bei einer internationalen sekundärstatistischen Recherche feststellen müssen, daß trotz Verwendung derselben absoluten Zahlenwerte verschiedene Stellen unterschiedliche Prozentsätze der je Land berufstätigen Frauen ausweisen (s. Tabelle 13), weil die Berechnungen auf unterschiedlichen Bezugsgrößen basieren.[269] Es empfiehlt sich daher, zur Analyse eines Sachverhaltes international nur eine (Art von) Informationsquelle auszuwerten, vorzugsweise natürlich, wie bereits mehrfach angesprochen, die jeweilige(n) *Primärquelle(n)*.

(6) Unterschiedliche Erhebungszeiträume, -stichtage oder -rhythmen. Gewisse Einschränkungen der Vergleichbarkeit können auch Differenzen bei den Erhebungszeiträumen, Erhebungsstichtagen oder Erhebungsrhythmen bedingen.[270] Denn solche Differenzen können dazu führen, daß sich die nationalen Datensätze auf unterschiedliche Jahre, Jahreszeitpunkte oder Zeitabschnitte (Monats-, Quartals-, Halbjahresdaten etc.) beziehen.

(7) Unterschiedliche Auswertungsprozeduren. Ein letzter, die Vergleichbarkeit gefährdender Faktor ist schließlich die unterschiedliche Vorgehensweise bei der Auswertung von Erhebungsdaten, beispielsweise die unterschiedliche Behandlung von Stichprobenausfällen oder von "Keine Angaben"-Kategorien und der abweichende Gebrauch von Gewichtungsroutinen.[271] Wie das Beispiel der "*Internationalen Wertestudie*" zeigt[272], können solche Unterschiede bewirken, daß verschiedene Stellen bei der Auswertung desselben Datenmaterials zu unterschiedlichen Ergebnissen gelangen.

---

269 Vgl. Bartos, R. (1989), S. 206f.

270 Vgl. Schurawitzki, R. (1980), S. 448; Rathmann, H. (1990), S. 84.

271 Vgl. Rettig, R., Hoyer, W.H. u.a. (1979), S. 115; Jaufmann, D., Kistler, E. (1988), S. 55.

272 Vgl. Jaufmann, D., Kistler, E. (1988), S. 55 und die dort zitierte Literatur.

2.4 Bedeutung von internationalen Sekundärforschungen

Die Möglichkeiten zur Durchführung von internationalen Sekundäranalysen haben sich in den letzten Jahren und Jahrzehnten sprunghaft verbessert. Dies ist einmal darauf zurückzuführen, daß von einer immer größeren Anzahl von in- und ausländischen Informationsquellen zunehmend mehr Informationsmaterialien über verschiedene Länderregionen, Länder, Ländermärkte und -teilmärkte erhältlich geworden sind.

So wurden beispielsweise von einer wachsenden Zahl von nationalen und supranationalen Institutionen als Planungs-, Verwaltungs- und Entscheidungsgrundlagen immer umfänglichere Statistiken erstellt[273], von verschiedenen Organisationen (Forschungsinstituten, Banken, Verlagen, Wirtschaftsprüfungsgesellschaften etc.) immer mehr länderbezogene und internationale Studien veröffentlicht und nicht zuletzt auch der Umfang und die Vielfalt der in unternehmungsexternen Datenarchiven und Datenbanken gespeicherten Auslandsinformationen explosionsartig ausgeweitet.

Zum anderen sind die stetigen Fortschritte auf den Gebieten der elektronischen Datenverarbeitung und der Kommunikationstechnologie anzuführen, die es ermöglicht haben, immer schneller und kostengünstiger weltweit zu kommunizieren bzw. in elektronischen Datenbanken online zu recherchieren sowie immer größere Datenmengen immer schneller zu verarbeiten.

Da von einer Fortsetzung dieser Entwicklungen auszugehen ist, werden insowohl die Durchführungsmöglichkeiten als auch die Bedeutung von internationalen Sekundäranalysen weiter anwachsen und sich somit auch die Notwendigkeiten erhöhen, in jedem Einzelfall unter sorgfältiger Abwägung der jeweiligen Pro- und Contra-Argumente zu überprüfen, ob der Informationsbedarf vollständig oder zumindest teilweise durch eine internationale Sekundärforschung gedeckt werden kann.

---

273 Vgl. auch Friedrichs, J. (1990), S. 354.

2.4.1 Vor- und Nachteile von internationalen Sekundärforschungen

Internationale Sekundärforschungen weisen gegenüber Primärforschungen zunächst einmal gravierende **technische Vorteile**[274] auf, d.h. sie sind billiger und schneller durchzuführen, weil bei ihnen die zeitaufwendige und kostenintensive Planung und Durchführung der internationalen Feldarbeit (Befragung, Beobachtung, Experiment) entfällt. Zeit und Kosten fallen bei internationalen Sekundäranalysen hauptsächlich an für die Suche nach relevanten Informationsmaterialien sowie gegebenenfalls für deren Überprüfung und Erwerb.

Darüber hinaus stellen internationale Sekundäranalysen in einigen Fällen die **einzige Möglichkeit zur Informationsgewinnung** dar. Dies gilt insbesondere für die Ermittlung von nationalen oder internationalen Aggregatdaten.[275]

Auch wenn es sich nach sorgfältigen Überprüfungen als unumgänglich erweisen sollte, internationale **Primärforschungen** durchzuführen, sind **vorher** oder **begleitend durchgeführte Sekundärforschungen** mitunter notwendig, um die einzelnen nationalen Primärerhebungen anforderungsgerecht planen und durchführen sowie die erhobenen nationalen Datensätze danach dann adäquat analysieren und interpretieren zu können.[276]

Nachteilig ist, daß bei der Durchführung von internationalen Sekundärforschungen mit dem Auftreten zweier Probleme gerechnet werden muß, nämlich den Problemen des Vorhandenseins von **Informationslücken** und **Qualitätsdefiziten**.

---

274 Vgl. ebenda.

275 Vgl. hierzu Widmeier, U. (1997), S. 103ff.

276 Vgl. Kap. 1.4.2.5 sowie Churchill, G.A. (1991), S. 250.

	USA	Kanada	Japan	Groß-britannien	Australien	Deutsch-land	Italien	Venezuela	Mexiko	Brasilien
Berufsprofil von Frauen	x	—	x	x	—	—	x	—	0	0
Prozentanteil berufstätiger Frauen je Ausbildungsniveau	x	x	x	x	x	x	x	0	0	0
Frauen mit höheren berufsbezogenen Ausbildungsabschlüssen	x	x	x	x	0	x	0	0	0	0
Entwicklung der Zahl der weiblichen Studienanfänger	x	x	x	x	x	x	x	0	x	0
Familienstand	x	x	x	x	x	—	x	x	x	x
Zahl der Kinder	x	x	x	x	x	—	x	0	0	0
Stand im Lebenszyklus	x	—	x	x	x	—	0	0	0	0
Beruflicher Status verheirateter Paare	x	—	x	x	—	—	—	0	0	0

x = von offiziellen Quellen erhältlich
- = aus verschiedenen Quellen oder Umfragedaten ableitbar
0 = nicht erhältlich

Tabelle 14: Informationslücken bei einer internationalen Sekundärforschung – dargestellt am Beispiel einer 10-Länderstudie
Quelle: Bartos, R. (1989), S. 210

Das Problem, daß von einzelnen Ländern keine Sekundärmaterialien vorliegen, ist bei breit angelegten internationalen Sekundärforschungen ein ebenso chronisches wie epidemisches.[277] So stehen insbesondere von Ländern, die sich auf einem niedrigen sozioökonomischen Entwicklungsniveau befinden, häufig verschiedene Sekundärmaterialien nicht zur Verfügung, weil entsprechende Daten gar nicht erhoben werden. Aber auch in höher entwickelten Ländern werden bestimmte Sachverhalte nicht überall von der amtlichen Statistik oder der Umfrageforschung erfaßt, wie z.B. auch *Bartos*[278] bei ihrer internationalen Recherche feststellen mußte (vgl. Tabelle 14). Schließlich gibt es als dritten Grund für das Vorhandensein von Informationslücken noch Länder, die bestimmte Daten von ihrer amtlichen Statistik zwar erheben lassen, diese der Öffentlichkeit aber nicht zugänglich machen.[279]

Das Problem von Qualitätsdefiziten kann, wie in Kap. 2.3 bereits ausführlich erläutert wurde, sowohl die Informations*quellen* als auch die Informations*materialien* betreffen und letztlich von folgenden Einzelursachen herrühren:

1. **Qualitätsdefizite von Informationsquellen, d.h.**
   a. mangelnde Ursprünglichkeit,
   b. mangelnde Objektivität,
   c. mangelnde Professionalität.

2. **Qualitätsdefizite von Informationsmaterialien, d.h.**
   a. fehlende/geringe Entscheidungsrelevanz wegen
      - mangelnder inhaltlicher Bezüge,
      - mangelnder problemadäquater Detailliertheit,
   b. mangelnde inhaltliche Breite (Vollständigkeit),
   c. mangelnde Aktualität,
   d. mangelnde Genauigkeit wegen
      - geringer Reliabilität,
      - geringer Validität,
   e. mangelnde Vergleichbarkeit wegen

---

277 Vgl. auch Widmeier, U. (1997), S. 115.

278 Vgl. Bartos, R. (1989), S. 205ff.

279 Vgl. Schüle, U. (1996), S. 65.

- begrifflicher Unterschiede,
- kategorialer/klassifikatorischer Unterschiede,
- unterschiedlicher Strukturdaten,
- unterschiedlicher Meßeinheiten,
- unterschiedlicher Grundgesamtheiten,
- unterschiedlicher Erhebungszeiträume/-stichtage/-rhythmen,
- unterschiedlicher Auswertungsprozeduren.

2.4.2 Anwender und Anwendungsbereiche von internationalen Sekundärforschungen

Internationale Sekundärforschungen werden ihrer aufgezeigten Vorteile wegen von international tätigen Unternehmungen jeglicher Größe durchgeführt - so diese denn überhaupt, was keineswegs selbstverständlich ist[280], eine internationale Marketingforschung betreiben. Breit angelegte internationale (z.B. europaweite) Untersuchungen werden überwiegend sekundärstatistisch vorgenommen, da selbst vielen größeren (deutschen) Unternehmungen offensichtlich die Kosten und Probleme von primärstatistischen Mehrländeruntersuchungen zu groß sind.[281] Die wenigen Unternehmungen, die europaweite Primärforschungen durchführen, tun dies dann allerdings nahezu regelmäßig. Ansonsten bleiben internationale Primärforschungen meist auf die Untersuchung einiger weniger "wichtiger" Länder(märkte) beschränkt.

Ein solches Vorgehen ist verständlich, aber auch sehr risikoreich, weil

- bei einer alleinigen Durchführung von Sekundärforschungen strategische und insbesondere operative Entscheidungen häufig nur unzureichend fundiert werden können und
- bei einer nur punktuellen Durchführung von Sekundär- und Primärforschungen die Gefahr groß ist, daß die primärstatistisch erzielten Untersuchungsergebnisse und damit auch die aus ihnen abgeleiteten strategischen und operativen Schlußfolgerungen generalisiert werden.

---

280 Vgl. Rathmann, H. (1990), S. 77.

281 Vgl. hierzu und zum folgenden ebenda, S. 77ff.

Internationale Sekundärforschungen können dank der inhaltlichen Reichhaltigkeit der zur Verfügung stehenden Informationsmaterialien zwar in allen Prozeßphasen eines internationalen Marketing-Managements zur Fundierung der jeweiligen Teilentscheidungen (vgl. Kap. 1.2) beitragen, ihr Anwendungsschwerpunkt liegt jedoch eindeutig in zwei Phasen[282], nämlich

1. in der *Marktauswahlphase*, wo sie zur informationellen Fundierung der Vor- und Grobauswahl erfolgversprechender, näher zu analysierender Länder bzw. Ländermärkte beitragen, und
2. in der *Kontrollphase*, wo sie zur Prämissenkontrolle und strategischen Überwachung eingesetzt werden.

Bei der *Vorauswahl* neuer, für eine Unternehmung langfristig erfolgversprechender Auslandsmärkte werden aus der Gesamtzahl aller Länder dieser Welt bzw. einer oder mehrerer Regionen (z.B. Europa und/oder Südostasien) solche Länder aus der weiteren Analyse ausgeschlossen, die aus sachlogischen Gründen nicht als Absatzmärkte in Frage kommen können (z.B. weil der klimatischen Bedingungen wegen keine Produktnachfrage vorhanden ist), bestimmten Werthaltungen des Managements bzw. unternehmenspolitischen Zielsetzungen nicht entsprechen oder gewisse objektive Mindestanforderungen nicht erfüllen.[283]

Solche objektiven Mindestanforderungen beziehen sich meist auf statistische Kennzahlen (wie z.B. das Pro-Kopf-Einkommen oder der Pro-Kopf-Verbrauch von bestimmten Produkten) oder auf Indices (wie z.B. auf Länderrisiko-, Kaufkraft-, Marktwachstums- oder Marktgrößenindices), die entweder unmittelbar sekundärstatistisch ermittelt oder (dies allerdings weniger häufig) unter Verwendung sekundärstatistischer Daten selbst errechnet werden.[284]

---

282 Vgl. auch Douglas, S.P., Craig, C.S., Keegan, W.J. (1982); Douglas, S.P., Craig, C.S. (1983), S. 104ff.

283 Vgl. Köhler, R., Hüttemann, H. (1989), Sp. 1431.

284 Vgl. ebenda sowie Douglas, S.P., Craig, C.S. (1983), S. 107ff.

1. Indikatoren für das Geschäftsrisiko in einem bestimmten nationalen Produkt-Markt

- Politische Faktoren
  (landesinterne politische Stabilität; Enteignungsrisiken; Einstellung der Regierung im Gastland zu ausländischen Investoren)
- Rechtliche Faktoren
  (Import-Export-Beschränkungen; Rechtssystem; Beschränkungen des privaten Eigentums)
- Finanzwirtschaftliche Faktoren
  (Inflationsrate; Beschränkungen des Kapitalverkehrs; Wechselkursrisiken)

2. Indikatoren für das Marktpotential bzw. Marktwachstum im betreffenden Land und Produkt-Markt

- Demographische Merkmale
  (Bevölkerungsgröße; Wachstumsrate der Bevölkerung; Ausmaß der Verstädterung; Bevölkerungsdichte; Altersaufbau und sonstige Strukturmerkmale der Bevölkerung)
- Geographische Merkmale
  (Flächengröße des Landes; topographische Eigenheiten; klimatische Bedingungen)
- Wirtschaftliche Faktoren
  (Bruttosozialprodukt pro Kopf; Einkommensverteilung; Wachstumsrate des BSP; Investitionsquote, bezogen auf das BSP)
- Technologische Faktoren
  (technologischer Wissensstand; vorhandene technologische Rahmenbedingungen für Produktion und Konsum; Ausbildungsniveau)
- Sozio-kulturelle Faktoren
  (vorherrschende Werthaltung; Lebensstil-Muster; ethnische Gruppen; Sprachgruppen)

3. Indikatoren für die Kostenbelastung der Geschäftstätigkeit im betreffenden Land

- Vorhandensein integrativer Netze
  (Infrastruktur für Transporte; Distributionsnetze; Verfügbarkeit von Massenmedien; Verfügbarkeit von Kommunikationsnetzen)
- Ressourcenausstattung
  (physische Ressourcen wie Energiequellen; menschliche Ressourcen wie Arbeitskräfte und Managementqualitäten; Kapitalverfügbarkeit)

4. Produktspezifische Marktdaten

- Produktverwendung
  (Absatzmenge des Produktes; bereits bestehende Ausstattung der Haushalte bzw. Verwenderbetriebe mit dem Produkt)
- Verwendung komplementärer oder substitutiver Produkte
  (Absatzmenge und Verwenderkreis)
- Wettbewerb
  (Anzahl der Konkurrenzunternehmen; Absatzdaten; Wachstumsrate der Konkurrenzfirmen)

Abbildung 11: Informationsbedarf für eine Länder(markt)grobanalyse
Quelle: Köhler, R., Hüttemann, H. (1989), Sp. 1434

Die sich an die Vorauswahl anschließende *Grobauswahl* dient der weiteren Aussonderung weniger interessanter Länder(märkte). Sie wird entweder mit Hilfe eines Filterungsverfahrens, eines Gruppierungsverfahrens (d.h. cluster- oder portfolioanalytischen Verfahrens) oder eines kombinierten Verfahrens unter Einbeziehung einer mehr oder minder großen Anzahl zusätzlicher sekundärstatistisch ermittelter Länder-(markt)informationen über entscheidungsrelevante Rahmenbedingungen der Auslandsgeschäftstätigkeit (vgl. Abbildung 11) durchgeführt.[285] Von herausragender Bedeutung ist hierbei die sekundärstatistische Erfassung von länderspezifischen Geschäftsrisiken, Marktvolumina und Marktpotentialen.[286]

Die nach der Grobanalyse verbleibenden Länder(märkte) werden schließlich zur endgültigen Bestimmung der zu bearbeitenden Länder(teil)-märkte einer *Feinanalyse*, die im Regelfall aber neben detaillierteren Sekundärmaterialien auch der Gewinnung primärstatistischer Daten bedarf[287], unterzogen.

Im Verlaufe der Kontrollphase eines internationalen Marketing-Managements kann im Rahmen der *Prämissenkontrolle*[288] durch internationale Sekundärforschungen darüber Aufschluß gewonnen werden, ob die in den strategischen Plänen unterstellten Ausprägungen oder Entwicklungen globaler länderspezifischer Umweltmerkmale (z.B. die unterstellte gesamtwirtschaftliche Entwicklung eines Landes) oder einzelner Merkmale der länderspezifischen Aufgabenumwelten (z.B. die Branchenentwicklung in einem Land) noch zutreffend sind oder sich Veränderungen eingestellt haben bzw. abzuzeichnen beginnen, die zu einer Revision der strategischen Planung Anlaß geben sollten. Eine Überprüfung von (z.B. konsumentenbezogenen) Verhaltensprämissen ist durch eine internationale Sekundärforschung jedoch nur eingeschränkt möglich.

Allein mit Sekundärmaterialien auskommen muß (aus Kostengründen) meist die *strategische Überwachung*[289] von Auslandsmärkten, bei der radarartig, d.h. ungezielt einzelne Länder- bzw. Ländermärkte auf Ent-

---

[285] Siehe Kap. 1, Fußnote 25.

[286] Siehe hierzu Meyer, M. (1987); Link, U. (1993), S. 60ff.

[287] Vgl. Köhler, R., Hüttemann, H. (1989), Sp. 1435.

[288] Vgl. Schreyögg, G., Steinmann, H. (1985), S. 401f.; Hasselberg, F. (1991), S. 20; Steinmann, H., Schreyögg, G. (1993), S. 221f.

[289] Vgl. ebenda.

wicklungen hin "überwacht" werden, die für das Unternehmen in Zukunft möglicherweise von Relevanz sein könnten.

Derartige Untersuchungen sollten aber auch von Unternehmungen durchgeführt werden, die (noch) nicht international tätig sind[290], um dadurch z.B.

- frühzeitig über erfolgsträchtige Auslandsmärkte informiert zu sein, wenn (aus welchen Gründen auch immer) eine Internationalisierung der Geschäftstätigkeit geboten erscheint,
- Markttrends erkennen zu können, die möglicherweise mit Zeitverzug auf den Heimatmarkt übergreifen,
- erfolgreiche Produkt- bzw. Prozeßneu- oder -weiterentwicklungen entdecken und selbst nutzen zu können oder
- ausländische Unternehmungen identifizieren zu können, die als potentielle Konkurrenten auf dem Heimatmarkt anzusehen sind.

Ebenso sollten Unternehmungen, die bereits international tätig sind, nicht nur die momentan bearbeiteten Auslandsmärkte strategisch "überwachen", um dadurch neben einer frühzeitigen Identifikation von Chancen und Risiken, die in den aktuellen Auslandsmärkten bestehen, auch Chancen zu ermitteln, die sich in anderen Auslandsmärkten abzuzeichnen beginnen, bzw. Chancen und Risiken erkennen zu können, die diese Auslandsmärkte für den Heimatmarkt oder die bereits bearbeiteten Auslandsmärkte beinhalten (hierzu zählt z.B. die Gefahr des Übergreifens von politisch oder religiös motivierten Auseinandersetzungen).

---

[290] Vgl. auch Douglas, S.P., Craig, C.S. (1983), S. 124.

3 Internationale Primärforschung

3.1 Charakteristik und Entscheidungstatbestände einer internationalen Primärforschung

Wenn der zur Lösung von internationalen Marketing(entscheidungs)problemen benötigte Informationsbedarf nicht (vollständig) durch eine internationale Sekundärforschung gedeckt werden kann, ist eine primärstatistische internationale Marketingforschung (oder kurz gesagt: **internationale Primärforschung**) durchzuführen, bei der auf dem Wege einer eigens und alleine zu diesem Zweck vorgenommenen empirischen Untersuchung originäre Länder(markt)daten erhoben werden.

Die wichtigsten Informationsquellen, die auf diese Weise ausgeschöpft werden können, sind unternehmungsintern die im Außendienst oder Ausland tätigen Mitarbeiter und unternehmungsextern die in den interessierenden Ländern ansässigen aktuellen oder potentiellen Käufer/Verwender der Unternehmungsprodukte bzw. -dienstleistungen (vgl. Tabelle 4).

Im Verlaufe des **Prozesses** einer solchen Marketingforschung (vgl. Abbildung 7) ist zunächst auf die gleiche Weise wie bei einer internationalen Sekundärforschung[291] der **finanzielle** und **zeitliche Rahmen** sowie die **organisatorische Abwicklung** der Datenerhebung festzulegen, um dann darüber zu befinden, ob die benötigten Informationen durch ein **experimentelles** oder ein **nicht-experimentelles Forschungsdesign** zu gewinnen sind und eine **Querschnittsanalyse** (Ad-hoc-Untersuchung) oder eine **Längsschnittanalyse** erforderlich machen (vgl. Abbildung 12).

Ein **experimentelles Forschungsdesign** ist notwendig, wenn ein bestimmter Sachverhalt, eine Kausalbeziehung oder ein Ablauf nur unter a priori festgelegten, genau kontrollierten und variierten Bedingungen erfaßt werden kann.[292] Dies ist der Fall, wenn Informationen über potentielle Marktreaktionen gewonnen werden sollen, d.h. über die Konsequenzen oder Wirkungen, mit denen bei der Realisation verschiedener Hand-

---

[291] Vgl. Kap. 2.1.

[292] Vgl. Berekoven, L., Eckert, W., Ellenrieder, P. (2001), S. 151ff.

zen oder Wirkungen, mit denen bei der Realisation verschiedener Handlungsoptionen in konkreten Situationen zu rechnen ist. Ausprägungsformen eines solchen Forschungsdesigns sind einmal die *Laborexperimente*, die sich im einzelnen als produktkonzept-, produkt-, preis- oder werbungsbezogene Studiotests darstellen, und zum anderen die *Feldexperimente*, die in Form von Home-Use-Produkttests, Storetests oder Markttests angelegt sein können.[293]

	Experimentelles Design	**Nicht-experimentelles Design**
Querschnitts-analysen		
Längsschnitt-analysen		

Abbildung 12: Forschungsdesigns von (internationalen) Primärforschungen

Längsschnittanalysen sind unumgänglich, wenn ermittelt werden soll, ob und wie sich bestimmte Sachverhalte im Zeitablauf ändern (z.B. Marktanteile, Distributionsquoten, Produkteinstellungen, Markenwahl).

---

293 Vgl. Meffert, H. (1992), S. 252ff.

Bei einer Folgestudie werden zu zwei oder mehr Zeitpunkten die gleichen Sachverhalte unter Einsatz der gleichen Erhebungsmethode von Personen erhoben, die durch jeweils neue Stichproben aus der gleichen Grundgesamtheit bestimmt wurden, während bei einer Panel-Studie immer wieder dieselben Personen, die durch die erste Stichprobe ermittelt wurden, in die Untersuchung einbezogen werden. Damit ist es möglich, Veränderungen nicht nur bei *Aggregatdaten* (z.B. Marktanteil, Distributionsquote), sondern auch bei *Individualdaten* (z.B. Produkteinstellung, Markenwahl) zu erfassen und zu analysieren.

Unabhängig davon, welches der vier möglichen Forschungsdesigns, die sich aus der Kombination der je zwei Designfaktorausprägungen ergeben (vgl. Abbildung 12), dem jeweiligen Informationsbedarf am besten entspricht, ist die dementsprechende Festlegung eine Entscheidung, die für alle Länder, die in die internationale Primärforschung einbezogen werden sollen, gleichlautend zu treffen ist. Das gleiche gilt bezüglich der Entscheidung für eine **qualitative Primärforschung** (s. Kap. 3.2), wenn die Primärforschung in allen Ländern den Charakter einer **Haupt-** bzw. **Vorstudie** hat.

Anders hingegen sehen die meisten der im weiteren Prozeßverlauf zu treffenden Entscheidungen aus, da hier in aller Regel kein *international standardisiertes*, sondern ein *länderweise differenziertes* Vorgehen festzulegen ist. Dies betrifft zunächst einmal die Bestimmung der je Land zu realisierenden **Erhebungsmethoden**, d.h. der konkreten *Befragungs-* oder *Beobachtungsmethoden,* und (im Falle des Einsatzes von Befragungsmethoden) meist auch die Gestaltung des *Fragebogens.*[295] Eine für alle (anderssprachigen) Länder gleiche Entscheidung ist dann hingegen bezüglich des bei den *Fragebogenübersetzungen* einzuhaltenden Procedere zu fällen.

---

[295] Siehe hierzu und zum folgenden Kap. 3.3.1.

Unterschiedliche Entscheidungen werden schließlich häufig auch für die Definition und Auswahl der jeweiligen nationalen Erhebungseinheiten, die Festlegung des Zeitpunktes und die situative Gestaltung der Datenerhebung sowie für die Aufbereitung und Auswertung der erhobenen nationalen Datensätze erforderlich.[296]

3.2 Ausprägungsformen einer internationalen Primärforschung

Die vorstehenden Ausführungen haben deutlich werden lassen, daß sich mit Hilfe verschiedener Kriterien mehrere Ausprägungsformen von internationalen Primärforschungen unterscheiden lassen. Auf jede dieser Ausprägungsformen soll und kann im weiteren jedoch nicht eingegangen werden. Wir wollen uns vielmehr darauf beschränken, die für die Praxis der internationalen Marketingforschung relevantesten Ausprägungsformen kurz zu charakterisieren sowie die Möglichkeiten und Schwierigkeiten ihres Einsatzes aufzuzeigen, wobei (wie in der Praxis üblich) zunächst einmal zwischen den Ausprägungsformen einer **quantitativen** und denen einer **qualitativen internationalen Primärforschung** unterschieden werden soll.

Die jeweils weitere Aufgliederung folgt dann jedoch keinem einheitlichen, durchgängigen Prinzip. So werden einmal anhand der beiden Kriterien *"realisierte Erhebungsmethode"* (Befragung/Beobachtung) und *"Vorhandensein eines experimentellen Forschungsdesigns"* (nein/ja) **vier Ausprägungsformen einer quantitativen internationalen Primärforschung** unterschieden, nämlich *nicht-experimentelle Befragungen und Beobachtungen* sowie *experimentelle Befragungen und Beobachtungen*.

Die **Ausprägungsformen einer qualitativen internationalen Primärforschung** werden dagegen keinem Systematisierungsschema folgend aufgeführt und dargestellt, weil ein solches (bei nur zwei relevanten Ausprägungsformen) hier völlig überflüssig wäre.

---

[296] Siehe hierzu Kap. 3.3.2 - 3.3.5.

Basis: Gesamter Markt-forschungs-umsatz	Σ	Ad-hoc		Σ	Fortlaufend		
		Quanti-tativ	Quali-tativ		Omnibus	Panel	Andere
	%	%	%	%	%	%	%
Argentinien	58	k.A.	k.A.	42	k.A.	k.A.	k.A.
Australien	67	45	22	33	30	0	3
Belgien	59	43	16	41	10	28	3
Brasilien	60	48	12	40	1	4	36
Bulgarien	55	40	15	45	15	10	20
China, VR	57	43	14	43	1	6	36
Deutschland	37	33	4	62	4	40	18
Dänemark	48	32	16	52	12	22	18
El Salvador	80	56	24	20	2	1	17
Finnland	59	54	5	41	13	8	20
Frankreich	52	40	13	48	4	32	12
Griechenland	59	44	15	41	2	28	11
Großbritannien	55	43	12	45	2	21	22
Honduras	80	60	20	20	5	5	10
Irland	53	37	16	47	9	26	12
Italien	62	49	13	38	3	25	10
Japan	59	51	8	41	1	9	31
Jugoslawien[1]	70	45	25	30	10	5	15
Kolumbien	93	85	8	7	k.A.	1	6
Kroatien[2]	88	72	16	12	8	4	0
Luxemburg	86	76	10	14	7	0	7
Mexiko	67	50	17	33	6	5	22
Niederlande	78	67	11	22	2	16	4
Norwegen	73	64	9	27	0	17	10
Österreich	43	36	7	57	7	41	9
Pakistan	69	52	17	31	2	6	23
Peru	75	57	18	25	2	5	18
Polen	56	39	17	44	8	8	28
Portugal	55	35	20	45	0	44	1
Rußland	83	65	18	17	5	2	10
Schweden	70	62	8	30	5	6	19
Schweiz	61	51	10	39	5	34	0

Slowakei	61	49	12	39	11	15	13
Slowenien	65	60	5	35	8	21	7
Spanien[2]	66	51	15	34	2	26	6
Südafrika	72	54	18	28	3	1	24
Südkorea	80	72	8	20	1	5	14
Thailand	78	55	23	22	2	2 0	
Tschechien	65	50	14	35	4	8	24
Türkei	60	45	15	40	10	25	5
Ungarn	70	60	10	30	20	4	6
Venezuela	52	43	9	48	2	1	45
Zypern[2]	68	58	10	32	12	0	20
Europäischer Durchschnitt	54	43	11	46	4	27	15

1 = Ehemaliges Jugoslawien.
2 = Werte von 1998.

Tabelle 15: Umsatzanteile der Ausprägungsformen einer Primärforschung in verschiedenen Ländern der Welt im Jahre 1999

Quelle: ESOMAR (2000), S. 22

Welche praktische Relevanz quantitative und qualitative Primärforschungen sowie Querschnitts(Ad-hoc-)- und Längsschnittuntersuchungen (Folge- und Paneluntersuchungen) in den einzelnen europäischen Ländern und im europäischen Durchschnitt haben, zeigt ein Ergebnis der *"ESOMAR Annual Study on the Market Research Industry 1999"* (vgl. Tabelle 15).

Hiernach wurde in jenem Jahr in allen Ländern weitaus mehr Geld für quantitative als für qualitative Primärforschung ausgegeben. Im europäischen Durchschnitt betrug das Größenverhältnis ca. 9:1 (wenn man nicht nur die Ad-hoc-Untersuchungen betrachtet). Schaut man auf die entsprechenden Ergebnisse früherer ESOMAR-Studien[297], so wird deutlich, daß

[297] Vgl. ESOMAR (1996a), S. 13; dies. (1996b), S. 34; dies. (1997a), S. 41; dies. (1998c), S. 43; dies. (1999), S. 29.

sich diese Relation in den letzten fünf Jahren nur unwesentlich verändert hat. Einen sehr geringen Stellenwert weist die qualitative Primärforschung allerdings (und dies schon seit Jahren) in Deutschland und Finnland auf.

Ad-hoc-Untersuchungen, zu denen auch ein (nicht zu quantifizierender) Teil der *Omnibusuntersuchungen* gezählt werden müßte (die nur aus der Sicht der Marktforschungsinstitute, nicht aber aus der Sicht der an solchen Untersuchungen teilnehmenden Unternehmungen der Rubrik *"fortlaufend", continuous research,* zuzurechnen sind), rangierten wie schon in den Jahren zuvor im europäischen Durchschnitt vor Längsschnittuntersuchungen, unter denen wiederum den Paneluntersuchungen die größere Bedeutung zukam.

Einen besonders hohen Stellenwert hatten Ad-hoc-Untersuchungen in Europa in den folgenden Ländern: Luxemburg, Kroatien, Niederlande, Norwegen, Rußland, Schweden und Ungarn. Außerhalb Europas sind in diesem Zusammenhang El Salvador, Honduras, Kolumbien, Peru, Südafrika, Südkorea, Thailand und Venezuela anzuführen. Längsschnittuntersuchungen dominierten in der Primärforschung dagegen nur in Dänemark, Deutschland und Österreich.

Die von 1992 bis 1998 in Europa zu beobachtende Rückläufigkeit der Umsatzbedeutung von Ad-hoc-Untersuchungen[298] war 1999 nicht mehr zu verzeichnen, so daß auch nicht mehr damit zu rechnen ist, daß in wenigen Jahren Ad-hoc- und Längsschnittuntersuchungen im europäischen Durchschnitt eine gleichrangige Umsatzbedeutung erlangen werden. Erste Ergebnisse der *„ESOMAR Annual Study on the Market Research Industry 2000“* bestätigen diese Einschätzung.[299]

---

[298] Vgl. ebenda.

[299] Vgl. Samuels, J. (2001c), S. 14.

3.2.1 Quantitative internationale Primärforschungen

Wie *Manfred Hüttner* in seinem Lehrbuch *"Grundzüge der Marktforschung"* ausführt[300], ist es schwierig, präzise zu definieren, was unter einer "**quantitativen**" und einer "**qualitativen Primärforschung**" zu verstehen ist. Infolgedessen ist es dann auch nicht verwunderlich, daß man in der relevanten Literatur neben vielfältigen Definitions- und Abgrenzungsversuchen[301] auch Autoren findet, die auf eine Definition der beiden Begriffe gänzlich verzichten und statt dessen beispielhaft erläutern, worin sich beide Formen einer Primärforschung methodisch unterscheiden[302].

Wir wollen als **quantitative** internationale Primärforschungen jene Marketingforschungen bezeichnen, die sich auf verschiedene Länder oder Länder(teil)märkte erstrecken und zu jeweils quantitativ repräsentativen Ergebnissen führen. **Qualitative** internationale Primärforschungen lassen hingegen einen solchen Repräsentanzschluß nicht zu.

3.2.1.1 Nicht-experimentelle internationale Befragungen

Die nicht-experimentelle Befragung, bei der eine für die jeweilige Grundgesamtheit (Produktkäufer/-verwender, Händler etc.) repräsentative Gruppe von Auskunftspersonen durch eine Reihe gezielter Fragen zu Aussagen über bestimmte, vom Untersuchenden vorgegebene, aber nicht planmäßig beeinflußte Sachverhalte veranlaßt wird, ist nicht nur die am weitesten verbreitete, sondern auch die wichtigste Methode der Informationsgewinnung in der internationalen Marketingforschung.

Dies ist darauf zurückzuführen, daß nicht-experimentelle Befragungen über ein breites Spektrum marketingrelevanter Sachverhalte Aufschluß geben und in vielfältiger Form durchgeführt werden können. So läßt sich

---

300 Siehe Hüttner, M. (1997), S. 23.

301 Vgl. z.B. Bellenger, D.N., Bernhardt, K.L., Goldstucker, J.L. (1976), S. 2f.; Calder, B.J. (1977), S. 353ff.; Reichardt, C.S., Cook, T.D. (1979), S. 7ff.; Sykes, W. (1990), S. 290ff.; Kepper, G. (1994), S. 15ff.

302 So z.B. Goodyear, M. (1982), S. 86ff.; Hüttner, M. (1997), S. 23.

einmal die Art der Kommunikation zwischen Fragenden und Befragten variieren, womit man dann die in Abbildung 13 aufgeführten **Befragungsformen** als Auswahlmöglichkeiten erhält, die zum anderen entweder als **Spezialbefragungen** oder als **Omnibusbefragungen** gestaltet werden können.

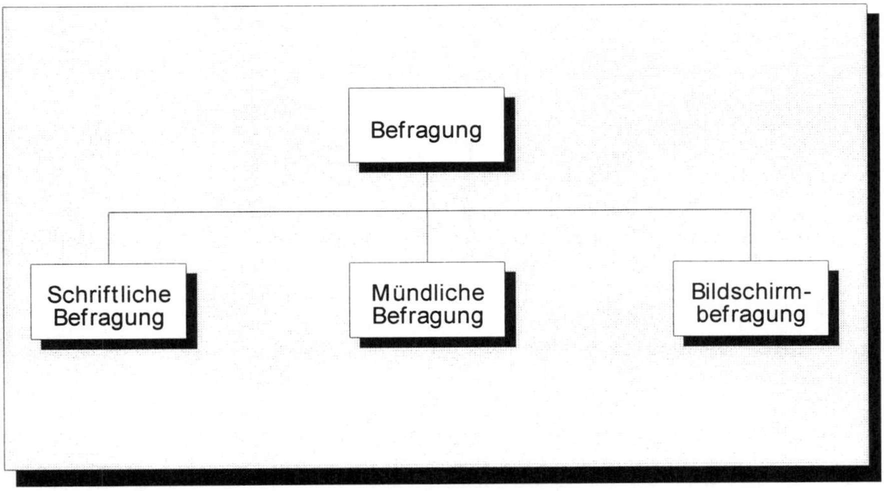

Abbildung 13: Formen der Befragung

Eine **schriftliche Befragung** liegt vor, wenn die Fragen per Aussendung von gedruckten Fragebögen und die Antworten per Rücksendung der ausgefüllten Fragebögen übermittelt werden. Erfolgt sowohl die Aussendung als auch die Rücksendung auf postalischem Wege, liegt die am häufigsten angewandte Variante einer schriftlichen Befragung, die **postalische Befragung** *(mail survey)*, vor.

Eine deutlich geringere praktische Bedeutung weisen hingegen die beiden Varianten einer schriftlichen Befragung auf, die sich dadurch kennzeichnen, daß die Fragebögen persönlich verteilt und eingesammelt bzw. als Beilage von Printmedien verteilt und auf postalischem Wege zurückgesendet werden (s. Abbildung 14). Das gleiche gilt auch für die Variante **Fax-Befragung** (Fragebögenaus- und -rücksendung unter Einsatz eines

Fax-Gerätes), die nur in wenigen Fällen ihrer großen Schnelligkeit wegen einer postalischen Befragung vorgezogen werden sollte.[303]

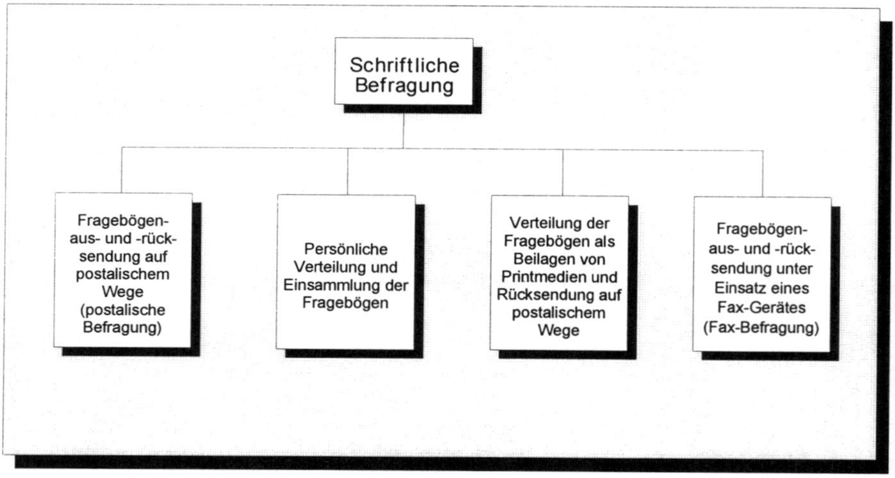

Abbildung 14: Formen der schriftlichen Befragung

Mündliche Befragungen sind durch eine mündliche Übermittlung der Fragen wie auch der Antworten charakterisiert. Geschieht dies von Angesicht des Fragenden zu Angesicht des Befragten *(face-to-face)*, haben wir es mit der Variante der **persönlichen Befragung** zu tun, während bei Nutzung des Mediums Telefon die Unterform der **telefonischen Befragung** vorliegt (s. Abbildung 15).

Persönliche Befragungen können sowohl in der Wohnung des Befragten *(häusliche Befragungen)* als auch außerhalb der Wohnung *(außerhäusliche Befragungen)* stattfinden, z.B. auf der Straße *(street interviews)*, in Einkaufszentren *(mall intercepts)* oder in zentral gelegenen (unternehmungseigenen oder angemieteten) Räumlichkeiten *(central-location interviews)*.

---

303 Vgl. Dickson, J.P., MacLachlan, D.L. (1996), S. 108ff.

Beide Formen einer persönlichen Befragung sind sowohl **konventionell** als auch **unter Einsatz eines Computers** durchführbar. Im ersteren Falle liest der Interviewer die zu stellende Frage von einem Fragebogen ab und trägt die Antwort auch in diesen ein. Im letzteren Falle wird die Frage von einem Computerbildschirm abgelesen, die Antwort in den Computer eingegeben und (bei Offline-Betrieb) dort gespeichert oder (bei Online-Betrieb) von dort sofort zu einem zentralen Rechner weitergeleitet. Man spricht dann von einem **computergestützten persönlichen Interview** *(Computer-Assisted Personal Interview, CAPI).*[304]

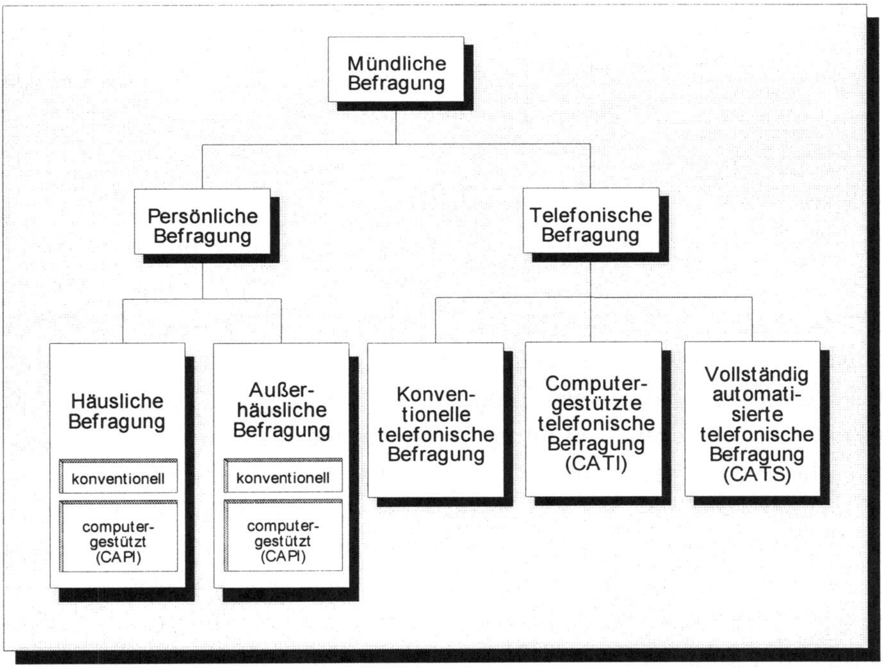

Abbildung 15: Formen der mündlichen Befragung

304 Vgl. Denny, M., Galvin, L. (1993), S. 121ff.; Hoepner, G. (1994), S. 142ff.; Mülder, W., Weis, H.C. (1996), S. 232ff.

Telefonische Befragungen können ebenfalls ***konventionell*** oder ***computergestützt*** *(Computer-Assisted Telephone Interview, CATI)* vorgenommen werden.[305] Darüber hinaus besteht seit kurzem die (u.W. bislang nur in den USA genutzte) Möglichkeit, ***vollständig automatisierte telefonische Befragungen*** *(Completely Automated Telephone Surveys, CATS)* vorzunehmen, bei denen unter Anwendung einer iterativen *"voice response technology"* die Fragen von einem Tonband abgespielt und die Antworten dann auch auf einem Tonband aufgenommen werden.[306]

Eine neue Form der Befragung stellen **Bildschirmbefragungen** (zuweilen auch **Computerbefragungen** genannt) dar, bei denen der Befragte ohne Zwischenschaltung eines Interviewers direkt mit dem Computer kommuniziert, die Fragen und Antworten folglich elektronisch übermittelt werden.[307] Da der Befragte den Fragebogen selbständig am und mit Unterstützung des Computers ausfüllt, wird diese Form der Befragung auch als **CSAQ** *(Computerized Self-Administered Questionnaire)*-**Befragung** bezeichnet.

Bildschirmbefragungen können sowohl **offline** als auch **online** durchgeführt werden (s. Abbildung 16). Bei den beiden ersten Varianten einer **Offline-Befragung** wird den Befragten eine **Diskette** oder **CD-ROM** zugeschickt, auf der die Fragen, eventuell Bild- und Tonanimationen (bei CD-ROMs) und die jeweils benötigte Software abgespeichert sind. Diese beantworten die Fragen an ihrem Computer und speichern den Datensatz anschließend entweder auf *der* bzw. (im Falle der Zusendung einer CD-ROM) auf *einer* Diskette ab, die dann an das auszuwertende Marktforschungsinstitut zurückgeschickt wird (weshalb diese Vorgehensweise auch als *"Disk-By-Mail"*, *DBM*, oder *"Computer Aided Mail Interviewing"*, *CAMI*, bezeichnet wird), oder sie senden den Datensatz **per E-Mail** dem Institut zu.[308]

---

305 Vgl. Hoepner, G. (1994), S. 123ff.; Mülder, W., Weis, H.C. (1996), S. 229ff.

306 Vgl. DePaulo, P.J., Weitzer, R. (1994), S. H33f.

307 Vgl. Liefeld, J.P. (1988), S. 405ff.; Hoepner, G. (1994), S. 171ff.; Mülder, W., Weis, H.C. (1996), S. 236ff.

308 Vgl. Hoepner, G. (1994), S. 193ff.; Schneid, M. (1995b); Das, P., Baker, S. (1996); Götte, A., Kümmerlein, K. (1996), S. 39; Will, C., Daburger, J. (1996); Will, C. (1997), S. 208ff.

Zwei weitere Varianten einer Offline-Bildschirmbefragung bestehen in der Durchführung einer **Fax-Befragung** (bei der nur die Fragebogenaussendung per Fax-Gerät, der Empfang und die Rücksendung aber per Fax-Modem erfolgt) sowie in der Durchführung einer **E-Mail-Befragung**, die in drei Varianten möglich ist.

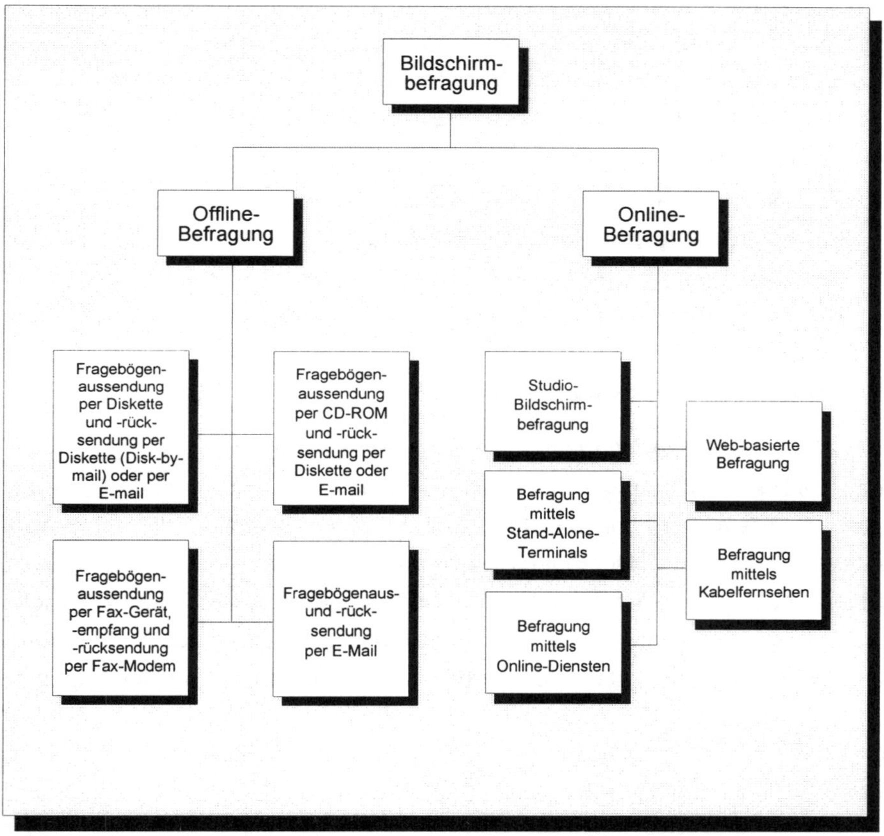

Abbildung 16: Formen der Bildschirmbefragung

Die erste und einfachste, aber auch am meisten die Ausgestaltung einschränkende Variante besteht darin, daß die zu stellenden Fragen in der an die Befragten gerichteten E-Mail aufgeführt sind (*embedded e-mail survey*), während bei der zweiten Variante der Fragebogen als Attachment zur E-Mail versendet (*questionnaire attached e-mail survey*) und bei der dritten Variante der E-Mail als Attachment ein in einer Befragungssoftware integrierter Fragebogen beigefügt wird (*survey program attached e-mail survey*).[309]

Im Gegensatz zu den Offline-Befragungsvarianten stehen die Befragten bei **Online-Bildschirmbefragungen** mit ihren Bildschirmgeräten in einer permanenten Verbindung mit einem die Befragung steuernden Zentralcomputer. Solche Online-Bildschirmbefragungen, die auch als *"Online Transmitted and Administered Questioning"* (OTAQ) bezeichnet werden, können in folgenden Ausprägungsformen durchgeführt werden[310] (s. auch Abbildung 16):

- Bildschirmbefragung in einem Studio,
- Befragung mittels Stand-Alone-Terminals,
- Befragung mittels Online-Diensten (T-Online, AOL etc.),
- Befragung mittels des WWW *(web-based e-mail survey* und *web survey)*,
- Befragung mittels Kabelfernsehen.

Web-basierte E-Mail-Befragungen (web-based e-mail surveys) und *Web-* bzw. *WWW-Befragungen (web surveys)* sind sicherlich die bedeutendsten und am häufigsten eingesetzten Formen einer Online-Bildschirmbefragung. Die erstere dieser beiden Befragungsformen ist dadurch charakterisiert, daß eine E-Mail an die zu Befragenden mit der Bitte geschickt wird, eine bestimmte Web-Adresse aufzusuchen und einen dort hinterlegten Fragebogen auszufüllen.[311] Bei Web-Befragungen werden dagegen entweder alle Besucher einer Webseite, die ein dort installiertes entsprechendes Banner oder einen Textlink angeklickt haben (*ad-hoc visitor surveys*), oder nur eine Auswahl von Besuchern per sich zufallsgesteuert

309 Vgl. Oppermann, M. (1995); Dodd, J. (1998), S. 61; Dommeyer, C.J., Moriarty, E. (2000), S. 39ff.

310 Vgl. hierzu auch Hoepner, G. (1994), S. 186ff.; Bogner, W. (1996); Götte, A., Kümmerlein, K. (1996), S. 37ff.; Dodd, J. (1998), 61ff.; Weis, H.C., Steinmetz, P. (1998), S. 82ff.

311 Vgl. Dommeyer, C.J., Moriarty, E. (2000), S. 41.

öffnenden Pop-Up-Fenstern (*pop-up visitor surveys*) um die Teilnahme an einer Befragung gebeten.[312]

Web-basierte E-Mail-Befragungen und Web-Befragungen, bei denen in beiden Fällen ein standortgebundenes Endgerät (in aller Regel ein mit einem Festnetz verbundener PC) zum Einsatz gelangt, sind die bislang einzigen kommerziell genutzten Formen einer elektronischen Befragung über das WWW. Obwohl ihr erstmaliger Einsatz nur wenige Jahren zurückliegt und daher sowohl die Möglichkeiten als auch die Grenzen ihres Einsatzes noch immer sehr kontrovers diskutiert werden[313], steht nach einigen ermutigenden Erprobungen eine weitere Form web-basierter Befragungen offensichtlich kurz vor ihrem breiteren kommerziellen Einsatz.

Bei dieser neuen, ***"m-survey"*** genannten Befragungsform erfolgen die Befragungen unter Nutzung von mobilen Endgeräten, d.h. von Mobiltelefonen, über die mit Hilfe der *WAP*[314]-Technologie (Europa) oder der von *NTT DoCoMo* entwickelten *I-Mode*-Technologie (Japan) ein Zugang zum WWW möglich ist.[315] Der Ablauf einer solchen Befragung gestaltet sich so, daß die zu Befragenden angerufen und darauf aufmerksam gemacht werden, daß sie eine E-Mail mit der Bitte erhalten haben, an einer Befragung teilzunehmen. Diese E-Mail enthält einen Hyperlink, der zu dem Fragebogen führt und von den Probanden dann, wenn sie Lust und Zeit haben, die Fragen zu beantworten, angeklickt werden kann.

Die Vorteile dieser Befragungsform bestehen darin, daß (insbesondere tagsüber) schwer erreichbare Personen kontaktiert werden können, die Befragung jederzeit unterbrochen und später fortgesetzt werden kann sowie die Situation der Informationserhebung einen In-Situ-Charakter haben kann. Als Nachteile sind vor allem die durch die häufig noch zu geringe Verbreitung derartiger Mobiltelefone, die geringe Bildschirmgröße und die gegenwärtig verfügbare (relativ langsame) Übertragungs-

---

312 Vgl.Theobald, A. (2000), S.73; Comley, P. (2001a).

313 Vgl. z.B. Johnston, A. (1999), S. 22ff.; Pincott, G., Branthwaite, A. (2000), S. 137ff.; Theobald, A., Dreyer, M., Starsetzki, T. (Hrsg.) (2001).

314 Akronym für "Wireless Application Protocol".

315 Vgl. hierzu und zum folgenden Havermans, J. (2001), S. 10 ff.

technologie bedingten Einschränkungen (1.) bei der Probandenauswahl, (2.) bei der Fragebogenlänge und (3.) bei der Fragebogengestaltung anzuführen.

Folglich ist damit zu rechnen, daß *m-surveys* zuerst in jenen Ländern (wie z.B. Japan) und/oder bei jenen Bevölkerungsgruppen (wie z.B. Managern oder Jugendlichen) zum stärkeren kommerziellen Einsatz kommen, in bzw. bei denen web-taugliche Mobiltelefone eine größere Verbreitung gefunden haben, und daß sich die Zahl der *m-surveys* erhöhen wird, wenn eine neuere Generation von web-tauglichen Mobiltelefonen verfügbar ist.[316]

Spezialbefragungen schließlich werden von einem Marktforschungsinstitut im Auftrage *einer* Unternehmung durchgeführt und dienen allein deren Informationsinteressen, während **Omnibusbefragungen** auf Initiative eines Marktforschungsinstitutes unter Beteiligung *mehrerer* Unternehmungen durchgeführt werden.

Auf die komparativen Vor- und Nachteile, die diese Befragungsformen bei einer *nationalen* Marketingforschung aufweisen, soll hier nicht eingegangen werden, weil eine solche Beurteilung sich im Kontext einer *internationalen* Marketingforschung grundlegend ändern kann. Der hieran interessierte Leser sei auf die Lektüre der einschlägigen Lehrbücher und auf die in der Tabelle 16 dargestellte Synopsis verwiesen, zu der jedoch angemerkt werden muß, daß sich die Kostenbeurteilungen natürlich nur auf die US-amerikanischen Post- und Telefongebühren, Personalkosten etc. beziehen, die sich ja von den deutschen bekanntermaßen z.T. (noch) sehr stark unterscheiden.

Im folgenden wollen wir vielmehr der Frage nachgehen, wie die Befragungsformen zu beurteilen sind, wenn unterschiedliche Länder(märkte) in eine Marketingforschung einbezogen werden müssen.

---

[316] Vgl. hierzu auch Park, C. (2000), S. 14; Savage, M. (2001c), S.9.

Criteria	Telephone Interview	CATI	In-Home	Mall Intercept	Computer Admin-istered	Mail Surveys
Flexibility of Data Collection	Moderate	Moderate to High	High	High	Moderate to High	Low
Diversity of Questions	Limited	Limited	Very Good	Very Good	Very Good	Moderate
Use of Physical Stimuli	Limited	Limited	Very Good	Very Good	Very Good	Moderate
Sample Control	Moderate to High	Moderate to High	Potentially High	Moderate	Moderate	Low
Control of Data Collection Environment	Moderate	Moderate	Moderate to Good	Very Good	Very Good	Low
Control of Field Force	Moderate	Moderate	Difficult	Moderate	Moderate	Very Good
Quantity of Data	Limited	Limited	Large	Moderate	Moderate	Moderate
Response Rate	Moderate	Moderate	Very Good	Very Good	Very Good	Very Low
Perceived Anonymity of the Respondent	Moderate	Moderate	Low	Low	Low	High
Social Desirability	Moderate	Moderate	High	High	High	Low
Obtaining Sensi-tive Information	Very Good	Very Good	Limited	Limited	Limited to Moderate	Very Good
Potential of Interview Bias	Moderate	Moderate	High	High	Low	None
Speed	High	High	Moderate	Moderate to High	Moderate to High	Low
Cost	Moderate	Moderate	High	Moderate to High	Moderate to High	Low

Tabelle 16: Komparative Beurteilung ausgewählter Befragungsformen
Quelle: Malhotra, N.K. (1991), S. 66

Die nicht-experimentelle **schriftliche Befragung** ist eine bei nationalen wie internationalen Marketingforschungen in der Regel zwar nicht vorrangig, aber doch recht häufig eingesetzte Erhebungsmethode (vgl. Tabelle 17), weil sie einige komparative **Vorteile** aufweist, die sowohl im nationalen wie im internationalen Kontext zur Geltung kommen.

Anzuführen sind insbesondere

- die niedrigen Durchführungskosten (dies zeigt sich auch darin, daß in allen Ländern Europas der Anteil schriftlicher Befragungen an den Ausgaben für quantitative Marktforschungsuntersuchungen niedriger ist als deren relative Einsatzhäufigkeit - vgl. dazu die entsprechenden Werte der Tabellen 17 und 18)[317],
- die Einbeziehbarkeit von geographisch stark verstreuten Auskunftspersonen und
- der Fortfall des Interviewereinflusses auf den Befragten.[318]

Hinzu kommt als prinzipieller Vorteil einer international angelegten schriftlichen Befragung die Möglichkeit, eine Befragung auch in solchen Ländern durchführen zu können, in denen keine (leistungsfähigen) Feldorganisationen verfügbar sind oder keine hinreichend hohen Prozentzahlen von Privathaushalten über einen Telefonanschluß verfügen.

Allerdings kommen schriftliche Befragungen in praxi häufig nur dann zur Anwendung, wenn sich die internationale Ad-hoc-Marketingforschung ausschließlich auf höher entwickelte Länder erstreckt oder sich an Geschäftsleute, Manager, Unternehmen etc. als Auskunftgebende wendet, d.h. wenn ein internationaler *"industrial survey"* bzw. *"business to busineß survey"* durchgeführt wird.[319] Die hierfür maßgeblichen Gründe sind darin zu suchen, daß der Einsatz dieser Erhebungsmethode von **Voraussetzungen** abhängig ist, die nur bei derartigen Untersuchungen weitgehend erfüllt sind.

---

317 Ab der Studie für das Jahr 1998 werden die relativen Einsatzhäufigkeiten quantitativer Erhebungsmethoden nicht mehr in der *„ESOMAR Annual Study on the Market Research Industry"* ausgewiesen, so daß die Tabelle 9 lediglich die vergleichsweise alten Werte des Jahres 1997 beinhaltet.

318 Vgl. Friedrichs, J. (1990), S. 237.

319 Vgl. Douglas, S.P., Craig, C.S. (1983), S. 224.

<u>Basis:</u> Gesamtzahl quantitativer Interviews	Anzahl der Interviews	Postalisch	Telefonisch		Elektronische Methoden	Persönlich			Mystery Shopping	Andere Methoden
			CATI	Konventionell		Außerhäuslich	Häuslich, CAPI	Häuslich, konvent.		
	Tsd.	%	%	%	%	%	%	%	%	%
Bulgarien	320	0	1	36	0	2	0	48	0	12
Dänemark	1.750	23	54			20			3	
Deutschland	13.635	17	40		*	43 (davon 5% CAPI)			-	-
Finnland	1.182	15	48	*	-	31			-	6
Griechenland	1.576	3	30	4	*	5	1	58	1	*
Großbritannien[2]	22.000	26	33		-	6	27		4	5
Irland	346	6	14	3	0	3	-	72	1	*
Luxemburg	75	0	77	0	0	1	0	21	0	0
Norwegen	1.897	17	71		*	12				
Österreich	1.250	14	30	9	*	10	1	30	2	3
Portugal[1]	804	3	28		-	69			-	-
Rußland	4.500	2	1	13	0	38	-	44	0	1
Schweden	2.600	37	48	6	*	5	1	4	*	*
Schweiz	1.840	22	64			14			-	-
Slowenien	222	8	4	35	1	10	0	43	*	0
Spanien	8.978	6	22	9	*	15	44		2	2
Tschechien	860	12	9	12	0	8	0	58	0	1
Türkei	4.500	3	9	2	1	11	2	72	-	-
Ungarn[1]	1.581	7	-	5	-	9	-	72	*	6
Europäischer Durchschnitt	k.A.	16	23	10	*	10	3	33	1	3

1 = Schätzwerte auf Basis der Daten des Jahres 1996

2 = Aufbruch nur auf Basis der AMSO-Daten

* = signifikant geringer als 0,5 %

Tabelle 17: Relative Einsatzhäufigkeit quantitativer Erhebungsmethoden in den Ländern Europas im Jahre 1997
Quelle: ESOMAR (1998c), S. 45

Basis: Gesamter Marktforschungs-umsatz	Quantitativ, ges.	Postalisch	Telefonisch	Elektronische Methoden	Persönlich: Außerhäuslich	Persönlich: Häuslich	Mystery Shopping	Andere Methoden
	%	%	%	%	%	%	%	%
Belgien	44 (37)	1 (2)	15 (18)	2 (1)	10 (7)	10 (7)	0 (2)	6 (0)
Brasilien	(63)	(1)	(12)	(-)	(15)	(29)	(1)	(5)
Bulgarien	40	0	5	0	5	28	0	2
China, VR	(49)	(-)	(3)	(-)	(-)	(44)	(-)	(2)
Dänemark	38 (66)	8 (16)	18 (30)	0 (1)	4 (7)	8 (11)	0 (1)	0 (-)
Deutschland[1]	36	3		12	19		-	2
El Salvador	(43)	(-)	(8)	(-)	(5)	(30)	(-)	(-)
Finnland	49 (50)	10 (12)	25 (25)	0 (2)	4 (2)	8 (6)	2 (3)	0 (-)
Fr. Jugoslawien[2]	42	13	8	(-)	8	4	(-)	8
Frankreich	36 (40)	4 (2)	13 (10)	- (-)	3 (6)	15 (15)	- (-)	1 (7)
Griechenland	37 (47)	1 (1)	4 (9)	0 (-)	9 (5)	20 (27)	2 (3)	2 (2)
Großbritannien[2]	47 (55)	4 (6)	10 (16)	1 (-)	7 (8)	22 (23)	2 (2)	1 (-)
Honduras	(55)	(5)	(-)	(-)	(12)	(30)	(3)	(5)
Irland	32	1	9	0	2	20	0	0
Italien	57 (47)	2 (2)	17 (21)	- (1)	36 (7)	(17)	- (-)	3 (-)
Japan	(51)	(8)	(10)	(1)	(11)	(19)	(-)	(2)
Kanada	(78)	(5)	(59)	(3)	(6)	(5)	(-)	(-)
Kroatien	(49)	(5)	(9)	(-)	(5)	(30)	(1)	(-)
Luxemburg	80	0	38	0	2	40	0	0
Neuseeland	(39)	(3)	(23)	(1)	(4)	(8)	(-)	(-)
Niederlande	46	-	-	-	-	-	-	-
Norwegen	77 (60)	5 (11)	31 (32)	(-)	21 (-)	(15)	20 (-)	(-)
Österreich	38	1	13	0	4	17	2	1
Pakistan	(52)	(1)	(1)	(-)	(4)	(38)	(3)	(5)

Peru	(40)	(-)	(1)	(-)	(3)	(36)	(-)	(-)
Polen	(32)	(1)	(5)	(-)	(4)	(19)	(-)	(3)
Portugal	27 (35)	2 (2)	10 (15)	- (3)	* (2)	13 (10)	* (2)	2 (1)
Rumänien	(45)	(-)	(4)	(-)	(6)	(29)	(1)	(5)
Rußland	55 (43)	- (1)	5 (8)	- (1)	20 (12)	25 (19)	- (2)	5 (-)
Schweden	62 (54)	16 (13)	36 (32)	0 (3)	7 (4)	2 (2)	0 (-)	1 (-)
Schweiz[3]	47 (51)	4 (5)	29 (30)	- (-)	14 (-)	(15)	- (-)	0 (1)
Singapur	(55)	(3)	(30)	(2)	(3)	(15)	(-)	(2)
Slowakei	(42)	(-)	(14)	(-)	(3)	(24)	(-)	(1)
Slowenien	37 (38)	2 (1)	11 (20)	1 (-)	6 (5)	15 (7)	1 (2)	1 (4)
Spanien	46 (46)	2 (3)	12 (19)	0 (-)	9 (18)	20 (-)	1 (-)	2 (6)
Südafrika	(51)	(1)	(10)	(1)	(3)	(33)	(2)	(1)
Südkorea	(63)	(24)	(13)	(1)	(14)	(4)	(2)	(5)
Tschechien	41 (51)	1 (1)	5 (11)	0 (-)	4 (13)	29 (21)	0 (1)	2 (4)
Türkei	48 (47)	2 (-)	4 (4)	2 (7)	10 (11)	29 (20)	1 (2)	0 (2)
Ungarn[2]	54 (53)	2 (4)	5 (7)	- (1)	7 (11)	36 (25)	- (1)	4 (4)
Venezuela	(60)		(10)	(2)	(12)	(33)	(2)	(1)
Zypern	(55)	(2)	(10)	(-)	(5)	(30)	(8)	(-)
Europäischer Durchschnitt[4]	44 (47)	4 (4)	14 (16)	* (1)	8 (7)	15 (16)	1 (1)	2 (2)

1 = Kategorienaufbruch auf Basis einer Extrapolation der Daten des Jahres 1993 sowie einer Aktualisierung, um den späteren Bedeutungszuwachs von telefonischen Befragungen erfassen zu können

2 = 1997 Schätzwerte auf Basis der Daten des Jahres 1996

3 = Um die Omnibuserhebungen bereinigte Zahlenwerte des Jahres 1997

4 = Bezieht sich nur auf die Länder, für die eine Spezifikation der Erhebungsmethoden möglich war

* = signifikant geringer als 0,5 %

Tabelle 18: Ausgabenanteile für quantitative Erhebungsmethoden in verschiedenen Ländern der Welt in den Jahren 1997 und 2000
Quelle: ESOMAR (1998c), S. 44; Samuels, J. (2001c), S. 14

Die **erste Voraussetzung** für die Durchführung von internationalen schriftlichen Befragungen ist das **Vorhandensein von Auswahlbasen**, welche die Elemente der jeweiligen nationalen Grundgesamtheiten so vollständig als möglich mit aktuellen, korrekten Adressen erfassen. Solche Auswahlbasen liegen in vielen Ländern für Unternehmungen bzw. selbständig Berufstätige und in den meisten höher entwickelten Ländern auch für die sonstige Bevölkerung in Form von Adressenverzeichnissen, Handbüchern, Telefonbüchern, Einwohnermelderegistern etc. vor. Trotzdem ist die Zahl der Länder groß, in denen keine national oder für bestimmte Zielgruppen repräsentative schriftliche Befragungen durchgeführt werden können, weil entsprechende Auswahlbasen nicht existieren, nicht zugänglich, total veraltet oder lückenhaft sind.[320]

Eine **zweite Voraussetzung** ist das **Vorhandensein eines landesweit effizienten und zuverlässigen Postdienstes** in all jenen Ländern, die in die Untersuchung einbezogen werden sollen. Wie schon früher bemerkt wurde (s. Kap. 1.4.2.3), mangelt es hieran aber in vielen, insbesondere den mehr ländlich strukturierten Ländern Asiens, Afrikas, Mittel- und Südamerikas. Der Postdienst ist in einigen dieser Länder so schlecht, daß selbst nach offiziellen Schätzungen ein beträchtlicher Anteil der Privatpost den Empfänger nie erreicht. In Brasilien beträgt dieser Anteil beispielsweise 30 %.[321] Die Ursachen solcher Mißstände sind u.a. darin zu sehen, daß in diesen Ländern

- die ländlichen Regionen und sozialen Brennpunkte der Großstädte postalisch nicht (hinreichend) erschlossen sind,
- entweder generell (wie z.B. in Saudi Arabien und Nicaragua) oder in den ländlichen Regionen keine Hauszustellung der Post erfolgt[322],
- die Zustellung privater Post wegen des häufigen Fehlens von Straßenbezeichnungen, Hausnummern o.ä. sehr erschwert ist – in Venezuela z.B. weisen die meisten Häuser keine Numerierung auf,

---

[320] Vgl. Mitchell, R.E. (1965), S. 667f.; Aldridge, D. (1983), S. 24; Bulmer, M. (1983), S. 93f.; Douglas, S.P., Craig, C.S. (1983), S. 224; Leonidou, L.C., Rossides, N.J. (1995), S. 463; Cateora, P.R. (1997), S. 204f.; Lee, B., Wong, A. (1998), S. 3.

[321] Vgl. Malhotra, N.K. (1991), S. 82.

[322] Vgl. ebenda.

sondern werden durch individuelle Hausnamen, wie beispielsweise *"Casa Rosa"* oder *"El Retiro"*, gekennzeichnet[323].

Nicht zuletzt setzen internationale schriftliche Befragungen auch eine **hinreichende Lese- und Schreibkundigkeit** der zu befragenden Personen voraus. Wie entsprechende Schätzwerte der *UNESCO* (s. Anhang B) jedoch deutlich machen, verfügt in vielen Ländern Afrikas, Asiens, Mittel- und Südamerikas ein hoher Anteil der Bevölkerung nicht über diese Kundigkeit. Exorbitant hohe Analphabetenquoten von über 60 % bei der über 14-jährigen Gesamtbevölkerung weisen z.B. die Länder Afghanistan, Äthiopien, Benin, Burkina Faso, Niger und Senegal auf. Bei der weiblichen Bevölkerung nicht nur dieser, sondern eine Reihe weiterer Länder (wie z.B. von Bangladesch, Pakistan und Guinea) liegt diese Quote sogar noch um einiges darüber. Daraus folgt, daß in den meisten afrikanischen Ländern sowie in vielen asiatischen, mittel- und südamerikanischen Ländern nur Angehörige der gebildeten Schichten in eine schriftliche Befragung einbezogen werden können.

Aber auch in den Ländern, die eine sehr niedrige Analphabetenquote aufweisen, kann es Bevölkerungsgruppen geben, die zu einem großen Teil des Lesens und Schreibens unkundig sind und daher dann auch nicht schriftlich befragt werden können. Als Beispiel seien die USA genannt, die eine extrem niedrige Analphabetenquote von 0,5% haben, gleichwohl aber mit den sog. *"Barrio Hispanics"* (dies sind in spanischsprachigen Ghettos lebende Einwanderer aus den Ländern Mittel- und Südamerikas und deren Abkömmlinge) eine über 10 Millionen Personen zählende Bevölkerungsgruppe besitzen, die weitgehend aus Analphabeten besteht.[324]

Selbst wenn bei einem bestimmten Forschungsvorhaben alle drei Voraussetzungen vorliegen, verbleibt immer noch das Problem, daß die nationalen Rücklaufquoten der schriftlichen Befragung zu niedrig oder zu unterschiedlich ausfallen. Denn zu **niedrige Rücklaufquoten** beeinträchtigen die Repräsentanz[325], sehr **unterschiedliche Rücklaufquoten** die Vergleichbarkeit der nationalen Erhebungsergebnisse. Verschiedene

---

323 Vgl. Czinkota, M.R. (1988), S. 403.

324 Vgl. Hernandez, S.A., Kaufmann, C.J. (1990), S. 11ff.

325 Vgl. Friedrichs, J. (1990), S. 243ff.

Möglichkeiten, die Rücklaufquote zu steigern, sind aus der nationalen Umfrageforschung bekannt und insbesondere von US-amerikanischen und britischen Forschern auf ihre Wirksamkeit hin empirisch überprüft worden[326] (wobei sich dem Anschreiben beigefügte monetäre Anreize und Erinnerungsschreiben bei *"consumer surveys"* wie *"industrial surveys"* als am wirkungsvollsten erwiesen), doch bleibt zu fragen, ob diese Ergebnisse international zu generalisieren sind, d.h. ob es möglich ist, durch ein standardisiertes Vorgehen in allen untersuchten Ländern die Rücklaufquote gleichermaßen wirkungsvoll zu steigern.

Empirische internationale Methodenstudien, die dieser Frage nachgehen, gibt es bislang nur sehr wenige. So hat *Keown*[327] festgestellt, daß japanische Manager auf einen dem Fragebogen beigefügten monetären "Anreiz" (der aus einem neuen Ein-Dollar-Schein bestand) positiv, Manager in Hongkong dagegen negativ reagieren. *Ayal/Hornik* und *Jobber/Saunders*[328] haben untersucht, ob israelische und amerikanische bzw. britische und amerikanische Manager bei verschiedenen Absenderangaben und Absendeländern (Fragebogen kommt aus dem Inland respektive Ausland von einem in- respektive ausländischen Absender) unterschiedlich reagieren, und übereinstimmend ermittelt, daß amerikanische Manager keine unterschiedlichen Reaktionen zeigen, während israelische wie britische Manager Fragebögen, die aus einer inländischen Quelle stammen, signifikant häufiger beantworten.

Eisinger et al.[329] haben mit von den USA aus verschickten Fragebögen in Kenia, der Elfenbeinküste, Venezuela, Argentinien, Kolumbien, Peru und Mexiko Hörer des Radiosenders *"Voice of America"* bzw. Bezieher von Zeitschriften der *"United States Information Agency" (USIA)* befragt und dabei systematisch fünf verschiedene Maßnahmen zur Erhöhung der Rücklaufquote überprüft, nämlich (1) Vorankündigung der Befragung durch Zusendung einer Postkarte, (2) Personalisierung des Anschrei-

---

326 Vgl. z.B. Kanuk, L., Berenson, C. (1975), S. 440ff.; Armstrong, J.S., Lusk, E.J. (1987), S. 233ff.; Hein, D., Klose, A. (1990), S. 73ff.; Brennan, M., Hoek, J., Astridge, C. (1991), S. 229ff.; Schlegelmilch, B.B., Diamantopoulos, A. (1991), S. 243ff.

327 Vgl. Keown, C.F. (1985), S. 151ff.

328 Vgl. Ayal, I., Hornik, J. (1984); Jobber, D., Saunders, J. (1988), S. 483ff.

329 Vgl. Eisinger, R.A., Janicki, W.P., Stevenson, R.L., Thompson, W.L. (1974), S. 124ff.

bens, (3) Beigabe eines kleinen nicht-monetären Geschenkes, (4) Versendung des Fragebogens als Einschreiben und (5) nochmalige Versendung eines Fragebogens (6-7 Wochen nach der ersten Aussendung).

Eine Analyse der erzielten Rücklaufquoten erbrachte folgende Ergebnisse:

1. Die Maßnahmen (1), (2), (4) und (5) führen zu einer deutlichen Erhöhung der Rücklaufquote.
2. Die Maßnahme (5) sollte ca. 4 Wochen nach der ersten Aussendung ergriffen werden.
3. Eine der Maßnahmen (1), (2) oder (4) reicht zur Erhöhung der Rücklaufquote aus.
4. Die Maßnahme (4) führt zur höchsten Rücklaufquote und erlaubt (bei einem funktionierenden Postdienst) überdies eine bessere Abschätzung der Erfolgsquote der Befragung, weil die unzustellbaren Postsendungen quantifiziert werden können.
5. Gesetzt den Fall, daß diese vierte Maßnahme sehr teuer ist, sollte trotzdem ein Teil der Fragebögen als Einschreiben verschickt werden, um dadurch den Prozentsatz der unzustellbaren Postsendungen feststellen und auf die gesamte Aussendung hochrechnen zu können.

Dawson/Dickinson[330] kamen bei einer 6-Länder-Studie zu den folgenden beiden Resultaten: erstens führt eine dem Anschreiben beigefügte ausländische Briefmarke bei deutschen und britischen Managern zu einem starken Anstieg der Rücklaufquote; zweitens, und damit kommen wir nun auf den anderen Problemaspekt internationaler schriftlicher Befragungen zurück, nämlich die Möglichkeit national **unterschiedlicher Rücklaufquoten**, sind bei britischen und französischen Managern deutlich niedrigere Rücklaufquoten zu verzeichnen als bei japanischen, kanadischen, amerikanischen und deutschen Managern (wobei japanische Manager von allen die signifikant höchste Quote erbrachten).

International unterschiedliche Rücklaufquoten verzeichneten auch *Mintu/Calantone/Gassenheimer*[331], die in einer 2-Länder-Studie (USA, Philippinen) der Frage nachgingen, ob die Maßnahmen, die bei nationalen

330 Vgl. Dawson, S., Dickinson, D. (1988), S. 491ff.

331 Vgl. Mintu, A.T., Calantone, R.J., Gassenheimer, J.B. (1993), S. 69ff.

(US-amerikanischen oder britischen) schriftlichen Befragungen zu einer Erhöhung der Rücklaufquote führen (vorherige Ankündigung der Befragung, Personalisierung des Anschreibens, Beilage eines frankierten Rückumschlages bzw. eines die Rückportokosten abdeckenden Geldbetrages etc.), in internationalen Untersuchungen die gleichen Wirkungen erbringen. Wenngleich die von ihnen erzielten Ergebnisse schwerlich zu generalisieren sind, zeigen sie jedoch auch im Ausdruck der höheren philippinischen Rücklaufquote auf, daß diese Frage tendenziell zu bejahen ist.

International unterschiedliche, aber fast durchgängig erstaunlich hohe Rücklaufquoten wurden schließlich auch von *Klose*[332] bei einer schriftlichen Unternehmensbefragung konstatiert, die in acht karibischen Staaten durchgeführt wurde.

Diese und andere Ergebnisse empirischer Untersuchungen[333] legen die Schlußfolgerung nahe, daß es offensichtlich kulturbedingte Unterschiede bezüglich der Bereitschaft gibt, Fragebögen auszufüllen. Mit einer länderbezogenen diesbezüglichen Aussage sollte man sich beim gegenwärtigen Stand der empirischen Forschung jedoch noch zurückhalten, weil die festgestellten nationalen Unterschiede möglicherweise lediglich das Resultat von unterschiedlichen Anlagen der schriftlichen Befragungen oder unterschiedlichen Berechnungen der Rücklaufquote[334] sein könnten.

So konnte z.B. *Nederhof*[335] bei einer Auswertung methodisch gleichartig angelegter holländischer und US-amerikanischer Befragungen für beide Länder vergleichbare Rücklaufquoten ermitteln und damit die von *Eichner/Habermehl* und *Goyder*[336] nach einer Analyse verschiedener Umfrageergebnisse gezogene Schlußfolgerung widerlegen, daß zwischen den USA und Europa ein kulturbedingtes Gefälle der Rücklaufquoten besteht, mithin in den USA in der Regel höhere Quoten erzielt werden als

332 Vgl. Klose, A. (1991), S. 343ff.

333 Vgl. z.B. Daley, L., Jiambaboo, J., Sundem, G.L., Kondo, Y. (1985), S. 91ff.; Hernandez, S.A., Kaufman, C.J. (1990), S. 16.

334 Vgl. hierzu auch Bauer, E. (1982a), S. 91ff.; ders. (1982b), S. 213ff.

335 Vgl. Nederhof, A.J. (1985), S. 55ff.

336 Vgl. Eichner, K., Habermehl, W. (1981), S. 361ff.; Goyder, J.C. (1982), S. 550ff.

in den europäischen Ländern. Nach der Auswertung einer neueren, in den Jahren 1995/96 durchgeführten 22-Länder-Studie, in die insgesamt 1.772 Topmanager einbezogen waren, gelangte *Harzing* sogar zu der völlig gegenteiligen Feststellung, nämlich daß "... response rates in Europe are higher instead of lower than in the US"[337].

Eine Aus- und Rücksendung der Fragebögen per **Fax-Gerät** ist wegen der hierzu notwendigen Hardware-Ausstattung in allen Ländern der Erde bislang nur bei ausgewählten Adressaten der Befragung (z.B. Unternehmungen) möglich. Befriedigende Ergebnisse konnte z.B. *Schneid* bei einer internationalen Fax-Befragung von Marktforschungsinstituten erzielen.[338] Er weist allerdings auch darauf hin, daß die damit verbundene manuelle Eingabe von Rufnummern und Fragebögen sehr mühsam und zeitaufwendig ist, die Zuhilfenahme von Fax-Modems, d.h. die Durchführung einer *Bildschirmbefragung*, mithin empfehlenswerter wäre.[339]

Eine generell oder für einzelne Länder in Betracht kommende, zur schriftlichen Befragung alternative Erhebungsmethode für nicht-experimentelle Ad-hoc-Untersuchungen stellt die **persönliche Befragung** dar, deren Durchführung (wenn keine Zufallsstichprobe vorgenommen wird) lediglich das **Vorhandensein einer leistungsfähigen Feldorganisation** voraussetzt. Angesichts des Tatbestandes, daß in vielen europäischen und auch außereuropäischen Ländern die persönliche Befragung die im Rahmen von nationalen Marketingforschungen am häufigsten eingesetzte Erhebungsmethode ist (vgl. Tabelle 17), darf wohl angenommen werden, daß diese Voraussetzung in fast allen Ländern erfüllt ist.

Breit angelegte internationale Marketingforschungen, bei denen ausschließlich persönliche Befragungen eingesetzt wurden, sind daher keine Seltenheit. Genannt seien beispielsweise die von *The Reader's Digest Association* bzw. von der *Coca-Cola Comp.* in Auftrag gegebenen Untersuchungen *"Reader's Digest Eurodata"*[340], *"International Consumer Sur-*

---

337 Harzing, A.-W. (2000), S. 247.

338 Vgl. Schneid, M. (1995a), S. 11.

339 Vgl. ebenda.

340 Verlag Das Beste GmbH (1991a) und (1991b).

vey"[341] und *"European Beverage Monitor 1991"*[342] sowie die für *The Nickelodeon/Just Kid Inc.* von *Research International* (GB) durchgeführte *"Global Kids Study"*. Bei allen vier Untersuchungen wurde die Variante der **häuslichen Befragung** gewählt, die einerseits zwar eine bessere Stichprobenkontrolle ermöglicht[343], andererseits aber auch relativ hohe Erhebungskosten hervorruft, wenngleich sich in jüngster Zeit die zwischen den einzelnen Befragungsformen zu konstatierenden Kostenrelationen wohl offensichtlich zugunsten der häuslichen Befragung verschoben haben.

Diesen Sachverhalt verdeutlicht ein Vergleich der entsprechenden Erhebungsergebnisse der *"ESOMAR Annual Study on the Market Research Industry"* aus den Jahren 1992, 1996 und 1997.[344] Während in den Jahren 1992 und 1996 die auf häusliche Befragungen entfallenden Anteile an den Ausgaben für quantitative Marketingforschungsstudien in den europäischen Ländern höher als die relativen Einsatzhäufigkeiten dieser Befragungsform waren und im europäischen Durchschnitt der Ausgabenanteil 43 % (1996) bzw. 51 % (1992) sowie die relative Einsatzhäufigkeit 36 % (1996) bzw. 37 % (1992) betrug, haben sich im Jahre 1997 in einigen europäischen Ländern diese Größenverhältnisse umgekehrt.

Im europäischen Durchschnitt sank dadurch der Ausgabenanteil auf einen Wert von 34,1 % (vgl. Tabelle 18), wohingegen die relative Einsatzhäufigkeit bei 36 % verblieb (vgl. Tabelle 17).

Bei den anderen Befragungsformen veränderten sich die gleichen Größen wie folgt:

1. außerhäusliche Befragungen
   Ausgabenanteil: 18,2 % (1997); 12 % (1996); 8,2 % (1992)
   relative Einsatzhäufigkeit: 10 % (1997); 12 % (1996); 13 % (1992)

---

341 Vgl. Stout, R.G., Dalvi, N. (1989), S. 545ff.

342 Vgl. Gehring, K. (1993), S. 4ff.

343 Vgl. Malhotra, N.K. (1991), S. 78.

344 Vgl. ESOMAR (1993); dies. (1997a); dies. (1998c).

2. telefonische Befragungen
   Ausgabenanteil: 31,8% (1997); 31% (1996); 24,5% (1992)
   relative Einsatzhäufigkeit: 33% (1997); 35% (1996); 29% (1992)

3. schriftliche Befragungen
   Ausgabenanteil: 9,1% (1997); 10% (1996); 10,2% (1992)
   relative Einsatzhäufigkeit: 16% (1997); 16% (1996); 21% (1992)

Dies bedeutet, daß europaweite häusliche Befragungen im Jahre 1992 (1996) noch fast dreimal (doppelt) so teuer wie schriftliche Befragungen, mehr als zweimal (eineinhalbmal) so teuer wie außerhäusliche Befragungen und ca. 70 (35) Prozent teurer als telefonische Befragungen waren. Im Jahre 1997 waren solche Befragungen hingegen nur noch um ca. 67 % teurer als schriftliche Befragungen, aber etwa gleich teuer wie telefonische Befragungen und fast halb so teuer wie außerhäusliche Befragungen.

Welche konkreten Kostengrößen bei einer häuslichen Befragung in den einzelnen europäischen und in verschiedenen außereuropäischen Ländern erreicht werden können, verdeutlicht die *"ESOMAR 1997 Prices Study"*[345]. Danach kostet eine wie folgt angelegte Einstellungs- und Verbrauchsstudie im weltweiten Durchschnitt 31.700 US $:

- *Untersuchungsziel:* Erhebung von Daten über den Verbrauch von und die Einstellung zu Schokoladenkonfekt.
- *Stichprobe:* National repräsentative Quotenstichprobe von 750 Erwachsenen, die zu einer Netto-Stichprobe von ca. 500 regelmäßigen Verwendern von Schokoladenkonfekt führt.
- *Art und Länge der Interviews:* Persönliche Interviews von einer Dauer von je 5 Minuten zur Identifikation des Verwenderstatus und von weiteren 40 Minuten bei regelmäßigen Verwendern.
- *Ergebnisanalyse:* Durchführung von Computertabellierungen.
- *Ergebnisreport:* Schriftlicher Report in einem Umfang von 45 Seiten.

[345] Vgl. ESOMAR (1998a).

In den fünf bevölkerungsstärksten europäischen Ländern, auf die sich europaweite Marketingforschungen häufig beschränken, ist bei einer solchen Untersuchung mit folgenden Kosten zu rechnen (siehe Abbildung 17):

- Frankreich 43.500 US $,
- Deutschland 41.500 US $,
- Großbritannien 40.700 US $,
- Italien 31.500 US $,
- Spanien 28.700 US $.

Betrachtet man zunächst einmal nur die Kostensituation in den anderen westeuropäischen Ländern, so liegen innerhalb der Spannbreite dieser Länderkosten die Untersuchungskosten in der Schweiz, in Norwegen, Belgien, Irland, den Niederlanden und Finnland, während in Schweden und Dänemark höhere, in Österreich, Griechenland und Portugal niedrigere Kosten anfallen.

Weltweit am teuersten sind Untersuchungen dieser Art in Japan, den USA und Australien, gleich teuer wie in den westeuropäischen Kernländern in Hongkong, Argentinien, der VR China, Südkorea und Singapur, und am billigsten in Indien sowie in den osteuropäischen Ländern (vgl. Abbildung 17).

Interessant ist ferner, daß der für die Erstellung eines Ergebnisreports ausgewiesene Kostenanteil, von wenigen Ausnahmen abgesehen, international durchgängig bei 8-12 % liegt. Zu den Ausnahmen, die geringere Werte dokumentieren, zählt neben Japan mit 5 %, Südafrika, Australien und Neuseeland mit jeweils 7 %, während höhere Werte bei den asiatischen und den "Pacific Rim"-Staaten (13 bzw. 15 %) zu verzeichnen sind. Anders ausgedrückt: die Erstellung eines Ergebnisreports führt in weiten Teilen der Welt zu einer Erhöhung der Untersuchungskosten um 10-11 %, in den asiatischen Ländern um 13-15 %, in Japan, Südafrika, Australien und Neuseeland hingegen nur um 6-8 %.[346]

[346] Vgl. ebenda, S. 11.

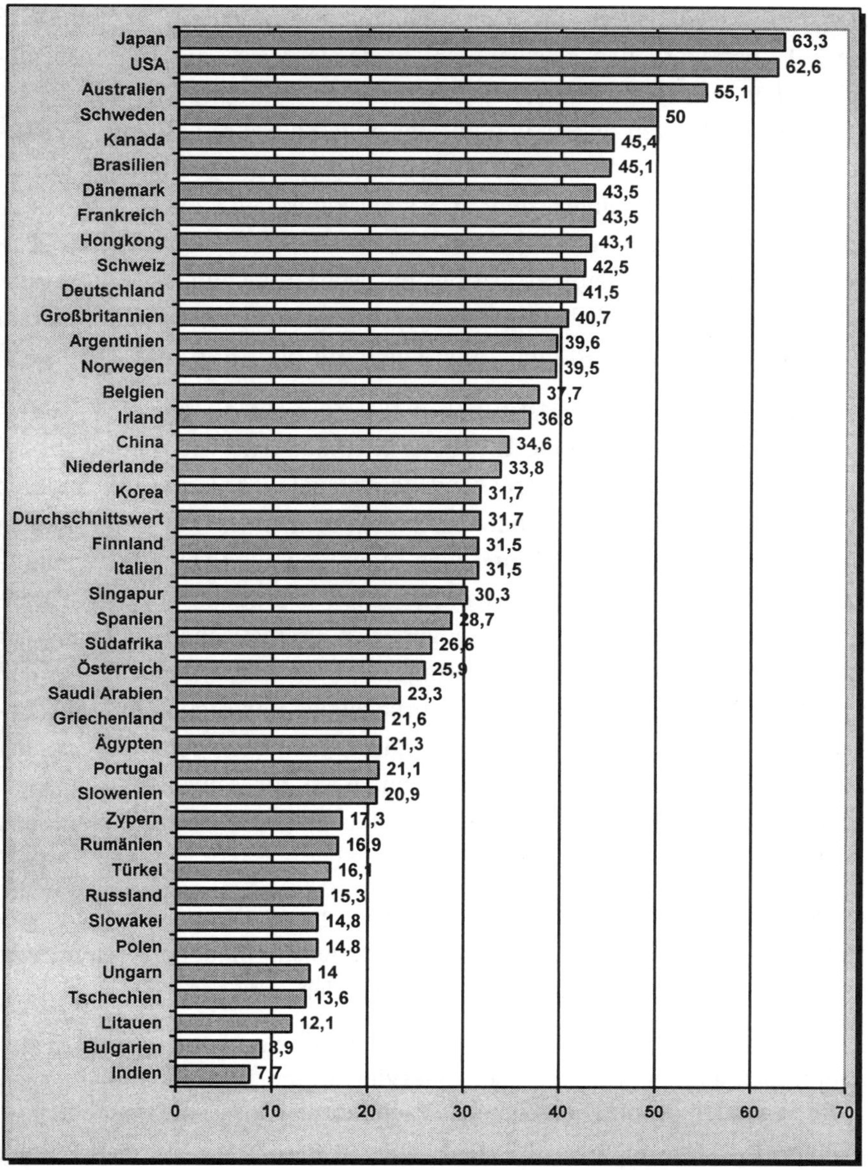

Abbildung 17: Durchschnittliche Kosten einer Verwendungs- und Einstellungsstudie in verschiedenen Ländern der Welt (in Tsd. US $)

Quelle: ESOMAR (1998a), S. 10

Genauso, wie der weltweite Durchschnittskostenwert von 31.700 US $ die z.T. beträchtlichen Kostenunterschiede verdeckt, die zwischen einzelnen Ländern (insbesondere zwischen Japan und den USA auf der einen sowie Bulgarien und Indien auf der anderen Seite) bestehen, verbergen sich hinter den nationalen Durchschnittskostenwerten in einigen Fällen (so vor allem hinter dem US-amerikanischen, dänischen, britischen, norwegischen und chinesischen Wert) stark differierende Kostenangaben der jeweiligen nationalen Marktforschungsinstitute (vgl. Abbildung 18) - ein Tatbestand, den es bei einer länderweisen Auswahl von Marktforschungsinstituten zu beachten gilt (vgl. Kap. 4.3.2).

Trotz ihrer immer noch relativ hohen Kosten stellt die häusliche Befragung so lange eine effiziente Erhebungsmethode dar, wie die mit ihr erreichbare Erfolgsquote entsprechend höher ausfällt, als die mit anderen Befragungsformen zu erzielenden Erfolgsquoten. Dies war lange Zeit in vielen Ländern auch der Fall und mag in einigen auch heute noch zutreffen, in anderen, insbesondere den industriell geprägten westlichen Ländern ist dagegen seit Jahren ein stetiger, z.T. dramatischer Rückgang der Erfolgsquoten von häuslichen Befragungen zu verzeichnen[347], so daß z.B. in den USA und Kanada die außerhäusliche und die telefonische Befragung immer mehr zu Lasten der häuslichen Befragung ausgeweitet wurden, die nunmehr vor allem dann nur noch zur Anwendung gelangt, wenn längere Interviews notwendig sind und/oder Vorlagen eingesetzt werden müssen.[348]

Problematisch, wenn nicht gar gänzlich ungeeignet ist eine häusliche Befragung in jenen Ländern, in denen die dabei anfallenden Kosten zwar vergleichsweise gering sind, die zu Befragenden aber generell

- nur sehr schwer erreicht oder kontaktiert werden können (wegen der eingeschränkten Mobilität der Interviewer, der Abschottung der zu Befragenden durch Dienstboten, Wachdienste, Sprechanlagen etc.),
- einen Fremden nicht in ihr Haus bzw. in ihre Wohnung lassen (dürfen) oder
- einem Interviewer mit Argwohn begegnen.

---

347 Vgl. Bowles, T. (1989), S. 470f.; Baim, J. (1991), S. 114ff.

348 Vgl. Lysaker, R.L. (1989), S. 484; Malhotra, N.K. (1991), S. 78.

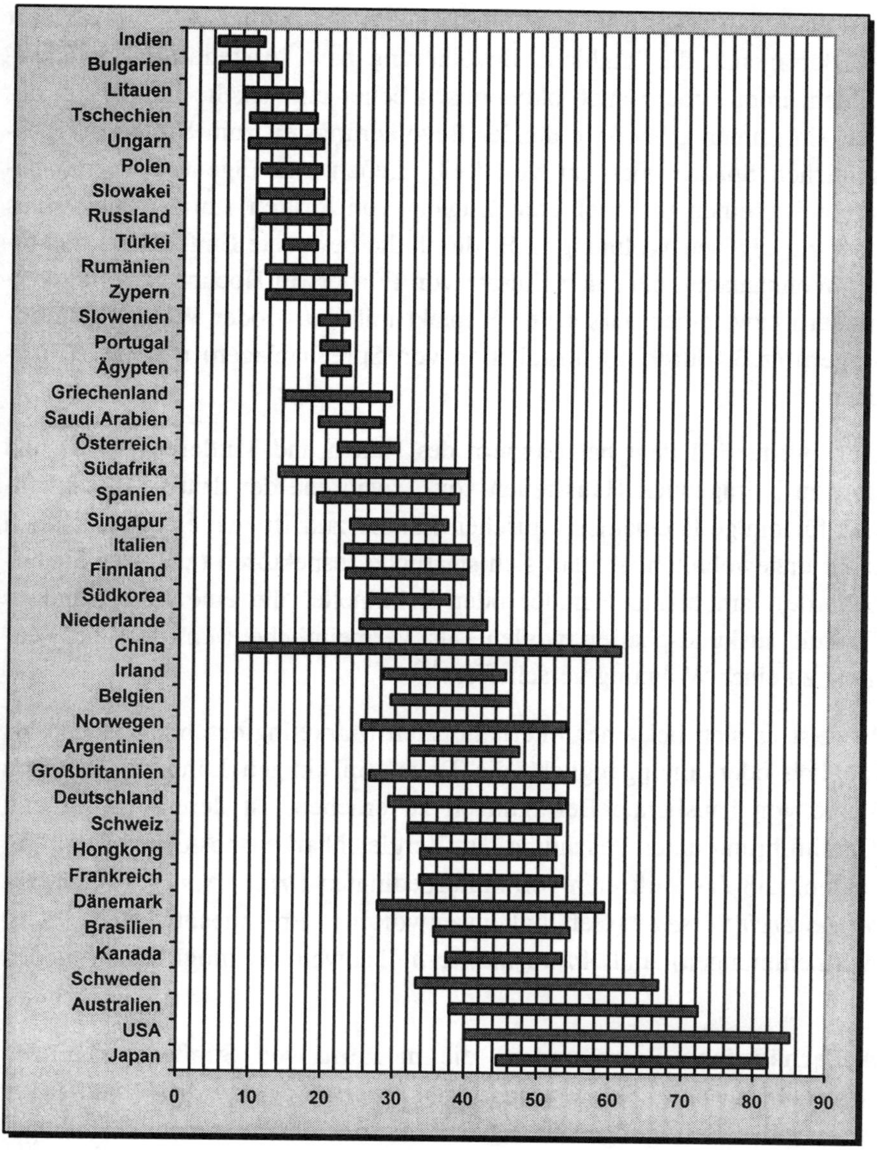

Abbildung 18: Internationale Kostenstreuung (+/- 1 δ) bei Einstellungs- und Verwendungsstudien
Quelle: ESOMAR (1998a), S. 10

Der erste Fall betrifft neben vielen Ländern der Dritten Welt und als dort zu Befragende die ländliche Bevölkerung bzw. Angehörige der Oberschicht immer mehr auch ökonomisch höher entwickelte Länder, in denen ein immer größer werdender Bevölkerungsteil zum Schutz der persönlichen Sphäre oder gar von Leib, Leben und Eigentum darum bestrebt ist, einen unmittelbaren Zugang von Dritten zum eigenen Haus oder zur eigenen Wohnung (z.B. durch die bewachte Einfriedung mehrerer Wohnanlagen oder den Einsatz von Portiers in Hochhäusern) zu verhindern bzw. einen personalen Kontakt mit Haus- oder Wohnungstüranfragern (z.B. durch die Installation von Sprechanlagen) unnötig zu machen.

Der zweite Fall liegt bei Ländern des Nahen und Mittleren Ostens und dort zu befragenden Hausfrauen vor[349], während der dritte Fall schließlich für einige lateinamerikanischen Länder zutrifft, wo es offensichtlich nicht ungewöhnlich ist, daß sich staatliche Inspektoren (z.B. der Steuerbehörde), ambulante Händler oder Kriminelle, die eine Einbruchmöglichkeit auskundschaften wollen, als vermeintliche Marktforscher Zugang zu einer Wohnung verschaffen.[350]

Erweist es sich bei einer internationalen Marketingforschung jedoch als möglich oder unumgänglich, die Daten (in einigen Ländern) auf dem Wege von häuslichen Befragungen zu erheben, ist deren Anlage und Durchführung unter Beachtung des Vergleichbarkeitspostulates so zu gestalten, daß das Auftreten von kulturbedingten *Drittpersoneneffekten*, *Interviewereinflüssen* (Gefälligkeitsantworten, Prestigeantworten, Antworthemmungen) und *Antwortmustern*[351] soweit als möglich vermieden wird.

Außerhäusliche Befragungen, die in Form von Straßenbefragungen *(street interviews)*, Studiobefragungen *(central-location* bzw. *hall interviews)* oder Befragungen in Einkaufszentren *(mall intercepts)* durchge-

---

[349] Vgl. Stanton, J.L., Chandran, R., Hernandez, S.A. (1982), S. 134; Douglas, S.P., Craig, C.S. (1983), S. 227; Malhotra, N.K. (1991), S. 79; Leonidou, L.C., Rossides, N.J. (1995), S. 463.

[350] Vgl. Stanton, J.L., Chandran, R., Hernandez, S.A. (1982), S. 134.

[351] Siehe hierzu Kap. 1.4.2.3.

führt werden können[352], sind außer in den USA und Kanada nur noch in wenigen europäischen Ländern gebräuchlich (vgl. Tabelle 17 und 18), und sollten wegen der mit ihnen verbundenen Stichprobenprobleme[353] sowieso nur im Rahmen einer **experimentellen Paneluntersuchung** oder einer **qualitativen Marketingforschung** eingesetzt werden.

Stichprobenprobleme, die sich hier aus einer niedrigen Telefondichte ergaben, waren auch der Grund dafür, daß der **telefonischen Befragung** außerhalb der beiden nordamerikanischen Staaten über eine lange Zeit hinweg nur eine inferiore Bedeutung als Erhebungsmethode der Marketingforschung zukam, denn eine niedrige Telefondichte erlaubt keine national repräsentativen telefonischen Bevölkerungsbefragungen, sondern nur die von ihrer Anzahl her unbedeutenden Befragungen von Unternehmungen, bestimmten Berufsgruppen oder Höherverdienenden, die sich schon immer und überall in der Welt einen Telefonanschluß leisten konnten oder mußten.[354]

Mit zunehmender Telefondichte (vgl. Anhang C) hat sich im letzten Dezennium jedoch auch in anderen Ländern die Bedeutung dieser Erhebungsmethode stetig erhöht, so daß inzwischen nicht nur in den USA und Kanada, sondern auch in Belgien, Dänemark, Finnland, Luxemburg, den Niederlanden, Norwegen, Schweden und der Schweiz die überwiegende Anzahl der Befragungen telefonisch vorgenommen wird.[355] Einen beträchtlichen Anteil an der Gesamtzahl der Befragungen hat die telefonische Befragung auch in Deutschland, Großbritannien und Österreich erreicht, während in Polen, Irland, Ungarn, der Türkei sowie der VR

---

352 Vgl. Bush, A.J., Hair, J.F. (1985), S. 158; Lysaker, R.L. (1989), S. 484; Nowell, C., Stanley, L.R. (1991), S. 475ff.; Malhotra, N.K. (1991), S. 80f. Beachtet werden muß, daß die Begriffe *"mall intercept"* und *"central-location interview"* in der Literatur häufig synonym verwendet werden, obwohl *"mall intercepts"* eigentlich nur dann dem *"central-location interviewing"* zuzurechnen sind, wenn sie in einem Studio durchgeführt werden, das in einem Einkaufszentrum gelegen ist.

353 Siehe hierzu z.B. Murry, J.P., Lastovicka, J.L., Bhalla, G. (1989), S. 46ff.

354 Zu den Repräsentanzproblemen von telefonischen Ad-hoc-Befragungen siehe Bauer, E. (1980), S. 173ff.; Frey, J.H., Kunz, G., Lüschen, G. (1990), S. 34ff.; Häder, S. (1994); dies. (1997), S. 7ff.

355 Vgl. Tabelle 9 und Tabelle 10.

China und den meisten anderen außereuropäischen Ländern ihre Bedeutung immer noch sehr gering ist.[356]

Land	Telefondichte pro Haushalt (%)		Möglichkeiten der Befragung bei ...	
	Insgesamt	In Städten	Verbrauchern	Unternehmen
Hongkong	98	k.A.	ja	ja
Singapur	97	k.A.	ja	ja
Australien	95	98	ja	ja
Neuseeland	95	97	ja	ja
Japan	95	97	begrenzt	begrenzt
Taiwan	95	97	begrenzt	begrenzt
Südkorea	84	97	nein	begrenzt
Malaysia	54	70	nein	begrenzt
Thailand	9	37	nein	nein
Indien	5	15	nein	nein
Philippinen	5	10	nein	nein
Indonesien	2	18	nein	nein
Vietnam	1	2	nein	nein
China, VR	2	10	nein	nein

Tabelle 19: Möglichkeiten für telefonische Befragungen in den asiatisch-pazifischen Ländern
Quelle: ACNielsen SRG 1996

In den Ländern Süd- und Zentralamerikas z.B. werden Unternehmensbefragungen und Kundenzufriedenheitsstudien (unter Nutzung von Kundenlisten) sehr häufig, national repräsentative Befragungen, der immer noch niedrigen Telefondichte wegen, dagegen gar nicht per Telefon durchgeführt.[357] In den asiatisch-pazifischen Ländern sind (mit Ausnahme von

[356] Vgl. ebenda.

[357] Vgl. Vangelder, P. (1998), S.6.

Hongkong, Singapur, Australien und Neuseeland, in denen telefonische Befragungen genauso möglich und üblich wie in den nordamerikanischen und westeuropäischen Ländern sind) Befragungen dieser Art nur eingeschränkt oder überhaupt nicht einsetzbar (vgl. Tabelle 19).

In Japan gilt es beispielsweise als grob unhöflich, wenn ein Fremder am Telefon persönliche bzw. als sensitiv angesehene Angelegenheiten zu erfragen sucht. Obwohl nahezu alle Haushalte in diesem Land über einen Telefonanschluß verfügen, liegt der Umsatzanteil konventioneller telefonischer Befragungen daher seit 1985 nahezu konstant bei ca. 7 %.[358]

Die **Vorteile** von telefonischen Befragungen, die ihren weltweiten stetigen Bedeutungszuwachs begründen, liegen in

- ihrer schnellen Durchführbarkeit,
- der vergleichsweise hohen Erfolgsquote,
- dem Auftreten geringer Interviewereinflüsse sowie
- den gegenüber häuslichen Befragungen niedrigeren Kosten.[359]

Einen Eindruck von der absoluten Höhe der Kosten, die eine dezentral, d.h. in den verschiedenen Ländern von dort ansässigen Marktforschungsinstituten durchgeführte internationale telefonische Befragung hervorruft, liefert wiederum die *"ESOMAR 1997 Prices Study"*.[360] Und zwar kostet danach eine (jeweils 20-minütige) telefonische Befragung von 200 für die Anschaffung von Fotokopierern zuständigen betrieblichen Entscheidungsträgern im weltweiten Durchschnitt 14.900 US $, wobei in Brasilien, Japan, den USA, Kanada und Deutschland dieser Durchschnittswert deutlich überschritten, in Bulgarien, Polen, Indien und Ungarn dagegen deutlich unterschritten wird (vgl. Abbildung 19).

---

358 Vgl. Kobayashi, K. (2001), S. 6.

359 Vgl. Frey, J.H., Kunz, G., Lüschen, G. (1990), S 28ff.

360 Vgl. ESOMAR (1998a), S. 22f.

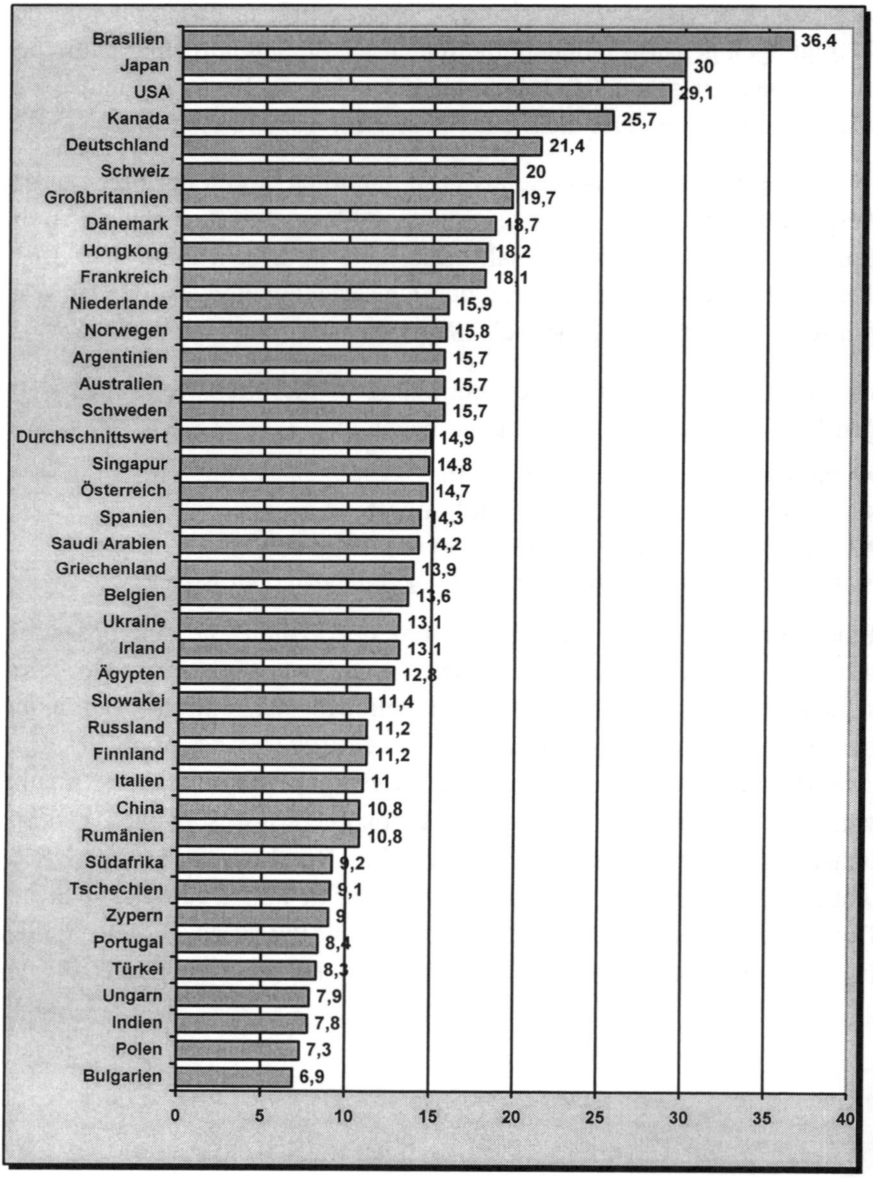

Abbildung 19: Durchschnittliche Kosten einer telefonischen Befragung in verschiedenen Ländern der Welt (in Tsd. US $)

Quelle: ESOMAR (1998a), S. 22f.

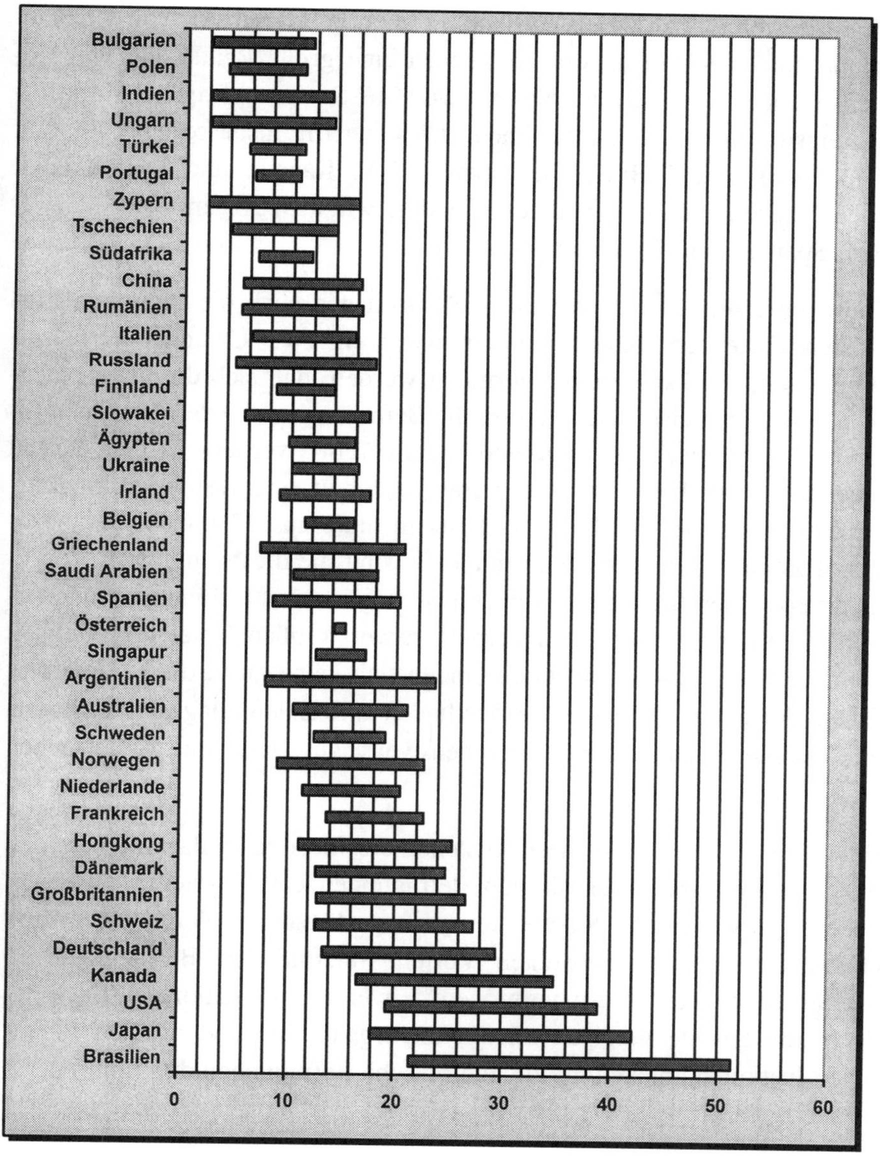

Abbildung 20: Internationale Kostenstreuung (+/- 1 δ) bei telefonischen Befragungen

Quelle: ESOMAR (1998a), S. 22f.

Wie die Abbildung 20 verdeutlicht, ist auch bei dieser Art von Untersuchung auf einzelnen nationalen Ebenen eine große Bandbreite von Kostenangaben (von den in dieser *ESOMAR*-Studie befragten Marktforschungsinstituten) zu verzeichnen. Dies betrifft insbesondere die fünf "Hochpreisländer" Brasilien, Japan, USA, Kanada und Deutschland, aber daneben auch einige andere Länder, wie z.B. Argentinien, Norwegen, Spanien und Griechenland.

Diese intranationalen Kostenabweichungen wie auch die internationalen Kostendifferenzen können möglicherweise auf zwei Ursachen zurückzuführen sein. So kann einmal vermutet werden, daß sich die unterschiedliche Art und Weise, wie telefonische Befragungen von den einzelnen Instituten methodisch angelegt und durchgeführt werden, in den Kosten niederschlagen. Denn wie *Humphrey Taylor* in einer 1997 durchgeführten Studie, in die 83 Marktforschungsinstitute aus 17 Ländern einbezogen worden waren, feststellen mußte[361], sind die diesbezüglichen Vorgehensweisen der Institute sowohl im intranationalen als auch im internationalen Vergleich von einer bemerkenswert großen Unterschiedlichkeit geprägt. Unter den 83 Instituten fanden sich keine zwei, die bei telefonischen Befragungen identische Methoden anwenden, dagegen mehr als eines, dessen methodische Vorgehensweise zur Besorgnis Anlaß geben muß.

Eine zweite Ursache für diese Kostenunterschiede kann darin liegen, daß einige Institute bei telefonischen Befragungen *CATI*-Systeme einsetzen, andere jedoch nicht. Solche **computergestützten Telefon-Interviews *(CATI)***, welche die genannten Vorteile telefonischer Befragungen zu verstärken und erweitern vermögen[362], werden auf nationaler Basis jedoch mittlerweile von fast allen westeuropäischen und nordamerikanischen Instituten angeboten, die telefonische Befragungen durchführen.[363]

---

361 Vgl. Taylor, H. (2000).

362 Vgl. Frey, J.H., Kunz, G., Lüschen, G. (1990), S. 179ff.

363 Dies belegt bereits eine dementsprechende Durchsicht verschiedener älterer Institutsverzeichnisse - wie z.B. dem *"BVM Handbuch der Marktforschungsunternehmen 1998"*, dem *"Directory of Research Organisations 1998"*, Vol. I und II, der *ESOMAR* und dem *"Orgs Book 97/98"* der *Market Research Society (London)*.

Aber auch in Osteuropa, dem Nahen Osten, Asien (s. Tabelle 20), Australien/Neuseeland, Afrika und Südamerika findet diese Form einer telefonischen Befragung zunehmend mehr Verwendung.[364] In Japan ist ihre Durchführbarkeit allerdings auf einige wenige Institute beschränkt, da man es aus Kostengründen bislang unterlassen hat, eine *CATI*-Software in einer japanischen Sprachversion zu entwickeln.[365]

Institut	CATI-Einsatz	Geographische Abdeckung	Gesamtzahl der Stationen	Eingesetzte Software
ACR (Hongkong)	ja	Asien, Pazifik	25	NIPO CATI-system
AMI (Asien)	ja	Asien	203	Surveycraft
Gallup Korea	ja	Südkorea	15	NIPO CATIsystem
JMRB (Japan)	nein	Japan	-	-
JSR (Japan)	ja	Japan	100	Surveycraft
Lyncs (Japan)	ja	Japan	10	NIPO CATI-system
MBL (Hongkong)	ja	Hongkong	?	Surveycraft
MDR (Hongkong)	ja	Hongkong	15	NIPO CATI-system
MiC (Japan)	nein	Japan	-	-
MRS (Japan)	nein	Japan	-	-
Nikkei (Japan)	ja	Japan	30	Ronin
NCR (Japan)	ja	Japan	17	Ronin
PAMRI	ja	China	3	NIPO CATIsystem
QMRC	ja	China	3	NIPO CATIsystem
The Research Pacific Group	ja	Hongkong, Singa-pur	30	NIPO CATI-system
SSRI	nein	Japan	-	-
TN Sofres (China)	ja	China	15	Surveycraft
TN Sofres (Hongkong)	ja	Hongkong	15	Surveycraft

364 Vgl. Schneid, M. (1995a).

365 Vgl. Kobayashi, K. (2001), S. 5.

TN Sofres (Malaysia)	ja	Malaysia	30	Surveycraft
TN Sofres (Singapur)	ja	Singapur	20	Surveycraft
TN Sofres (Südkorea)	ja	Südkorea	14	Surveycraft
TN Sofres (Taiwan)	ja	Taiwan	30	Surveycraft
TN Sofres (Thailand)	ja	Thailand	4	Surveycraft
White Horse Marketing Research (VR China)	ja	Shanghai, Beijing, Guangzhou	30	?

Tabelle 20: Verbreitung von CATI-Systemen in Asien
Quelle: Huysman, B. (1998), S. 31; eigene Ergänzungen

Darüber hinaus erhöht sich stetig die Zahl der Institute bzw. Institutsnetzwerke, die **harmonisierte internationale CATI-Untersuchungen** anbieten. Zu den ersten dieser Institute zählten die Institute der in Luzern (Schweiz) residierenden, auf telefonische Befragungen spezialisierten *Link-Gruppe (www.link.ch)*, die zusammen mit einem in Ashford (GB) angesiedelten Partnerinstitut heute an verschiedenen Standorten in Deutschland, England, Italien, Spanien, Portugal, Österreich sowie der deutsch- und französischsprachigen Schweiz über ca. 600 CATI-Arbeitsplätze verfügen. Unter Einsatz von muttersprachlichen Interviewern können dezentral im sogenannten *Virtual Call-Center* oder zentral vom Frankfurter oder Züricher *European Call-Center* aus Studien in 15 westeuropäischen Ländern sowie in den USA und Kanada durchgeführt werden.

Harmonisierte dezentrale CATI-Untersuchungen, die sich auf die fünf bevölkerungsstärksten europäischen Länder (nämlich Deutschland, Frankreich, Großbritannien, Spanien und Italien) erstrecken können, werden ebenfalls von *"Euroline" (www.fds.co.uk)* angeboten, einem 1993 ins Leben gerufenen Netzwerk von folgenden vier, in Deutschland, Großbritannien, Spanien und Italien ansässigen Marktforschungsinstituten (die zusammen über 200 CATI-Arbeitsplätze verfügen): *SMR Solid Marketing Research* (Frankfurt a.M.), *FDS International Ltd.* (London), *INNER LINE S.A.* (Madrid) und *Marketing Tools & Technologies* (Mailand).

Zentrale europaweite CATI-Untersuchungen werden u.a. ebenfalls von den Instituten *Gordon Simmons Research Group Limited* (London) und *Bulmershe Research* (Oxford) angeboten, weltweite Studien gar von *Harris International Telephone Research Centre* (GB), einem Institut der *Taylor Nelson Sofres*-Gruppe (das u.a. auch für den *"UPS Europe Business Monitor"* verantwortlich ist, eine jährliche Befragung von 1.500 europäischen Managern), *On-Line Telephone Surveys* (London) und *RONIN Corporation* (London), der europäischen Niederlassung der in Princeton (USA) ansässigen *RONIN Corporation*, die zur Zeit über ca. 120 CATI-Arbeitsplätze verfügt und in 22 Sprachen Studien in 52 Ländern durchführen kann.

Zentral durchgeführte internationale telefonische Befragungen, ganz gleich, ob mit oder ohne Nutzung von CATI-Systemen, könnten theoretisch den dezentral (von einem Institut oder einer Institutskette) durchgeführten internationalen telefonischen Befragungen überlegen sein, weil sie zeit- und kostensparender sind sowie aufgrund des *"Auslandseffektes"* (wer fühlt sich nicht geschmeichelt, wenn er von London oder Paris aus um ein Interview gebeten wird) zu höheren Erfolgsquoten führen. In der Praxis sind die dabei auftretenden Sprachprobleme aber meist so groß, daß diese Vorteile kaum zum Tragen kommen.

Rathmann illustriert diesen Sachverhalt sehr schön mit folgender Schilderung:

"Obwohl englische Institute versichern, die Interviews würden ausschließlich von Muttersprachlern mit muttersprachlichen Erhebungsunterlagen durchgeführt werden, habe ich bei Besuchen von englischen Telefonstudios das Gegenteil erlebt. Dort saßen Engländer mit Deutschkenntnissen mit der englischen Version des Fragebogens vor sich und führten Gespräche mit deutschen Managern auf deutsch. Zur Verdeutlichung: die Interviewer hatten keinen deutschen Fragebogen, sondern übersetzten während des Gesprächs ins Deutsche. Die Antworten wurden in einem Mix aus Deutsch und Englisch in den Fragebogen eingetragen."[366]

Erweist es sich (dank einer hohen Telefondichte) als möglich, in einigen oder allen Ländern, die in eine internationale Marketingforschung einbezogen werden sollen, national repräsentative telefonische Befragungen durchzuführen, ist zu beachten, daß die Stichprobe der zu befragenden Anschlußnehmer nicht in allen Ländern auf der Basis von amtlichen Telefonbüchern oder anderen Telefonnummern-Listen gezogen werden kann, weil diese Verzeichnisse bisweilen beträchtliche Aktualitäts- oder Vollständigkeitsdefizite aufweisen. In solchen Fällen ist dann zu überprüfen, ob statt dessen reine Zufalls-Ziffern-Auswahl *(Random Digit Dialing)* oder eine Kombination beider Verfahren möglich und sinnvoll ist.[367]

Von den **Bildschirmbefragungen** erfreuen sich insbesondere die *E-Mail-* und *Web-Befragungen* in den USA, Europa und Japan einer steigenden Beliebtheit. Dies machen vor allem die Zeitreihen- und Prognosedaten zur *"Online-Marktforschung"* von *Inside Research (IR)*, einem US-amerikanischen Informationsdienst, und der *Japan Marketing Research Association* deutlich, die sich zwar nicht nur auf Online-Befragungen, sondern auch auf Online-Beobachtungen und -Experimente beziehen, gleichwohl aber deutliche Entwicklungstendenzen erkennen lassen.

Aufgrund der Angaben eines Panels von 31 US-Instituten und deren 23 Tochtergesellschaften sowie eines Panels von 17 europäischen Instituten ermittelt *IR* in halbjährlichen Intervallen die tatsächlich erzielten und zukünftig erwarteten Umsatzwerte dieser Institute (ausschließlich der Umsätze für die Ermittlung des Internetnutzungsverhaltens sowie der mit anderen Instituten getätigten Umsätze), deren Nettoeffekte auf den gesamten Marktforschungsumsatz sowie die Art der online durchgeführten Studien.

---

366 Rathmann, H. (1990), S. 96f. (Hervorhebungen im Original); siehe auch Clemens, J. (1996), S. 5.

367 Vgl. hierzu Bauer, E. (1980), S. 178ff.; Frey, J.H., Kunz, G., Lüschen, G. (1990), S. 72ff.; Foreman, J., Collins, M. (1991), S. 219ff.

Jahr	USA (Mio. US $)	Europa (Mio. €)
1996	2,6	-
1997	10,6	-
1998	27,7	3,7
1999	92,7	17,0
2000	221,5	46,5
2001	333,5	65,5
2002	488,9*	80,2*
* = Prognosewerte		

Tabelle 21: Online-Marktforschungsumsätze von Panelinstituten
Quelle: Inside Research (2002-1), S.1 und (2002-2), S. 14

Die Institute der beiden Panels vereinen auf sich jeweils ca. 85 % aller US-amerikanischen bzw. EU-Online-Marktforschungsumsätze, so daß insgesamt gesehen im Jahre 2000 von folgenden weltweiten Online-Marktforschungsumsätzen (in US $) ausgegangen werden muß: *USA* 258, *EU* 46, *restliche Länder* (Schätzwert: 5 % der US- und EU-Umsätze) 15, *in summa* also 319.[368]

Die beträchtlichen jährlichen Zuwachsraten, die in den obigen Tabellenwerten wiederholt dokumentiert werden, konnten 2001 wegen des Abebbens der Interneteuphorie sowie des wirtschaftlichen Abschwunges in den USA und Europa allerdings nicht mehr erreicht werden – und auch die Prognosewerte für 2002 lassen erkennen, daß mit einer raschen Wiederkehr der spektakulären Wachstumsraten der vergangenen Jahre nicht zu rechnen ist.

Interessant ist, daß in den USA der weitaus größte Teil der Online-Marktforschung (1999: 81 %, 2000: 87 %, 2001: 95 %) eine die tradi-

368 Vgl. Inside Research (2001-9), S. 5.

tionellen Erhebungsmethoden substituierende Marktforschung ist, die durch diese Form der Marktforschung ausgelösten Nettoeffekte auf die gesamten Marktforschungsumsätze folglich relativ gering sind.[369] In der EU sind die Substitutionseffekte mit 46 % (1999) bzw. 58 % (2000) und 63 % (2001) allerdings weitaus kleiner.[370]

In Japan entfielen nach Angaben der *Japan Marketing Research Association* im Jahre 2000 nur etwa 3,2 % aller Marktforschungsumsätze, die mit Ad-hoc-Untersuchungen erzielt wurden, auf Online-Studien.[371] Für diese relativ geringe Bedeutung der Online-Marktforschung verantwortlich sind mehrere Gründe, nämlich neben einer relativ schwachen Nachfrage nach solchen Studien vor allem die geringe Neigung und finanzielle Fähigkeit vieler japanischer Institute, in diese neue Technologie zu investieren. Es wird jedoch davon ausgegangen, daß in den nächsten Jahren dieser Rückstand aufgeholt und die Umsatzrate der Online-Marktforschung bis zum Jahre 2010 auf 19 % gesteigert werden kann.

E-Mail- und Web-Befragungen, die im Rahmen einer quantitativen nichtexperimentellen internationalen Marketingforschung eingesetzt werden, weisen eine Reihe von Vorteilen auf, von denen nachfolgend nur einige der wichtigsten genannt seien[372]:

1. schnelle, kostengünstige und organisatorisch relativ einfache Datenerhebung,
2. schnelle Online-Auswertung,
3. kein Interviewer- und Reihenfolgeeinfluß,
4. offene Fragen werden meist ausführlicher beantwortet,
5. der Zeitpunkt der Beantwortung der Fragen ist vom Befragten selbst bestimmbar,
6. Integrierbarkeit von Bildern, Animationen, Tönen und Bildsequenzen (außer bei *embedded* und *questionnaire attached e-mail surveys*).

---

[369] Vgl. Inside Research (2001-2), S. 17, Inside Research (2002-1), S. 2.

[370] Vgl. Inside Research (2001-2), S. 17.

[371] Vgl. hierzu und zum folgenden Kobayashi, K. (2001), S. 5.

[372] Vgl. hierzu auch Perrott, N. (1998), S. 51; Cobanoglu, C., Warde, B., Moreo, P.J. (2001), S. 441ff.

Diesen Vorteilen stehen jedoch einige Schwierigkeiten oder Probleme gegenüber, von denen bei *Ad-hoc-Befragungen* das gravierendste wohl das Repräsentanz- bzw. Stichprobenproblem ist. Denn eine per E-Mail durchgeführte Ad-hoc-Befragung, deren Erhebungsergebnisse dem Anspruch der Repräsentanz genügen wollen, setzt voraus, daß

1. die Grundgesamtheit bekannt ist, über die per Stichprobenbefragung Informationen gewonnen werden sollen, und
2. als Auswahlbasis für die Stichprobenziehung ein Verzeichnis von E-Mail-Adressen vorhanden ist, das diese Grundgesamtheit nahezu vollständig erfaßt.

Diese Voraussetzungen werden zu Zeit jedoch nicht in allen Fällen erfüllt. So betont denn auch *Nicky Perrott*, die ehemalige Leiterin des englischen Internet-Marktforschungsinstitutes *e-Mori*, daß "internet research has a great advantage for surveys among staff and employees, members of societies and customers or subscribers to on-line services - any situations where the universe is known and the e-mail addresses are available and up-to-date"[373].

Besteht die Grundgesamtheit, über die durch eine Ad-hoc-Befragung Informationen gewonnen werden sollen, aus den Besuchern einer bestimmten Webseite, dann wird bei Web-Befragungen das Repräsentanzproblem nicht virulent, wenn diese in Form von *pop-up visitor surveys* durchgeführt und dabei hinreichend hohe Responsequoten erzielt werden.[374] In allen anderen Fällen, also bei anders definierten Grundgesamtheiten, bei niedrigen Responsequoten oder bei *ad-hoc visitor surveys*, ist hingegen damit zu rechnen, daß die Erhebungsergebnisse einer Ad-hoc-Web-Befragung Repräsentanzdefekte aufweisen.

Aus diesen Gründen werden E-Mail- und Web-Befragungen zunehmend mehr als ***Panelbefragungen*** durchgeführt, bei denen die Probanden mittels verschiedener Auswahlverfahren aus einem Pool offline (meist per Telefon) rekrutierter Personen, die bereit sind, an solchen Befragungen teilzunehmen (*Online-Access-Panel*), ausgewählt und zumeist per E-Mail zur Teilnahme an der Befragung gebeten werden. Diese wachsende

[373] Zitiert nach Vangelder, P. (2001), S. 20.

[374] Vgl. ebenda sowie ADM (2001), S.2; Comley, P. (2001b); ders. (2001c).

Nachfrage nach Online-Panelbefragungen hat dazu geführt, daß in den letzten Jahren alle größeren, aber auch eine Reihe kleiner und mittlerer Marktforschungsinstitute Online-Access-Panels auf- und ausgebaut sowie dementsprechende Serviceleistungen in ihr Angebot aufgenommen haben[375], zumal solche Panel auch für experimentelle Befragungen und qualitative Marktforschungsstudien genutzt werden können.[376]

Zu den international bedeutsamsten Instituten, die über solche Online-Access-Panels verfügen, zählen beispielsweise die folgenden[377]:

- *Harris Interactice Inc. (HI; www.harrisinteractive.com)*, Rochester, N.Y., USA - mit weltweit über 7 Mio. Panelteilnehmern (Stand: 2000). *HI* ist durch eigene Tochtergesellschaften und ausländische Mitglieder des ständig erweiterten *Global Network* in der Lage, Marktforschungsstudien in mehr als 100 Ländern durchzuführen. Die im Jahr 2001 vorgenommenen Panelerweiterungen sowie mehrere Mergers & Acquisitions (*Total Research Corporation*, Princeton, N.J.; *Yankelovich Custom Research Group*, Norwalk, CT; *MRSL*, Oxford; *M&A Create*, Tokio) lassen erkennen, daß der Expansionskurs der vergangenen Jahre weiter eingehalten wird, der dazu geführt hat, daß *HI* erstmals im Jahre 2000 in den Kreis der 25 weltweit umsatzstärksten Marktforschungsinstitute vorgerückt ist (vgl. Anhang E).

- *NFO InDepth Interactive (www.nfow.com/nfointeractive/)*, eine Tochtergesellschaft von *NFO WorldGroup (NFO)*, Greenwich, Conn., USA - verfügt nach eigenen Angaben mit über 500.000 Haushalten (ca. 1.4 Mio. Personen) über das größte, für die Grundgesamtheit der US-amerikanischen Internetnutzer repräsentative Online-Access-Panel (genannt: *NFO//net.source*) der Welt. In Westeuropa sollen solche Panels ab Ende 2001 verfügbar gemacht werden.

- *Greenfield Online Inc. (GO; www.greenfield.com)*, Wilton, Conn., USA - seit 1995 in der internetgestützten Marketingforschung tätig

---

375 Vgl. Comley, P. (1996); Dodd, J. (1998), S. 62; Hagenhoff, W., Pfleiderer, R. (1998), S. 26ff.

376 Siehe Kap. 3.2.1.3 und 3.2.2.

377 Vgl. zum folgenden auch o.V. (1999c), S. 4.

mit einem Online-Panel von über 1 Mio. Haushalten (vor allem in den USA, aber darüber hinaus auch noch in 100 anderen Ländern).

- *Global Market Insite (GMI; www.GMI-MR.com)*, Seattle, USA - ermöglicht durch eigene Tochtergesellschaften und ausländische Mitglieder des *Global Partnership Network* nicht-experimentelle Online-Panelbefragungen in über 147 Ländern.

Hauptanwendungsgebiete von nicht-experimentellen Online-Panelbefragungen sind Kundenzufriedenheitsstudien, Mitarbeiterbefragungen sowie Einstellungs- und Verbrauchsstudien[378], wenngleich der weitaus größte Umsatz, der mit Hilfe des Einsatzes von Online-Access-Panels erzielt wird, mit der Durchführung von Konzepttests, d.h. von experimentellen Online-Panelbefragungen verbunden ist[379].

Im Gegensatz zu Bildschirmbefragungen zählen **Omnibus-Befragungen** in allen Ländern schon seit vielen Jahren zu den gebräuchlichen Erhebungsmethoden der nationalen Marketingforschung und erfreuen sich seit einigen Jahren auch in der internationalen Marketingforschung einer steigenden Beliebtheit. Dies zeigt sich nicht zuletzt darin, daß immer mehr Marktforschungsinstitute internationale, insbesondere aber europaweite Omnibus-Befragungen anbieten, bei denen persönlich oder zunehmend auch telefonisch Personen befragt werden, die repräsentativ für die erwachsene Bevölkerung der jeweiligen Länder sind.

Als Beispiele für solche *"Euro-Busse"* seien die folgenden genannt:

- *EUROPEAN OMNIBUS* von *NIPO* (NL), zentralisierte CATI-Befragung (von Amsterdam aus) in 7 westeuropäischen Ländern,
- *EURO BUS* der *GfK* (D), persönliche (paper & pencil) Befragung in 25 europäischen Ländern,
- *CAPIBUS Europe* von *IPSOS* (F), CAPI-Befragung von je 1.000 Erwachsenen in 6 westeuropäischen Ländern,
- *Omnimas* von *TN Sofres* (GB), CAPI-Befragung von je 1.000 Personen in 8 westeuropäischen Ländern (mit der Möglichkeit einer weltweiten Ausweitung),

---

[378] Vgl. hierzu und zum folgenden Context (2001-12), S. 2; Inside Research (2002-2), S. 15.

[379] Vgl. ebenda.

- *INRA-Omnibus Europeans* von *INRA Deutschland*, telefonische (CATI) oder persönliche Befragung von je 1.000 über 15-jährigen Personen in 19 west- und osteuropäischen Ländern sowie der Türkei,
- *International Omnibus* von *NOP* (GB), persönliche (paper & pencil) Befragung in den Ländern der EU,
- *European Telebus* von *NOP* (GB), zentralisierte telefonische Befragung (von London aus) von je 500 Personen in Deutschland, Frankreich, Großbritannien und Italien,
- *Eastern European Omnibus* von *IPSOS-RSL* (GB), persönliche (paper & pencil) Befragung von je 1.000 Personen (in Rußland 1.500 Personen) in 7 osteuropäischen Ländern,
- *Ultbus Eastern European Omnibus* von *Ultex International* (GB), schriftliche In-Home-Befragung von je 1.000 über 16-jährigen Personen in Rußland, Polen, Ungarn, Tschechien und der Slowakei.

Neben diesen "allgemeinen" *Euro-Bussen* werden z.B. auch folgende zielgruppenspezifische *Euro-Busse* sowie "allgemeine" und zielgruppenspezifische *Welt-Busse* angeboten:

- *European & Global Child Omnibus* von *Carrick James Market Research* (GB), repräsentativ für 7 - 14-jährige Kinder in Großbritannien, Frankreich, Deutschland, Italien, Spanien sowie (optional) Australien und Saudi-Arabien,
- *International Medical Omnibus* von *Isis Research* (GB), erfaßt Ärzte, Apotheker und Krankenschwestern in verschiedenen Ländern,
- *International Omnimed* von *TN Sofres Healthcare* (GB), persönliche Befragung von Allgemeinmedizinern in Deutschland, Frankreich, Großbritannien, Italien, Spanien, den USA und asiatisch-pazifischen Ländern,
- *Ncompass* von *TN Sofres* (GB), ermöglicht durch die zusätzliche Nutzung des weltweiten *GIA*-Netzes Befragungen in über 60 Ländern,
- *International OmniBus* von *Audience Selection* (GB), telefonische Befragung von je 1.000 Erwachsenen in weltweit beliebigen Ländern,
- *Interquest* von *NOP Healthcare* (GB), telefonische Befragung von im Gesundheitswesen tätigen Personen in 5 westeuropäischen Ländern, den USA, der VR China und Japan,
- *Autobus Europe* von *IPSOS* (F), Befragung von 500 Autohaltern in Deutschland, Frankreich, Großbritannien, Italien und Spanien,

- *Flexisbus* von *IPSOS-RSL* (GB), persönliche (paper & pencil) oder CAPI-Befragung von je 1.000 Erwachsenen in weltweit beliebigen Ländern,
- *International Omnibus* von *NOP Solutions* (GB), persönliche oder telefonische Befragung von je 1.000 Erwachsenen in weltweit beliebigen Ländern.

In Asien werden von *ACNielsen* und einigen Mitwettbewerbern (so z.B. von *AMI* mit dem *AsiaBus* und von *Ipsos-RSL* mit dem *Asian Omnibus*) regelmäßig Omnibus-Befragungen durchgeführt, die sich auf bis zu 15 Länder erstrecken.[380]

Internationale Omnibus-Befragungen sind sehr kostengünstig, so daß sich auch kleine und mittlere Unternehmungen, die international tätig sind, eine (wenn auch nicht in die Tiefe gehende) internationale Marketingforschung leisten können. Problematisch ist eine solche Befragung jedoch, wenn der internationale "Bus" aus einem lockeren Verbund nationaler "Busanbieter" besteht, die weder die Demographiemerkmale der Auskunftspersonen noch die Auswertungsprozeduren und Berichtssprachen vereinheitlicht haben, weil dann die Auftraggeber oder das den Auftrag erhaltende Institut "... obtain the results in a variety of languages, with a variety of printouts in the style of each country concerned, with the demographic characteristics that are conventional in each country, and be left with the problem of trying to put this into a combined report ..."[381].

Wenn der internationale "Bus" aus einem Verbund nationaler "Busanbieter" besteht (vorsichtshalber auch dann, wenn er von verschiedenen ausländischen Tochtergesellschaften eines Marktforschungsinstitutes realisiert wird), sollte folglich immer darauf geachtet werden, daß die demographischen Strukturmerkmale der nationalen Erhebungen harmonisiert sind, identische Auswertungsprozeduren verwendet und die Auswertungsergebnisse in *einer Sprache* kommuniziert werden bzw. eine zentrale Auswertung erfolgt.

---

[380] Vgl. Hutton, G. (1996), S. 7.

[381] Webb, N. (1983), S. 21; siehe hierzu auch Denny, M. (1996), S. 5.

Nicht-experimentelle **Folgestudien** und **Paneluntersuchungen**, bei denen die Daten auf dem Wege einer Befragung erhoben werden, können für verschiedene Fragestellungen längs- und querschnittsanalytischer Natur eingesetzt werden. Ein Beispiel für längsschnittanalytisch ausgewertete nicht-experimentelle Folgestudien stellen die sog. ***"Tracking Studien"***[382] dar. Bei diesen Studien werden in periodisch wiederholten "Befragungswellen" gesamtmarkt-, teilmarkt-, unternehmungs- oder produktmarkenbezogene Reaktionsdaten erhoben, um damit ihre zeitlichen Veränderungen erfassen und analysieren zu können. Darüber hinaus können diese Zeitreihen in Beziehung zu Zeitreihen von Kausaldaten gesetzt werden, so z.B. zu Konjunkturdaten, Werbeausgaben, Produktpreisen etc.

Werbetracking-Studien (*advertising tracking studies)*, bei denen durch persönliche oder telefonische Befragungen die zeitlichen Veränderungen eines bestimmten Indikators der Werbewirkung (*spontaneous ad awareness, prompted ad awareness, aided recall*) ermittelt und dann den zeitlich entsprechenden Veränderungen einer Maßgröße für die Werbeaktivitäten gegenübergestellt werden[383], sind in vielen industrialisierten Ländern durchführbar. Das gleiche gilt für ***Markentracking-Studien*** *(brand tracking studies)*, bei denen die zeitlichen Veränderungen eines bestimmten Indikators der Markenwirkung (*brand awareness, brand preference, retail sales, Haushaltseinkäufe* etc.) den zeitlich entsprechenden Veränderungen einer Maßgröße für die Werbeaktivitäten gegenübergestellt werden.[384]

---

382 Siehe hierzu z.B. Barnard, N. (1990), S 21ff.

383 Vgl. hierzu McDonald, C. (2000), S. 17ff.

384 Vgl. ebenda, S. 29ff.

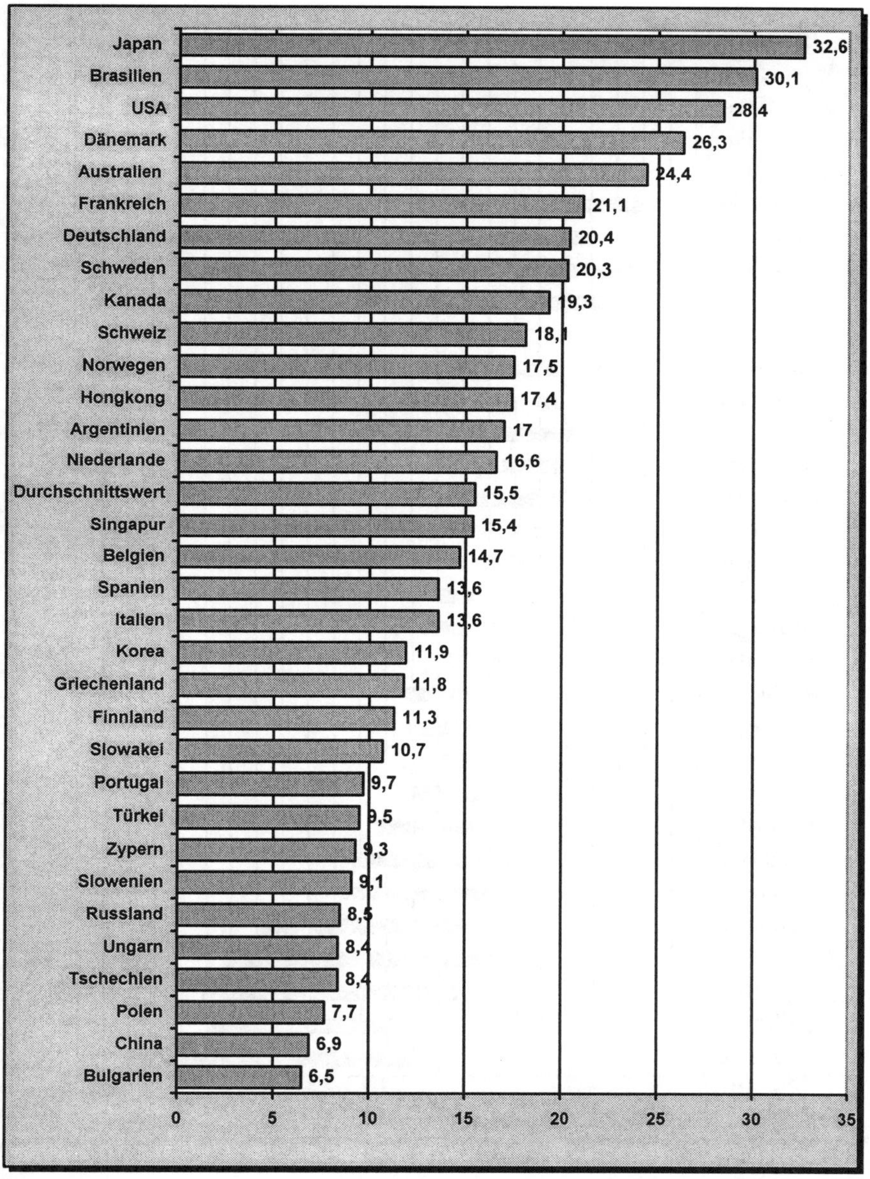

Abbildung 21: Durchschnittliche Kosten einer telefonischen Markentracking-Befragung in verschiedenen Ländern der Welt (in Tsd. US $)

Quelle: ESOMAR (1998a), S. 12f.

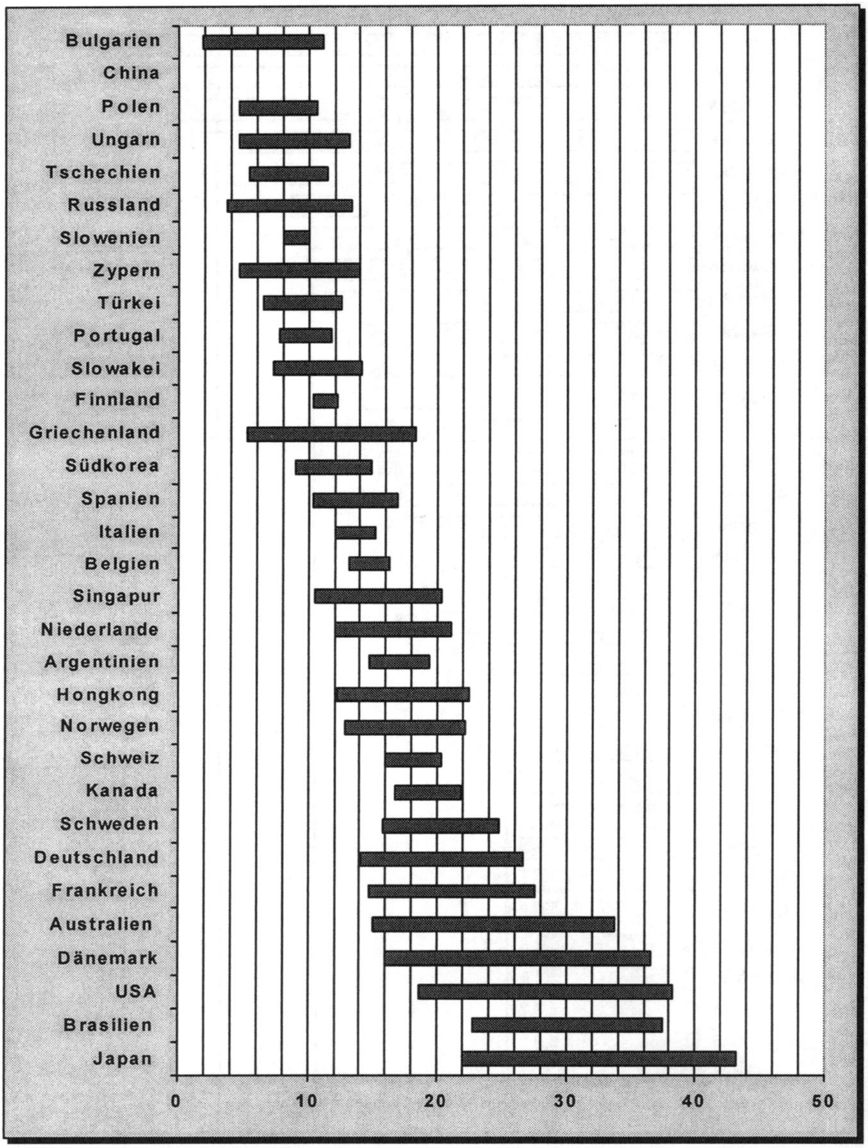

Abbildung 22: Internationale Kostenstreuung (+/- 1 δ) bei telefonischen Markentracking-Befragungen

Quelle: ESOMAR (1998a), S. 12f.

Werden Tracking-Studien in Form von *Folgestudien* angelegt, bietet es sich an, die Daten im Rahmen von *Omnibus-Befragungen* zu erheben, die von einer Reihe von europäischen und nordamerikanischen Marktforschungsinstituten in einem bis zu wöchentlichen Rhythmus vorgenommen werden. So betonen denn auch *Denny/Wright*, daß Omnibus-Befragungen "... are now one of the most popular data collection techniques for tracking studies"[385].

Mit welchen Kosten bzw. Kostenbandbreiten bei einer telefonischen Markentracking-Befragung in einzelnen Ländern gerechnet werden muß, verdeutlichen die Abbildungen 21 und 22. Die dort angeführten Werte beziehen sich auf die Befragung einer national repräsentativen Quoten-Stichprobe von 500 Hausfrauen zur Waschmittelverwendung in einer Länge von je 12 Minuten, die bei 335 Verwendern einer spezifischen Waschmittelmarke um 8 Minuten auszudehnen ist.

Mit Hilfe eines *Befragungspanels* können ebenfalls Tracking-Daten erhoben werden, überdies aber auch einmalige schriftliche oder telefonische Befragungen durchgeführt *(Access-Panels)* und insbesondere auf schriftlichem oder elektronischem Wege die von Haushalten oder Einzelpersonen getätigten Einkäufe kontinuierlich erfaßt werden *(Einkaufspanels)*. Mitglieder solcher Panels sind entweder Haushalte oder Einzelpersonen, weswegen man in dem einen Fall von *Haushalts-* und in dem anderen von *Individualpanels* spricht sowie als Oberbegriff den Ausdruck *"Verbraucherpanels"* verwendet.

Mit nationalen Verbraucherpanels können Marktforschungsinstitute in vielen, insbesondere den höher entwickelten Ländern aufwarten, so daß internationale (z.B. europaweite) Panelbefragungen möglich sind. Wie bei internationalen Omnibus-Befragungen muß jedoch auch hier darauf geachtet werden, daß eine *Harmonisierung* der einzelnen nationalen Panelbefragungen sichergestellt ist. Die beste Gewähr für international harmonisierte Panelbefragungen hat man sicherlich, wenn die Untersuchung von einem Marktforschungsinstitut durchgeführt wird, das in allen

385 Denny, M., Wright, I. (1999), S. 39.

in die Untersuchung einzubeziehenden Ländern über eigene Panels verfügt.

Als Beispiel für ein solches, in mehreren europäischen und außereuropäischen Ländern präsentes "Panel-Institut" ist *ACNielsen* zu nennen, das in folgenden 17 Ländern über insgesamt 133.300 Panelhaushalte verfügt[386]:

- Australien: 5.000
- Belgien*: 3.500
- Deutschland: 8.400
- Finnland*: 1.600
- Frankreich: 8.500
- Griechenland*: 1.250
- Großbritannien: 10.450
- Israel*: 2.100
- Italien: 6.000
- Kolumbien*: 3.000
- Mexiko*: 4.000
- Neuseeland: 1.500
- Nordamerika: 67.000
  (USA und Kanada; darunter ein Hispanic Panel in Höhe von 1.500)
- Schweiz: 3.000
- Spanien: 4.000
- Südafrika*: 4.000

Allerdings muß zu diesen *Nielsen-Haushaltspanels* angemerkt werden, daß nur in den mit einem Stern gekennzeichneten Ländern die Daten *per Befragung* (Tagebucheintragungen) erhoben werden, in den anderen Ländern dagegen auf dem Wege einer *apparativen Beobachtung*, d.h. durch *In-Home-Scanning*. In Frankreich wurden diese Daten noch vor nicht allzu langer Zeit durch ein *In-Store-Scanning* (d.h. Erfassung durch Scanner-Kassenterminals beim Auschecken in Einzelhandelsgeschäften

---

386 Angaben nach Broschüren der Fa. *ACNielsen*, Frankfurt a.M., und Presseveröffentlichungen.

nach Vorlage einer ID-Karte) und in Italien durch eine *"Dustbin-Auswertung"* ermittelt. *ACNielsen* strebt an, im Rahmen ihres Serviceangebotes *Homescan* in allen Ländern das *In-Home-Scanning* einzusetzen.

Das gleiche gilt für die ebenfalls über mehrere, z.T. recht umfangreiche nationale Haushaltspanels verfügende *GfK*, die erstmals 1994 in ihrem niederländischen Haushaltspanel, drei bis vier Jahre später dann auch in ihren deutschen und belgischen Haushaltspanels elektronische Einkaufstagebücher eingesetzt hat. Im Rahmen ihres *ConsumerScan* genannten Serviceangebotes läßt die *GfK* heute das *In-Home-Scanning* bei 4.000 Panel-Haushalten in den Niederlanden, 12.000 Panel-Haushalten in Deutschland und 3.000 Panel-Haushalten in Belgien durchführen. In den anderen 21 europäischen Ländern, die von *ConsumerScan* abgedeckt werden, wird dagegen das Einkaufsverhalten der ca. 50.000 Panel-Haushalte weiterhin per Tagebucheintragungen erfaßt.

Ein in Südostasien mittlerweile sehr stark präsentes "Panel-Institut" ist *Taylor Nelson Sofres*, das nach Taiwan (2.000 Haushalte) seit Anfang 1999 nun auch in der VR China (6.600 Haushalte), in Südkorea (3.000 Haushalte) und in Thailand (1.800 Haushalte) Haushaltspanels installiert hat. Über ein sehr interessantes Panel verfügt in dieser Region das indische Institut *ORG-MARG* mit seinem 20.300 Haushalte umfassenden und damit 12,2 % der Weltbevölkerung repräsentierenden *"Rural Consumer Panel"*, denn aufgrund des veränderten Konsumverhaltens der ländlichen Bevölkerung in den meisten asiatischen Ländern wird diese lange vernachlässigte Bevölkerungsgruppe für das Marketing vieler Konsumgüter und damit auch für die Marktforschung immer interessanter.[387] *Frank Martell*, Managing Director bei *ACNielsen North Asia*, betont denn auch (im Hinblick auf die eigenen diesbezüglichen Aktivitäten in der VR China), daß "the amount of research in rural areas has increased substantially in the last three years, as clients bring their products inland"[388].

Die aus der Einbeziehung der ländlichen indischen Bevölkerung resultierenden sprachlichen und mentalen Probleme löst *ORG-MARG* durch den Einsatz von 1.100 lokalen Koordinatoren (*local co-ordinators*, *LCs*).

---

387 Vgl. Doctor, V. (1999), S. 24f.

388 Zitiert nach ebenda, S. 25.

Dies sind im gleichen Dorf wie die Panelhaushalte ansässige Personen, die ein gewisses Bildungsniveau bzw. einen gewissen sozialen Status aufweisen (wie z.B. Lehrer oder Postbedienstete) und täglich die Einkaufstagebücher-Eintragungen überprüfen.[389] *ACNielsen* geht in der VR China mit dem Einsatz eines Netzwerkes von *"preferred sub-contractors"* und *"field agents"* einen ähnlichen Weg.

Gute Ergebnisse sind bei internationalen Panelstudien wohl auch dann zu erwarten, wenn man die Untersuchung einem *Netzwerk* nationaler Marktforschungsinstitute überantworten kann, die eine Harmonisierung ihrer nationalen Panelbefragungen vereinbart haben. Ein solches Netzwerk, das auf internationaler Ebene nach einheitlichen Kriterien vorgenommene Auswertungen sowie konsolidierte Resultate für länderübergreifende Einsatzräume garantiert, ist beispielsweise *EUROPANEL* (Lausanne/London, *www.europanel.com*), zu dem die folgenden nationalen Marktforschungsinstitute gehören:

• *TN Sofres/Dympanel SA*	Argentinien
• *TN Sofres FSA Asia-Pacifix*	asiatisch-pazifische Länder
• *GfK Panelservices Benelux*	Belgien
• *TN Sofres China*	VR China
• *GfK Danmark A/S*	Dänemark
• *GfK Panel Services Consumer Research*	Deutschland
• *TN Sofres/Secodip*	Frankreich
• *TN Sofres*	Großbritannien
• *TN Sofres*	Irland
• *IHA Italia SpA*	Italien
• *INTAGE Inc.*	Japan
• *GfK Croatia*	Kroatien
• *GfK Nederland bv*	Niederlande
• *GfK Norge AS*	Norwegen
• *GfK Polonia*	Polen
• *TN Sofres EUROTESTE*	Portugal

389 Vgl. hierzu und zum folgenden ebenda.

• *GfK MR Russia*	Rußland
• *GfK Panel Services*	Schweden
• *IHA Institut für Marktanalysen*	Schweiz
• *GfK Slovakia*	Slowakei
• *TN Sofres Consumer Panels*	Spanien
• *TN Sofres*	Taiwan
• *TN Sofres*	Thailand
• *GfK Panel Business Information Systems*	Türkei
• *Fessel-GfK*	Österreich
• *GfK-USM*	Ukraine
• *GfK Hungaria*	Ungarn
• *The NPD Group Inc.*	USA

Ein anderes Netzwerk dieser Art ist *LATINPANEL (www.latinpanel.com)*, das ursprünglich einmal von *IBOPE International* (Brasilien, *http://ibope.com.br*), dem Netzwerkinitiator, geführt wurde und Mitgliederinstitute in Argentinien, Chile, Costa Rica, El Salvador, Kolumbien, Mexiko, Peru, Uruguay und Venezuela hatte. Seit dem Jahr 2000 ist *LATINPANEL* in ein Joint Venture (beteiligte Institute: *Taylor Nelson Sofres*, *The NPD Group* und die *IBOPE Group*) überführt worden, das 10.000 Haushalte in Argentinien, Brasilien und Chile umfaßt.

Access-Panels (also "Panels" bzw. Pools oder Dauerstichproben befragungsbereiter Haushalte oder Einzelpersonen, die folglich für die Durchführung von Ad-hoc-Studien genutzt werden) haben in den letzten Jahren nicht nur in der nationalen, sondern auch in der internationalen Marketingforschung zunehmend an Bedeutung gewonnen. Dies zeigt sich nicht zuletzt darin, daß ab Mitte der neunziger Jahre drei bedeutende amerikanische Marktforschungsinstitute begannen, zusammen mit den großen europäischen Instituten Access-Panel-Netzwerke zu bilden, um für ihre Kunden (d.h., insbesondere für den Großkunden *Procter & Gamble*, dem Initiator aller drei Access-Panels) eine harmonisierte Durchführung solcher Studien sowohl in den USA und Kanada als auch in den wichtigsten westeuropäischen Ländern anbieten zu können.

Hierbei handelte es sich um (1) *Market Facts*, (2) *NFO* und (3) *NPD*, die jeweils gemeinsam mit

(1) *Infratest Burke* (D) bzw. dem von *Infratest Burke* übernommenen Panelinstitut *TPI* (D) und *Taylor Nelson AGB* (GB) das europaweit 200.000 Haushalte umfassende Access-Panel *"Target"*,

(2) *Ipsos* (F) das europaweit 115.000 Haushalte umfassende Access-Panel *"Select Panels of Europe"* und

(3) *GfK* (D) und *Sofres* (F) das europaweit 165.000 Haushalte umfassende Access-Panel *"ConsumerScope"*

aufzubauen und anzubieten begannen.

Angesichts dieses Überangebotes an Access-Panels schien es jedoch von Beginn an fraglich, ob alle drei Panel-Netzwerke ihr Ausbauziel erreichen bzw. überhaupt Bestand haben werden. Verstärkt wurden diese Zweifel durch die 1997 erfolgte Fusion von *Taylor Nelson AGB* mit *Sofres* sowie die 1998 erfolgte Übernahme von *Infratest Burke* durch *NFO*, durch die völlig neue Konkurrenzverhältnisse geschaffen wurden.

Daß diese Skepsis berechtigt war, offenbaren die im Verlaufe der folgenden Jahre publizierten Meldungen, wonach

- *NFO* im Juni 1999 das vier Jahre vorher mit *Ipsos* gebildete JV verlassen und die *"NFO European Access Panel Ltd."* (London) gegründet hat, die unter Einbeziehung der von *Infratest Burke* in Deutschland (durch *TPI*) und Frankreich (durch *Target-on-Line*) betriebenen Panels und durch den Aufbau eines 50.000 Haushalte umfassenden Panels in Großbritannien ein eigenes Access-Panel-Angebot entwickeln soll,
- *Taylor Nelson Sofres*, *Infratest Burke* und *Market Facts* Ende 1999 ihre Access-Panel-Zusammenarbeit beendet haben und das Recht zur Benutzung des Markennamens *"Target"*, der Datenbank und der Software sowie zum Zugang zu den britischen Panelmitgliedern bei *Taylor Nelson Sofres* verbleibt,
- die *Aegis Group* Anfang des Jahres 2000 einen Anteil von 35 % an der Access-Panel-Holding von *Ipsos* zu kaufen und damit *Market Facts* einen Zugang zu den 115.000 Haushalten der *"IPSOS Access Panels"* (wie sie nach dem Austritt von *NFO* neu benannt wurden) und *Ipsos* im Gegenzug einen Zugang zu den 550.000 Haushalten des

US-amerikanischen Konsumentenpanels von *Market Facts* zu eröffnen gedachte - vier Monate später legte *Aegis* diese Pläne aber wieder zu den Akten,

- Anfang 2001 *Ipsos* die *Marketing Research Division* der *NPD Group* und damit auch das 500.000 Haushalte umfassende Access-Panel von *NPD* übernahm, das nun die bestehenden 115.000 Access-Panelhaushalte in Frankreich, Deutschland, Großbritannien und Italien ergänzt. Zusätzlich erwarb *Ipsos* einen Anteil von 25 % an einem neu zu gründenden Institut, auf welches das mehr als 2 Mio. Personen umfassende Online-Access-Panel der *NPD Group* (das sich vor allem auf die USA und Kanada erstreckt) übertragen werden soll.

3.2.1.2 Nicht-experimentelle internationale Beobachtungen

Die nicht-experimentelle Beobachtung läßt sich im Kontext einer quantitativen Primärforschung als systematische Erfassung von nicht planmäßig von dem Untersuchenden beeinflußten wahrnehmbaren Sachverhalten bei einer für die jeweilige Grundgesamtheit repräsentativen Gruppe von Beobachtungsobjekten durch Personen oder technische Hilfsmittel charakterisieren. In der internationalen Marketingforschung gewinnt die nicht-experimentelle **apparative Beobachtung**, d.h. die Datenerfassung durch technische Hilfsmittel, zunehmend an Bedeutung, während die Anwendungsmöglichkeiten der nicht-experimentellen **persönlichen Beobachtung** zur Zeit sehr beschränkt sind und dies in Zukunft wohl auch bleiben werden.

Letztere Form der nicht-experimentellen Beobachtung wird z.B. bei den bereits erwähnten ***"Dustbin-Auswertungen"*** angewendet (s. Kap. 3.2.1.1), bei denen Panelhaushalte angehalten werden, über einen bestimmten Zeitraum hinweg die leeren Verpackungen, Banderolen, Aufkleber o.ä. bestimmter Produktgruppen in speziellen Behältern zu sammeln. Diese Behälter werden in einem periodischen Rhythmus von Mitarbeitern des Panel-Institutes abgeholt und sodann ihre Inhalte im Hinblick auf das Einkaufsverhalten dieser Haushalte analysiert.[390]

---

[390] Vgl. Elliott, K., Christopher, M. (1973), S. 136f.; Hehl, K. (1994), S. 422.

Eine weitaus größere Relevanz kommt der nicht-experimentellen **persönlichen** Beobachtung bei ***konventionellen Handelspanel-Untersuchungen*** zu, bei denen in einem bestimmten zeitlichen (zumeist zweimonatlichen) Rhythmus Mitarbeiter des Panel-Institutes die dem Panel angehörenden Handelsbetriebe aufsuchen und mit Hilfe von Inventuren, Inventurvergleichen sowie Einkaufsbelegen die während der Zwischenzeit erfolgten Abverkäufe bestimmter Produktgruppen feststellen. Daneben werden die Verkaufspreise sowie häufig auch die Produktplazierungen und die während des vergangenen Zeitraumes getätigten Verkaufsförderungsmaßnahmen des Handelsbetriebes registriert.[391]

Internationale Handelspanel-Untersuchungen können dank des weltweiten Agierens einzelner Panel-Institute (z.B. von *ACNielsen*) und des Bestehens weltweiter Netzwerke nationaler Panel-Institute ohne große Schwierigkeit harmonisiert durchgeführt werden. *ACNielsen* offeriert beispielsweise mit dem *"MarketTrack International Panorama"* harmonisierte Daten über den Absatz und Umsatz von bis zu 64 Gruppen schnelldrehender Konsumgüter *(fast moving consumer goods, fmcg)* sowie über entsprechende Segmente und Hersteller aus bis zu 22 europäischen Ländern.

Die *GfK* wiederum hat bereits Ende der 70er Jahre ihre Handelspanels internationalisiert und in der Zwischenzeit mit eigenen Auslandsinstituten und ausländischen Partnerinstituten ein globales Handelspanel-Netzwerk errichtet. So wurde z.B. zusammen mit *The NPD Group*, USA, ein Joint-Venture-Institut namens *NPD INTELECT* (Port Washington, N.Y., *www.intelectmt.com*) gegründet (an dem die *GfK* einen Anteil von 25 % hält), das weltweit in 43 Ländern, darunter neben den west- und osteuropäischen Ländern, zwölf asiatische Länder, die wichtigsten Länder im Nahen Osten, die USA sowie die lateinamerikanischen Länder, mit Hilfe von Einzelhandelspanels die Verkaufszahlen, Verkaufspreise und Marktanteile von technischen Konsumgütern (Computern, Druckern, Monitoren und anderen Peripheriegeräten, Mobiltelefonen etc.) und Dienstleistungen erfaßt.

---

[391] Vgl. Berekoven, L., Eckert, W., Ellenrieder, P. (2001), S. 137.

Als eine für die internationale Marketingforschung relevante Realisationsform der nicht-experimentellen **persönlichen** Beobachtung sind letztlich noch die internationalen ***In-Store-Beobachtungen*** anzuführen, mit deren Hilfe in großen Stichproben national repräsentativer Einzelhandelsbetriebe (einer bestimmten Sparte) Distributionsuntersuchungen durchgeführt werden. Erhoben werden dabei Daten über die In-Store-Distribution der Produkte, Preise, Kontaktstrecken, Displays etc. Solche In-Store-Beobachtungen kann z.B. *ACNielsen* in einer Reihe von industrialisierten Ländern vornehmen.

Nicht-experimentelle **apparative** Beobachtungen sind (des Stichprobenproblems wegen) bei einer quantitativen Primärforschung in aller Regel ***Panel-Beobachtungen***, und als technische Erfassungsmittel dominieren dabei ***Scanner*** und ***TV-Meter*** (*set* oder *people meter*). Konkrete Erscheinungsformen solcher Beobachtungspanels, die auch eine internationale Relevanz aufweisen, sind *Haushaltspanels*, bei denen ein In-Home- oder In-Store-Scanning erfolgt, *Handelspanels*, die über Scanning-Kassen verfügen, und *Fernsehzuschauerpanels*, die mit einem elektronischen Registriergerät, dem sog. TV-Meter, ausgestattet sind.[392]

Wie schon im vorigen Kapitel erwähnt wurde, verfügen *ACNielsen* und die *GfK* in einigen Ländern bereits über Haushaltspanels, deren Mitglieder die von ihnen getätigten Einkäufe bestimmter Produkte zu Hause mit einem Handscanner erfassen *(In-Home-Scanning)*, und sind bestrebt, dieses Datenerfassungsverfahren möglichst schnell auch bei ihren anderen nationalen Haushaltspanels zur Anwendung zu bringen. Neben *ACNielsen* und der *GfK* gibt es einige Marktforschungsinstitute, die nur in ihren Stammländern solche Panels aufgebaut haben. In Großbritannien z.B. ist dies *TN Sofres* (mit immerhin 15.000 sogen. *"Superpanel"*-Haushalten).

Eine breit angelegte internationale Untersuchung ist alleine mit **In-Home-Scanning-Panels** z.Zt. folglich nicht möglich. Es bedarf vielmehr in verschiedenen Ländern der Durchführung von weniger reliablen und validen Panelerhebungen, wie z.B. der skizzierten Datenerfassung durch ein *In-Store-Scanning*.

---

392 Vgl. ebenda, S. 124ff.

Fernsehzuschauerpanels, bei denen die Fernsehnutzungsgewohnheiten mit Hilfe von *TV-Metern*[393] erfaßt werden, sind dagegen bereits heute sehr stark international verbreitet. In über 70 Ländern sind sie die alleinige oder vorherrschende Methode zur Messung des Fernsehnutzungsverhaltens[394], so daß man sie zu Recht als "... universal standard method for measuring TV audiences ..."[395] bezeichnen kann. Gleichwohl ist aber eine international vergleichende Analyse der Fernsehnutzungsgewohnheiten, die z.B. für die Anbieter der über Satelliten ausgestrahlten Programme von großem Interesse ist, wegen der mangelnden Harmonisierung der nationalen Fernsehforschungen zur Zeit noch mit einigen Schwierigkeiten verbunden. Unterschiede bestehen insbesondere bezüglich

- der Abgrenzung der Grundgesamtheit,
- der Definition von „fernsehen“,
- der Behandlung von urlaubsbedingten Abwesenheiten einzelner Panelmitglieder sowie
- der Meßtakte und Auswertungsmodi.[396]

Es ist allerdings zu erwarten, daß diese Unterschiede dank der entsprechenden Bemühungen der *"Audience Research Methods (ARM) Group"*, zu deren Mitgliedern die

- *ARF* - *Advertising Research Foundation,*
- *CARF* - *Canadian Advertising Research Foundation,*
- *EAAA* - *European Association of Advertising Agencies,*
- *EBU* - *European Broadcasting Union,*
- *EGTA* - *European Group of Television Advertising,*
- *EMRO* - *European Media Research Organizations,*
- *ESOMAR* - *European Society for Opinion and Marketing Research,*
- *GEAR* - *Group of European Audience Researchers,*
- *PETV* - *Pan-European Television Research Group* und

---

393 Siehe hierzu Bauer, E. (2001), S. 760f.

394 Vgl. Gill, J. (2000), S. 431f.; Syfret, T. (2001).

395 Gill, J. (2000), S. 431.

396 Vgl. Green, A. (1990), S. 33f.; Gane, R. (1993), S. 27ff.; Bauer, E. (1996), S. 129ff.; ders. (2001), S. 768ff.

- *WFA* - *World Federation of Advertisers*

zählen, bald der Vergangenheit angehören werden[397] - wie im übrigen auch jene nationalen Unterschiede, die in den anderen Bereichen der Media-Forschung (Hörer-, Leserforschung etc.) noch bestehen.[398] Einen Beitrag dazu leisten können sicherlich auch einschlägige Organisationen aus Ländern außerhalb Europas und Nordamerikas, wie z.B. die Ende 1999 infolge einer Initiative der *South African Advertising Research Foundation (SAARF)* gegründete *Pan African Media Research Organisation (PAMRO)*.

Nach einigen erfolgreichen Erprobungen beginnen *"portable people meters" (PPM)*, die ursprünglich nur zur Messung des Radiohörerverhaltens entwickelt worden waren, nun auch international zur Messung des Fernsehnutzungsverhaltens an Bedeutung zu gewinnen und die stationären Meßgeräte abzulösen.[399] Diese Geräte haben den Vorteil, daß mit ihnen nicht nur erstmalig das immer mehr zunehmende Außer-Haus-Fernsehen, sondern gleichzeitig auch das (bislang meist durch das Führen von Tagebüchern ermittelte) Radiohören erfaßt werden kann. So betont denn auch *Larry Gold*, Herausgeber des Brancheninformationsdienstes *Insight Research*, daß "increasingly, TV and radio contracts around the world will demand this kind of measurement"[400]. Weltweit konkurrieren zur Zeit drei Anbieter(-gruppen) um solche Kontrakte, nämlich *Arbitron/Taylor Nelson Sofres*, *Nielsen Media Research* und die in der Schweiz ansässige *AGB Group*.

Unter Einsatz von (schriftlichen oder persönlichen) Befragungen sind hingegen bereits harmonisierte internationale Fernseh- und Leserforschungen erfolgreich durchgeführt worden. Zu erwähnen sind insbesondere folgende Untersuchungen:

---

397 Vgl. Thomas, J. (1992), S. 56; Menneer, P., Samuels, G. (1998), S. 843ff.; EBU (1999).

398 Vgl. z.B. Kasari, H.J. (1993), S. 39f.; Koschnik, W.J. (1993), S. 11ff.; Cranswick, G. (1995), S. 35ff.; ESOMAR (1995a); Menneer, P. (1995), S. 20ff.; RSL (1995); ESOMAR (1996c); Green, A. (1997), S. 46ff.

399 Vgl. Mytton, G. (1998), S. 32f.; Gold, L.N. (2001a), S. 22.

400 Ebenda.

- *European Media & Marketing Survey (EMS)* - kontinuierliche Ermittlung des Lese- und Fernsehverhaltens sowie des Konsumverhaltens von Spitzenverdienern in 17 europäischen Ländern (EU, Schweiz und Norwegen) per zentralisierter CATI-Befragung *(INTER/VIEW*, Amsterdam) und schriftlicher Folgebefragung (halbjährliche Berichterstattung).[401]

- *European Business Readership Survey (EBRS)* - zwei- bis dreijährliche Ermittlung der Reichweiten von 285 nationalen und internationalen Zeitungen und Zeitschriften bei Top-Managern in 17 europäischen Ländern per schriftlicher Befragung *(IPSOS-RSL*, London).[402]

- *International Air Travel Survey (IATS) Europe* - zwei- bis dreijährliche Ermittlung der Reichweiten von 108 nationalen und internationalen Zeitungen und Zeitschriften bei Passagieren, die von europäischen Flughäfen zu internationalen Flügen starten, per schriftlicher Befragung.[403]

- *Chief Executives in Europe* - vier- bis fünfjährliche Ermittlung der Reichweiten von 127 nationalen und internationalen Zeitungen und Zeitschriften sowie von Einschätzungen der zukünftigen wirtschaftlichen Entwicklung bei den Leitern der 1.900 größten Industrie- und Handelsunternehmen sowie der 100 größten Banken Europas[404] (*IPSOS-RSL*, London).

- *International Financial Managers in Europe (IFM) Survey* - dreijährliche Ermittlung der Reichweiten von 137 nationalen und internationalen Zeitungen und Zeitschriften sowie der finanzwirtschaftlichen Aktivitäten bei den für internationale finanzwirtschaftliche Aktivitäten Verantwortlichen in den 3.087 größten Unternehmen Europas[405] (*IPSOS-RSL*, London).

- *Pan European Survey (PES)* - dreijährliche Ermittlung des Mediennutzungsverhaltens sowie weiterer marketingrelevanter Daten bei über 25-jährigen Spitzenverdienern in 14 europäischen Ländern per

---

401 Vgl. Appel, M., Barker, B., Wendt, L., Mitchell, R. (1996), S. 427ff.

402 Vgl. Shaw, R. (1995), S. 104f.

403 Vgl. ebenda, S. 105f.

404 Vgl. ebenda, S. 106.

405 Vgl. ebenda.

persönlicher Befragung (*IPSOS-RSL*, London).[406] Die Reihe der *PES*-Studien endete mit dem 1995 publizierten *PES 6* (die Vorgängerstudien datieren aus den Jahren 1978, 1981, 1984, 1988 und 1992). Nachfolger wurde die methodisch anders konzipierte Studie *Europe 2000* (*www.ipsos.rslmedia.co.uk/surveys/europe2000.html*).

- *Asian Businessman Readership Survey (ABRS)* – drei- bis vierjährliche Ermittlung der Reichweiten von 127 nationalen und internationalen Zeitungen und Zeitschriften bei "Senior Executives" in 8 südostasiatischen Ländern per schriftlicher Befragung (*IPSOS-RSL*, London).

- *The Nordic Businessman Readership Survey (NBRS)* – zwei- bis dreijährliche Ermittlung der Reichweiten von 134 nationalen und internationalen Zeitungen und Zeitschriften bei schwedischen, norwegischen, dänischen und finnischen Geschäftsleuten per schriftlicher Befragung (*SIFO AB*, Stockholm).

- *Satellite TV Audience Measurement Partnership (STAMP)* – jährliche Ermittlung der täglichen Fernsehgewohnheiten in europäischen Kabel- und Satellitenhaushalten (Stichprobengröße pro Land: 250 Haushalte) per Tagebuchaufzeichnungen in Nachfolge der *PETAR (Pan European Television Audience Research)*-Untersuchungen (getragen von *PETV*, dem *Pan-European TV Research Consortium*, zu dem u.a. *BBC World, CNN International, NBC, Discovery und TV5* gehören, und durchgeführt von *IPSOS-RSL*, London).[407]

- *Asian Target Markets Survey (ATMS)* – zweijährliche Ermittlung des Mediennutzungs- und Konsumverhaltens von 10.985 (*ATMS 99*) Top-Verdienern in den Städten Bangkok, Hongkong, Jakarta, Kuala Lumpur, Manila, Singapur und Taipeh per persönlicher Befragung (*AC-Nielsen*).

- *Pan Asia Cross-Media Study (PAX)* – jährliche Ermittlung des Konsum- und insbesondere des Mediennutzungsverhaltens von Entscheidungsträgern der Wirtschaft und Angehörigen der Oberschicht in den Städten Bangkok, Hongkong, Jakarta, Kuala Lumpur, Manila, Singapur und Taipeh per persönlicher Befragung (*AMI*, Hongkong).

---

406 Vgl. ebenda, S. 102ff.; ESOMAR (1996a).

407 Vgl. McElhatton, N. (1998c), S. 12.

- *Pan Asian Cable and Satellite Survey (PACSS)* – telefonische Befragung von je 800 Top-Managern und je 800 Personen mit höherem Einkommen in den Städten Bangkok, Jakarta, Hongkong, Kuala Lumpur, Manila und Taipeh nach ihren Fernsehgewohnheiten (*AMI*, Hongkong).
- *Los Medios y Mercados de Latinoamérica (LMML)* – jährliche Ermittlung des Mediennutzungs- und Konsumverhaltens der 12- bis 64-jährigen Bevölkerung in 19 mittel- und südamerikanischen Ländern (Stichprobengröße: ca. 6.600 Respondenten) per persönlicher und schriftlicher Befragung (*Audits & Surveys Worldwide*, New York / *IBOPE Internacional*, Rio de Janeiro; *www.surveys.com* oder *www.zonalatina.com*).

Noch sehr gering international verbreitet und daher nur in einzelnen Ländern nutzbar sind sog. ***Single-Source-Services*** von Marktforschungsinstituten, d.h. Angebote von aufeinander abgestimmten Haushalts-, Handels- und Fernsehzuschauerpanel-Daten. *ACNielsen* bietet z.B. einen solchen Service in den USA und Großbritannien und die *GfK* in Deutschland und Frankreich (durch das JV *"TVScan"* mit *Mediametrie*) an, wobei bei ein und demselben Haushaltspanel sowohl die getätigten Produkteinkäufe mit Handscannern als auch das Fernsehverhalten mit TV-Metern erfaßt wird.

Handelspanels, bei denen die Abverkäufe von Scanner-Systemen registriert werden, sind mittlerweile in vielen industrialisierten Ländern (z.B. in den USA, Kanada, Deutschland, Spanien, Frankreich, Großbritannien, Italien, Belgien und den Niederlanden) installiert worden, so daß die Voraussetzungen gegeben sind, um mit solchen Panels breitere internationale Marketingforschungen durchführen zu können. Solche **Scanner-Handelspanels** ersetzen oder ergänzen die konventionellen Handelspanels. Im letzteren Fall werden sie dann vor allem für Trakking-Studien eingesetzt. Eine derartige Dienstleistung wird z.B. von *ACNielsen* unter der Bezeichnung *"Scantrack"* sowie von *Information Resources Inc.* (*IRI*, Chicago) und der *GfK* (Nürnberg) unter der Bezeichnung *"InfoScan"* in mehreren Ländern angeboten.

Weiter an Bedeutung gewinnen werden in den nächsten Jahren apparative Panelbeobachtungen zur Ermittlung des ***Internetnutzungsverhaltens*** *(user-centric online media measurement)*, bei denen ähnlich wie bei der

Fernsehzuschauerforschung das spezifische Mediennutzungsverhalten der Panelmitglieder per Software am Computer des Internetnutzers erfaßt und dann per Modem an das jeweilige Marktforschungsinstitut übermittelt wird.[408] Dies liegt einmal in dem zunehmenden Interesse der in diesem Medium Werbung betreibenden Industrie und zum anderen in den Vorteilen dieser Meßmethode gegenüber den beiden alternativen Vorgehensweisen, nämlich dem *"site-"* und dem *"ad-centric online media measurement"*, begründet. So wurden denn auch nach Angaben von *Inside Research* mit der nutzerzentrierten bzw. panelbasierten Meßmethode im Jahre 2000 weltweit Umsätze in Höhe von 90 Mio. US $ erzielt, während auf die beiden anderen Meßmethoden Umsätze in Höhe von 20 Mio. US $ entfielen.[409]

Von internationaler Bedeutung sind vor allem die folgenden drei Online-Panel-Anbieter:

- *NetValue SA (www.net-value.co.uk)*, Paris (F) – das im Jahre 1998 gegründete Institut, ist seit 1999 mit *Taylor Nelson Sofres* (GB) in einer strategischen Allianz verbunden, um gemeinsam weltweit Online-Panels aufzubauen und zu betreiben. Ende 2000 existierten Online-Panels in Frankreich, Deutschland, Großbritannien, Schweden, den USA, Mexico, Spanien, Dänemark, der VR China, Südkorea, Hongkong, Singapur und Taiwan.

- *Jupiter Media Metrix Inc. (JMM; www.jmm.com)*, New York (USA) – das im Jahre 1995 durch *The NPD Group* unter dem Namen *PC Meter LP* gegründete Institut wurde 1997 von dieser rechtlich abgetrennt und in *Media Metrix Inc. (MMI)* umfirmiert. Nach der Fusion mit *Jupiter Communications Inc.* (USA) erfolgte 2000 eine weitere Umfirmierung in *Jupiter Media Metrix Inc. (JMM)*. Ende desselben Jahres wurden entweder in eigener Regie oder über Joint Ventures mit anderen Instituten (beispielsweise über das mit der *GfK*, *Ipsos* und der *Observer AB*, der ehemaligen *SIFO Group*, gebildete JV-Institut *Jupiter MMXI; www.jupitermmxi.com*) Online-Panels in folgen-

---

[408] Vgl. hierzu und zum folgenden McDonald, S. (1998), S. 1 u. 7; FAST (2000).

[409] Vgl. Inside Research (2001-9), S. 5.

den Ländern betrieben: USA, Kanada, Deutschland, Frankreich, Großbritannien, Schweden, Italien, Spanien, Dänemark, Norwegen, Schweiz, Japan, Australien, Neuseeland, Argentinien und Brasilien.

- *ACNielsen eRatings.com (www.eratings.com)*, Stamford (USA) – wurde im September 1999 als 80/20-JV von der *ACNielsen Corp.* und *NetRatings Inc.*, Milpitas, Cal., an der *ACNielsen* zusätzlich eine 10 %-ige Beteiligung erwarb, gegründet, um gemeinsam einen Internet-Trackingservice, genannt *"Nielsen//NetRatings"*, in Europa, dem asiatisch-pazifischen Raum, Lateinamerika, Afrika sowie dem Mittleren Osten aufzubauen. Diese Service-Marke stammt aus der bereits ein Jahr vorher zum Zwecke der Errichtung eines auf die USA ausgerichteten Internet-Trackingservice zwischen *NetRatings* und *Nielsen Media Research* beschlossenen strategischen Allianz. Mitte 2001 wurde der *"Nielsen//NetRatings"*-Service von *ACNielsen eRatings. com* und *NetRatings* – in einigen Ländern zusammen mit anderen JV-Partnern (beispielsweise *Mediametrie* und *IBOPE*) – in den USA, Kanada, Australien, Neuseeland, Japan, Singapur, Lateinamerika sowie 13 europäischen Ländern angeboten.

Ende des Jahres 2001 schien sich jedoch die Situation auf der Angebotsseite der panelbasierten Internetnutzungsforschung insofern grundlegend zu ändern beginnen, als *NetRatings* (Umsatz 2000: 20,4 Mio. US $), das zwischenzeitlich (zu 64 %) ebenso wie die *ACNielsen Corp.* und *Nielsen Media Research* (zu jeweils 100 %) in den Besitz von *VNU* (NL) übergegangen war, das mit einem Jahresumsatz von 142,8 Mio. US $ (2000) weitaus größere Institut *Jupiter Media Metrix* aufzukaufen beabsichtigte und darüber hinaus den 80%-Anteil des nunmehrigen Schwesterinstitutes *ACNielsen Corp.* an *ACNielsen eRatings.com* zu übernehmen gewillt war.[410] Begünstigt wurde diese dann auch sehr bald vertraglich geregelte Übernahme, weil *JMM* stark unter den Folgen des 2000 einsetzenden "Dot.com-Desasters" sowie des *WTC*-Attentates vom 11.09.01 zu leiden hatte, die sich darin dokumentierten, daß die Belegschaft von 1.000 auf 430 Personen reduziert werden mußte und die liquiden Mittel auf 33 Mio. US $ sanken.

---

410 Vgl. Gold, L.N. (2001a), S. 22; Savage, M. (2001d), S. 10.

Negative Auswirkungen dieses Vorganges zeichneten sich zunächst vor allem für *Ipsos*, die *GfK*, *Observer* und *INTAGE* (Tokio), die JV-Partner von *JMM*, ab, da die mit diesen getroffene Vereinbarung, panelbasierte Internetnutzungsforschung in Europa, Lateinamerika und Asien durchführen zu dürfen, zur Aufkündigung anstand. Für den gesamten Markt war die Übernahme von *JMM* einerseits ebenfalls nicht unbedenklich, weil durch sie die Tendenz zu einer Monopolisierung des Angebotes internationaler Internetnutzungsforschungen verstärkt wurde. Denn beide Institute vereinigten auf sich ca. 90 % aller weltweit mit panelbasierter Internetnutzungsforschung getätigten Umsätze. Andererseits konnten ihr aber auch positive Momente abgewonnen werden, da durch sie eine stärkere internationale Standardisierung der panelbasierten Internetnutzungsforschung möglich war.

Denn ähnlich wie bei den anderen Medianutzerschaftsforschungen, nämlich der Zeitungs- und Zeitschriftenleser-, Radiohörer- und Fernsehzuschauerforschung, ist auch hier die Gefahr groß, daß die verschiedenen Erhebungssysteme aufgrund ihrer mangelnden Harmonisierung Daten generieren, die nicht oder nur sehr schwer miteinander zu vergleichen sind. Befürchtet werden muß nicht nur eine Beeinträchtigung des Vergleichs der von verschiedenen User-zentrierten Erhebungssystemen gewonnenen Daten, sondern auch eine Beeinträchtigung des Vergleichs der von User-, Site- und Ad-zentrierten Erhebungssystemen gewonnenen Daten.[411]

Wie die im Verlaufe des Jahres 2001 vielfach entbrannten Diskussionen um z.T. diametral unterschiedliche Meßwerte der obigen drei Online-Panel-Anbieter offenbarten, waren diese Befürchtungen nicht unbegründet. Daher ist verständlich, daß *Stephen Shaw*, CEO bei *Autometrics*, die Übernahme von *Jupiter Media Metrix* durch *NetRatings* wie folgt kommentierte: "We think the risk of a monopoly is overshadowed by the benefits. We now have a definite industry standard metric which can be used worldwide. The merger of these two large players has accelerated this."[412] Die *US Federal Trade Commission* war jedoch einer völlig ande-

---

[411] Siehe hierzu FAST (2000), S. 2.

[412] Zitiert bei Savage, M. (2001d), S. 10.

ren Ansicht und verfügte im Februar des Jahres 2002 eine Auflösung des Übernahmevertrages.

Die Harmonisierungsprobleme sind auf diese Weise folglich nicht gelöst worden. Daher ist es sehr lobenswert, daß sich mit *FAST (Future of European Advertising Stakeholders; www.fastinfo.org)* bereits sehr frühzeitig ein breit angelegter Interessenverband gebildet hat (bestehend aus Repräsentanten verschiedener Unternehmen aus 10 europäischen Ländern und internationaler Organisationen, wie z.B. *Procter & Gamble*, *IBM*, *Unilever*, *EMEA*, *AOL Germany*, *WFA*, *IAB* und *ESOMAR*), der sich u.a. folgende zwei Ziele gesetzt hat: "Improve the quality, reliability, comparability of audience measurement. Establish viable and useful advertising currencies for the World Wide Web, in order to achieve international comparability within the online medium and with standard measures of traditional media"[413]. Angestrebt und z.T. bereits verwirklicht ist eine Ausweitung des Verbandes auf die USA, Lateinamerika und die asiatisch-pazifischen Länder.

3.2.1.3 Experimentelle internationale Befragungen und Beobachtungen

Als quantitative Untersuchungen angelegte **experimentelle Befragungen** sind dadurch gekennzeichnet, daß bei einer für die jeweilige Grundgesamtheit repräsentativen Gruppe von Auskunftspersonen durch eine Reihe gezielter Fragen Aussagen über bestimmte, vom Untersuchenden vorgegebene und planmäßig beeinflußte Sachverhalte gewonnen werden. Analog dazu geht es bei **experimentellen Beobachtungen** dann darum, von dem Untersuchenden planmäßig beeinflußte, wahrnehmbare Sachverhalte bei einer repräsentativen Gruppe von Beobachtungsobjekten systematisch durch Personen oder technische Hilfsmittel zu erfassen.

Die zu befragenden bzw. zu beobachtenden Personen werden entweder mit Hilfe einer Panelstichprobe oder mit Hilfe einer Ad-hoc-Stichprobe bestimmt, und die Sachverhalte, über die dadurch unter Labor- oder

[413] www.fasteurope.org/audience/mission.htm vom 21.02.00.

Feldbedingungen Aufschluß gewonnen werden soll, sind deren Reaktionen auf die versuchsweise Neu- oder Andersgestaltung von marketingpolitischen Instrumenten.

Experimentelle Befragungen, Beobachtungen oder eine Kombination von beiden kommen in vielerlei ***Testverfahren*** zur Anwendung, von denen im folgenden jedoch nur auf die Hauptausprägungsformen eingegangen werden kann. Dabei muß auf eine Darstellung der methodischen Aspekte der Testanlage und -auswertung ebenso verzichtet werden wie auf eine Erläuterung der technischen Aspekte der Testdurchführung.[414] Es interessiert vielmehr alleine die Frage, inwieweit diese Testverfahren in der internationalen Marketingforschung eingesetzt werden (können).

An erster Stelle sind zunächst die ***Konzepttests*** anzuführen, bei denen die Testpersonen aufgefordert werden, Produktideen oder -konzepte, die ihnen verbal, schriftlich, bildlich und/oder in Form von Modellen präsentiert wurden, auf einem zumeist mündlichen Wege *(Durchführung von Studiotests)*, in manchen Fällen aber auch auf einem schriftlichen Wege *(Durchführung von schriftlichen Panelbefragungen)* zu beurteilen.[415] Zunehmender Beliebtheit erfreuen sich neuerdings (unter Nutzung eines dementsprechenden Panels) *online durchgeführte Konzepttests*.[416] Nach Angaben von *Inside Research*[417] entfielen in den USA im Jahre 2000 31 % und im Jahre 2001 bereits 36 % aller Umsätze, die mit Online-Marktforschungsuntersuchungen gemacht wurden, auf Konzept- und Produkttests. Sie waren damit mit weitem Abstand vor Kundenzufriedenheitsstudien (15 bzw. 9 %) und Einstellungs- und Verbrauchsstudien (14 bzw. 11 %) das bedeutendste Einsatzfeld der Online-Marktforschung.

Konzepttests dienen der Identifikation erfolgversprechender Produktideen oder -konzepte und sollten in der internationalen Marketingforschung vor allem dann eingesetzt werden,

---

[414] Der hieran interessierte Leser sei auf die bereits mehrfach zitierten Marktforschungslehrbücher und die dort angegebene Spezialliteratur verwiesen.

[415] Zum Begriff des Konzepttests siehe Bauer, E. (1981), S. 6ff.; ders. (1995).

[416] Siehe hierzu z.B. Knapp, F. (2000), S. 62ff.; Arndt, R. (2001), S. 291ff.

[417] Vgl. Inside Research (2001-1), S. 13, und (2002-1), S. 2.

- wenn ein neues Produkt für einen einzelnen Auslandsmarkt, eine Gruppe von Auslandsmärkten oder den Weltmarkt entwickelt werden soll, oder
- wenn aus Kostengründen nicht mit Hilfe eines Produkttests überprüft werden kann oder soll, ob ein im heimischen Markt bereits eingeführtes Produkt ohne bzw. mit bestimmten Veränderungen erfolgreich auch auf Auslandsmärkten verkauft werden kann.

Beziehen sich die produktpolitischen Überlegungen und Planungen auf mehrere Auslandsmärkte oder gar den Weltmarkt, werden jedoch (was im Rahmen von Studiotests oder Panelbefragungen prinzipiell möglich wäre) nicht in allen dieser Länder Konzepttest durchgeführt, sondern nur in einigen ausgewählten Ländern, die von dem Unternehmungsmanagement als Schlüsselländer ihrer Auslandsgeschäftstätigkeit angesehen werden. Für außereuropäische Unternehmungen, die Produkte auf dem europäischen Markt einführen wollen, ist z.B. Deutschland in vielen Fällen ein solches Schlüsselland, wohingegen Dienstleistungskonzepte überwiegend in Großbritannien getestet werden.

Das gleiche gilt, wenn *vor* der *internationalen Markteinführung* eines Produktes zur Reduktion der Zahl seiner Entwicklungsalternativen *(Screening)* oder zur Abschätzung der Marktchancen der nach dem Screening verbliebenen und bis zur Marktreife weiterentwickelten Produktvariante(n) mit einer Stichprobe potentieller Produktkäufer/-verwender ein ***Produkttest***[418] in Form eines *Volltests* durchgeführt wird. Solche Tests sind in der Regel als *Haushaltstests (home-use-tests)* anzulegen, wobei der leichteren Auffindbarkeit von Produktzielgruppenmitgliedern und der höheren Erfolgsquote der Untersuchung wegen die Testpersonen vorzugsweise aus einem Produkttestpanel rekrutiert werden sollten. Überdies kann in diesem Fall die Übermittlung der Testprodukte wie auch die der Vorlage und die Einholung der Fragebögen kostensparend auf einem postalischen Wege erfolgen.

Anstelle von postalischen Produkttestpanels, über die in Deutschland die Institute *G&I* (Nürnberg) und *NFO TPI* (Wetzlar) verfügen, werden in

[418] Zum Begriff und den Ausprägungsformen des Produkttests siehe Bauer, E. (1981), S. 5ff.; ders. (1995), Sp. 2151ff.

einigen Ländern (so z.B. in Belgien)[419] semi-postalische Produkttestpanels zur Durchführung von Produkttests eingesetzt, oder man beschreitet einen völlig anderen Weg, indem die Testpersonen durch eine Ad-hoc-Stichprobe ausgewählt werden und die Zustellung der Testprodukte sowie die Befragung der Testpersonen auf einem persönlichen Wege erfolgen.

Mit welchen Kosten in einzelnen Ländern und Länderregionen bei einem blinden Paarvergleichstest[420] zu rechnen ist, der auf letztere Art und Weise angelegt wird, hat *ESOMAR* letztmalig in der *"ESOMAR Prices Study 1994"*[421] ermittelt. Genauer gesagt, wurden von *ESOMAR* weltweit Marktforschungsinstitute danach befragt, was ein in Form eines "blinden" Paarvergleichstests angelegter *"in-home extended usage test"*[422] kosten würde, bei dem bei 200 von Interviewern per Befragung identifizierten Verwendern eines Molkereiproduktes (angenommene Penetrationsrate 67 %) zweimal zwei Testprodukte plaziert und danach dann wiederum per Interviewer die Testergebnisse erhoben werden.

Hierbei wurde festgestellt, daß im westeuropäischen Vergleich die Kosten für eine solche Untersuchung in der Schweiz (mit 37 % über dem entsprechenden Durchschnitt) deutlich am höchsten sind (s. hierzu und zum weiteren Tabelle 22). Deutlich über dem Durchschnittswert liegen die Kosten auch in Deutschland, Dänemark, Frankreich, Schweden und den Niederlanden, während in Irland, Griechenland und Spanien dieser Wert signifikant unterschritten wird.

Mehr als bzw. nahezu doppelt so hoch wie im westeuropäischen Durchschnitt sind die Kosten solcher Untersuchungen in Japan und den USA. Daraus wird dann auch erklärlich, daß diese Form des Produkttestens in den USA nicht sehr gebräuchlich ist. Erstaunlich hoch sind die Kosten aber auch in Kanada, Hongkong und Brasilien, während in Indien, der Türkei und den nordafrikanischen Staaten die weltweit niedrigsten Kosten zu verzeichnen sind.

---

[419] Vgl. Forges, C. (1991), S. 152ff.

[420] Siehe hierzu Bauer, E. (1981), S. 22.

[421] Vgl. ESOMAR (1995b).

[422] Siehe hierzu Bauer, E. (1981), S. 102.

Westeuropa	
15 - Länderdurchschnitt	100
größte 5 Länder	101
Schweiz	137
Deutschland	124
Dänemark	123
Frankreich	120
Schweden	112
Niederlande	109
Österreich	104
Belgien	102
Italien	93
Großbritannien	91
Norwegen	90
Finnland	83
Spanien	77
Griechenland	71
Irland	65
Türkei	48

Osteuropa	
9 - Länderdurchschnitt	45
Ungarn	48
Polen	48
Tschechien	45
andere	44
Rumänien	43

Rußland / Ex-UdSSR	
4 - Länderdurchschnitt	40
andere	41
Russische Föderation	37

Naher / Mittlerer Osten	
7 - Länderdurchschnitt	83
andere	85
VAE	72

Nordafrika	
2 - Länderdurchschnitt	46
Südafrika	84
Japan	243

Nordamerika	
2 - Länderdurchschnitt	165
USA	198
Kanada	133

Zentral- / Südamerika	
5 - Länderdurchschnitt	109
andere	115
Brasilien	110
Mexiko	88

Australien / Neuseeland	
2 - Länderdurchschnitt	96
Australien	84

"Pacific - Rim"	
9 - Länderdurchschnitt	69
Hongkong	114
Südkorea	77
andere	61

Asien	
3 - Länderdurchschnitt	38
Indien	22

Westeuropäische Durchschnittskosten (22.709 sfr) = 100

Tabelle 22: Indizes der Durchschnittskosten eines Produkttests in verschiedenen Ländern der Welt
Quelle: ESOMAR (1995b), S. 13

Da sich die angegebenen Indizes auf die Durchschnitte der Kostenangaben der in den einzelnen Ländern befragten Institute beziehen, ist es nicht uninteressant, neben den internationalen auch die intranationalen Kostenschwankungen zu analysieren.

Hierbei zeigt sich[423], daß Deutschland die größte Schwankungsbreite aufweist, weil sich das teuerste und das billigste Institut um den Faktor 5 (und auch bei Nichtberücksichtigung der zwei höchsten und zwei niedrigsten Kostenangaben noch um den Faktor 3,4) unterscheiden. Eine sehr geringe Schwankungsbreite weist hingegen Frankreich auf, wo der entsprechende Differenzfaktor 2,2 (bzw. 1,4) beträgt. In den anderen wichtigen europäischen und außereuropäischen Ländern sind folgende Werte zu verzeichnen: Italien 3,6 (2,8), Spanien 3,5 (2,4), Großbritannien 4,5 (2,3), Japan 3,6 und USA 2,7.

Partialtests, die der Überprüfung einzelner Produktkomponenten (z.B. des Geschmacks, Geruchs, Markennamens, Preises oder der Verpackung und Handhabung) dienen, werden zumeist als *Studiotests (hall-* bzw. *central-location-tests)* angelegt, bei denen die Testpersonen mit Hilfe einer Ad-hoc-Stichprobe rekrutiert und nach dem Produktge- oder -verbrauch mündlich nach ihren Wahrnehmungen bzw. Beurteilungen gefragt werden. Im internationalen Marketing empfiehlt es sich, solche Produkttests nicht nur in einzelnen Schlüsselländern, sondern soweit als möglich in allen Produktzielländern durchzuführen, um auf diese Weise feststellen zu können, ob und in welcher Hinsicht eine Notwendigkeit besteht, durch eine Variation bestimmter Produktkomponenten verschiedenen länderspezifischen Käuferpräferenzen Rechnung zu tragen bzw. verschiedene landessprachspezifische Namensassoziationen zu vermeiden.[424]

Nicht auf wenige Schlüsselländer beschränkt werden können auch Produkttests, die (in der Form von Voll- oder Partialtests) *nach* der *internationalen Markteinführung* eines Produktes zur fallweisen oder kontinuierlichen Überprüfung seiner relativen Marktpositionen, zur Analyse

---

423 Vgl. ESOMAR (1995b), S. 13f.

424 Zur Frage "Standardisierung oder Differenzierung der internationalen Produktpolitik?" siehe Toyne, B., Walters, P.G.P. (1993), S. 422ff.

produktbezogener Ursachen von nationalen Verkaufs- bzw. Marktanteilsrückgängen oder aus anderen Gründen[425] vorgenommen werden müssen.

Online-Produkttests lassen sich nur mit digitalisierten Produkten durchführen - womit ihre Einsatzmöglichkeiten doch sehr deutlich eingeschränkt sind und ihre Umsatzbedeutung gegenüber den bereits angeführten Online-Konzepttests weitaus geringer ausfällt. Dabei muß beachtet werden, daß nicht jeder Test, der in der Literatur oder Praxis den Online-Produkttests zugerechnet wird, auch tatsächlich als ein solcher bezeichnet werden kann. So ist beispielsweise der von *R. Arndt*[426] als Ausprägungsform eines Online-Produkt- bzw. -Konzepttests angeführte *Websitetest* doch wohl eher den im folgenden dargestellten Testverfahren zu subsumieren.

Diese dritte Art von Testverfahren sind die ***Werbemitteltests*** *(copy tests)*, die zur Auswahl zwischen alternativen Werbemitteln (Anzeigen, TV-Spots etc.) sowie zur optimalen Gestaltung einzelner Werbemittel eingesetzt werden. Erfolgt ein solcher Test vor der Schaltung in einem Werbemedium, spricht man von einem *Pretest,* im anderen Fall von einem *Posttest*. Werbemitteltests sollten den Produktpartialtests entsprechend in jedem einzelnen Auslandsmarkt durchgeführt werden.

Harmonisierte internationale *Pretests* sind z.B. einmal mit *"Ad*Vantage"* möglich, einem Verfahren, das von dem US-amerikanischen Institut *McCollum/Spielman* entwickelt wurde und mittlerweile eine internationale Verbreitung gefunden hat.[427] Die *GfK* hat z.B. bereits im Jahre 1984 dieses Pretestverfahren, das sich zur Überprüfung von Anzeigen, Kinowerbung, Radio- und TV-Spots eignet, in ihr Dienstleistungsangebot aufgenommen und koordiniert heute die *Ad*Vantage*-Untersuchungen in fast allen europäischen Ländern. Über eine internationale *Ad*Vantage*-Untersuchung, bei der in Großbritannien, Deutschland, Frankreich, Italien, Belgien und den Niederlanden mit parallelisierten Stichproben von

---

425 Siehe hierzu Bauer, E. (1995), Sp. 2152.

426 Vgl. Arndt, R. (2001), S. 297f.

427 Siehe hierzu z.B. Merz, J., Schmies, C., Wildner, R. (1993a), S. 176ff.; dies. (1993b), S. 28ff.

je 120 Personen zwei TV-Spots getestet wurden (Werbeobjekt war der Schokoriegel *"Kitkat"* von *Nestlé*), berichteten *Davison* und *Grab*[428] auf dem im Jahre 1992 in Madrid abgehaltenen *ESOMAR*-Kongreß.

Eine andere Möglichkeit der Durchführung von harmonisierten internationalen Pretests bietet der *"BUY©TEST"*, ein für alle Medien geeignetes Testverfahren, das (ursprünglich in den USA entwickelt) seit 1984 von *BUY©Systems International* (London, *www.buytest.com*) über verschiedene Lizenznehmer weltweit in mehr als vierzig Ländern angeboten wird (deutscher Lizenznehmer ist zur Zeit noch *INRA Deutschland* in Mölln) und sich in über 8.500 Einzeluntersuchungen bewährt hat.[429] Auf die Durchführungsmöglichkeit von international harmonisierten *Posttests* wird noch zurückzukommen sein.

Store-Tests und ***konventionelle Mini-Markttests***[430] sollen weder hier noch im weiteren näher betrachtet werden, da diese Testverfahren zum einen nicht repräsentativ angelegt und damit auch nicht der *quantitativen* Marketingforschung zuzurechnen sind, sowie zum anderen in der internationalen Marketingforschung offensichtlich keine große Relevanz besitzen.

Dasjenige Testverfahren, welches eine realitätsnahe Überprüfung der Marktchancen von Produktneueinführungen ermöglicht, ist der ***Markttest***, bei dem in einem lokal oder regional abgegrenzten Teilmarkt (Testmarkt) ein neues Produkt unter Einsatz ausgewählter oder sämtlicher marketingpolitischer Instrumente probeweise eingeführt wird.[431] Trotz dieses Vorteils werden Markttests der hohen Kosten und weiterer Schwachpunkte[432] wegen in der nationalen Marketingforschung nicht gerade häufig durchgeführt. Das gleiche gilt für die internationale Marketingforschung, wo man sich überdies meist darauf beschränkt, diese Tests nur in den Schlüsselländern vorzunehmen, obwohl durchaus die

---

[428] Vgl. Davison, A.J., Grab, E. (1992), S. 377ff.

[429] Siehe hierzu auch Kap. 5.3.

[430] Siehe hierzu z.B. Hammann, P., Erichson, B. (1994), S. 181 u. 185f.; Berekoven, L., Eckert, W., Ellenrieder, P. (2001), S. 163f. u. 168ff.

[431] Siehe hierzu z.B. Hammann, P., Erichson, B. (1994), S. 178ff.; Berekoven, L., Eckert, W., Ellenrieder, P. (2001), S. 164ff.

[432] Siehe hierzu ebenda.

Möglichkeit besteht, z.B. *Nielsen*-Markttests in einer Reihe weiterer Länder durchzuführen.

Nicht anders sieht es bei dem Einsatz von Verfahren der ***Testmarktsimulation***[433] aus, wie z.B. den in Europa entwickelten und angebotenen Verfahren *TeSi (G&I*, Nürnberg), *MicroTest (Research International*, London) und *DESIGNOR (Novaction*, Paris). Das weltweit verbreitetste System der Testmarkt-Simulation ist *BASES*, das Mitte der siebziger Jahre des letzten Jahrhunderts von *BASES Worldwide* (seit 1998 *ACNielsen BASES*, *www.bases.com*, Covington, KY, USA) entwickelt wurde und mittlerweile in den USA sowie in 54 weiteren Ländern zur Anwendung kommt. In Europa wurde *BASES* über nahezu 20 Jahre hinweg von dem Lizenznehmer *Infratest Burke*, München, eingesetzt, der aber infolge der 1998 vollzogenen Übernahme von *BASES* durch *ACNielsen* sowie der Übernahme von *Infratest Burke* durch *NFO* (die dann zur Umfirmierung in *NFO Infratest* führte) seit dem Jahr 2000 nur noch die Feldarbeit für *BASES*-Studien durchführt.

Letztlich muß noch auf das Verfahren des ***elektronischen Mini-Markttests***[434] eingegangen werden, bei dem in einem oder mehreren für den jeweiligen Gesamtmarkt repräsentativen lokalen Teilmärkten sowohl die Marktchancen neuer Produkte als auch die Wirkungen verschiedener marketingpolitischer Instrumente (Produktgestaltung, Preis, Verkaufsförderung und Werbung - bei letzteren im Sinne eines Posttests) unter kontrollierten Angebots- und Kommunikationsbedingungen überprüft werden können. Herzstücke des elektronischen Mini-Markttests sind einmal ein Panel von Einzelhandelsgeschäften, in denen die neuen Produkte plaziert und die Abverkaufsdaten durch Scannerkassen erfaßt werden, und zum anderen ein Panel von Haushalten, die einer nur auf sie gezielten und nur von ihnen zu registrierenden (Zeitschriften- und Fernseh-)Werbung ausgesetzt werden, und deren Einkaufsverhalten sowie Fernsehgewohnheiten durch *In-Store-* oder *In-Home-Scanning* bzw. *TV-Meter* ermittelt werden.

---

[433] Siehe hierzu z.B. Hammann, P., Erichson, B. (1994), S. 181ff.; Hehl, K. (1994), S. 424; Berekoven, L., Eckert, W., Ellenrieder, P. (2001), S. 172ff.

[434] Siehe hierzu z.B. Stoffels, J. (1989); Hammann, P., Erichson, B. (1994), S. 191ff.; Berekoven, L., Eckert, W., Ellenrieder, P. (2001), S. 169ff.

Die internationalen Einsatzmöglichkeiten des elektronischen Mini-Markttests sind jedoch noch stark eingeschränkt. Durchführbar ist ein solcher Test z.B. in Deutschland, wo aber nur noch ein System existiert, nämlich *"BehaviorScan"* von der *GfK* mit dem Testort Haßloch (3.000 Testhaushalte), nachdem *"Telerim"* von *ACNielsen* eingestellt wurde, sowie in den USA, aus denen einmal beide Systeme übernommen wurden. *"BehaviorScan"* wird dort von *Information Resources Inc. (IRI)*, dem Systementwickler, angeboten.

3.2.2 Qualitative internationale Primärforschungen

3.2.2.1 Zielsetzungen, Stellenwert und Methoden einer qualitativen internationalen Primärforschung

Wie bereits erwähnt wurde (vgl. Kap. 3.2.1), sind internationale Primärforschungen als **qualitativ** zu charakterisieren, wenn sie nicht darauf hin angelegt sind, statistisch repräsentative quantitative Ergebnisse zu erbringen. Die Zielsetzungen solcher Primärforschungen können zunächst einmal darin bestehen, quantitative Untersuchungen vorzubereiten, zu vertiefen oder interpretieren zu helfen.

In Verfolgung der *ersten Zielsetzung* (Vorbereitung einer quantitativen Untersuchung) besteht die konkrete Aufgabenstellung einer qualitativen internationalen Marketingforschung vor allem darin[435], international oder für bestimmte Länder

- Forschungshypothesen zu generieren,
- das Marketingentscheidungs- und Marketingforschungsproblem präziser definieren zu helfen,
- Forschungsprioritäten setzen zu helfen,
- für die Konstruktion des Fragebogens relevante Fragen oder Items zu identifizieren,
- für die Formulierung geschlossener Fragen das Spektrum möglicher Antworten auf bestimmte Fragen festzustellen oder

[435] Vgl. zum folgenden auch Douglas, S.P., Craig, C.S. (1983), S. 153ff.

- einen Fragebogenpretest vorzunehmen.

Eine *Vertiefung* von aus quantitativen Untersuchungen gewonnenen Ergebnissen kann dadurch erzielt werden, daß per Zufall wieder einige der Untersuchungseinheiten oder gezielt solche Untersuchungseinheiten, die in der quantitativen Untersuchung nur mit einer kleinen Zahl vertreten waren, ausgewählt und nochmals eingehend befragt werden, um dadurch spezielle Verhaltensgründe, Meinungen, Beurteilungen etc. zu ermitteln. Zu einer besseren *Interpretation* mancher Ergebnisse einer quantitativen Untersuchung vermögen solche Primärforschungen schließlich ebenfalls beizutragen, weil sie den Marketingforschern bzw. Marketingentscheidungsträgern ein tiefergehenderes Verständnis von bestimmten kultur- oder landesspezifischen Usancen, Sitten, Denkgewohnheiten etc. vermitteln können.

Qualitative internationale Primärforschungen können zum anderen aber auch als *eigenständige Untersuchungen (Hauptuntersuchungen)* durchgeführt werden und so einen speziellen Informationsbedarf vollständig und alleine decken. Zu denken ist dabei beispielsweise an folgende Anwendungsfälle[436]:

- Ideengewinnung für neue Produkte, Produktnamen, Werbeslogans, Werbeargumente oder Marketing-Strategien,
- Testen neuer Produkt- bzw. Dienstleistungskonzepte, Werbeanzeigen bzw. Werbespots oder Produktverpackungen,
- Messung von Emotionen, Motivationen oder Einstellungen.

Wie verschiedene *ESOMAR*-Studien deutlich machen[437], hat sich europaweit der (im Gesamtumsatzanteil dokumentierte) Stellenwert der qualitativen Marketingforschung in den letzten Jahren nur unwesentlich verändert. Im Jahre 1992 beispielsweise betrug der Umsatzanteil der qualitativen Marketingforschung an dem gesamten Marketingforschungsumsatz im europäischen Durchschnitt 11 %, im Jahre 1993 12 %, im Jahre 1994

436 Vgl. hierzu ebenda sowie Fern, E.F. (1982), S. 1; Cooper, P. (1989), S. 510ff.

437 Vgl. ESOMAR (1996a), S. 13f.; dies. (1997a), S. 44; dies. (1998c), S. 46; dies. (1999), S. 29.

10 %, im Jahre 1995 9 %, im Jahre 1996 10 %, im Jahre 1997 9 % und im Jahre 1998 10,1 %.[438]

Das **Methodenspektrum**, das für qualitative internationale Marketingforschungen eingesetzt werden kann, ist ebenso breit wie vielgestaltig und reicht von ***psychologischen Testverfahren*** (projektiver oder assoziativer Natur) über ***psycho-biologische Meßverfahren*** (zur Ermittlung der elektrodermalen oder anderer physiologischer Reaktionen auf vorgelegte Reize), ***Protokolle lauten Denkens, Rollenspiele, Blickaufzeichnungsverfahren, mystery shopping*** bzw. ***mystery customer research*** (Durchführung von Testnachfragen oder Aufnahme von Testkontakten zur Ermittlung der Qualität von Serviceleistungen)[439] bis hin zu ***Intensivinterviews*** und ***Gruppendiskussionen***.[440]

Von all diesen Methoden soll im folgenden jedoch nur auf die beiden letzteren etwas näher eingegangen werden, da ihre Umsatzbedeutung die der anderen Methoden in den meisten Ländern der Welt um ein vielfaches übertrifft (vgl. Tabelle 23).

Internationale qualitative Primärforschungen bedürfen in einem besonderen Maße der Harmonisierung der einzelnen nationalen Datenerhebungen, weil einzelne Methoden bezüglich ihrer Anlage und Durchführung sehr große Variationsmöglichkeiten aufweisen und diese Variationsmöglichkeiten in verschiedenen Ländern häufig ganz unterschiedlich genutzt werden. So mußte z.B. auch *Cooper* bei einem Vergleich der US-amerikanischen und britischen Marketingforschung feststellen, daß "... there are some important differences in qualitative practice which reflect business, philosophical and cultural differences which can cause frustrations and pleasures"[441].

---

438 Vgl. hierzu ebenda sowie auch den von Schillinger, M. (1988) vorgenommenen Größenvergleich des deutschen, französischen und britischen Marktes für qualitative Marketingforschungen.

439 Vgl. hierzu z.B. Murphy, J., Morgan, A. (1993), S. 106ff.

440 Zu den verschiedenen Methoden einer qualitativen Marketingforschung siehe einführend Garz, D., Kraimer, K. (1991); Schub von Bossiazky, G. (1992); Strauss, A. (1994); Flick, U. et al. (1995); Salcher, E.F. (1995).

441 Cooper, P. (1989), S. 509.

Basis: Gesamter Marktforschungs-umsatz	Qualitativ, gesamt	Gruppen-diskussionen	Intensiv-interviews	Online-Studien	Andere
	%	%	%	%	%
Belgien[1]	16	8	7	-	1
Brasilien	24	20	2	-	2
Bulgarien[1]	15	10	2	-	3
China, VR	9	7	2	-	-
Dänemark	14	11	2	1	-
Deutschland[1]	5	2	3	-	*
El Salvador	30	28	2	-	-
Finnland	6	4	1	-	1
Frankreich	14	7	2	-	1
Griechenland	14	11	4	-	1
Großbritannien	14	10	4	1	-
Honduras	25	18	7	-	-
Irland[1]	16	14	2	-	0
Italien	12	8	2	-	2
Japan	8	6	1	-	1
Kroatien	18	16	2	-	-
Luxemburg[1]	7	5	2	-	0
Neuseeland	15	8	5	-	2
Nicaragua	20	17	3	-	-
Niederlande[1]	12	-	-	-	-
Norwegen	8	6	2	-	*
Österreich[1]	9	4	4	-	1
Pakistan	17	13	2	1	1
Peru	25	22	3	-	-
Polen	15	12	2	-	1
Portugal	20	15	5	-	-

Rumänien	20	14	4	-	2
Rußland	22	15	5	1	1
Schweden	9	8	1	-	-
Schweiz	8	5	3	-	-
Singapur	25	20	5	-	-
Slowakei	12	10	2	-	-
Slowenien	6	4	1	-	1
Spanien	18	15	3	-	-
Südafrika	24	15	7	-	2
Südkorea	13	10	2	-	1
Tschechien	15	12	3	-	-
Türkei	19	14	4	1	-
Ungarn	12	8	3	-	1
Venezuela	5	4	1	-	-
Zypern	5	4	1	-	-

1 = Daten des Jahres 1997.
* = signifikant geringer als 0,5 %.

Tabelle 23: Umsatzanteile qualitativer Erhebungsmethoden in verschiedenen Ländern der Welt im Jahre 2000 bzw. 1997
Quelle: ESOMAR (1998c), S. 46 ; Samuels, J. (2001c), S. 15

Ein Netzwerk von Marktforschungsinstituten, das harmonisierte internationale qualitative Primärforschungen in den Herkunftsländern der einzelnen, partnerschaftlich miteinander verbundenen Institute zu gewährleisten verspricht, ist "*SOCIOVISION INTERNATIONAL*". Koordiniert werden die Netzwerkaktivitäten von *Socioconsult Sociovision* (Paris), der gemeinsamen Tochter von *Sinus* (Heidelberg) und *Cofremca* (Paris), die sich beide Anfang 1999 zur *SOCIOVISION S.A. (www.sociovision.com)* (Paris) zusammengeschlossen und diese Tochter mit in die Ehe genommen haben.

Zum Kreis der Netzwerkmitglieder zählen neben den weiter in ihren Märkten eigenverantwortlich arbeitenden Unternehmensteilen *Sinus So-*

ciovision (Heidelberg) und *Cofremca Sociovision* (Paris) noch folgende Institute:

- Dänemark: *SocioResearch*
- Großbritannien: *Socioconsult Ltd. (MORI)*
- Italien: *GPF & Associati*
- Kanada: *Environics Research Group*
- Niederlande: *Motivaction*
- Polen: *CEM*
- Rußland: *Romir*
- Slowakei: *AISA*
- Spanien: *Socioconsult España*
- Tschechien: *AISA*
- Ungarn: *Imas International*
- USA: *Socioconsult USA*

Netzwerkmitglied ist auch noch das 2001 von *Cofremca Sociovision* in den Mehrheitsbesitz der *Aegis Group* übergegangene *Institut Français de Démoscopie* (F). Ferner hat *Sociovision International* seit diesem Verkauf auch einen Zugang zu den Instituten von *Aegis Research*[442].

QUALIS INTERNATIONAL (www.qualis-international.com), ein 1985 (unter dem Namen *QUALIS SYSTEM*) gegründetes Netzwerk europäischer Marktforschungsinstitute, hat in einem mehrjährigen systematischen Methodentransfer, der zwischen diesen Instituten im Verlaufe von über 200 Mehrländerstudien erfolgte, eine sog. "Tool-Box" von qualitativen Erhebungsverfahren entwickelt, aus der bei pan-europäischen Studien die für jedes Land jeweils geeigneten und zu international vergleichbaren Ergebnissen führenden qualitativen Erhebungsverfahren ausgewählt werden (s. Abbildung 23).[443]

---

442 Siehe hierzu Kap. 5.3.1.

443 Vgl. Grabner, U. (1993), S. 42ff.

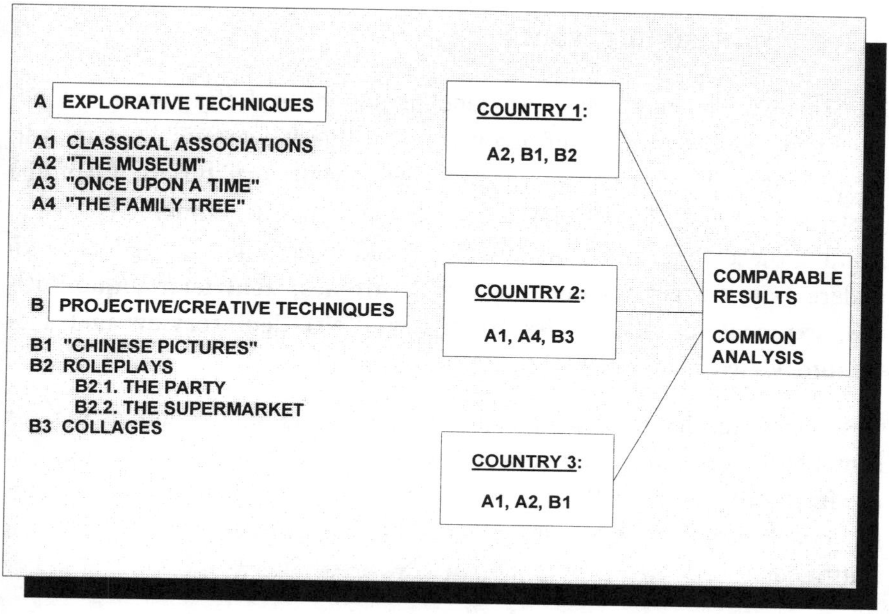

Abbildung 23: Tool-Box für eine Brand-Personality-Analyse
Quelle: Grabner, U. (1993), S. 46

Zur Zeit kann *QUALIS INTERNATIONAL* auf diese Weise in 17 europäischen Ländern harmonisierte qualitative Studien durchführen. Neben Kooperationspartnern in Griechenland, Italien, Österreich, Tschechien und Ungarn umfaßt dieses Netzwerk folgende Mitgliedsinstitute:

- *Keystone Network* (Brüssel),
- *IMW-KÖLN* (Köln) – zugleich Sekretariat des Netzwerkes,
- *TRILOGY* (Paris),
- *Behaviour & Attitudes Limited* (Dublin),
- *MMI Markeds- og Mediainstituttet A/S* (Oslo),
- *Business Directions* (Lissabon),
- *SONDERA AB* (Stockholm),
- *SCOPE AG* (Zürich),
- *Context Research International Ltd.* (London),
- *SynErgic Investigación y Marketing* (Barcelona).

3.2.2.2 Intensivinterviews

Als Intensivinterviews sind all jene persönlichen Befragungen zu bezeichnen, bei denen den Befragten von den Interviewern nicht-standardisierte Fragen in einer nur in einem geringen Maße strukturierten Abfolge gestellt werden.[444] Den vielfältigen Möglichkeiten der konkreten Ausgestaltung dieser Interviews entsprechend sind in der Literatur jedoch auch andere Begriffe gebräuchlich, wie z.B. **offenes, zentriertes, qualitatives, exploratives** oder **freies Interview, Leitfadeninterview** und **Tiefeninterview**.[445]

Besonders der letzte Begriff wird in der Marketingforschungsliteratur sehr häufig verwendet, obwohl er, wie *Friedrichs* zu Recht bemerkt[446], ein irreführender Begriff ist, weil er "eine Art Expedition in die Schichten der Persönlichkeit"[447] suggeriert, die tatsächlich zumeist gar nicht stattfindet.

Im Rahmen einer internationalen Primärforschung sind die in einem Intensivinterview Befragten entweder **Länder(markt)experten** oder in den einzelnen Ländern ansässige **Verbraucher**, wobei letztere meist auf folgende Art und Weise rekrutiert werden:

- Bei ***Pilotstudien*** (zur Vorbereitung einer quantitativen Untersuchung), ***Begleitstudien*** (zur besseren Interpretation einzelner Ergebnisse einer quantitativen Untersuchung) oder qualitativen ***Hauptuntersuchungen*** (eigenständigen, nicht mit quantitativen Untersuchungen verknüpften Studien) erfolgt die Auswahl mit Hilfe einer Ad-hoc- bzw. Quoten-Stichprobe (die z.B. in der Form eines *"mall intercept"* durchgeführt werden kann).
- Bei ***Nachfolgestudien*** (zur Vertiefung einzelner Ergebnisse einer quantitativen Untersuchung) werden aus dem Kreis der bereits untersuchten Personen einige wieder mittels einfacher Zufallsauswahl oder

444 Vgl. Friedrichs, J. (1990), S. 224.

445 Vgl. z.B. Böhler, H. (1992), S. 79; Schub von Bossiazky, G. (1992), S. 88ff.; Berekoven, L., Eckert, W., Ellenrieder, P. (2001), S. 95.

446 Vgl. Friedrichs, J. (1990), S. 224.

447 Ebenda.

disproportionaler Auswahl herausgezogen und um eine nochmalige Teilnahme an einer Untersuchung gebeten.

Da das Intensivinterview nur anhand eines grob strukturierten Schemas (Leitfaden) geführt wird, kann jeder Interviewer bei jedem Befragten die Fragen anders formulieren, anders anordnen oder individuelle Nachfragen stellen, die Befragung folglich der jeweiligen Situation entsprechend gestalten. Dieses **stärkere Eingehen auf die Befragten** erhöht deren Auskunftswilligkeit und Spontaneität und führt damit letztlich zu vielfältigeren Einsichten in deren Denk-, Empfindungs- und Handlungsweisen.[448]

Nachteilig sind an Intensivinterviews einmal die ***hohen Anforderungen***, die an die Interviewer gestellt werden müssen, weil sie in manchen unterentwickelten Ländern von keinem Interviewer, aber auch in den entwickelten Ländern von nicht allzu vielen Interviewern erfüllt werden können und damit sowohl die Einsatzmöglichkeiten als auch die Einsatzhäufigkeit dieser Befragungsform beschränken. Nachteilig und im gleichen Sinne restringierend wirken zweitens auch der ***hohe Zeitbedarf*** und die ***hohen Kosten*** von Intensivinterviews.

20 häusliche Intensivinterviews von einer Länge von je 1 Stunde mit regelmäßigen Nutzern bestimmter Bankdienstleistungen (Verbreitungsgrad unter allen Kontoinhabern: 67 %) kosten einschließlich eines Debriefing mit dem Klienten sowie der Erstellung eines Ergebnisreports gemäß der bereits mehrfach zitierten *"ESOMAR 1997 Prices Study"*[449] im weltweiten Durchschnitt ca. 8.800 US $, d.h. pro Interview müssen weltweit immerhin durchschnittlich 440 US $ bezahlt werden.

Weit über diesem Durchschnittswert liegen die Kosten solcher Untersuchungen in Brasilien, Japan, Hongkong, Schweden, den Niederlanden, Südkorea und Großbritannien, während die niedrigsten Kosten in Indien und den Staaten des ehemaligen Ostblocks zu verzeichnen sind. Dem weltweiten Durchschnitt entsprechen in etwa die Kosten in Spanien, Finnland, Deutschland und der VR China (vgl. Abbildung 24).

---

448 Vgl. Berekoven, L., Eckert, W., Ellenrieder, P. (2001), S. 95f.

449 Vgl. ESOMAR (1998a), S. 20f.

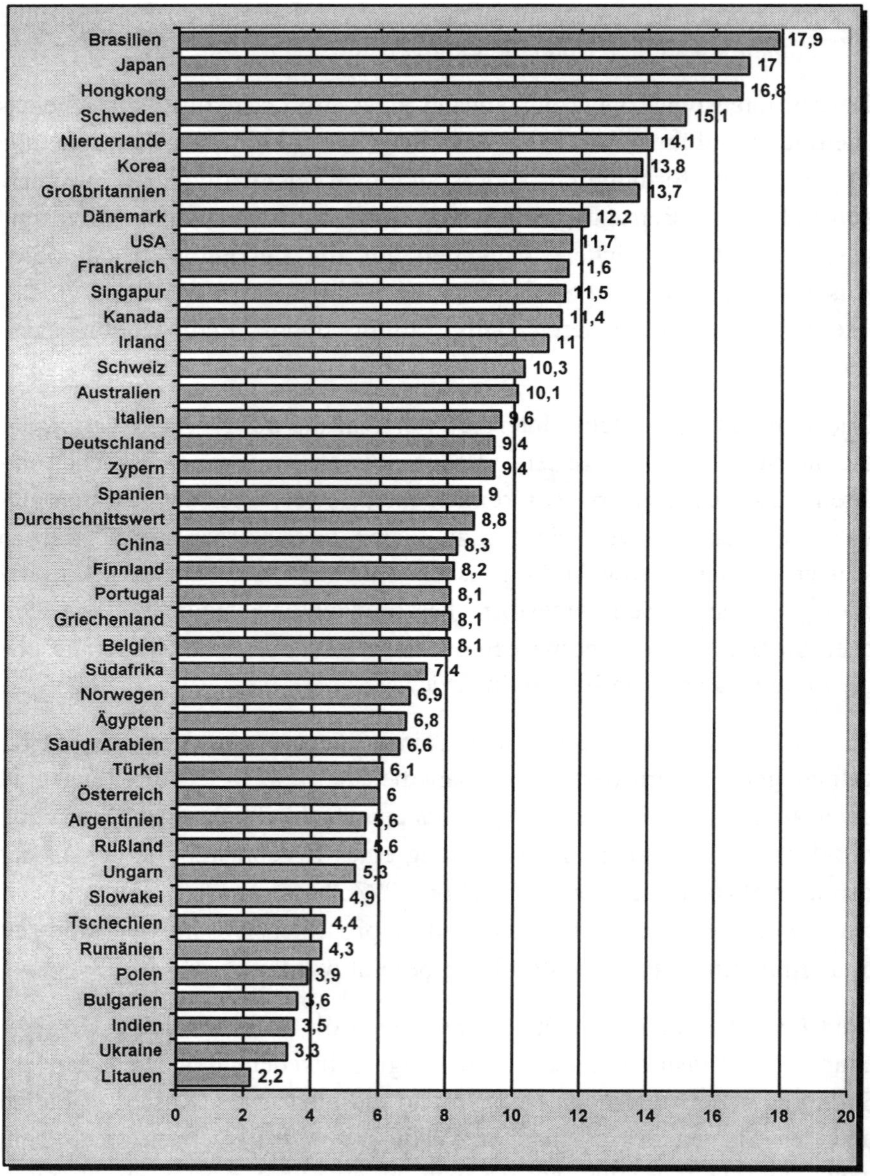

Abbildung 24: Durchschnittliche Kosten für die Durchführung von 20 Intensivinterviews in verschiedenen Ländern der Welt (in Tsd. US $)

Quelle: ESOMAR (1998a), S. 20f.

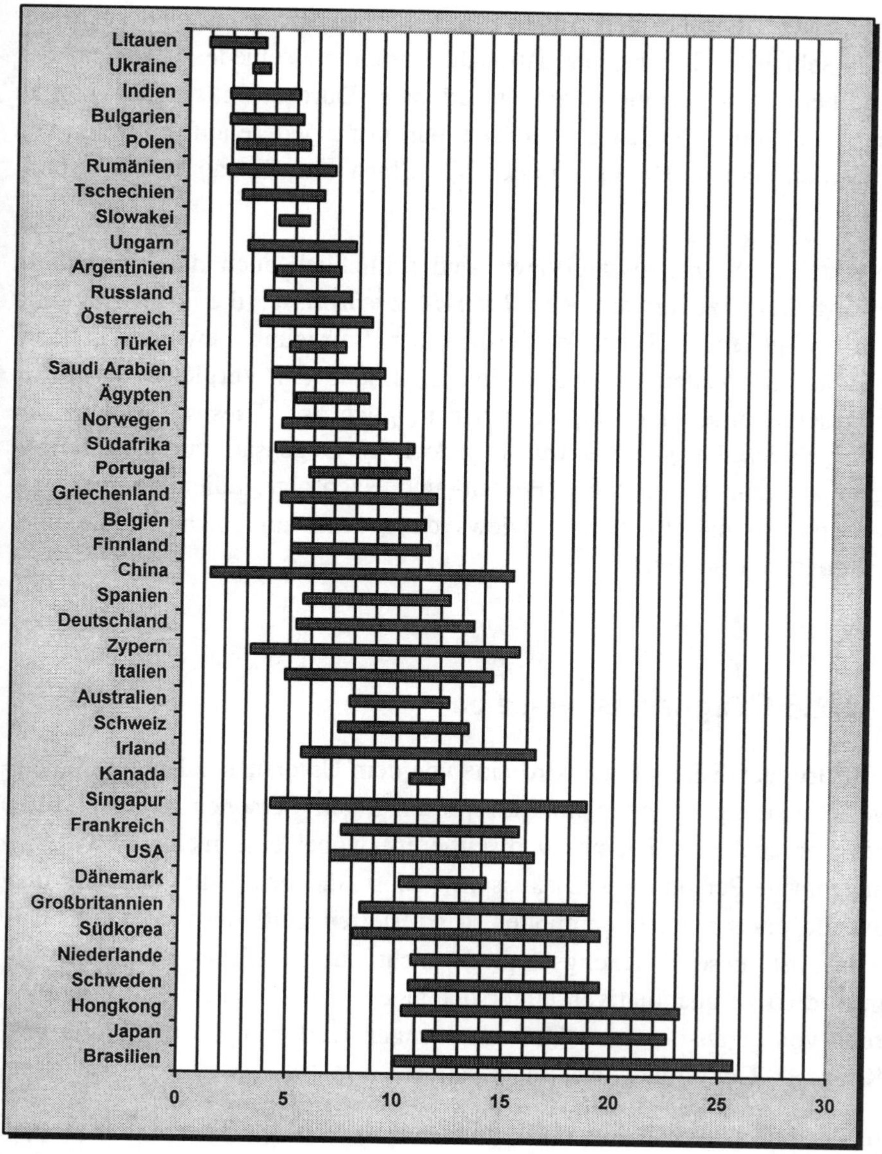

Abbildung 25: Kostenstreuung (+/- 1 δ) bei der Durchführung von 20 Intensivinterviews in verschiedenen Ländern der Welt
Quelle: ESOMAR (1998a), S. 20f.

Aber wie schon bei den früher zitierten Kostenanalysen, sind auch hier z.T. sehr beträchtliche intranationale Kostenunterschiede zu verzeichnen und bei der Bewertung einzelner nationaler Durchschnittskostenwerte zu berücksichtigen. Verwiesen werden muß insbesondere auf die Daten von Brasilien, Japan, Hongkong, der VR China und Singapur (vgl. Abbildung 25).

Nachteilig an Intensivinterviews sind schließlich auch die hier nahezu zwangsläufig zu erwartenden ***Interviewereinflüsse***, die im Verein mit der weitgehenden Unstrukturiertheit der Befragung bewirken können, daß auf nationaler wie internationaler Ebene ein Vergleich der Erhebungsergebnisse nur eingeschränkt möglich ist. Dieses Problem der ***mangelnden Vergleichbarkeit*** ist jedoch im Gegensatz zu selbständigen Untersuchungen bei Pilot-, Begleit- und Nachfolgestudien weniger gravierend, so daß Intensivinterviews dann auch auf solche Studien beschränkt sein sollten.

3.2.2.3 Gruppendiskussionen

Bei Gruppendiskussionen wird eine von dem Untersuchenden zusammengestellte Gruppe von zielmarktrepräsentativen Personen gebeten, über ein vorgegebenes Thema zu diskutieren, wobei eine nicht der Gruppe angehörige Person diese Diskussion auslöst, moderiert, in Gang hält und anhand eines mehr oder minder strukturierten Leitfadens steuert.[450] Geeignet ist diese Erhebungsmethode nicht nur für **Pilot-** und **Nachfolgestudien** zu quantitativen Untersuchungen, sondern auch zur Durchführung von **eigenständigen Untersuchungen** (z.B. zur Durchführung von Konzept-, Copy- oder Packungstests).[451]

In der europäischen Marketingforschung besteht die Diskussionsgruppe in der Regel aus 6-8 Personen, während in den USA eine Gruppengröße

---

[450] Vgl. Fern, E.F. (1982), S. 1ff.; Templeton, J.F. (1988); Friedrichs, J. (1990), S. 246ff.; Berekoven, L., Eckert, W., Ellenrieder, P. (2001), S. 96f.

[451] Vgl. ebenda.

von 10-12 üblich ist.[452] Die **Rekrutierung** dieser Personen sollte der höheren Kosteneffizienz und Validität der Untersuchung wegen auf der Basis einer ***institutseigenen Datenbank*** erfolgen, in der für Gruppendiskussionen ansprech- und lokal verfügbare Personen mit ihren demographischen Merkmalen, Konsumgewohnheiten, Besitzmerkmalen etc. erfaßt sind, und aus der dann die für die jeweils interessierende Zielgruppe repräsentativen Diskussionsteilnehmer selektiert werden können.

Über solche Datenbanken verfügen mittlerweile eine Reihe von amerikanischen und auch einige deutsche Institute, wohingegen es in Großbritannien gebräuchlich ist, daß "... outside recruiters are hired to screen and recruit people to attend group discussions ..."[453]. Abgesehen von dem damit verbundenen höheren zeitlichen und geldlichen Rekrutierungsaufwand, kann ein solches Vorgehen auch noch einige unkontrollierbare Probleme mit sich bringen, weil diese "Rekrutierer" häufig für mehrere Institute gleichzeitig arbeiten.[454]

Ebenso wie Intensivinterviews werden Gruppendiskussionen in den USA und auch in Deutschland fast ausschließlich in institutseigenen oder angemieteten ***speziellen Räumen*** durchgeführt, die über audiovisuelle Übertragungs- und Aufzeichnungsgeräte, Einwegspiegel etc. verfügen, "... whereas in the UK groups in recruiters' homes are still common"[455]. Ebenso sind Einwegspiegel in Großbritannien wenig gebräuchlich, weil es dort kaum üblich ist, daß die Auftraggeber der Untersuchung oder Mitarbeiter ihrer Werbeagenturen Gruppendiskussionen "vor Ort" (durch Einwegspiegel oder über Fernsehmonitore) verfolgen.

In den USA sind dagegen immer 5-8 Beobachter hinter Einwegspiegeln bei Gruppendiskussionen zugegen, weil es für alle involvierten Marketing-Manager und Agenturmitarbeiter geradezu verpflichtend ist, dies zu tun. Denn eine Nichtteilnahme wird mit einem mangelnden Engagement

---

452 Vgl. hierzu und zum folgenden insbesondere Cooper, P. (1989), S. 510ff.; Sonet, T. (1994), S. 6f.

453 Frydrych, T. (1994), S. 14.

454 Vgl. ebenda.

455 Cooper, P. (1989), S. 510.

und Desinteresse an dem jeweiligen Projekt gleichgesetzt und kann dementsprechende Sanktionen zur Folge habe.

Eine ***unmittelbare Beobachtung*** von Gruppendiskussionen hat sicherlich einige ***Vorteile***. So ist einmal unbestreitbar, daß mehrere Personen (zumal dann, wenn sie themenspezifische Fachleute sind) den Verlauf und die Inhalte einer Gruppendiskussion vollständiger, differenzierter und problemnäher erfassen und analysieren vermögen, als dies nur eine Person, der Moderator, kann, "... since the moderator is often dipping in for the moment on one specific issue while the clients have the brand in their bones"[456]. Zum anderen kann es von unschätzbarem Wert sein, daß Marketing-Manager und Agenturmitarbeiter, die häufig keinen unmittelbaren Marktkontakt mehr haben (können), nicht nur quasi aus zweiter Hand (d.h. aus Marketingforschungsreports) erfahren, wer ihre Kunden bzw. Werbeadressaten sind, sondern diese aus eigenem Erleben kennenlernen. Drittens wird schließlich noch als Vorteil angeführt, daß Entscheidungen, die aufgrund der Ergebnisse einer Gruppendiskussion getroffen werden müssen, schneller erfolgen können.

Diesen drei Vorteilen stehen jedoch einige ***Nachteile*** gegenüber, so daß es in jedem Einzelfall abzuwägen gilt, welche von beiden Seiten schwerer wiegt und somit den Ausschlag dafür gibt, sich für oder gegen eine Beteiligung von Beobachtern an Gruppendiskussionen zu entscheiden.

So ist erstens bei einer Beteiligung von Beobachtern die Gefahr groß, daß diese sich vorschnell ein Urteil bilden und Entscheidungen treffen, ohne

- den Abschlußbericht abzuwarten,
- an allen Gruppendiskussionen teilgenommen oder
- eine Gruppendiskussion bis zum Ende aufmerksam verfolgt zu haben.

Zweitens ist mit der Möglichkeit einer bewußten oder unbewußten selektiven Wahrnehmung zu rechnen. Dies bedeutet, daß die Beobachter nur jene Diskussionsinhalte registrieren, die ihre vorgefaßten Meinungen bzw. bereits getroffenen oder intendierten Entscheidungen bestätigen.

---

[456] Sonet, T. (1994), S. 6.

Drittens können bei ausländischen Beobachtern wohl die verbalen, nicht aber auch die non-verbalen Reaktionen "übersetzt" werden, die häufig zur Interpretation der verbalen Reaktionen von großer Wichtigkeit sind. Somit besteht eine Gefahr der Fehlinterpretation, wenn bestimmte non-verbale Reaktionen im Land der Gruppendiskussion anders zu werten sind als im Herkunftsland der Beobachter.

Viertens ist bei einem *Debriefing*, das dann meist sofort nach Beendigung der Gruppendiskussion erfolgt, zu befürchten, daß der Moderator möglicherweise nicht nur zu vorschnellen Beurteilungen genötigt wird, sondern sich auch während der Diskussion ganz anders verhält. *Toni Sonet*, Präsident der *Sonet Research & Planning* (New York), führt dazu folgendes aus: "In fact, knowing an instant viewpoint is required may have a negative effect on the moderating since the moderator is busy processing information rather than remaining curious and naive"[457]. Überdies ist auch der Einfluß von Einwegspiegeln auf das Verhalten der Diskussionsteilnehmer noch weitgehend unerforscht.

Ein fünfter und letzter Nachteil sind die für die Reisen, Übernachtungen etc. der Beobachter anfallenden Kosten, die manchmal so hoch sind, daß sie die der eigentlichen Untersuchung um ein beträchtliches übersteigen. Dies hat dann u.a. auch dazu geführt, daß sich in den USA im Jahre 1992 führende Anbieter von Gruppendiskussionen, die in verschiedenen, über das Land verteilten Städten residieren, unter dem Namen *GroupNet*[458] zu einem *"Video Conferencing Alliance Network"* zusammengeschlossen haben, das es ermöglicht, Gruppendiskussionen audiovisuell und interaktiv von einem Studio in ein anderes, dem Klienten näher gelegenes Studio oder (so er über die entsprechende technische Ausstattung verfügt) direkt zu dem Klienten zu übertragen.

Zu Beginn des Jahres 2000 ist *GroupNet* eine strategische Allianz mit *FocusVision Worldwide (www.focusvision.com)* eingegangen, einem 1990 gegründeten Netzwerk mit einer explizit internationalen Ausrichtung, das in wenigen Jahren zum Weltmarktführer auf dem Gebiet vi-

---

[457] Ebenda.

[458] Zur Zeit sind 32 Studios amerikanischer Institute sowie das Londoner Studio von *MORPACE International* dem Netzwerk angeschlossen (*www.group-net.com*).

deoübertragener[459] "Live"-Gruppendiskussionen werden konnte. Beide zusammen verfügen dadurch weltweit über ca. 140 Netzwerkstudios, darunter ca. 90 Studios in den USA.

Über weitere Anbieter von Gruppendiskussionen in den USA, Europa, Asien sowie Zentral- und Südamerika informieren die folgenden beiden Nachschlagewerke:

- *20.. Marketing News Directory Focus Group Facilities and Moderators*, An Advertising Supplement to the "Marketing News", American Marketing Association, Chicago, und
- 20.. Impulse Survey of Focus Facilities, hrsg. von der Impulse Research Corporation, Culver City, CA, *www.impulsesurvey.com* (führt auch Qualitätsbeurteilungen der Anbieter aus Kundensicht auf).

Um eine Vorstellung von den Kosten einer Gruppendiskussion zu vermitteln, kann wieder auf die diesbezüglichen Ergebnisse der *"ESOMAR 1997 Prices Study"*[460] zurückgegriffen werden. Danach kostet im weltweiten Durchschnitt eine Untersuchung, bei der 4 Gruppendiskussionen mit je 8 ad hoc ausgewählten regelmäßigen Nutzern bestimmter Bankdienstleistungen (Verbreitungsgrad unter allen Kontoinhabern: 67 %) in speziellen Studios sowie zwei Klientenmeetings durchgeführt werden, 12.000 US $. Weltweit am teuersten sind solche Untersuchungen in den USA, der Schweiz, Japan, Brasilien, Dänemark und Frankreich, während wiederum Indien und die Staaten des ehemaligen Ostblocks sowie Südafrika zu den in dieser Hinsicht billigsten Ländern zählen (vgl. Abbildung 26).

Große intranationale Kostenunterschiede sind vor allem dann zu erwarten, wenn Gruppendiskussionen in den USA, der Schweiz, Australien oder der VR China durchgeführt werden (vgl. Abbildung 27). Dies gilt es bei der Auswahl von Instituten, die in diesen Ländern beheimatet sind, zu beachten.

---

459 Seit kurzem ist dies via Videostreaming auch über das Internet möglich.

460 Vgl. ESOMAR (1998a), S. 18f.

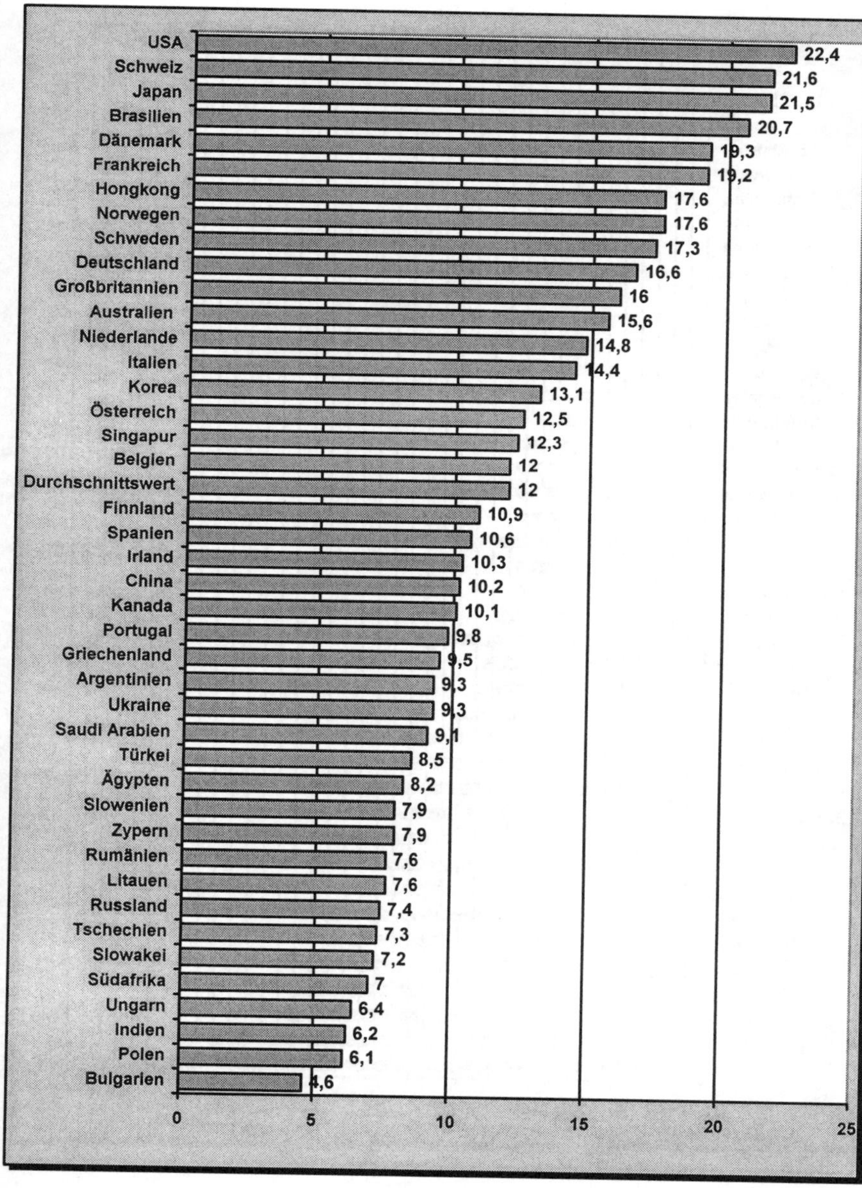

Abbildung 26: Durchschnittliche Kosten für die Durchführung von Gruppendiskussionen in verschiedenen Ländern der Welt (in Tsd. US $)

Quelle: ESOMAR (1998a), S. 18f.

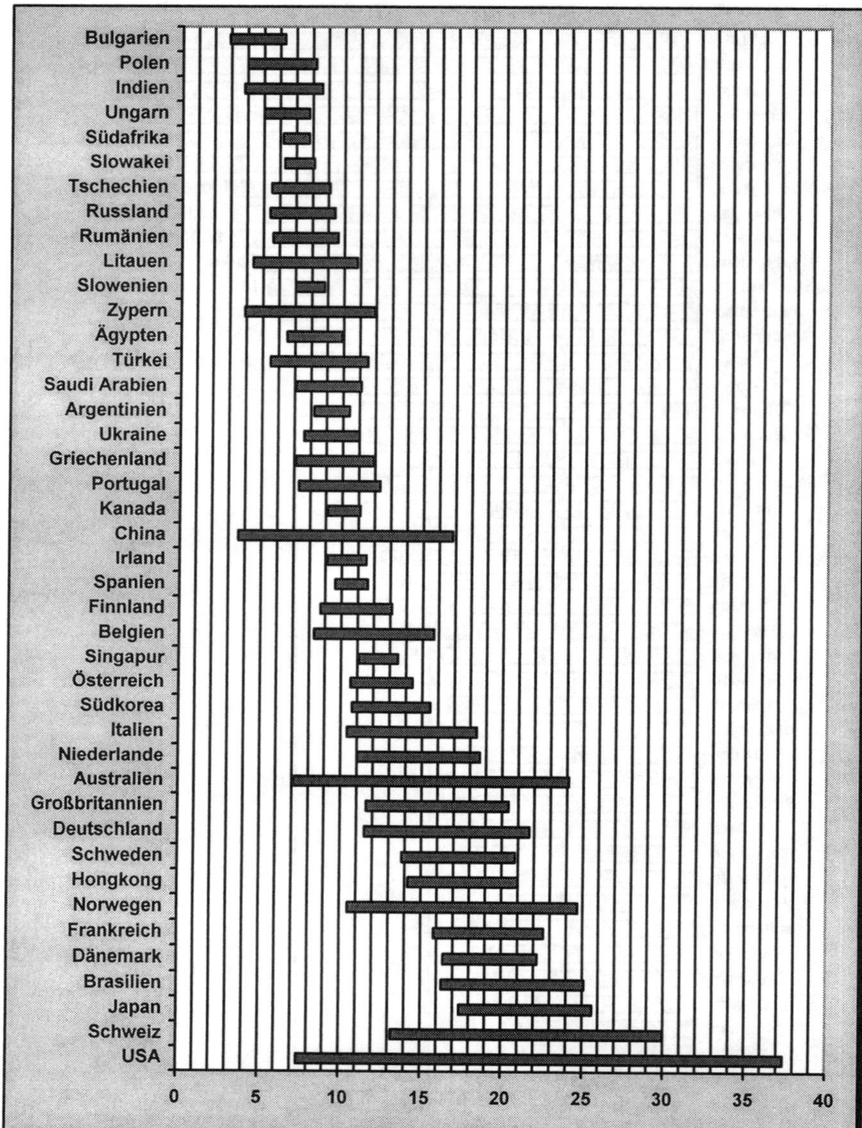

Abbildung 27: Kostenstreuung (+/- 1 δ) bei der Durchführung von Gruppendiskussionen in verschiedenen Ländern der Welt

Quelle: ESOMAR (1998a), S. 18f.

Solche konventionellen Gruppendiskussionen unterscheiden sich international schließlich aber auch hinsichtlich der Art und Weise, wie sie moderiert und in einem Abschlußbericht dokumentiert und kommentiert werden. Beispielsweise ist es in den romanischen und angelsächsischen Ländern üblich, die Diskussion anhand eines nur wenig strukturierten Leitfadens durchzuführen, während in Deutschland den Moderatoren in aller Regel nicht nur eine größere Anzahl von Punkten vorgegeben wird, die unbedingt diskutiert werden müssen, sondern häufig darüber hinaus auch noch vorgeschrieben wird, wie diese Punkte zu diskutieren sind.[461] Ähnliche Unterschiede bestehen auch bei den Abschlußberichten, die nach Meinung vieler ausländischer Experten in Deutschland häufig viel zu dröge und oberflächlich ausfallen.[462]

Abhilfe, die zu einer besseren Vergleichbarkeit der nationalen Ergebnisse führt, kann ein vorheriges Briefing schaffen, an dem auch wirklich alle Personen teilnehmen, die in die internationale Untersuchung einbezogen worden sind bzw. noch einbezogen werden.

Eine bislang nur sehr zögerlich genutzte Alternative zu diesen konventionellen Gruppendiskussionen stellen die bereits an einer früheren Stelle[463] erwähnten *Online-Gruppendiskussionen* dar, die zwar die Vorteile

- einer schnellen, kostengünstigen und dezentralen Durchführung,
- einer durch die Anonymität und die fehlende körperliche Nähe der einzelnen Gruppenteilnehmer bedingten größeren und weniger beinflußten Diskussions- und Auskunftsbereitschaft,
- einer problemloseren Einbeziehbarkeit sonst schwer erreich- bzw. interessierbarer Zielpersonen und
- eine besseren Abdeckung ländlicher Regionen

bieten, aber andererseits auch die großen Nachteile aufweisen, daß

- keine Kontrolle und Verhaltensbeobachtung der Teilnehmer sowie
- meist auch keine mündliche Kommunikation mit und zwischen den Teilnehmern

461 Vgl. Rathmann, H. (1990), S. 81 und 86f.
462 Vgl. ebenda sowie Schillinger, M. (1988), S. 379.
463 Siehe Kap. 3.2.1.1.

möglich ist.[464]

Da es darüber hinaus zumindest beim gegenwärtigen Stand der Hard- und Software-Entwicklung nicht gerade selten ist, daß technische Probleme die Diskussion behindern, werden Online-Gruppendiskussion vor allem als Pilot- und Nachfolgestudien zu quantitativen Marktforschungsuntersuchungen, weniger häufig dagegen als qualitative Hauptstudien eingesetzt.

Online-Gruppendiskussionen werden beispielsweise von *The NPD Group Inc. (www.npd.com)*, *Protocon Inc. (www.vrroom.com)* und von *Virtual Surveys Ltd. (www.virtualsurveys.com)* durchgeführt – bei letzterem Institut in Form von sogen. *"Moderated Email Groups" (MEGs)*, die in Europa gebräuchlicher sind als in den USA, wo man *"live online groups"* bevorzugt.[465]

3.3 Internationale Befragungen unter Beachtung des Vergleichbarkeitspostulates

Internationale Primärforschungen, die der zentralen Qualitätsanforderung genügen wollen, daß die mit ihnen erhobenen nationalen Datensätze miteinander vergleichbar sind, müssen der verschiedenen nationalen Umweltsituationen wegen, in denen die Datenerhebung erfolgt, in der Regel **national differenziert** vorgenommen werden.[466] Wie in Kap. 1.4.2.4 unter Bezugnahme auf die Abbildung 6 erläutert wurde, hat diese Differenzierung, die verschiedene Anlage-, Durchführungs- und Auswertungsaspekte betreffen kann, selbst wiederum unter **Beachtung des Äquivalenzpostulates** zu erfolgen.

Im folgenden Kapitel soll nun daran anknüpfend aufgezeigt werden, wie eine solche Differenzierung konkret vorzunehmen ist, damit über eine äquivalente Gestaltung verschiedener Strukturelemente eine Äquivalenz der Erhebungs- und Auswertungsergebnisse einer internationalen Primär-

---

464 Vgl. hierzu auch Görts, T. (2001), S. 149ff.; Hahn, G.M.; Epple, M.C. (2001), S. 48ff.

465 Vgl. o.V. (2001a), S. 24.

466 Vgl. Kap. 1.4.2.2.

forschung erzielt werden kann. Wir wollen uns dabei auf den Fall einer **internationalen Befragung** (insbesondere den einer internationalen **persönlichen** Befragung) beschränken, weil diese die für die Praxis der internationalen Marketingforschung bedeutendste Erhebungsmethode darstellt. Einige Ausführungen können jedoch durchaus auch auf andere Erhebungsmethoden bezogen werden.

Bei dieser Darstellung, die den Prozeßphasen einer internationalen Primärforschung entsprechend untergliedert ist (vgl. Abbildung 7), wollen wir davon ausgehen, daß aufgrund eines vorhandenen Erfahrungswissens oder von explorativen Vorstudien bereits äquivalente nationale **Untersuchungssachverhalte** definiert und äquivalente **Erhebungsmethoden** ausgewählt worden sind.[467] Der nächste Schritt besteht dann folglich darin, durch eine adäquate **Fragebogengestaltung** in den einzelnen Ländern eine befragungstaktische Äquivalenz sicherzustellen.

3.3.1 Fragebogengestaltung

Wichtige Entscheidungstatbestände der Fragebogengestaltung betreffen bei internationalen Befragungen die **Inhalte, Formen, Formulierungen** und **Reihenfolge** der zu stellenden Fragen. Betrachten wir zunächst, wie die inhaltlichen Bezüge der zu stellenden Fragen bestimmt werden können.

3.3.1.1 Bestimmung der Frageninhalte

Nach den Informationen, die mit Hilfe von Fragen gewonnen werden sollen, lassen sich zwei Hauptarten von Fragen unterscheiden, nämlich einmal **Sachfragen** und zum anderen **Strukturfragen**. **Sachfragen** werden aus dem in einer früheren Prozeßphase der Marketingforschung festgelegten Informationsbedarf abgeleitet, der zur Lösung des internationalen Marketing(entscheidungs)problems als notwendig erachtet wird.[468]

---

[467] Vgl. hierzu Kap. 1.4.2.4.

[468] Vgl. hierzu Kap. 1.4.2.5.

Sie sind folglich unter Beachtung der Anforderungen nach einer ***funktionellen, konzeptuellen*** und ***kategorialen Äquivalenz*** (vgl. Abbildung 6) der einzelnen nationalen Untersuchungssachverhalte zu entwickeln.

Dies kann z.B. zur Folge haben, daß sich die Sachfragen bei Untersuchungen, mit denen die Einstellungen gegenüber dem eigenen Produkt und den Hauptkonkurrenzprodukten ermittelt werden sollen, von Land zu Land auf einen anders zusammengesetzten Kreis von Produktmarken oder bedeutungsrelevanten Produktmerkmalen beziehen.[469]

Neben Sachfragen enthält jeder Fragebogen auch **Strukturfragen**, die zur Deskription der realisierten Stichprobe oder zur Durchführung von Dependenzanalysen benötigt werden. Damit sind Fragen zur Person, Unternehmung etc. gemeint, mit denen bestimmte, zur Ermittlung oder Erklärung des Untersuchungssachverhaltes relevante Merkmale der Befragten erfaßt werden sollen (z.B. Alter, Beruf, Einkommen, Umsatz oder Zahl der Beschäftigten). Eine Vergleichbarkeit der erhebungs- und dependenzanalytischen Auswertungsergebnisse erfordert mithin, daß bei allen nationalen Befragungen ein Satz derselben Merkmale erhoben wird, die soweit als möglich (z.B. unter Verwendung der *ESOMAR*-Standarddemographie)[470] auch auf dieselbe Art und Weise definiert und (bei einer geschlossenen Frageweise) kategorisiert sein sollten. Wo dies nicht möglich oder sinnvoll ist, müssen für diese Basismerkmale äquivalente Definitionen und Kategorisierungen entwickelt werden.

3.3.1.2 Wahl der Frageform

Bei der Entwicklung von Sach- und Strukturfragen ist neben der Festlegung ihrer inhaltlichen Bezüge auch darüber zu entscheiden, in welcher Form diese Fragen gestellt werden sollen. So besteht z.B. die Möglichkeit, die Fragen als **offene, geschlossene, direkte, indirekte, Vorlagen-** oder **Skalafragen** zu gestalten.

---

469 Vgl. Douglas, S.P., Craig, C.A. (1983), S. 178ff.

470 Vgl. Kap. 2.3.2.

Offene Fragen, bei denen im Gegensatz zu **geschlossenen Fragen** keine Antwortvorgaben gemacht werden, sollten in der internationalen Marketingforschung nur bei ***explorativen*** Untersuchungen gestellt werden, "... where the primary objective is to identify relevant dimensions, concepts, or terminology associated with the problem studied"[471]. Denn diese Frageform ruft nicht nur die aus der nationalen Marketingforschung bekannten Antworterfassungs-, -interpretations- und -kategorisierungsschwierigkeiten hervor, sondern kann in einigen Ländern aufgrund von

- häufigeren Antwortverweigerungen,
- kulturbedingten Antwortverfälschungen (Höflichkeits-Bias) oder
- bildungsbedingten Artikulationsschwächen

auch zu gravierenden Ergebnisverzerrungen führen.[472]

Bestimmte **Sach-** und **Strukturfragen** können der Ermittlung von Tatbeständen oder Meinungen dienen, deren Sensitivität kulturbedingt international differiert. So kann z.B. die Frage nach dem persönlichen Einkommen oder dem Verbrauch von Hygieneprodukten in einem Land einen völlig unsensitiven, in einem anderen Land hingegen einen hoch sensitiven Tatbestand betreffen. In solchen Fällen ist die prinzipiell zu präferierende **direkte Befragungsweise** nicht überall anwendbar, sondern muß in jenen Ländern, in denen der zu erfragende Tatbestand bzw. die zu erforschende Meinung zu den heiklen oder prestigeträchtigen Themen zählt, durch eine **indirekte Befragungsweise**[473] substituiert werden, um dadurch Antwortverweigerungen, unwahre oder sozial erwünschte Antworten zu vermeiden.[474] Indirekte Fragen haben überdies den Vorteil, auch den Höflichkeits-Bias zu senken.[475]

Eine andere internationale Differenzierung der Frageform kann sich in einer teilweisen Verwendung von sog. **Vorlagenfragen** niederschlagen, bei denen der inhaltliche Bezug einer schriftlich oder mündlich übermittelten Frage durch eine non-verbale Stimulusdarbietung (Zeichnung, Fo-

---

471 Douglas, S.P., Craig, C.S. (1983), S. 183.

472 Vgl. ebenda, S. 182f., sowie Wich, D.J. (1989), S. 101.

473 Zu den Möglichkeiten einer indirekten Befragungsweise siehe z.B. Böhler, H. (1992), S. 80f.

474 Vgl. Douglas, S.P., Craig, C.S. (1983), S. 183; Wich, D.J. (1989), S. 101f.

475 Vgl. Jones, E.L. (1963), S. 72.

to, Graphik, Produkt etc.) verdeutlicht wird.[476] Der Einsatz von Vorlagenfragen empfiehlt sich insbesondere in solchen Ländern, in denen die zu Befragenden zum größten Teil Analphabeten sind oder ein niedriges Bildungsniveau aufweisen.[477]

Erweist es sich als notwendig, zur Einstufung der graduellen Ausprägung bzw. Intensität von Tatbeständen oder Meinungen **Skalafragen**[478] einzusetzen (die im übrigen eine besondere Ausprägungsform von geschlossenen Fragen sind), ist zu überprüfen, welche Art von Ratingskalen in welcher Stufigkeit in welchem Land eingesetzt werden müssen, damit eine ***meßmethodische Äquivalenz***[479] erzielt werden kann.

In Ländern, in denen die Mehrzahl der Respondenten Analphabeten sind oder ein niedriges Bildungsniveau aufweisen, sollten z.B. weder *numerische* noch *gemischt-verbal-numerische* oder *graphische Ratingskalen*[480] verwendet werden, weil solche Skalen von den Befragten nicht oder nur schwer zu verstehen sind.[481] Als geeigneter haben sich hier *verbale* oder *visual-hedonische Skalen (Funny Faces Scales)*[482] erwiesen, wobei bei letzteren allerdings beachtet werden muß, daß

- keine rasseuntypischen Gesichtsformen oder kulturuntypischen Gesichtsausdrücke benutzt werden,
- bei einem wiederholten Einsatz ein und derselben Skala die Zahl der zu erfassenden Meinungen begrenzt ist und
- besser gebildete Respondenten solche Skalen häufig als kindisch und nicht mit ihrer Intelligenz verträglich ansehen.[483]

Ratingskalen können international nicht immer *gleichstufig* eingesetzt werden, da die Fähigkeit zu einem skalierenden Denken von Kultur zu

476 Siehe hierzu auch Hüttner, M. (1997), S. 119f.

477 Vgl. Douglas, S.P., Craig, C.S. (1983), S. 183ff.

478 Siehe hierzu z.B. Hüttner, M. (1997), S. 107ff.; Berekoven, L., Eckert, W., Ellenrieder, P. (2001), S. 72ff.

479 Siehe hierzu Kap. 1.4.2.4.

480 Siehe zu diesen z.B. Hüttner, M. (1997), S. 109ff.

481 Vgl. Douglas, S.P. , Craig, C.S. (1983), S. 199.

482 Siehe hierzu Bauer, E. (1981), S. 194f.

483 Vgl. Douglas, S.P., Craig, C.S. (1983), S. 200.

Kultur unterschiedlich ausgeprägt ist bzw. Respondenten (z.B. aufgrund des jeweiligen schulischen Bewertungssystems) in verschiedenen Ländern an ein unterschiedlich stark differenziertes skalierendes Denken gewöhnt sind. In den USA sind deswegen z.B. 5- oder 7-stufige Ratingskalen gebräuchlich, während in Frankreich 20-stufige Ratingskalen verbreitet sind.[484]

3.3.1.3 Formulierung der verbalen Stimuli

Neben den **Fragen** sind zur Durchführung von Marketingforschungen in der Regel auch noch andere Mitteilungen zu formulieren, die hauptsächlich den zu Befragenden, teilweise aber auch den Interviewern übermittelt werden müssen. Dazu zählen einmal die den Respondenten mündlich (durch Interviewer) oder schriftlich (in Form eines Ankündigungs- oder Begleitschreibens) vorzutragende **Begründung der Untersuchung**, die zu einer Erhöhung der Teilnahmebereitschaft beitragen soll, sowie zum anderen die an die zu Befragenden oder die Interviewer gerichteten **Instruktionen**, wie bestimmte Handlungen durchzuführen sind (z.B. Produkte getestet oder Vorlagen dargeboten werden sollen), bestimmte Fragen zu beantworten oder Antworten zu erfassen sind etc.

Da bei einer internationalen Marketingforschung sowohl die Fragen als auch die Untersuchungsbegründungen und Instruktionen zumeist erst in **einer** Sprache (nämlich entweder in der Sprache des Landes, in dem der Auftraggeber ansässig ist, oder in der Sprache des Landes, in dem das federführende Marktforschungsinstitut residiert) formuliert und danach dann in die Sprachen der einzelnen Untersuchungsländer übersetzt werden, müssen deren konkrete Formulierungen zwei Anforderungen genügen. Sie müssen nämlich erstens **einfach, klar** und für die Adressaten **verständlich** sowie zweitens **übersetzungsfreundlich** sein.

Eine Reihe von empirischen Untersuchungen, die in den USA vor allem auf den Gebieten der kulturvergleichenden Psychologie und Kultur-An-

---

484 Vgl. ebenda, S. 199.

thropologie durchgeführt wurden[485], haben deutlich werden lassen, daß diesen Anforderungen am besten Rechnung getragen werden kann, wenn bei der sprachlichen Gestaltung der Ursprungstexte die folgenden zwölf indikativisch formulierten Regeln beachtet werden:

1. Formuliere kurze, einfache Sätze mit weniger als 16 Wörtern.
2. Drücke Dich soweit als möglich in der Aktivform aus.
3. Wiederhole die Nomina, anstatt Pronomina zu verwenden.
4. Vermeide metaphorische oder umgangssprachliche Ausdrücke.
5. Vermeide konjunktive Ausdrucksformen (z.B. könnte, müßte, sollte).
6. Sorge dafür, daß wichtige Begriffe einen Kontext aufweisen, und wiederhole wichtige Sätze noch einmal in einer anderen Formulierung.
7. Vermeide Adverbien oder Präpositionen, die eine "wo"- oder "wann"-Bestimmung beinhalten (z.B. oben, bald, gelegentlich).
8. Verwende möglichst keine Possessivpronomina.
9. Verwende keine allgemeinen Begriffe (z.B. Gattungsbegriffe wie "Milchprodukte"), sondern spezifiziere deren inhaltliche Bezüge (z.B. Vollmilch, H-Milch, Sahne, Dosenmilch, Käse etc.).
10. Vermeide Wörter, die Art, Umfang, Ausdehnung und Menge von Personen, Sachen oder Ereignissen unbestimmt angeben (z.B. jemand, manchmal, häufig, etwas).
11. Verwende soweit als möglich Ausdrucksweisen, die den Übersetzern vertraut sind.
12. Bilde keine Sätze mit zwei verschiedenen Verben, wenn diese sich auf unterschiedliche Vorgänge beziehen.

Es gilt nun aber zu beachten, daß diese Regeln nicht für alle Sprachen gültig sind, sondern ausschließlich für eine verständliche, übersetzungsfreundliche Gestaltung von englischsprachigen Texten entwickelt worden sind. Sie können daher nicht bedenkenlos ohne entsprechende empirische Überprüfungen auch für die Gestaltung anderssprachlicher Ursprungstexte verwendet werden. Was die Gestaltung von deutschsprachigen Ursprungstexten betrifft, sind sie in Ermangelung vergleichbarer Forschungsergebnisse u.E. jedoch durchaus dazu geeignet, nützliche Hinweise auf mögliche Störquellen der Verständlichkeit und Übersetzungsfreundlichkeit zu liefern.

---

[485] Vgl. hierzu und zum folgenden Brislin, R.W., Lonner, W.J., Thorndike, R.M. (1973), S. 32ff.; Brislin, R.W. (1976), S. 21f.; ders. (1980), S. 432; ders., (1986), S. 144ff.

3.3.1.4 Festlegung des Fragebogenaufbaus

Die Gestaltung des (ursprungstextlichen) Fragebogens schließt ab mit der Festlegung des Fragebogenaufbaus, d.h. der **Abfolge**, in der die verschiedenen **Fragenkomplexe** und **Einzelfragen** gestellt und beantwortet werden sollen. Diese Gestaltungsmaßnahme hat eine nicht zu unterschätzende Bedeutung sowohl für die **Erfolgsquote** als auch für die **Qualität der Erhebungsergebnisse** einer internationalen Befragung, weil eine geschickte Dramaturgie der Befragung (sprich: Fragensequenz) maßgeblich dazu beitragen kann,

- die ausgewählten Personen zur Teilnahme zu bewegen,
- die Abbruchquote und die Zahl der einzelfragenbezogenen Antwortverweigerer zu senken sowie
- Ausstrahlungseffekte von Fragen[486] zu vermeiden.

Um dies zu erreichen, sollten die einzelnen Fragenkomplexe in folgender Reihenfolge angeordnet werden:

1. Einleitungs-, Kontakt- bzw. Eisbrecherfragen,
2. Sachfragen,
3. Kontrollfragen,
4. Strukturfragen.

Bei der Reihung der verschiedenen Sachfragen ist es zumeist angezeigt, nach dem **Prinzip des "Trichterns"** *(funneling)* vorzugehen, d.h. von Fragen zum Allgemeinen sukzessive zu Fragen zum Besonderen überzugehen.[487] In einigen Fällen (so z.B. bei Produkttests)[488] kann es allerdings sinnvoller sein, genau umgekehrt vorzugehen, d.h. den Trichter umzudrehen (**umgekehrtes Trichtern**, *reversed funneling*). Sensitive Sach- oder Strukturfragen sollten gesplittet oder möglichst weit an das Ende des Fragebogens gesetzt werden.[489]

---

[486] Siehe hierzu z.B. Berekoven, L., Eckert, W., Ellenrieder, P. (2001), S. 100.

[487] Vgl. Scheuch, E.K. (1967), S. 149ff.; Bauer, E. (1981), S. 255; Friedrichs, J. (1990), S. 197.

[488] Vgl. Bauer, E. (1981), S. 255.

[489] Vgl. Schopphoven, I. (1991), S. 41.

Bei einer internationalen Befragung werden sich die einzelnen nationalen Fragebögen somit nicht hinsichtlich ihres generellen Aufbaus, wohl aber möglicherweise hinsichtlich der Einordnung bestimmter Einzelfragen unterscheiden. Darüber hinaus ist es auch denkbar, daß die Notwendigkeit bestehen könnte, die Einleitungs-, Kontakt- bzw. Eisbrecherfragen inhaltlich zu variieren.

3.3.2 Übersetzung der verbalen Stimuli

3.3.2.1 Übersetzungsanforderungen

Um bei einer internationalen Befragung eine Äquivalenz der nationalen Erhebungsdaten erzielen zu können, bedarf es auch äquivalenter Übersetzungen der verbalen Stimuli (insbesondere des Fragebogens) von einer bestimmten Ausgangssprache in die verschiedenen Zielsprachen. Diese Forderung nach einer **Übersetzungsäquivalenz** (vgl. Abbildung 6) zwischen den ausgangs- und zielsprachlichen Texten ist jedoch ohne eine Konkretisierung dessen, was zur Erzielung einer textlichen Gleichartig- oder -wertigkeit beim Übersetzungsvorgang unveränderlich gehalten werden soll, zu unpräzise.[490] Es ist daher notwendig, den vagen Begriff der "Übersetzungsäquivalenz" operationaler zu definieren, indem unter Benennung konkreter, invariant zu haltender Faktoren **spezielle Äquivalenzanforderungen** formuliert werden.

Wie *Warwick/Osherson*[491] ausführen, hat wohl keinem Teilaspekt der interkulturell bzw. international vergleichenden empirischen Forschung mehr Aufmerksamkeit gegolten als diesem. Daher vermag es dann auch kaum zu verwundern, daß die in der relevanten Fachliteratur vorzufindenden Auflistungen der von Übersetzungen zu genügenden speziellen Äquivalenzanforderungen ebenso vielfältig wie unterschiedlich sind.

So führen z.B. *Sechrest et al.*[492] folgende fünf Anforderungsarten an: *"vocabulary", "idiomatic", "grammatical-syntactical", "experiental"*

---

490 Vgl. auch Wilss, W. (1977), S. 156ff.; Albrecht, J. (1990), S. 71ff.

491 Vgl. Warwick, D.P., Osherson, S. (1973), S. 28.

492 Vgl. Sechrest, L., Fay, T.L., Zaidi, S.M.H. (1972), S. 43ff.

und *"conceptual equivalence"*, während *Warwick/Osherson*[493] selbst auf folgende sechs (von ihnen so bezeichnete) Äquivalenzdimensionen verweisen: *"lexical meaning"*, *"grammatical meaning"*, *"context"*, *"response style"*, *"salience"* und *"equivalence of scale points"*.

Wir meinen jedoch, daß in diesen Auflistungen zwei Äquivalenzaspekte miteinander vermengt worden sind, die deutlich voneinander zu trennen sind. So werden nämlich von *Sechrest et al.* mit der *"experiental"* und *"conceptual equivalence"* und von *Warwick/Osherson* mit den Äquivalenzdimensionen *"context"*, *"response style"* und *"salience"* Anforderungen aufgeführt, die nicht von einer Übersetzung, sondern schon bei der Erstellung des zu übersetzenden Textes zu erfüllen sind. Man kann sie folglich als **Vorbedingungen einer Äquivalenz** der Übersetzungen bezeichnen (vgl. Abbildung 28).

Erst die anderen Anforderungen sind nun diejenigen, die allein auf dem Wege der Übersetzung zu erfüllen sind. Wie im folgenden aufgezeigt wird, beziehen sie sich im Grunde allerdings nur auf verschiedene Aspekte einer einzigen Kernanforderung, nämlich die der **semantischen Äquivalenz**.[494]

Man mag zunächst meinen, daß eine Äquivalenz zwischen Transferendum und Translat am besten auf dem Wege einer **wortgetreuen Übersetzung** erzielt werden kann. Das kann in Ausnahmefällen auch tatsächlich zutreffend sein, im Regelfall ist es dies aus folgenden zwei Gründen jedoch nicht.

Erstens ist es bisweilen überhaupt ***nicht möglich***, wortgetreue Übersetzungen vorzunehmen. Verantwortlich hierfür sind einmal sogenannte *"linguistic blanks"*, d.h. Termini, für die in einer anderen Sprache keine Entsprechungen existieren. So gibt es z.B. im Japanischen keine entsprechenden Ausdrücke für *"Ehepartner"* oder *"Pflicht"* und im Deutschen keine für *"fair play"* oder *"lonesomeness"*.[495] Zum anderen können einer

---

[493] Vgl. Warwick, D.P., Osherson, S. (1973), S. 28ff.

[494] Vgl. hierzu auch Boesch, E.E., Eckensberger, L.H. (1969), S. 541ff.; Brög, W., Möllenstedt, U. (1976), S. 214.

[495] Vgl. Brislin, R.W., Lonner, W.J., Thorndike, R.M. (1973), S. 37; Brög, W., Möllenstedt, U. (1976), S. 214.

wörtlichen Übersetzung auch *grammatikalische Besonderheiten* einer Sprache entgegenstehen.[496] Zu erwähnen ist hier insbesondere das Fehlen von bestimmten Wortarten (wie z.B. von Adjektiven oder Adverbien) oder von bestimmten Verbformen (wie z.B. des Gerundiums).

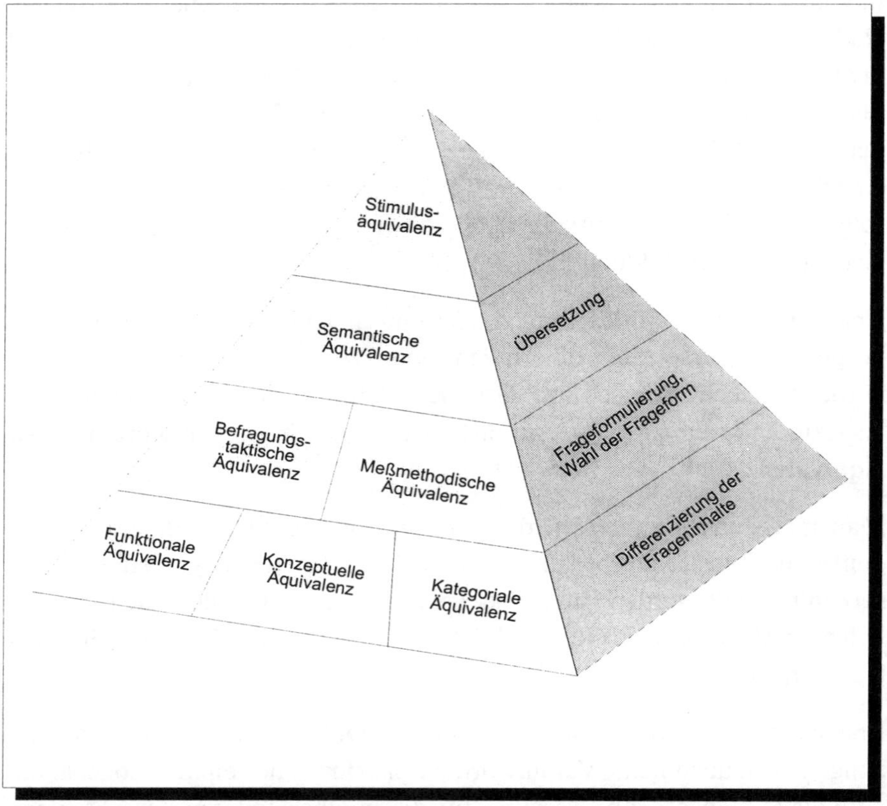

Abbildung 28: Bausteine der Äquivalenz verbaler Stimuli in internationalen Befragungen

[496] Vgl. Sechrest, L., Fay, T.L., Zaidi, S.M.H. (1972), S. 46f.; Warwick, D.P., Osherson, S. (1973), S. 29.

Zweitens sind wortgetreue Übersetzungen sehr häufig zwar möglich, verfremden den Ursprungstext aber insoweit, als der Sinngehalt der Übersetzung dadurch entweder

- schwer verständlich,
- mißverständlich,
- unverständlich oder gar
- ein völlig anderer

geworden ist.

Eine ***erschwerte Verständlichkeit*** ist insbesondere bei einer *unterschiedlichen Syntax* der jeweiligen Sprachen zu erwarten[497], während ***Mißverständlichkeiten*** dann auftreten können, wenn dasselbe Wort in der Übersetzungssprache einen *engeren* oder *weiteren Bedeutungsinhalt* als in der Ursprungssprache aufweist.[498]

Verantwortlich für ***Unverständlichkeiten*** sind vor allem im Ursprungstext enthaltene *idiomatische Redewendungen*.[499] Man könnte nun einwenden, daß sich diese Störgröße einer wörtlichen Übersetzung doch sehr leicht dadurch beseitigen ließe, daß man bei der Gestaltung des Ursprungstextes solche Redewendungen bewußt vermeidet. Dazu ist aber einmal zu sagen, daß idiomatische Redewendungen so stark in eine Sprache verwoben sind, daß man in vielen Fällen sich ihrer gar nicht bewußt ist oder ihre bemühte Vermeidung zu einer sehr gestelzt klingenden Ausdrucksweise führt. Zum anderen kann diese Störgröße dann immer noch bei der Übersetzung der Antworten wirksam werden.

Einen ***anderen Sinngehalt*** können wörtliche Übersetzungen schließlich aufgrund von *unterschiedlichen Wortdenotationen* oder *unterschiedlichen emotionalen* oder *normativen Wortkonnotationen* bekommen.[500] So hat z.B. der Ausdruck *"cousin"* in den USA eine völlig andere Bedeutung als auf den Philippinen, und der amerikanische Begriff *"school class-*

---

[497] Vgl. ebenda.

[498] Vgl. Almond, G.A., Verba, S. (1963), S. 58; Sechrest, L., Fay, T.L., Zaidi, S.M.H. (1972), S. 44.

[499] Vgl. hierzu und zum folgenden Sechrest, L., Fay, T.L., Zaidi, S.M.H. (1972), S. 45f.

[500] Vgl. ebenda, S. 48, sowie Brög, W., Möllenstedt, U. (1976), S. 214.

room" bzw. *"university classroom"* bedeutet etwas anderes als seine deutsche lexikalische Übersetzung *"Klassenzimmer"* bzw. *"Hörsaal"*.

Spezielle Verzerrungseffekte können darüber hinaus noch bei einer wörtlichen Übersetzung von ***verbalen Ratingskalen*** auftreten, bei denen sowohl die beiden Skalenendpunkte als auch die Zwischenstufen durch Adjektive bzw. adverbial differenzierte Adjektive thematisiert werden. Solchen Ratingskalen, die wegen ihrer vielfältigen Gestaltbarkeit und leichten Handhabbarkeit in der nationalen wie internationalen Marketingforschung eine sehr breite Verwendung finden, wird häufig ein *quasimetrischer* Charakter zugebilligt, d.h. es wird eine *Äquidistanz* der einzelnen Abstufungen der Ratingskalen unterstellt. Dies erlaubt es dann, der verbalen Ratingskala eine arithmetisch steigende bzw. fallende Zahlenreihe zu unterlegen und die abgegebenen Urteile mit Hilfe bestimmter arithmetischer Skalenoperationen (z.B. arithmetische Mittelwertbildung oder Errechnung der Standardabweichung) auszuwerten.[501]

Wie entsprechende empirische Untersuchungen jedoch gezeigt haben[502], sind nicht wenige der in der Marketingforschung verwendeten verbalen Ratingskalen alles andere als metrisch äquidistant abgestuft, häufig selbst solche, die eine symmetrische adverbiale Differenzierung zweier polarer Adjektive aufweisen (z.B. in der Form "sehr gut, gut, mittelmäßig, schlecht, sehr schlecht"). Bevor man mit Hilfe von solchen Skalen Urteile erhebt und arithmetisch auswertet, bedarf es daher der Überprüfung bzw. Sicherstellung ihres quasi-metrischen Charakters - was z.B. mit Hilfe des Verfahrens der *Thurstone*-Skalierung erfolgen kann.[503]

Hat man auf diese Weise eine äquidistant abgestufte verbale Ratingskala erstellt und will diese im Rahmen einer internationalen Marketingforschung einsetzen, so besteht ein zusätzliches Problem darin, die verwendeten Adjektive bzw. adverbial differenzierten Adjektive so zu übersetzen, daß die übersetzten Versionen der verbalen Ratingskala ebenfalls äquidistante Abstufungen aufweisen. Dies aber ist der bereits angesprochenen Möglichkeit des Auftretens unterschiedlicher Wortkonnotationen

---

501 Vgl. Andritzky, K. (1976), S. 291ff.

502 Vgl. z.B. Myers, J.H., Warner, W.G. (1968), S. 409ff.; Mittelstaedt, R.A. (1971), S. 236f.

503 Vgl. dazu Myers, J.H., Warner, W.G. (1968), S. 409ff.

wegen auf dem Wege einer wörtlichen Übersetzung zumeist nicht zu erreichen.

Keineswegs geringer sind die Übersetzungsprobleme in jenen Fällen, wo man den nichtmetrischen Charakter von verbalen Ratingskalen akzeptiert und die mit diesen erhobenen Urteile demgemäß dann auch ohne die Durchführung von arithmetischen Skalenoperationen auswertet (z.B. in Form der Ermittlung des Medians oder der relativen Häufigkeit von sog. "Top-Boxes-Urteilen"). Hier ist es zwar nicht notwendig, zunächst eine äquidistant abgestufte "Mutter-Skala" zu entwickeln und diese dann äquidistanzerhaltend zu übersetzen, aber es besteht eine gleichschwierige Übersetzungsaufgabe darin, eine bestimmte, wie auch immer metrisch abgestufte Ursprungsskala distanzerhaltend zu übersetzen. Dies heißt, daß die Distanzen zwischen je zwei benachbarten Ratings zwar innerhalb derselben Skala, aber nicht im Vergleich der nationalen Skalen verschieden groß sein dürfen. Auch hier gilt, daß wörtliche Übersetzungen einer solchen Aufgabe wohl nur in Ausnahmefällen genügen können.

Aus diesen Überlegungen ist zu folgern, daß bei einer internationalen Marketingforschung die Fragebögen, Forschungsbegründungen und Instruktionen **nicht wörtlich**, sondern **semantisch äquivalent** zu übersetzen sind.[504]

3.3.2.2 Übersetzungsmethoden[505]

Zur Erzielung eines Höchstmaßes an semantischer Entsprechung zwischen den verschiedensprachigen verbalen Stimuli (von denen wir nachfolgend insbesondere auf die **Fragebögen** Bezug nehmen wollen) gilt es, eine geeignete Übersetzungsmethode auszuwählen und zur Anwendung zu bringen. Die Lösung dieses Auswahlproblems wird jedoch dadurch erschwert, daß in der relevanten Literatur einmal die verfügbaren Alternativen auf unterschiedliche Art und Weise systematisiert und gegenein-

[504] Vgl. dazu auch Boesch, E.E., Eckensberger, L.H. (1969), S. 541ff.; Brög, W., Möllenstedt, U. (1976), S. 214.

[505] Vgl. zum folgenden Bauer, E. (1989), S. 187ff.

ander abgegrenzt werden[506] sowie zum anderen sehr häufig überhaupt nicht darüber Auskunft gegeben wird, welche Übersetzungsmethode bei der jeweils dargestellten empirischen Untersuchung angewendet wurde – geschweige denn, zu welchen Resultaten diese Methode geführt hat[507].

Im folgenden sollen daher einmal die wichtigsten Übersetzungsmethoden dargestellt und im Hinblick auf ihre Eignung für die Zwecke einer internationalen Befragung durchleuchtet werden, wobei wir mit *Werner/Campbell*[508] zwischen zwei Methodengruppen unterscheiden wollen, nämlich den **Methoden einer zentrierten Übersetzung** auf der einen Seite und den **Methoden einer dezentrierten Übersetzung** auf der anderen.

a) Methoden einer zentrierten Übersetzung

Zentrierte oder, wie man sie auch bezeichnen kann[509], **einzentrische** bzw. **asymmetrische Übersetzungen** sind dadurch gekennzeichnet, daß der zu übersetzende Text im Verlaufe des Übersetzungsprozesses keinerlei Veränderungen erfährt, für den oder die Übersetzer folglich ein Datum darstellt.

Die **Methoden der direkten Übersetzung**[510] sind die verbreitetsten, weil unkompliziertesten, billigsten und schnellsten aller Übersetzungsmethoden, zugleich sind sie aber auch die in ihrer Ergebnisqualität problematischsten. Bei der **einfachsten Version** einer direkten Übersetzung überträgt ein Übersetzer den jeweiligen Text von der Ausgangs- in die Zielsprache (vgl. Abbildung 29), wobei jedoch (wie im übrigen bei allen anderen Übersetzungsmethoden auch) gegebenenfalls darauf zu achten ist, daß dieser Übersetzer auch die "richtige", d.h. die untersuchungszielland-relevante Sprachversion beherrscht.

---

506 Vgl. z.B. Brislin, R.W. (1970), S. 187; Sechrest, L., Fay, T.L., Zaidi, S.M.H. (1972), S. 50ff.; Mayer, C.S. (1978a), S. 80.

507 Vgl. hierzu auch die von Brislin, R.W. (1979), S. 187, zitierten Ergebnisse einer von Campbell et al. durchgeführten dementsprechenden Literaturanalyse.

508 Vgl. Werner, O., Campbell, D.T. (1973), S. 398f.

509 Vgl. ebenda.

510 Vgl. hierzu z.B. Sechrest, L., Fay, T.L., Zaidi, S.M.H. (1972), S. 50f.

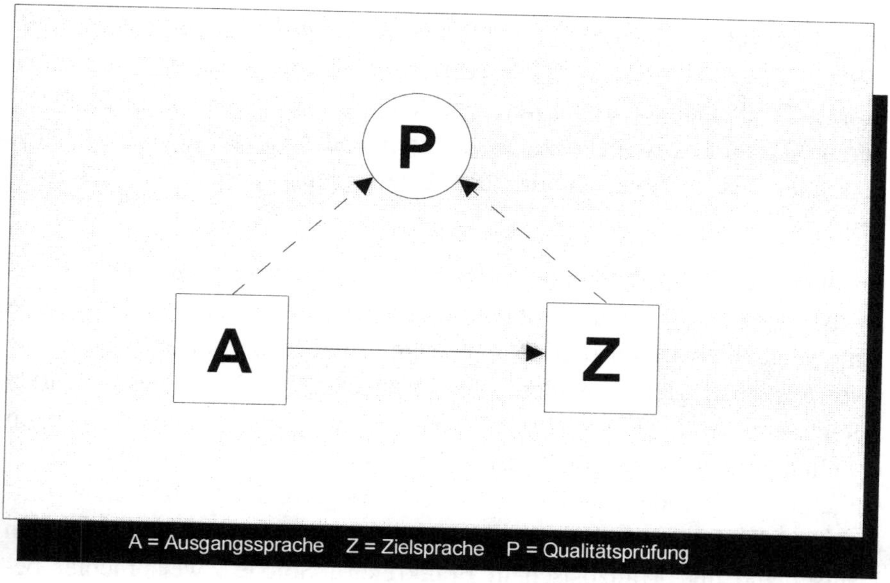

Abbildung 29: Übersetzungs- und Prüfprozeß bei direkten Übersetzungen

Wie bereits in Kap. 1.4.2.3 ausgeführt wurde, sind insbesondere bei der spanischen, aber auch bei der englischen Sprache in einzelnen Ländern ihrer Verbreitung z.T. sehr unterschiedliche Entwicklungen und Verwendungen zu verzeichnen, die bei einer Nichtbeachtung zu Verständnisschwierigkeiten führen können. Es ist daher nicht anzuraten, sich bei der Übersetzerauswahl von solch fordergründigen Überlegungen wie "He's a Spanish-speaking Cuban. He can translate the questionnaire for Latin America" oder "He comes from Puerto Rico and speaks Spanish, so we're safe"[511] leiten zu lassen – was in der Instituts- und Unternehmenspraxis nicht gerade selten vorkommt.

Die beiden anderen, etwas aufwendigeren Versionen einer direkten Übersetzung verteilen die Übersetzungsaufgabe auf mehrere Schultern. So erstellen bei der sog. ***"Komitee-Methode"*** *(committee approach)* zwei oder mehr Übersetzer in ständiger Diskussion gemeinsam eine Überset-

[511] Doctor, V. (2001b), S. 29.

zung, während bei der sog. ***"blinden Parallelübersetzung"*** *(parallel-blind-translation)* mehrere Übersetzer zunächst unabhängig voneinander eigene Übersetzungen erarbeiten, um dann in einer gemeinsamen Sitzung deren Vor- und Nachteile zu diskutieren und sich schließlich auf eine von allen als optimal empfundene Übersetzungsversion zu verständigen.[512]

In allen drei Fällen sollten die Übersetzer sog. ***"Zweisprachler"*** *(bilinguals)*, also zweisprachig aufgewachsene Personen sein.[513] Empirische Untersuchungen haben nun aber gezeigt[514], daß nicht alle Personen, die zwei Sprachen gleichermaßen gut beherrschen, auch in diesen beiden Sprachen gleich denken und somit semantisch äquivalente Übersetzungen erstellen können. Diese Fähigkeit ist offensichtlich nur bei solchen Zweisprachlern vorhanden, die beide Sprachen in getrennten Situationen, d.h. in ihrem jeweiligen kulturellen Kontext gelernt haben (z.B. Deutsch in Deutschland und Französisch in Frankreich). Solche Zweisprachler bezeichnet man nach *Lambert/Havelka/Grosby*[515] als ***"Parallel-Zweisprachler"*** *(coordinate bilinguals)*.

Ihnen ist daher gegenüber der anderen Gruppe von Zweisprachlern, den sog. ***"Gemischt-Zweisprachlern"*** *(compound bilinguals)*, die beide Sprachen im gleichen (gemischten) kulturellen Kontext erworben haben (z.B. in einem zweisprachigen Elternhaus), als Übersetzer der Vorzug zu geben.[516]

Parallel-Zweisprachler können darüber hinaus auch zur ***Überprüfung der Übersetzungsqualität*** von verbalen Stimuli eingesetzt werden.[517] Und zwar geht man dabei so vor, daß zwei genügend große Gruppen von (anderen) Zweisprachlern rekrutiert werden, von denen die eine Gruppe den "Mutter-Fragebogen" (bzw. die erste Hälfte des "Mutter-Fragebo-

---

512 Vgl. Brislin, R.W., Lonner, W.J., Thorndike, R.M. (1973), S. 47ff.; Mayer, C.S. (1978a), S. 80.

513 Vgl. Sechrest, L., Fay, T.L., Zaidi, S.M.H. (1972), S. 50.

514 Vgl. z.B. Ervin, S. (1964), S. 500ff.

515 Vgl. Lambert, W.E., Havelka, J., Grosby, G. (1958), S. 239ff.

516 Vgl. auch Boesch, E.E., Eckensberger, L.H. (1969), S. 541.

517 Vgl. ebenda.

gens" und die zweite Hälfte des übersetzten Fragebogens) und die andere Gruppe den übersetzten Fragebogen (bzw. die erste Hälfte des übersetzten Fragebogens und die zweite Hälfte des "Mutter-Fragebogens") zu beantworten hat.[518] Danach wird pro Frage unter Einsatz geeigneter statistischer Prüfverfahren untersucht, ob die Antwortmuster beider Gruppen signifikant voneinander abweichen oder nicht. Ist dies bei einer Frage der Fall, muß die Übersetzungsqualität dieser Frage bezweifelt und folglich ein neuer Anlauf zu ihrer Verbesserung gestartet werden.

Die Methoden der direkten Übersetzung weisen somit den gravierenden Nachteil auf, daß die Qualität der Übersetzung von Forschungsbegründungen und Instruktionen nicht überprüft werden kann. Darüber hinaus ist aber auch die Qualitätsprüfung von Fragebogenübersetzungen nicht ohne Tücken, weil sich Zweisprachler in ihrer sozialen Herkunft meist gleichen, aber von den Untersuchungseinheiten der intendierten Marketingforschung unterscheiden.[519] Dies aber kann bedeuten, daß sie sich dann auch in ihrem Kommunikationsstil untereinander gleichen, jedoch von den Untersuchungseinheiten unterscheiden, und somit nicht valide Prüfergebnisse generieren.[520]

Angesichts dieser Tatbestände muß man der Meinung von *Sechrest et al.* beipflichten, daß die Methoden der direkten Übersetzung "... should be rejected out of hand, particularly when in nearly all instances there are better, if not perfect, alternatives"[521].

Bei den **Methoden der Rückübersetzung**[522] wird der zu übersetzende Text in einer ersten Stufe nach einer der oben geschilderten Vorgehensweisen von der Ausgangssprache in die Zielsprache übertragen. In einer zweiten Stufe wird der in die Zielsprache übersetzte Text dann von einem anderen Übersetzer bzw. von einer anderen Gruppe von Übersetzern in die Ausgangssprache rückübersetzt (vgl. Abbildung 30, Pfeil a).

518 Vgl. hierzu Brislin, R.W., Lonner, W.J., Thorndike, R.M. (1973), S. 45ff.

519 Vgl. Stanton, J.L., Chandran, R., Hernandez, S.A. (1982), S. 136.

520 Vgl. auch Boesch, E.E., Eckensberger, L.H. (1969), S. 541.

521 Sechrest, L., Fay, T.L., Zaidi, S.M.H. (1972), S. 51.

522 Vgl. hierzu besonders Brislin, R.W. (1970); Sechrest, L., Fay, T.L., Zaidi, S.M.H. (1972), S. 51ff.

Damit stehen zwei ausgangssprachliche Textversionen zur Verfügung, durch deren Vergleich auf die Qualität der zielsprachlichen Textübersetzung rückgeschlossen werden kann. Weicht die Rückübersetzung von der Urform ab, ist darüber zu befinden, ob diese wörtlichen Unterschiede auch eine semantische Unterschiedlichkeit implizieren. Ist dies der Fall, müssen die betreffenden Textteile so lange erneuten Übersetzungs- und Prüfprozessen unterzogen werden, bis zwischen der Urform und der Rückübersetzung keine semantischen Unterschiede mehr feststellbar sind.

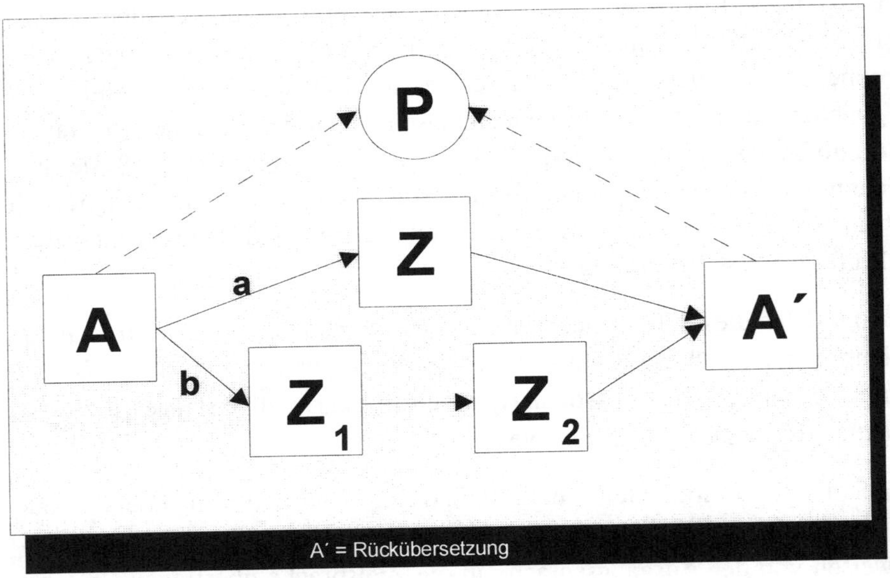

Abbildung 30: Übersetzungs- und Prüfprozesse bei Rückübersetzungen

Rückübersetzungen haben gegenüber direkten Übersetzungen vor allem den Vorteil, daß nicht nur die Übersetzungsqualität von Fragebögen, sondern auch die von allen anderen Arten von Texten überprüft werden kann. Darüber hinaus ist es möglich, auch Übersetzer einzusetzen, die nicht in einer zweisprachigen Umwelt aufgewachsen sind, sondern ihre Sprachkenntnisse in einer Schule oder Hochschule erworben haben.

Nachteilig ist dagegen die nur ***mittelbare*** Überprüfung der Übersetzungsqualität zu werten. So kann es nämlich durchaus vorkommen, daß eine zwischen der Urform und der Rückübersetzung festgestellte Unterschiedlichkeit (Gleichheit) kein Indikator für das Fehlen (Vorliegen) einer semantisch äquivalenten Übertragung des Textes von der Ausgangs- in die Zielsprache ist. Ersteres ist beispielsweise dann gegeben, wenn ein semantisch äquivalent übersetzter Text fehlerhaft rückübersetzt wurde.[523] Und der zweite Fall kann sich dann einstellen[524], wenn

- Übersetzer und Rückübersetzer die gleichen Übersetzungsfehler begangen haben,
- Übersetzungsschwächen durch die Rückübersetzung beseitigt worden sind oder
- die Übersetzer der Urform die grammatikalisch-syntaktischen Besonderheiten der Ausgangssprache beibehalten und somit eine identische Rückübersetzung erleichtert, wenn nicht sogar provoziert haben.

Durch den Einsatz von qualifizierten Übersetzern und Rückübersetzern[525] sowie durch eine ***Modifikation des Übersetzungsprozesses***[526] können solche Probleme jedoch weitgehend vermieden werden. Und zwar wird hierbei der Übersetzungsprozeß um eine Zwischenstufe erweitert (vgl. Abbildung 30, Pfeil b), in der einsprachige Personen (idealerweise solche aus dem Kreis der zukünftigen Untersuchungseinheiten) die von den Übersetzern erstellte Textfassung (Z_1) auf ihre Verständlichkeit hin überprüfen und diese gegebenenfalls in einigen Teilen umformulieren. Die so entstandene Neufassung (Z_2) wird dann wieder in die Ausgangssprache rückübersetzt und die Rückübersetzung mit der Urform verglichen. Ist dabei kein Unterschied festzustellen, kann man jetzt wohl zu Recht davon ausgehen, daß diese Gleichheit nicht von einem der oben aufgeführten drei Faktoren hervorgerufen worden ist.

---

523 Vgl. Stanton, J.L., Chandran, R., Hernandez, S.A. (1982), S. 137.

524 Vgl. Brislin, R.W. (1970), S. 186.

525 Vgl. ebenda.

526 Vgl. ders. (1986), S. 161f.

Folgt man dieser Vorgehensweise und setzt qualifiziertes Übersetzungspersonal ein, ist in aller Regel eine höhere Übersetzungsqualität zu erzielen als bei einer Anwendung der Methoden der direkten Übersetzung. Daher muß man fordern, daß bei einer internationalen Marketingforschung sowohl die *Forschungsbegründungen* als auch die *Instruktionen* nur unter Einsatz der ***Methoden der Rückübersetzung*** in die jeweilige(n) Zielsprache(n) zu übertragen sind. Zur Übertragung von *Fragebögen* sind dagegen zunächst einmal die nachfolgend dargestellten ***Methoden einer dezentrierten Übersetzung*** in Erwägung zu ziehen.

b) Methoden einer dezentrierten Übersetzung

Dezentrierte oder **mehrzentrische** bzw. **symmetrische** Übersetzungen sind dadurch gekennzeichnet, daß die Unterscheidung zwischen ausgangs- und zielsprachlichen Textfassungen aufgehoben wird und alle verschiedensprachlichen Textfassungen in einem Prozeß gegenseitiger Anpassung und Abstimmung entwickelt werden.[527] Ein völliger Verzicht auf eine vorherige Entwicklung einer ausgangssprachlichen Textfassung ist allerdings nur bei den **Methoden einer simultanen Dezentrierung** denkbar (und in bestimmten Fällen auch möglich), während bei den **Methoden einer sukzessiven Dezentrierung** sehr wohl zunächst erst einmal ein ausgangssprachlicher Text erstellt werden muß, dieser nun aber nicht mehr ein Datum, sondern lediglich ein erster, vorläufiger Orientierungspunkt für die nachfolgenden verschiedensprachlichen Textentwicklungsprozesse ist.

Die **gebräuchlichste Methode der sukzessiven Dezentrierung** basiert auf den Verfahren der Rückübersetzung.[528] Dies heißt, daß analog zu der bei den Rückübersetzungen geschilderten Vorgehensweise zunächst folgende vier Arbeitsschritte durchzuführen sind (vgl. Abbildung 31):

1. Erstellung der Textfassung in einer bestimmten Ausgangssprache.
2. Übertragung des Textes in die jeweilige(n) Zielsprache(n).

---

527 Vgl. Werner, O., Campbell, D.T. (1973), S. 398ff.

528 Vgl. hierzu und zum folgenden ebenda sowie Brislin, R.W. (1970); Sechrest, L., Fay, T.L., Zaidi, S.M.H. (1972), S. 53f., Brislin, R.W., Lonner, W.J., Thorndike, R.M. (1973), S. 37ff.; Brislin, R.W. (1986), S. 159ff.

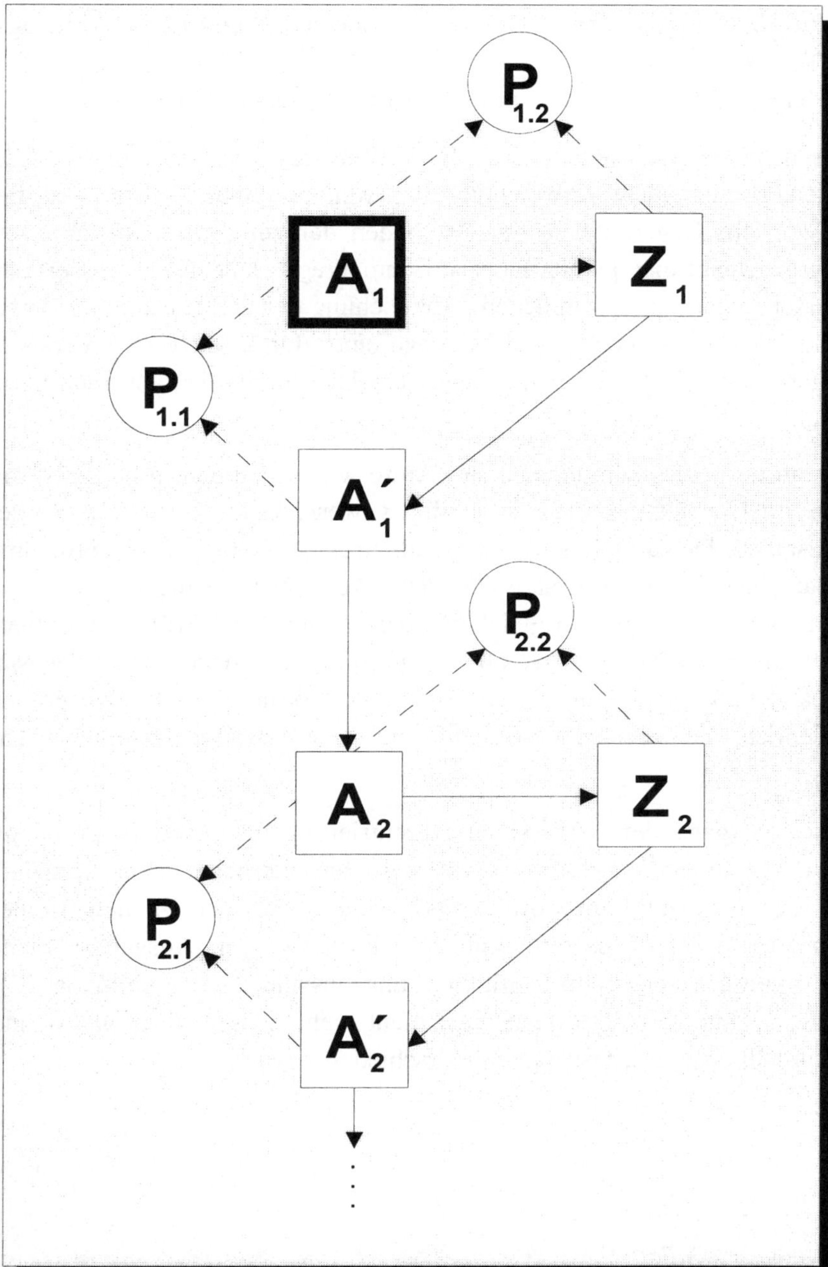

Abbildung 31: Übersetzungs- und Prüfprozesse bei einer sukzessiven Dezentrierung durch Rückübersetzungen

3. Rückübersetzung der (des) zielsprachlichen Texte(s) in die Ausgangssprache.
4. Vergleich ($P_{1.1}$) der Urform mit der (den) Rückübersetzung(en).

Lassen sich bei diesem Vergleich signifikante Textabweichungen feststellen, so sind diese Abweichungen in weiteren Arbeitsschritten zu beseitigen. Im Gegensatz zu den Methoden der zentrierten Rückübersetzung geschieht dies jedoch nicht auf dem Wege einer durch wiederholte Übersetzungen vorgenommenen Angleichung der zielsprachlichen Texte an die Urform, sondern auf dem Wege einer durch sukzessive Veränderungen vorgenommenen Angleichung der Urform an die zielsprachlichen Texte.

Was an der Urform in einer ersten Stufe wie zu verändern ist, wird mit allen am Übersetzungsprozeß beteiligt gewesenen Personen in einer gemeinsamen Diskussion ($P_{1.2}$) der aufgetretenen Übersetzungsprobleme geklärt. Die in dieser Diskussion entwickelte Neufassung (A_2) der Urform (A_1) wird dann dem gleichen Übersetzungs- und Prüfprozeß unterzogen und danach gegebenenfalls noch ein zweites, drittes und n-tes Mal abgeändert, übersetzt und überprüft, bis sich in diesem iterativen Prozeß schließlich alle verschiedensprachlichen Texte einander angeglichen haben

Dieser Vorgang der sukzessiven Dezentrierung führt mithin dazu, daß alle endgültigen Textversionen von den Besonderheiten aller Sprachen und Kulturen beeinflußt worden sind, während bei den Methoden einer zentrierten Rückübersetzung nur von der jeweiligen Ausgangssprache bzw. -kultur eine solche Einflußwirkung ausgeht (vgl. Abbildung 32). Insofern kann (letztlich) dann auch nicht mehr zwischen ausgangs- und zielsprachlichen Textfassungen unterschieden werden.

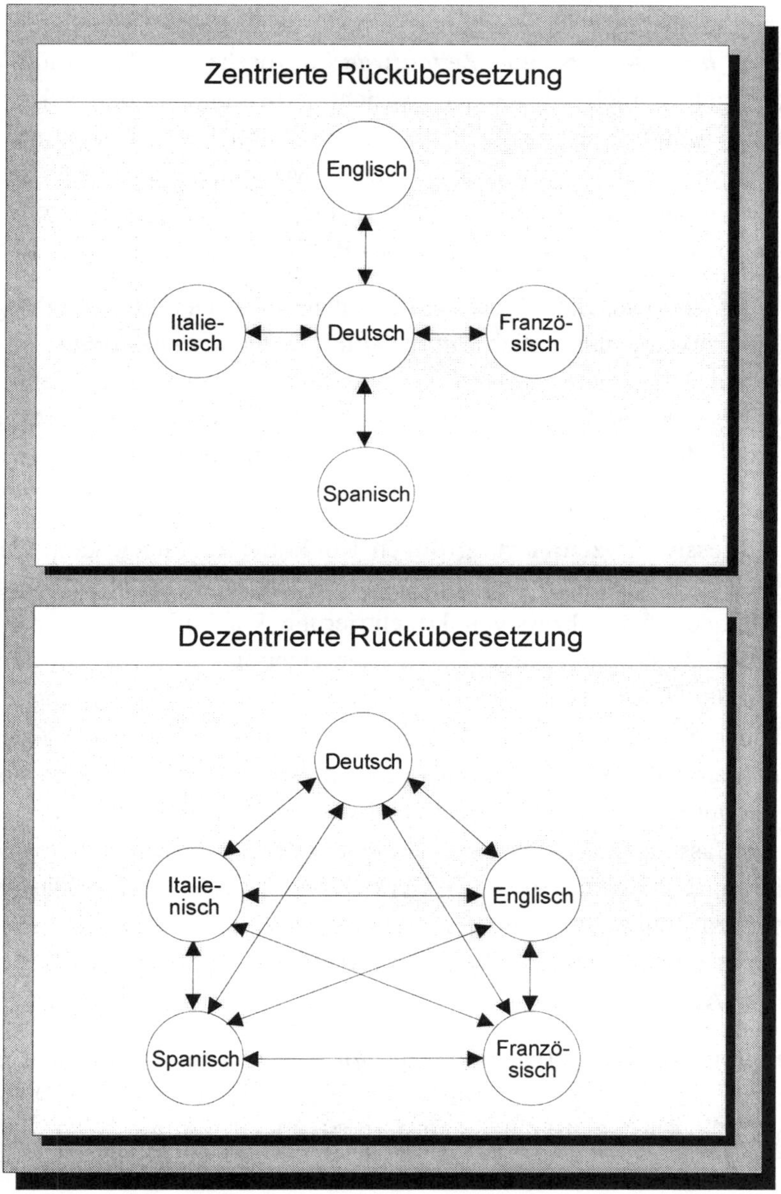

Abbildung 32: Beeinflussungsmuster der Textgestaltung bei verschiedenen Rückübersetzungsmethoden (5-Länder-Fall mit der "Ausgangssprache" Deutsch)

Quelle: Bauer, E. (1989), S. 193

Als **Nachteil** dieser Übersetzungsmethode ist zweifellos der damit verbundene ***hohe Arbeits-*** und ***Zeitaufwand*** anzusehen.[529] Keinesfalls aber ist der gelegentlich vertretenen Ansicht zuzustimmen, daß sukzessive Dezentrierungen nur mit Mehrsprachlern, folglich dann auch nur mit wenigen Sprachen durchzuführen seien.[530] Mehrsprachler können sicherlich den gesamten Abstimmungsprozeß erleichtern und verkürzen, sind aber keine conditio sine qua non dieses Prozesses.

Der alles überwiegende ***Vorteil*** einer sukzessiven Dezentrierung liegt in der Entwicklung tatsächlich ***äquivalenter sprachlicher Stimuli***, so daß man dem Urteil von *Green/White* vorbehaltlos zustimmen kann, daß diese Übersetzungsmethode "... is perhaps the most highly regarded technique for the development of a cross-national research instrument"[531].

Die sukzessive **Dezentrierung durch Rückübersetzungen** kann zumindest in Teilen erleichtert und abgekürzt werden, wenn sie mit einer anderen Methode der sukzessiven Dezentrierung kombiniert wird, nämlich der **Methode der taxonomischen Dezentrierung**.[532] Hierbei werden sowohl in der Urform des Textes als auch in den ersten Übersetzungen und Rückübersetzungen bei allen zentralen Begriffen die jeweils übergeordneten (generelleren) und untergeordneten (spezielleren) Begriffe aufgeführt. Dadurch ist es bei der ersten Abstimmung der verschiedensprachigen Textfassungen ($P_{1.2}$) möglich, in jeder Sprache jene Begriffe zu identifizieren, die auf der gleichen hierarchischen Stufe stehen. Dies kann dann dazu führen, daß in der Neufassung der Urform (A_2) ein genereller oder speziellerer Begriff verwendet wird als in der Ausgangsversion (A_1).

Eine **simultane Dezentrierung** liegt vor, wenn bereits die erste Erstellung der verschiedensprachigen Texte unter Berücksichtigung aller gegenseitigen Einflußwirkungen erfolgt. Dies bedeutet jedoch nicht, daß

---

529 Vgl. Green, R.T., White, P.D. (1976), S. 84.

530 Vgl. Sechrest, L., Fay, T.L., Zaidi, S.M.H. (1972), S. 54; Stanton, J.L., Chandran, R., Hernandez, S.A. (1982), S. 137.

531 Green, R.T., White, P.D. (1976), S. 84.

532 Vgl. Werner, O., Campbell, D.T. (1973), S. 407.

die Texte auch zeitlich simultan erstellt werden müssen. Es ist vielmehr so, daß eine simultane Textanpassung und -abstimmung in aller Regel nur von ***Mehrsprachlern*** und damit zeitlich sukzessiv durchgeführt werden kann.

Mit dieser personellen Voraussetzung ist dann auch bereits der große Nachteil dieser "Übersetzungs"-Methode angesprochen worden. Denn qualifizierte Mehrsprachler, die möglichst auch noch über ein gewisses Mindestmaß an marktforscherischem Know-how verfügen sollten, sind in vielen Fällen überhaupt nicht verfügbar. Man denke nur an das in der Abbildung 32 aufgezeigte Beispiel, wo eine Kenntnis von fünf Sprachen (Deutsch, Englisch, Französisch, Italienisch und Spanisch) erforderlich wäre. Es ist daher auch nicht verwunderlich, daß in der Literatur über keinen Anwendungsfall einer solchen von Mehrsprachlern durchgeführten simultanen Dezentrierung berichtet wird.

Nun sagten wir aber, daß eine simultane Dezentrierung zwar in der Regel, nicht jedoch in jedem Fall von Mehrsprachlern durchgeführt werden muß. Ein solcher Ausnahmefall (der einzige uns bekannte) ist die von *Angelmar* und *Pras*[533] vorgeschlagene Vorgehensweise zur simultanen Dezentrierung von verbalen Ratingskalen. Wir wollen sie als **Methode der simultanen adjektivischen Dezentrierung** bezeichnen und im folgenden kurz skizzieren.

Wie bereits in Kap. 3.3.2.1 ausgeführt wurde, muß eine Übersetzung von verbalen Ratingskalen

- bei einer intendierten ***metrischen Auswertung*** dem Anspruch genügen (vgl. hierzu auch Abbildung 33), daß zwischen allen Ratingkategorien aller nationalen Ratingskalen eine semantische Äquidistanz besteht ($d^A_{1,2} = d^A_{2,3} = d^A_{3,4} = d^A_{4,5} = d^B_{1,2} = \ldots = d^B_{4,5}$), und

- bei einer intendierten ***nicht metrischen Auswertung*** dem Anspruch genügen (vgl. hierzu auch Abbildung 33), daß zwischen je zwei benachbarten Ratingkategorien bei allen nationalen Ratingskalen eine

533 Vgl. Angelmar, R., Pras, B. (1978), S. 62ff.

semantische Äquidistanz besteht ($d^A_{1,2} = d^B_{1,2}; d^A_{2,3} = d^B_{2,3}; \ldots; d^A_{4,5} = d^B_{4,5}$).

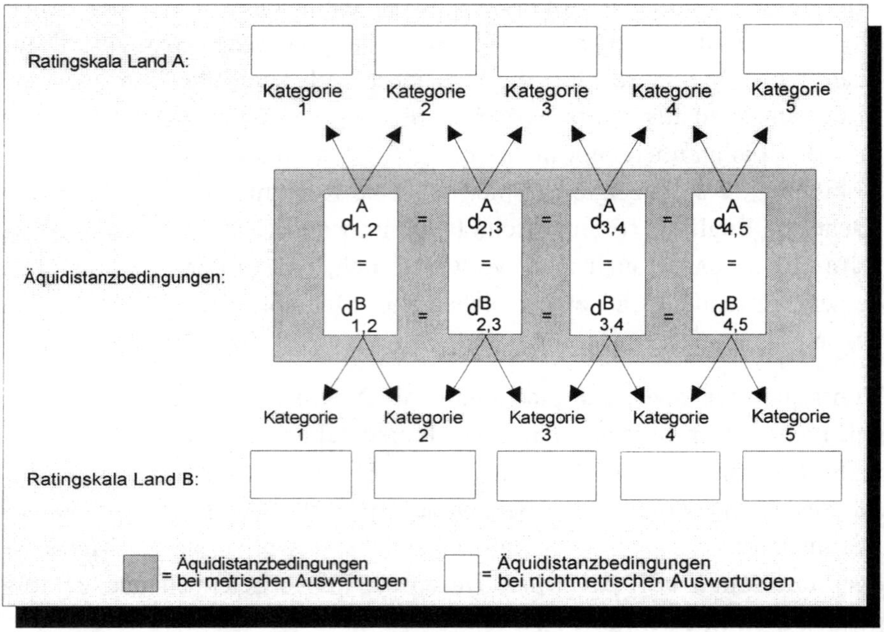

Abbildung 33: Bedingungen bezüglich der semantischen Äquivalenz von Ratingkategorien bei einem multinationalen Einsatz von verbalen Ratingskalen

Quelle: Bauer, E. (1989), S. 195

Obwohl die uns bekannten multinationalen Marketingforschungsuntersuchungen keinerlei diesbezügliche Hinweise enthalten, kann man aufgrund verschiedener Indizien (Anlage, organisatorische Durchführung etc.) doch folgern, daß die übliche Methode der Übersetzung der hierbei zum Einsatz gelangten verbalen Ratingskalen wohl die einer ***zentrierten Übersetzung*** ist. Dies heißt, daß zunächst eine zwischen den einzelnen Ratingkategorien semantisch äquidistante (vgl. Abbildung 34, Fall 2) "Mutterskala" konstruiert und diese dann mit Hilfe einer Methode der ***direkten Übersetzung*** oder einer Methode der ***Rückübersetzung*** in die jeweiligen Zielsprachen übertragen wird.

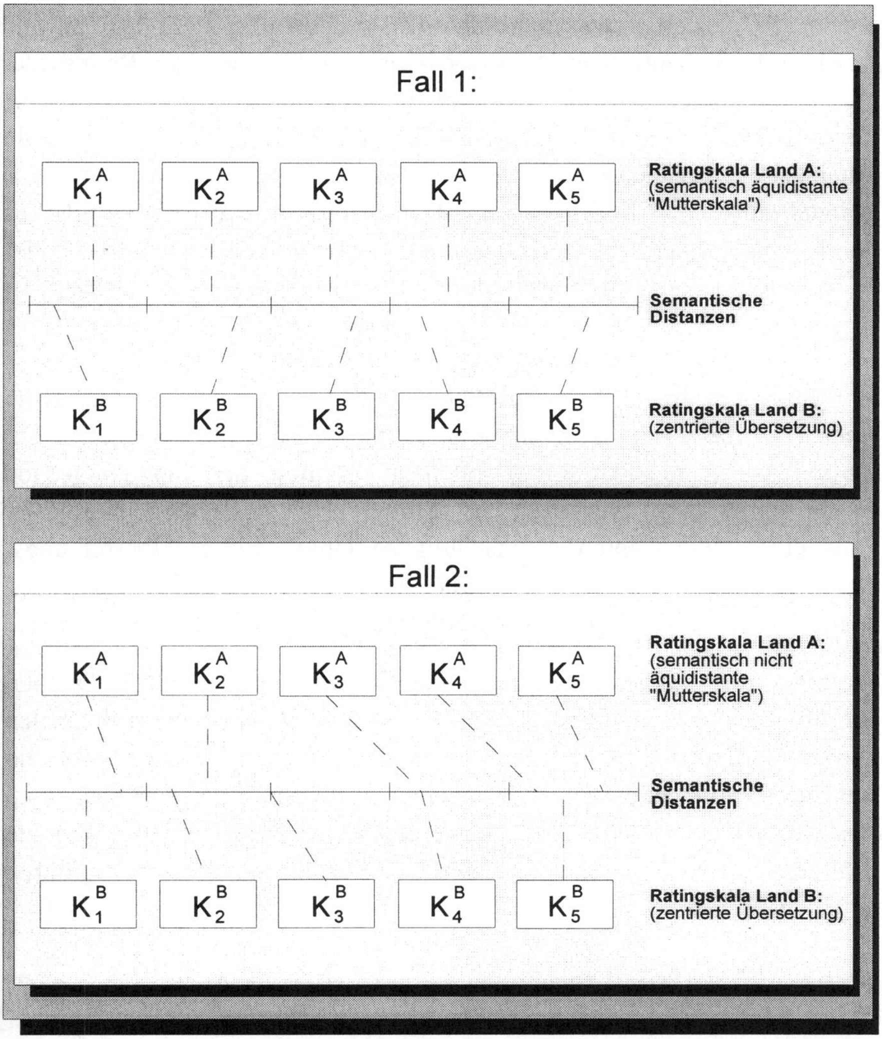

Abbildung 34: Fiktive Ergebnisse der zentrierten Übersetzung einer verbalen Ratingskala
Quelle: Bauer, E. (1989), S. 196

Hierdurch kann nun zwar eine ***semantische Äquivalenz*** der korrespondierenden Ratingkategorien (K_1^A - K_1^B ; K_2^A - K_2^B ; ... ; K_5^A - K_5^B) erzielt werden, es ist jedoch mehr als ungewiß, ob damit gleichzeitig auch eine semantische ***Äquidistanz*** korrespondierender Ratingkategoriepaare gegeben ist. Ist dies aber (wie in Abbildung 34 unterstellt) nicht der Fall und weichen die semantischen Distanzen zwischen den einzelnen Ratingkategorien von Land zu Land signifikant voneinander ab, sind die Auswertungsergebnisse mit systematischen Fehlern behaftet und folglich nicht miteinander vergleichbar. So werden z.B. die in Fall 2 (Abbildung 34) ermittelten relativen "Top-Boxes"-Häufigkeiten (relative Häufigkeiten von K_4- und K_5-Antworten) in Land B einen positiven Verzerrungsfehler aufweisen, weil hier die durch diese beiden Kategorien abgedeckte "Urteilsbreite" ($d_{4,5}^B$) größer ist als in Land A ($d_{4,5}^A$).

Um diese Verzerrungen auszuschließen, wäre es notwendig, (mit Hilfe einer *Thurstone-* oder *Magnitude-Skalierung* o.ä.) die semantischen Distanzen der übersetzten Ratingskalen zu ermitteln und mit den (schon vorher gemessenen) Distanzen der "Mutterskala" zu vergleichen und im Falle einer signifikanten Abweichung so lange erneute Übersetzungs- und Prüfprozesse einzuleiten, bis die jeweilige semantische Äquivalenzbedingung (vgl. Abbildung 34) erfüllt ist.

Trotz der z.T. beträchtlichen negativen Folgewirkungen auf die Qualität der Auswertungsergebnisse wird u.W. in der Praxis der internationalen Marketingforschung weitgehend auf die Durchführung solcher Prüf- und Annäherungsprozesse verzichtet. Neben Zeit- und Kostengründen mag dies sicherlich auch auf eine mangelnde Kenntnis der Fehlerpotentiale von zentrierten Übersetzungen verbaler Ratingskalen zurückzuführen sein.

Adjective	House-wives	Executives	Graduate business students	Under-graduate business students	Range of means
Superior	20,12 (1,17)	18,22 (2,82)	19,45 (1,78)	18,96 (1,67)	1,90
Fantastic	20,12 (0,83)	18,69 (3,68)	20,15 (1,37)	19,20 (1,87)	1,46
Tremendous	19,84 (1,31)	18,67 (2,01)	19,70 (1,18)	18,92 (1,75)	1,17
Superb	19,80 (1,19)	19,00 (2,10)	19,40 (1,95)	19,60 (2,42)	0,80
Excellent	19,40 (1,73)	18,72 (2,25)	19,58 (1,97)	19,44 (1,42)	0,86
Terrific	19,00 (2,45)	18,81 (2,19)	19,08 (1,61)	18,60 (1,63)	0,48
Outstanding	18.96 (1,99)	19,31 (2,01)	19,58 (1,26)	19,40 (1,35)	0,62
Exceptionally good	18,56 (2,36)	17,03 (4,12)	17,68 (2,26)	17,88 (1,72)	1,53
Extremely good	18,44 (1,61)	17,33 (3,09)	17,45 (2,26)	18,00 (1,50)	1,11
Wonderful	17,32 (2,30)	17,97 (2,35)	18,45 (1,99)	17,52 (2,10)	1,13
Unusually good	17,08 (2,43)	16,47 (2,99)	16,78 (2,12)	16,20 (1,80)	0,88
Remarkably good	16,68 (2,19)	17,44 (2,63)	17,20 (2,32)	17,08 (1,89)	0,76
Delightful	16,92 (1,85)	16,61 (2,45)	16,60 (2,24)	16,76 (1,51)	0,32
Very good	15,44 (2,77)	16,83 (2,52)	17,00 (2,28)	16,80 (1,44)	1,56
Fine	14,80 (2,12)	15,61 (2,72)	14,60 (3,00)	15,32 (2,21)	0,81
Quite good	14,44 (2,76)	13,69 (2,90)	15,70 (2,08)	15,60 (1,94)	1,91
Good	14,32 (2,08)	13,81 (3,25)	14,78 (2,27)	14,56 (1,96)	0,97
Moderately good	13,44 (2,23)	11,42 (2,99)	12,60 (2,55)	13,04 (1,43)	2,02
Pleasant	13,44 (2,06)	13,61 (2,43)	13,48 (2,33)	14,48 (2,14)	1,01
Reasonably good	12,92 (2,93)	11,89 (3,37)	13,85 (2,19)	14,20 (1,71)	2,31
Nice	12,56 (2,14)	11,44 (2,79)	12,70 (2,65)	13,72 (1,77)	2,28
Fairly good	11,96 (2,42)	11,94 (3,84)	12,40 (2,24)	13,12 (2,11)	1,16
Slightly good	11,84 (2,19)	10,25 (3,14)	11,88 (2,62)	12,32 (1,52)	2,07
Acceptable	11,12 (2,59)	10,67 (3,34)	10,72 (1,96)	11,40 (2,02)	0,73
Average	10,84 (1,55)	9,97 (2,34)	10,82 (1,43)	10,76 (1,05)	0,87
All right	10,76 (1,42)	10,17 (3,28)	10,95 (2,15)	11,40 (1,26)	1,23
OK	10,28 (1,67)	10,11 (2,48)	10,58 (2,12)	11,28 (1,21)	1,17
So-so	10,08 (1,87)	8,81 (2,75)	9,52 (1,47)	10,36 (1,15)	1,55

Neutral	9.80 (1,50)	9,56 (1,90)	10,18 (2,01)	10,52 (1,16)	0,96
Fair	9,52 (2,06)	9,56 (3,67)	9,20 (2,05)	10,24 (2,20)	1,04
Mediocre	9,44 (1,80)	8,11 (2,74)	8,90 (2,36)	9,36 (2,20)	1,33
Not very good	6,72 (2,82)	6,47 (2,41)	6,40 (2,05)	7,92 (2,02)	1,52
Moderately poor	6,44 (1,64)	6,83 (3,50)	6,28 (1,87)	7,24 (1,59)	0,80
Reasonably poor	6,32 (2,46)	6,31 (2,19)	5,82 (1,74)	6,16 (1,57)	0,50
Slightly poor	5,92 (1,96)	7,19 (2,36)	7,25 (2,00)	8,48 (1,83)	2,56
Poor	5,76 (2,06)	5,19 (2,86)	4,72 (2,51)	5,24 (1,51)	1,04
Fairly poor	5,64 (1,68)	6,67 (2,81)	6,25 (1,63)	6,72 (1,74)	1,08
Unpleasant	5,04 (2,82)	4,36 (3,02)	4,68 (2,63)	5,52 (2,06)	1,16
Quite poor	4,80 (1,44)	4,56 (2,58)	3,62 (1,67)	4,56 (1,78)	1,18
Bad	3,88 (2,19)	3,67 (2,54)	3,85 (1,81)	4,24 (1,88)	0,57
Very bad	3,20 (2,10)	2,22 (2,34)	2,70 (2,16)	3,08 (1,50)	0,98
Unusually poor	3,20 (1,44)	3,08 (1,79)	3,48 (1,68)	4,16 (1,57)	1,08
Very poor	3,12 (1,17)	3,14 (2,39)	3,35 (1,99)	3,68 (1,52)	0,56
Remarkably poor	2,88 (1,74)	2,75 (1,70)	3,12 (1,70)	3,92 (1,68)	1,17
Unacceptable	2,64 (2,04)	3,53 (3,42)	3,98 (2,79)	5,56 (3,06)	2,92
Exceptionally poor	2,52 (1,19)	3,19 (2,23)	3,22 (1,82)	3,52 (1,96)	1,00
Extremely poor	2,08 (1,19)	2,83 (2,14)	3,10 (1,72)	3,24 (1,76)	1,16
Awful	1,92 (1,50)	2,25 (1,46)	2,48 (1,72)	2,68 (1,86)	0,76
Terrible	1,76 (0,77)	2,22 (2,63)	2,05 (1,43)	1,88 (1,24)	0,52
Horrible	1,48 (0,87)	2,22 (2,51)	1,62 (1,15)	2,00 (1,35)	0,70

In each case, the first figure is the mean and the second (in parentheses), the standard deviation.

Tabelle 24: Skalierte evaluatorische Adjektive nach Myers/Warner
Quelle: Myers, J.H., Warner, W.G. (1968), S. 411

Eine elegantere und in manchen Fällen auch zeit- und kostengünstigere Lösung dieses spezifischen Übersetzungsproblems stellt die bereits erwähnte **Methode der simultanen adjektivischen Dezentrierung** von

Angelmar/Pras dar, bei der in einem simultanen Prozeß für alle Untersuchungsländer semantisch äquidistante, d.h. ***intervallskalierte*** verbale Ratingskalen konstruiert werden. Auslösendes Moment für ihre Überlegungen waren die empirische Studie von *Myers/Warner* und die empirische Folgestudie von *Pras.*[534]

Zielsetzung der in den USA durchgeführten Studie von *Myers/Warner* war es, für die nationale, d.h. US-amerikanische Marketingforschung eine Methode zur Konstruktion von intervallskalierten Ratingskalen evaluatorischen Charakters vorzustellen. Zu diesem Zweck stellten sie (in alphabetischer Reihenfolge) eine Liste der gebräuchlichsten evaluatorischen Adjektive bzw. adverbial differenzierten Adjektive auf und ermittelten bei (allerdings zu kleinen, national nicht repräsentativen und nicht zufallsgesteuerten) Stichproben von Hausfrauen, Managern und Studenten nach der *Thurstone-Methode* deren Einstufungen (Mittelwerte, Standardabweichungen) auf einer 21-stufigen Intervallskala. Das Ergebnis dieser Untersuchung, das hier nicht weiter kommentiert werden kann, ist in der obigen Tabelle 24 wiedergegeben worden.

Mit Hilfe einer solchen Batterie intervallskalierter evaluatorischer Adjektive ist es nun möglich, verschiedenstufige ***verbale Ratingskalen mit äquidistanten Bewertungskategorien*** zu konstruieren.

Dazu ist nach *Myers/Warner* eine entsprechend große Anzahl von Adjektiven auszuwählen, die folgenden beiden Bedingungen genügen müssen:

- möglichst gleicher Abstand der Mittelwerte,
- möglichst geringe Überschneidung der Standardabweichungen.

Als Beispiel für eine solche Konstruktion von Ratingskalen führen sie die in Abbildung 35 dargestellte 7-stufige umgangssprachliche und 5-stufige hochsprachliche Ratingskala an.

---

534 Vgl. Myers, J.H., Warner, W.G. (1968), S. 409ff.; Pras, B. (1976), S. 87ff.

1. Umgangssprachliche evaluatorische Ratingskala mit 7 äquidistanten Stufen:

fantastic	20*	(1,9)**
delightful	17	(2,0)
pleasant	14	(2,2)
neutral	10	(1,7)
moderately poor	7	(2,1)
bad	4	(2,1)
horrible	2	(1,5)

2. Hochsprachliche evaluatorische Ratingskala mit 5 äquidistanten Stufen:

remarkably good	17*	(2,2)**
good	14	(2,4)
neutral	10	(1,7)
reasonably poor	6	(2,0)
extremely poor	3	(1,7)

* = Mittelwerte ** = Standardabweichungen

Abbildung 35: Beispiele für eine Konstruktion von verbalen Ratingskalen mit semantisch äquidistanten Abstufungen

Quelle: Myers, J.H., Warner, W.G. (1968), S. 412

Pras führte eine gleichartige Untersuchung in Frankreich durch und kam dabei zu den in Tabelle 25 wiedergegebenen Skalierungsergebnissen, die er dann weiter dazu verwandte, ebenfalls einige umgangs- und hochsprachliche verbale Ratingskalen mit äquidistanten Bewertungskategorien zu konstruieren.

Adjective	House-wives	Executives	Graduate business students	Under-graduate business students	Range of means
Extraordinaire	19,49 (1,97)	20,12 (1,52)	19,71 (1,44)	19,19 (1,42)	0,93
Merveilleux	19,04 (1,69)	19,44 (1,75)	18,62 (1,86)	18,49 (2,15)	0,95
Sensationnel	19,03 (2,32)	19,53 (1,33)	19,61 (1,06)	18,86 (1,82)	0,75
Exceptionnellement bon	18,87 (1,96)	18,07 (2,25)	19,24 (1,65)	18,31 (1,73)	1,17
Excellent	18,82 (2,13)	18,34 (1,65)	18,50 (1,37)	19,17 (1,54)	0,83
Fantastique	18,78 (2,21)	19,68 (1,64)	19,18 (1,84)	19,40 (1,70)	0,90
Formidable	18,17 (2,13)	19,06 (1,84)	18,35 (1,35)	18,46 (1,23)	0,89
Enchanteur	18,17 (1,77)	18,50 (2,44)	18,24 (2,47)	18,47 (3,89)	0,33
Extrêmement bon	17,98 (2,03)	18,02 (1,51)	17,48 (1,80)	18,02 (1,54)	0,54
Superbe	17,97 (2,20)	18,07 (2,05)	18,06 (1,71)	17,62 (3,62)	0,45
Supérieur	17,90 (2,28)	18,03 (1,65)	18,42 (1,67)	18,02 (2,35)	0,52
Remarquablement bon	17,84 (1,60)	17,81 (1,71)	17,52 (1,43)	18,11 (1,55)	0,59
Très bon	16,30 (2,03)	16,61 (1,92)	16,03 (1,23)	17,02 (1,82)	0,99
Vraiment bon	16,25 (1,74)	16,21 (2,09)	15,61 (1,15)	17,10 (1,97)	1,49
Inhabituellement bon	15,91 (2,89)	16,04 (2,83)	15,27 (2,84)	16,65 (2,60)	1,38
Très correct	14,40 (1,87)	13,96 (2,21)	14,02 (1,41)	14,36 (2,06)	0,44
Bon	14,37 (2,05)	13,94 (2,55)	13,83 (1,29)	15,03 (1,75)	1,20
Bien	13,68 (1,94)	13,28 (1,43)	13,19 (1,55)	14,70 (1,65)	1,51
Raisonnablement bon	13,46 (1,93)	12,43 (2,23)	13,40 (1,31)	13,17 (1,87)	0,29
O.K.	13,41 (2,87)	11,68 (2,40)	12,81 (2,49)	11,82 (3,27)	1,73
Plutôt bon	13,18 (2,19)	13,12 (1,96)	13,47 (1,30)	13,85 (1,74)	0,73
Honnête	13,09 (2,02)	11,31 (1,83)	11,68 (1,51)	11,68 (1,35)	1,78
Assez bon	12,59 (2,15)	11,81 (1,93)	12,61 (1,65)	13,12 (2,03)	1,31
Correct	12,37 (3,22)	11,97 (2,38)	12,14 (1,10)	12,51 (1,80)	0,54
Modérément bon	11,98 (2,36)	10,83 (2,22)	11,70 (1,17)	11,26 (1,44)	1,15
Acceptable	11,95 (1,93)	10,91 (1,96)	11,54 (1,38)	11,50 (2,20)	1,04
Légèrement bon	11,04 (2,13)	11,27 (2,09)	11,82 (1,10)	11,57 (1,44)	0,78
Commi ci, comme ca	9,87 (1,95)	9,28 (1,86)	10,00 (1,53)	9,67 (1,49)	0,72
Moyen	9,71 (2,66)	9,88 (1,84)	10,88 (1,11)	10,43 (1,30)	1,17
Pas trop faible	8,76 (2,58)	7,97 (2,05)	8,74 (1,69)	6,42 (1,57)	2,34

Légèrement faible	8,46 (2,16)	7,41 (1,74)	8,84 (1,31)	8,42 (1,22)	1,43
Pas très bon	8,16 (2,62)	7,82 (2,14)	9,32 (1,34)	9,36 (2,09)	1,54
Indèterminé	8,04 (3,84)	7,61 (2,70)	8,76 (2,47)	8,22 (2,66)	1,15
Modérément faible	7,97 (2,45)	7,40 (1,64)	8,65 (1,40)	7,67 (1,23)	1,25
Assez faible	7,55 (1,30)	7,23 (1,84)	8,01 (1,42)	7,81 (1,55)	0,78
Faible	6,88 (2,17)	6,68 (1,77)	7,26 (1,73)	6,60 (1,67)	0,66
Médiocre	6,64 (3,29)	6,04 (2,81)	7,60 (2,12)	7,60 (2,24)	1,56
Très faible	5,45 (2,05)	4,68 (1,67)	5,39 (1,48)	4,74 (1,55)	0,77
Vraiment faible	5,39 (2,20)	5,03 (1,78)	5,43 (1,78)	4,80 (1,53)	0,63
Inhabituellement faible	5,29 (2,54)	5,01 (2,10)	5,45 (2,83)	4,42 (2,23)	1,03
Remarquablement faible	4,45 (2,07)	4,09 (1,55)	4,40 (1,90)	4,16 (1,57)	0,36
Plutôt mauvais	4,43 (1,79)	4,66 (2,25)	6,28 (2,03)	5,45 (1,82)	1,85
Extrêmement faible	4,32 (1,93)	3,99 (1,85)	3,50 (1,79)	3,53 (1,46)	0,82
Exceptionnellement faible	4,16 (1,96)	3,77 (1,83)	3,17 (1,89)	3,64 (1,62)	0,99
Mauvais	3,38 (1,51)	4,12 (1,95)	5,58 (1,77)	4,66 (1,81)	2,20
Très mauvais	2,55 (1,22)	2,96 (1,65)	3,68 (1,51)	3,19 (1,31)	1,13
Terriblement mauvais	1,91 (0,73)	2,40 (1,41)	2,52 (1,17)	2,34 (0,89)	0,61
Inacceptable	1,80 (1,03)	2,06 (1,62)	2,55 (1,36)	2,17 (1,35)	0,75
Effroyable	1,59 (0,95)	1,41 (0,63)	1,44 (1,08)	1,49 (0,74)	0,18
Epouvantable	1,54 (0,88)	1,47 (0,61)	1,73 (1,31)	1,42 (0,70)	0,31

In each case, the first figure is the mean and the second (in parentheses), the standard deviation.

Tabelle 25: Skalierte evaluatorische Adjektive nach Pras
Quelle: Angelmar, R., Pras, B. (1978), S. 65

Zwei Jahre später hat *Pras* zusammen mit *Angelmar* aufgezeigt[535], daß solche Untersuchungen nicht nur für nationale Marketingforschungen von Bedeutung sind, sondern daß sie darüber hinaus auch eine Grundlage dafür liefern, bei internationalen Marketingforschungen das Problem der

535 Vgl. Angelmar, R., Pras, B. (1978), S. 62ff.

Übersetzung von verbalen Ratingskalen lösen zu helfen. Denn wenn für alle Länder, auf die sich eine internationale Marketingforschung erstrekken soll, eine solche Batterie intervallskalierter evaluatorischer Adjektive vorliegt, dann ist es nicht mehr notwendig, zunächst eine "Mutterskala" zu erstellen und diese dann unter Beachtung der semantischen Äquivalenz- und Äquidistanzbedingungen zu übersetzen.

In einem solchen Fall ist es vielmehr möglich, simultan alle nationalen Ratingskalen so zu konstruieren, daß

- ihre korrespondierenden Ratingkategorien semantisch äquivalent sind
- und zwischen allen Ratingkategorien aller nationalen Ratingskalen eine semantische Äquidistanz besteht, d.h. die Erhebungsergebnisse metrisch auswertbar sind.

Dies geschieht nach Festlegung der Zahl der Skalenstufen auf die Weise, daß aus jeder nationalen Batterie skalierter Adjektive eine dementsprechende Anzahl gleichskalierter, äquidistanter Adjektive ausgewählt wird. Eine solche simultane adjektivische Dezentrierung könnte dann beispielsweise zu dem in Abbildung 36 wiedergegebenen Ergebnis führen.

Eine wichtige Voraussetzung für diese Methode der simultanen Dezentrierung ist allerdings das Vorhandensein von nationalen Batterien reliabler und valider Adjektivskalierungen. Dies heißt, daß für alle Länder, die in eine internationale Marketingforschung einbezogen werden sollen, Adjektivskalierungen vorliegen oder erst noch gewonnen werden müssen, die auf einer genügend großen und für die anstehende Untersuchung repräsentativen Stichprobenerhebung basieren.

Beides ist bei den Untersuchungen von *Myers/Warner* und *Pras* nicht gegeben. Sie sind daher lediglich als Pilotstudien zu betrachten. Darüber hinaus ist in Erwägung zu ziehen, ob das von diesen Autoren verwendete Verfahren der *Thurstone-Skalierung* nicht durch ein anderes, fehlerunanfälligeres Skalierungsverfahren, wie z.B. das der *Magnitude-Skalierung*[536], ersetzt werden sollte.

---

[536] Siehe dazu Behrens, G. (1983), S. 125ff.

Colloquial Rating Scale

US Adjectives			French Adjectives
fantastic	20	20	extraordinaire
delightful	17	17	superbe
pleasant	14	14	très correct
neutral	10	10	moyen
moderately poor	7	7	assez faible
bad	4	4	remarquablement faible
horrible	2	2	terriblement mauvais

Formal Rating Scale

US Adjectives			French Adjectives
remarkably good	17	17	très bon
good	14	14	bon
neutral	10	10	moyen
reasonably poor	6	6	faible
extremely poor	3	3	très mauvais

Abbildung 36: Konstruktion einer US-amerikanischen und einer französischen verbalen Ratingskala nach der Methode der simultanen Dezentrierung

Quelle: Angelmar, R., Pras, B. (1978), S. 67

3.3.3 Modifikation der non-verbalen Stimuli

Non-verbale Stimuli, die in internationalen Befragungen in Form von ***Vorlagen*** (Zeichnungen, Fotos, Graphiken, Produkten etc.) oder ***graphischen*** bzw. ***graphisch-unterstützten Ratingskalen*** Verwendung finden, werden bisweilen von Land zu Land unterschiedlich wahrgenommen, interpretiert und evaluiert. Dies kann u.a. darauf zurückzuführen sein, daß bestimmte Darstellungen, Formen, Farben, Zeichen, Symbole etc. der kulturellen Unterschiedlichkeit der Respondenten wegen andere Assoziationen hervorrufen bzw. anders wahrgenommen und interpretiert werden.

Assoziationen, die mit **Farben** verbunden sind, weisen z.B. beachtliche interkulturelle Abweichungen auf (vgl. Tabelle 26). Darüber hinaus wurden in zahlreichen empirischen Untersuchungen interkulturelle Unterschiede bei der Unterteilung des Farbenspektrums und der Fähigkeit, zwischen einzelnen Positionen auf der Farbenskala zu differenzieren, nachgewiesen.[537] *Holtzman*[538] führt aus, daß selbst so etwas eigentlich "bedeutungsloses", wie ein Tintenklecks, interkulturell unterschiedliche Konnotationen aufweist, die bei interkulturellen Rorschach-Tests dann dazu führen können, daß die Testinterpretationen verfälscht werden. *Frijda/Jahoda* verweisen in diesem Zusammenhang auf die von *Abel/Hsu* gemachte Feststellung, "... that white space in the Rorschach may mean white to the Chinese, whilst many other cultures seem to perceive it as space"[539].

---

[537] Vgl. Segall, M.H., Campbell, D.T., Herskovits, M.J. (1966), S. 37ff.

[538] Vgl. Holtzman, W. (1980), S. 266.

[539] Frijda, N., Jahoda, G. (1966), S. 118.

Gelb	Blau	Grün	Rot	Weiß	Schwarz	
Eifersucht	Treue	Hoffnung	Ärger, Liebe, Leidenschaft, Feuer	Unschuld	Trauer	**Österreich**
Freude, Sonne, Glück, Neid, Krankheit	Ruhe, Kälte, Gleichgültigkeit	Hoffnung, Freiheit, unreif, Krankheit	Wärme, Leidenschaft, Haß, Feuer, Ärger, Gewalt	Friede, Sauberkeit, Reinheit	Trauer, Tod, Geheimnis	**Brasilien**
Gefahr, Falschheit, Neid	Qualität	Hoffnung, Langeweile, Gesundheit	Liebe, Gefahr, Feuer	Unschuld, Reinheit	Trauer, Sorge	**Dänemark**
(kein besonderer Ausdruck)	Kälte, ohne Geld, unschuldig	Hoffnung, Neid	Ärger, Liebe, Leidenschaft, Feuer	Unschuld, Sauberkeit	Sorge, Eifersucht	**Finnland**
Krankheit	Ärgerr, Furcht	jugendlich, Furcht	Ärger, Hitze, Vergnügen, Schüchternheit	Reinheit, jung	Sorge, Trunkenheit, Eifersucht, Pessimismus	**Frankreich**
Ärger	Furcht	Neid, Jugend, Geldknappheit, depressiver Ärger	Ärger, Gefahr, Feuer	Unschuld, Furcht, erfolglos, Liebesaffäre	Depression	**Italien**
Jungfräulichkeit, Schwäche, Ärger	(kein besonderer Ausdruck)	Glück, Frömmigkeit, ewiges Leben	Ärger, Heiratszusage (Frauen)	Trauer, Nüchternheit, Eleganz	Trauer, Hilflosigkeit	**Pakistan**
Verzweiflung, Plage	Eifersucht, Schwierigkeit, Probleme zu lösen	Hoffnung, Neid	Krieg, Blut, Leidenschaft, Feuer	Friede, Unschuld, Reinheit	Trauer, Sorge, Hunger	**Portugal**
ohne Geld (Slang)	blauäugig, leichtgläubig, gefroren, kalt	Neid, unerfahren, Güte	Ärger, Wut, Feuer	Güte	Depression, Sorge	**Schweden**
Neid	Wut, Ärger, Romanze	unwohl, unreif	Ärger, Feuer	Reinheit, Unschuld	Pessimismus, Illegalität	**Schweiz**

Tabelle 26: Farbassoziationen im internationalen Vergleich
Quelle: Wilkes, M.W. (1977), S. 112

Douglas/Craig[540] führen aus, daß von Schwarz-Afrikanern häufig bestimmte Elemente der in den westlichen Ländern gebräuchlichen ***graphischen Darstellungen*** (z.B. Schraffierungen und Andeutungen einer dritten Dimension) falsch interpretiert werden, oder daß Angehörige bestimmter Stammeskulturen (wie z.B. Angehörige des Stammes der Zulu), denen der Gebrauch einer Leiter unbekannt ist, demzufolge dann auch mit einer ***Leiterskala*** wenig anzufangen wissen. *Bulmer/Warwick*[541] haben auch in Peru die Erfahrung machen müssen, daß in den ländlichen Gebieten einige Respondenten in der vorgelegten Abbildung keine Leiter erkennen konnten.

Aldridge warnt ebenfalls vor einer unüberlegten internationalen Verwendung von ein und derselben graphischen oder graphisch-unterstützten Ratingskala, wenn er schreibt: "Certain methods such as Flachenskala or area scale are extremely effective in certain markets, less so in others. Attempts to use 'mountain scales' amongst respondents who have either never seen a mountain, or are valley-dwellers and despise those who live in the mountains, have proved unsuccessful!"[542]

Wenn es nicht das erklärte Ziel einer internationalen Marketingforschung ist, herauszufinden, ob bestimmte non-verbale Stimuli zu international unterschiedlichen Respondentenreaktionen führen (wie dies z.B. bei internationalen Produkt- oder Konzept-Tests der Fall ist), die betreffenden non-verbalen Stimuli folglich nur ***Hilfsmittel***, aber nicht ***Objekte*** der Untersuchung sind, müssen diese gegebenenfalls international so modifiziert werden, daß sie überall gleiche Assoziationen hervorrufen bzw. gleichartig wahrgenommen und interpretiert werden. Denn nur dann ist sichergestellt, daß unterschiedliche Farbwahrnehmungen, -assoziationen etc. nicht zu einer systematischen Verzerrung der nationalen Erhebungsergebnisse führen.

Werden z.B. **Farben** verwendet, um Testprodukte auseinanderhalten zu können, müssen die Farben so gewählt oder modifiziert werden, daß sie bei allen Testprodukten und in allen Ländern konnotativ gleichartig auf-

---

[540] Vgl. Douglas, S.P., Craig, C.S. (1983), S. 188ff.

[541] Siehe Bulmer, M., Warwick, D.P. (1983), S. 155.

[542] Aldridge, D. (1983), S. 24.

geladen sind sowie von allen Respondenten zweifelsfrei unterschieden werden können. Dienen Farben dagegen dazu, Stimuli (Produkte, Anzeigen etc.) besser beurteilen oder Meinungen, Stimmungen etc. besser erfassen zu können (z.B. mit Hilfe eines Farbzuordnungsverfahrens[543] oder einer farblich abgestuften Ratingskala), muß darauf geachtet werden, daß die in den einzelnen Ländern verwendeten Farben ein gleichartiges Konnotationsspektrum bzw. tatsächlich die qua Skalenposition unterstellten positiven oder negativen Konnotationen aufweisen.

Visual-hedonische Ratingskalen sind so zu modifizieren, daß rasse- und kulturtypische Gesichtszüge und Gesichtsausdrücke dargestellt werden, ***Leiterskalen*** sind gegebenenfalls durch die Abbildung eines terrassenförmig abgestuften Berges o.ä. zu substituieren, die ***Hautfarbe*** oder ***Kleidung abgebildeter Personen*** ist der Rasse und dem Kulturkreis der jeweiligen Respondenten entsprechend zu verändern etc. Weitere Hinweise darauf, welche non-verbalen Stimuli auf welche Weise möglicherweise zu modifizieren sind, liefern die Forschungsergebnisse der interkulturellen (Test-)Psychologie[544], die sich mit diesen Fragen und Problemen schon seit Jahren besonders intensiv beschäftigt hat, während in der internationalen Marketingforschung immer noch eher sorg- und gedankenlos mit non-verbalen Stimuli umgegangen wird.[545]

3.3.4 Definition und Auswahl der Untersuchungseinheiten

Untersuchungseinheiten einer internationalen Marketingforschung können verschiedene empirische Objekte sein (so z.B. Einzelpersonen, Haushalte, Handels- oder Produktionsbetriebe), die in unterschiedlichen Ländern residieren, gleichwohl aber eine **funktionale Identität** aufweisen (alle sind beispielsweise Käufer der Produktmarke A, Verwender der

543 Vgl. Kroeber-Riel, W., Weinberg, P. (1996), S. 64f.

544 Siehe z.B. Brislin, R.W., Lonner, W.J., Thorndike, R.M. (1973), S. 109ff.; Ekman, P. (1973), S. 169ff.; Boucher, J.D., Carlson, G.E. (1980), S. 263ff.; Holtzman, W. (1980), S. 245ff.

545 Vgl. auch Holzmüller, H.H. (1986b), S. 59.

Produktart B oder Angehörige eines transnationalen Marktsegmentes).[546] Ihre Gesamtmenge, über die bestimmte Informationen gewonnen werden sollen, kann man demgemäß als **internationale Grundgesamtheit** bezeichnen.

Theoretisch wäre es nun denkbar, eine einzige internationale **Vollerhebung** durchzuführen, d.h. in einer einzigen transnationalen Untersuchung alle Elemente der Grundgesamtheit zu befragen. In der Praxis ist dies jedoch in aller Regel nicht möglich oder sinnvoll, weil

1. die einzelnen Untersuchungseinheiten empirisch nicht zu identifizieren sind und
2. internationale Vollerhebungen zu teuer, zeitaufwendig und organisatorisch kaum zu bewältigen sind.

Es bedarf daher der Durchführung einer oder mehrerer repräsentativer ***Teilerhebungen***, bei denen zwar nur eine Teilmenge (Stichprobe, Sample) der Grundgesamtheit befragt, trotzdem aber Informationen über die Gesamtheit aller Untersuchungseinheiten gewonnen werden sollen. Eine ***einzige internationale Teilerhebung*** vornehmen zu können, bleibt wohl ebenfalls ein weitgehend theoretischer Grenzfall, weil dies eine kaum vorhandene internationale Homogenität der zur empirischen Identifikation der Untersuchungseinheiten erforderlichen operationalen Definitionen der nationalen Grundgesamtheiten voraussetzt. Denn eine funktionale Identität aller Untersuchungseinheiten als Produktkäufer, -verwender etc. bedeutet nicht zwangsläufig, daß sich auch ihre sonstigen Merkmale oder Merkmalsausprägungen gleichen.

Wie bereits in Kap. 1.4.2.3 ausgeführt wurde, unterscheiden sich funktional identische Untersuchungseinheiten vielmehr häufig von Land zu Land hinsichtlich ihrer demographischen, sozio-ökonomischen oder psychographischen Merkmale bzw. Merkmalsausprägungen. Dies ist beispielsweise darauf zurückzuführen, daß wegen unterschiedlicher Produktverwendungen sowie unterschiedlicher kultureller, sozio-ökonomischer oder rechtlicher Bedingungen nicht in jedem Land die gleichen Personengruppen als Nachfrager oder Verwender eines bestimmten Pro-

[546] Vgl. Kap. 1.4.2.4.

duktes, als Kaufentscheidungsträger, Angehörige eines bestimmten Marktsegmentes etc. auftreten.

Aus all dem folgt die Notwendigkeit, die internationale Grundgesamtheit in ***mehrere nationale Grundgesamtheiten*** aufzuspalten, diese nicht unter Anwendung identischer Merkmale und Merkmalsausprägungen, sondern funktionsäquivalent zu definieren (vgl. auch Abbildung 6) und schließlich **mehrere nationale Teilerhebungen** durchzuführen.

Nachdem die nationalen Grundgesamtheiten definiert sind, muß zunächst jedoch erst ein **internationaler Auswahlplan** erstellt werden, in dem es festzulegen gilt, wie die einzelnen nationalen Teilerhebungen erfolgen sollen, d.h. ob und, wenn ja, welche nationalen Auswahlbasen verwendet werden sollen, welche Auswahlprinzipien, -verfahren und -techniken realisiert werden sollen und in welchen nationalen Umfängen die Auswahl erfolgen soll (vgl. Abbildung 37).

Ob eine **Auswahlbasis**, in der die Elemente der nationalen Grundgesamtheit (listen-, karteimäßig o.ä.) erfaßt sind, zur Stichprobenbildung verwendet wird, und, wenn ja, welche Auswahlbasis dazu herangezogen werden soll, hängt von mehreren Faktoren ab. Zunächst einmal ist die Verwendung einer Auswahlbasis nur dann in Erwägung zu ziehen, wenn auf ein hinreichend vollständiges und aktuelles Verzeichnis der Untersuchungseinheiten zurückgegriffen werden kann. Dies aber ist insbesondere in Ländern der Dritten Welt häufig nicht möglich, weil solche Verzeichnisse entweder überhaupt nicht existieren oder aber viel zu lückenhaft oder veraltet sind.[547]

Will man aber trotzdem eine ***Zufallsauswahl*** vornehmen, für die (bis auf eine Ausnahme, nämlich das *Random-Digit-Dialing*) das Vorliegen einer Auswahlbasis unabdingbar ist, muß nach Verzeichnissen einer nächsthöheren Aggregationsstufe der Untersuchungseinheiten gesucht werden (z.B. Familien- statt Personenverzeichnissen, geographischen Rastern statt Familienverzeichnissen, Unternehmens- statt Beschäftigtenverzeichnissen). Liegen solche Verzeichnisse vor und ist ein entsprechendes

---

[547] Vgl. Mitchell, R.E. (1965), S. 667f.; Bulmer, M. (1983), S. 93f.; Douglas, S.P., Craig, C.S. (1983), S. 207; Lonner, W.J., Berry, J.W. (1986), S. 86; Lee, B., Wong, A. (1998), S. 3.

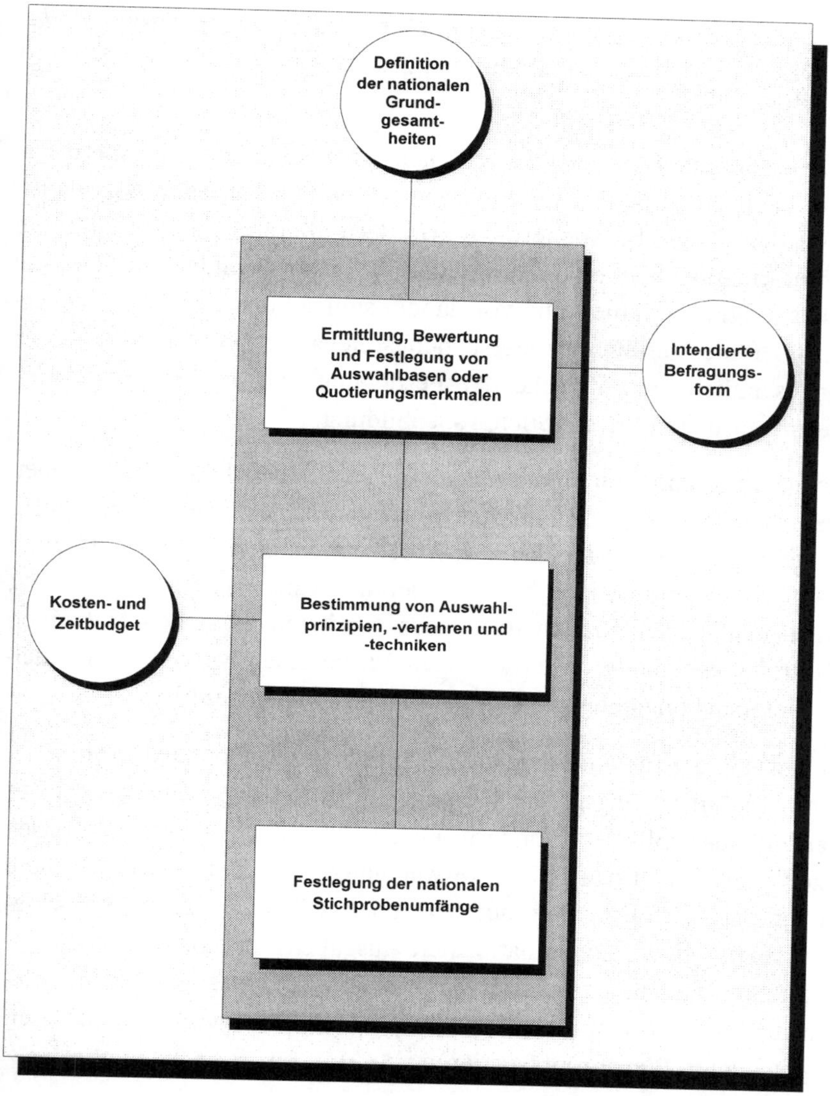

Abbildung 37: Elemente und Bestimmungsfaktoren des Auswahlplans bei einer internationalen Befragung

Vorgehen nicht zu zeit- und kostenaufwendig, kann man zwischen Untersuchungs- und Erhebungseinheiten trennen und die endgültige Stichprobe der Untersuchungseinheiten mit Hilfe einer Klumpenauswahl *(cluster sampling)* oder einer mehrstufigen Stichprobe *(multistage sampling)* bilden.[548]

Sind beide Voraussetzungen jedoch nicht gegeben, muß eine **nicht-zufällige Auswahl**, d.h. in aller Regel eine **Quotenstichprobe** vorgenommen werden.[549] Solche Stichproben erfordern allerdings auch bestimmte Vorabinformationen über die jeweilige nationale Grundgesamtheit, die überdies möglichst aktuell und vollständig sein sollten, nämlich Informationen über die Verteilung untersuchungsrelevanter Merkmale in dieser Grundgesamtheit zum Zwecke der Festlegung von dementsprechenden Quotenanweisungen für die Stichprobenbildung.

Derartige Informationen sind aber gerade in solchen Ländern, in denen auf keine geeigneten Auswahlbasen zurückgegriffen werden kann, häufig auch nicht erhältlich. Man kann sich bei der Quotierung dann folglich nur auf solche Merkmale stützen, deren Grundgesamtheitsverteilung durch die zumeist unzureichenden oder veralteten amtlichen Statistiken oder durch sonstige Veröffentlichungen ausgewiesen werden - ohne daß deren Untersuchungsrelevanz a priori immer auch evident ist.

Die Entscheidung für oder gegen eine Zufalls- bzw. Quotenstichprobe ist mithin nicht nur abhängig vom Vorliegen oder Nichtvorliegen geeigneter nationaler Auswahlbasen, sondern auch von einem Abwägen zwischen den zeitlichen und finanziellen Aufwendungen auf der einen Seite und den möglichen Erfolgsquoten auf der anderen Seite. Anzustreben wäre, daß bei relativ gleich hohen nationalen Ausgaben- und Zeitbudgets (relativ heißt, in Beziehung zu den erwarteten Erfolgsquoten gesetzt) die einzelnen nationalen Stichproben ihre jeweiligen Grundgesamtheiten in einer äquivalenten Weise repräsentieren.[550]

Welche nationalen Auswahlbasen bei einer Zufallsauswahl verwendet werden können und sollen, ist in wechselseitiger Abstimmung mit der

---

548 Siehe hierzu z.B. Bausch, T. (1990), S. 58ff.; Hammann, P., Erichson, B. (1994), S. 122ff.; Lee, B., Wong, A. (1998), S. 3.

549 Vgl. auch Douglas, S.P., Craig, C.S. (1983), S. 207.

550 Siehe hierzu auch Kap. 1.4.2.4.

:ntscheidung über die in den einzelnen Ländern zu realisierende Befra-ungsform zu ermitteln, zu überprüfen und dann schließlich festzulegen.)enn bestimmte Befragungsformen erfordern spezifische Auswahlbasen, zw. beim Vorliegen bestimmter Auswahlbasen sind möglicherweise uch nur ganz bestimmte Befragungsformen durchführbar. Man denke ur daran, daß jede telefonische Befragung, die nicht in der Form eines *'andom-Digit-Dialing* vorgenommen werden kann oder soll, zwingend as Vorhandensein von Verzeichnissen der Anschlußnehmer voraussetzt. ind mehrere Auswahlbasen für die Realisierung einer bestimmten Be-ragungsform geeignet, ist jener der Vorzug zu geben, die am vollstän-igsten die jeweilige nationale Grundgesamtheit abdeckt sowie die aktu-lleren Daten aufweist.

n weiteren Verlauf der Auswahlplanung evtl. noch anstehende Ent-:heidungen über die in den einzelnen Ländern einzusetzenden **Zufalls-uswahlverfahren und -techniken** sind (nicht anders, als in der natio-alen Marketingforschung) in Abhängigkeit von der Art der Auswahlba-is und unter Abwägung der methodischen und forschungspraktischen 'or- und Nachteile der prinzipiell in Frage kommenden Verfahren und 'echniken zu treffen. Hierauf soll daher an dieser Stelle ebensowenig ingegangen werden, wie auf die **Bestimmung der nationalen Stich-robenumfänge**, die in der internationalen Marketingforschung eben-alls keine Besonderheiten aufweist. Der an diesen Planungsschritten in-:ressierte Leser sei auf die diesbezüglichen Darstellungen in den Stan-ardlehrbüchern zur Markt- bzw. Marketingforschung verwiesen.

Iochmals sei jedoch an dieser Stelle betont[551], daß die von einigen Auto-en[552] konstatierte Antinomie zwischen der Repräsentativität von nationa-:n Stichproben und ihrer internationalen Vergleichbarkeit u.E. nur bei iner akademischen, nicht aber auch bei einer angewandten internatio-alen Marketingforschung besteht.

' Siehe hierzu ebenda.

' Vgl. z.B. Holzmüller, H.H. (1986b), S. 61.

3.3.5 Gestaltung der Datenerhebung

Um eine Äquivalenz der nationalen Erhebungsdaten sicherzustellen, ist auch darauf zu achten, daß die situativen Bedingungen, unter denen die Datenerhebungen erfolgen, vergleichbar sind (s. Abbildung 6). Gemeint sind damit einmal die durch ein adäquates Timing der Feldarbeiten zu vereinheitlichenden zeitbezogenen **"Makro"-Bedingungen** (*situative Umfeldbedingungen)* der einzelnen nationalen Untersuchungen *(Erzielung einer zeitlichen Äquivalenz der Feldarbeiten)*[553]. Zum anderen sind die (allerdings nur bei mündlichen Befragungen relevanten) interaktionsbezogenen **"Mikro"-Bedingungen** der einzelnen Interviews (*situative Interviewbedingungen*) anzuführen, die es durch eine adäquate Auswahl des Befragungsortes, des Tageszeitpunktes der Befragung und der einzusetzenden Interviewer äquivalent zu gestalten gilt *(Erzielung einer Interaktionsäquivalenz)*[554].

3.3.5.1 Terminierung der nationalen Feldarbeiten

Bei der Terminierung der einzelnen nationalen Feldarbeiten kann grundsätzlich zwischen zwei Alternativen gewählt werden, nämlich zwischen einer **simultanen Durchführung** aller nationalen Feldarbeiten auf der einen Seite und einer **sukzessiven Durchführung** auf der anderen Seite.[555] Welcher von beiden Alternativen im jeweiligen Einzelfall der Vorzug zu geben ist, hängt bei einem hinreichend hohen Forschungsbudget alleine davon ab, ob in den verschiedenen Untersuchungsländern zu der Zeit, die für die internationalen Feldarbeiten zunächst einmal eingeplant wurde, die gleichen "Makro"-Bedingungen zu erwarten sind oder nicht. Ist das Forschungsbudget jedoch nicht hoch genug, um alle interessierenden Länder gleichzeitig in die Untersuchung einbeziehen zu können, bleibt keine andere Wahl, als alle oder zumindest einen gewissen Teil der nationalen Feldarbeiten **sukzessiv** durchzuführen.

---

553 Vgl. Kap. 1.4.2.4.

554 Vgl. ebenda.

555 Vgl. hierzu Holzmüller, H.H. (1986b), S. 63f.; Wich, D.J. (1989), S. 131f.; Holzmüller, H.H. (1995), S. 256ff.; Niedermayer, O. (1997), S. 96.

Liegen keine Budgetrestriktionen vor, mag es auf den ersten Blick vielleicht den Anschein haben, daß die **simultane** Vorgehensweise die bessere von beiden Alternativen ist, weil bei ihr ergebnisverzerrende Auswirkungen von zeitbedingten Veränderungen verschiedener nationaler "Makro"-Bedingungen ausgeschlossen sind. Denn **sukzessiven** nationalen Feldarbeiten ist die Gefahr immanent, daß sich zwischen den verschiedenen Erhebungszeitpunkten bestimmte Einflußfaktoren gesellschaftlicher, politischer oder wirtschaftlicher Art verändern (Wertewandel, gesetzliche, konjunkturelle, handelsstrukturelle Veränderungen etc.) und so die Erhebungsergebnisse der späteren Feldarbeiten verzerren.

Verzerrungen von nationalen Erhebungsergebnissen können jedoch auch bei **simultanen** Feldarbeiten auftreten, wenn während dieser Feldarbeiten in einigen Ländern untersuchungsrelevante Einflußfaktoren natürlicher, politischer, religiöser oder wirtschaftlicher Art zur Wirkung kommen, in anderen jedoch nicht, bzw. auf unterschiedliche Weise als in anderen Ländern zur Wirkung kommen.

So kann ein Vergleich der nationalen Erhebungsergebnisse beispielsweise dadurch beeinträchtigt oder unmöglich gemacht werden, weil zur Zeit der Erhebung in einigen Ländern

- eine andere Jahreszeit herrschte (relevant bei gleichzeitigen Feldarbeiten in Ländern der Nord- und Südhalbkugel),
- besondere klimatische Bedingungen bestanden (Hitze-/Kältewelle, Regen-/Trockenperiode etc.),
- politische oder soziale Kampagnen durchgeführt wurden (Volksbegehren, Vorwahl-/Wahlzeit, landesweite Aktionen gegen bzw. für ein bestimmtes Unternehmer-/Verbraucherverhalten etc.),
- religiös bedingte Verhaltensbeschränkungen existierten (Feiertage, Fastenzeiten etc.),
- landesweite Streiks stattfanden oder
- die Haupturlaubszeit war.[556]

---

[556] Vgl. auch Mayer, C.S. (1978a), S. 79f.; Holzmüller, H.H. (1986b), S. 63f.; Wich, D.J. (1988), S. 131f.

Bevor man sich für eine **simultane** Durchführung der nationalen Feldarbeiten entscheidet, sollte folglich zunächst einmal überprüft werden, ob während der geplanten Erhebungszeit in einigen Ländern mit dem Auftreten solcher Verzerrungsfaktoren gerechnet werden muß. Ist dies der Fall, sollte in den betreffenden Ländern die Feldarbeit zu einem (früheren oder späteren) Zeitpunkt durchgeführt werden, in dem die Verzerrungsfaktoren noch nicht bzw. nicht mehr zur Wirkung kommen. Das gleiche gilt für die aus Kostengründen **sukzessive** durchzuführenden nationalen Feldarbeiten.

Allerdings darf sowohl bei situationsbedingt als auch bei kostenbedingt sukzessiven Feldarbeiten die zwischen den einzelnen nationalen Erhebungen liegende Zeitspanne nicht so groß geraten, daß sich währenddessen andere (und vielleicht sogar gravierendere) Einflußfaktoren im Zeitlauf verändern können.

3.3.5.2 Festlegung der Interviewbedingungen

Ergebnisverzerrungen sind bei einer internationalen **mündlichen** Befragung auch dann zu erwarten, wenn die dazu notwendigen Interaktionsprozesse in den verschiedenen Ländern aufgrund von divergierenden Interviewbedingungen auf unterschiedliche Art und Weise ablaufen. Maßgebliche Bestimmungsfaktoren solcher Interviewbedingungen, die es folglich in allen Ländern äquivalent zu gestalten gilt, sind der **Anlaß**, der **Ort** und die **Tageszeit** der Befragung, die **Anwesenheit Dritter** beim Interview und die **Merkmale der eingesetzten Interviewer**.[557]

Der Anlaß bzw. **Grund der Befragung** ist nebst einer Erläuterung dessen, warum gerade die jeweils kontaktierte Person, der jeweils kontaktierte Haushalt etc. in die Untersuchung einbezogen werden soll, zur Erhöhung der Teilnahmebereitschaft gleich nach der persönlichen oder telefonischen Kontaktaufnahme in einer unmißverständlichen, klaren Form vorzutragen. Dies ist insbesondere in solchen Ländern sehr wichtig, in denen die Marketingforschung einen zweifelhaften Ruf besitzt, weil un-

---

557 Vgl. hierzu auch Friedrichs, J. (1990), S. 147ff.

ter ihrem Deckmantel sich häufig Vertreter und Verkäufer Zutritt zu einer Wohnung verschaffen oder persönliche Verhältnisse im Auftrag staatlicher Stellen bzw. aus einem kriminellen Interesse heraus ausgespäht werden.[558]

Wie die folgenden Ausführungen von *Stanton/Chandran/Hernandez* deutlich machen, sind offensichtlich die meisten lateinamerikanischen Länder hierzu zu zählen:

"In the developing countries of Latin America, many respondents refuse to cooperate, either in whole or in part, or distort their answers because they fear the interviewer may be a government official. Many respondents are also suspicious and unwilling to cooperate because they believe the interviewer to be a door-to-door salesman. During a seven months stay in Brazil one of the authors experienced more than 12 visits from marketing research interviewers! In every case there was an attempt to sell. Many consumers, especially the more affluent, are targets of sales pitches and in some instances, this ruse may be used to case houses for future robberies."[559]

Eine andere Möglichkeit, bei den zu Befragenden Argwohn und Mißtrauen abzubauen, besteht darin, vor der Befragung in einem Vorab-Brief oder Vorab-Anruf die geplante persönliche oder telefonische Kontaktaufnahme anzukündigen und die Zwecke der Untersuchung zu erläutern.[560] Diese Vorgehensweise ist des höheren Zeitaufwandes und der höheren Kosten wegen allerdings relativ ungebräuchlich.

Von besonderer Bedeutung für die Interviewsituation und damit auch für die Qualität der Erhebungsergebnisse ist der **Ort**, an dem die Befragung erfolgt, und zwar nicht nur deswegen, weil die Art des Ortes (Haushalt, Arbeitsplatz, Studio etc.) das Antwortverhalten der Befragten beeinflussen kann[561], sondern auch deswegen, weil sich Ort und Tageszeitpunkt der Befragung sowie die Anwesenheit Dritter häufig gegenseitig bedingen. In vielen Ländern ist es beispielsweise nicht möglich oder sinnvoll, Respondenten, zumal solche weiblichen Geschlechts, an Orten zu befragen, die ihnen unvertraut sind.

---

558 Vgl. Kap. 3.2.1.1.

559 Stanton, J.L., Chandran, R., Hernandez, S.A. (1982), S. 134.

560 Vgl. Frey, J.H., Kunz, G., Lüschen, G. (1990), S. 119ff.

561 Vgl. Friedrichs, J. (1990), S. 149f.

Einen u.E. etwas überzeichneten Fall für nationaltypische Beschränkungen bei der Auswahl des Befragungsortes führt *Berent* an:

"It is relatively easy to get eight or ten German working class women to come into an office or hall for a group discussion: if one asked eight or ten working class women in Southern Spain or Sicily to come to a strange place for this purpose, they would be terrified and one would probably first have to contact the local priest or the representative of the Mafia."[562]

Nicht sinnvoll ist es zum anderen, Respondenten überall am gleichen Ort zu befragen, wenn es dadurch in einigen Ländern zu Ergebnisverzerrungen kommen kann. Allgemein gilt festzuhalten, daß die Respondenten soweit als möglich in allen Ländern in ihrer jeweils gewohnten häuslichen oder betrieblichen Umgebung befragt werden sollten.[563]

Die in einigen Ländern bestehende **Interdependenz von Ort, Tageszeit und der Anwesenheit Dritter** wird deutlich, wenn man z.B. im Nahen oder Mittleren Osten eine häusliche Befragung von weiblichen Personen durchzuführen versucht. Denn solche Befragungen sind wegen des zumeist männlichen Geschlechts der Interviewer (wenn überhaupt) nur in den Abendstunden möglich, wenn auch der Ehemann oder Vater der zu Befragenden anwesend ist.[564]

Drittpersonen sind jedoch nicht nur der Sitte und Moral wegen in einigen Ländern bei fast allen persönlichen Befragungen zugegen, sondern auch wegen der dort vorherrschenden erweiterten Familien, der engen nachbarschaftlichen Beziehungen oder der lokalen Macht- bzw. Autoritätsstrukturen.[565] Darf man den gleichlautenden Ergebnissen einiger diesbezüglicher Untersuchungen oder Schätzungen glauben, sind in allen Ländern bei mindestens 50% aller Befragungen dritte Personen anwesend.[566]

Die Anwesenheit Dritter kann unumgänglich und sogar nützlich sein, wenn ihre Gegenwart

---

562 Berent, P.H. (1975), S. 295.

563 Vgl. Pareek, U., Rao, T.V. (1980), S. 157.

564 Vgl. Douglas, S.P., Craig, C.S. (1984), S. 109.

565 Vgl. Kap. 1.4.2.3.

566 Siehe z.B. Mitchell, R.E. (1965), S. 679; Warwick, D.P., Osherson, S. (1973), S. 24.

- eine Befragung überhaupt erst möglich werden läßt oder
- die Respondenten veranlaßt, objektive Tatbestände wahrheitsgetreuer darzustellen, bzw. den Respondenten hilft, sich an solche Tatbestände besser erinnern zu können.[567]

Sie kann aber auch zu Ergebnisverzerrungen führen, wenn Meinungen, Einstellungen o.ä. erfragt werden, da hier die Gegenwart von Dritten die Respondenten häufig dazu veranlaßt, insbesondere heikle oder das Prestige betreffende Fragen entweder überhaupt nicht oder aber falsch zu beantworten.[568]

Um solche Verzerrungen auszuschalten, empfehlen sich zwei alternative Vorgehensweisen.[569] Erstens kann man die Respondenten bitten, diejenigen Fragen, die in dem betreffenden Land heikle oder prestigeträchtige Inhalte betreffen, nicht verbal, sondern auf einem unmarkierten Blatt Papier schriftlich zu beantworten und dieses Blatt Papier dann in eine verschlossene Urne zu werfen. Zweitens kann man die Drittpersonen vom eigentlich interessierenden Interview fernhalten, indem man zur gleichen Zeit in einer genügend großen räumlichen Entfernung mit ihnen Scheininterviews durchführt. Letztere Vorgehensweise erfordert allerdings eine größere Anzahl von Interviewern und ist damit um einiges teurer als die erstere.

Verzerrende Einflüsse können auch auftreten, wenn zur Befragung **Interviewer mit ungeeigneten bzw. negativen sichtbaren oder unsichtbaren Merkmalen** eingesetzt werden. Die **sichtbaren** Merkmale, zu denen das Geschlecht, das Alter, die ethnische Zugehörigkeit, der Status bzw. die Statusdifferenz zu den Befragten und die Interviewerfahrung zählen, stellen nach den vorliegenden Forschungsergebnissen dann einen Verzerrungsfaktor dar, wenn zwischen dem Inhalt der Fragen und den entsprechenden Merkmalen des Interviewers eine Beziehung besteht.[570]

---

567 Vgl. Mitchell, R.E. (1965), S. 679.

568 Vgl. Kap. 1.4.2.3.

569 Vgl. Frey, F.W. (1963), S. 335ff.; Mitchell, R.E. (1965), S. 680.

570 Vgl. Reinecke, J. (1991), S. 28f. und S. 118ff.

Die Einzelergebnisse dieser methodologischen Untersuchungen können und sollen hier nicht dargestellt werden.[571] Interessant ist jedoch, daß sie alle darauf hinweisen, daß die Validität der Befragungsergebnisse maßgeblich von der Erfahrung der Interviewer und ihrer Ähnlichkeit mit den Befragten abhängt. "Diese Ähnlichkeit soll eine Atmosphäre schaffen, die für eine nicht verfälschte Antwortbereitschaft der Befragten sorgt. Sind die Bedingungen für diese Atmosphäre nicht gegeben und besteht eine Beziehung zwischen Interviewermerkmal und dem Befragungsthema, so werden die Antworten in Richtung auf soziale Erwünschtheit verzerrt."[572]

Für die internationale Marketingforschung bedeutet dies, daß überall erfahrene, bei national differierenden Definitionen der Untersuchungseinheiten aber merkmalsmäßig unterschiedliche Interviewer einzusetzen sind, d.h. insbesondere, daß die Interviewer das gleiche Geschlecht, die gleiche Rasse und den gleichen Status aufweisen sollten wie die von ihnen jeweils zu befragenden Personen.[573]

Unsichtbare Interviewermerkmale, die zu Ergebnisverzerrungen führen können, sind das bewußte oder unbewußte Interviewerfehlverhalten (in Form von Interviewfälschungen oder Fehlcodierungen von Antworten[574]) sowie die befragungsthemenspezifischen Einstellungen, Überzeugungen und Erwartungshaltungen der Interviewer.[575] Die Gefahr des Auftretens von Interviewfälschungen ist dann am größten, wenn die Interviewer ihrer Aufgabe mit einem geringen Engagement nachgehen oder die Feldarbeit durch einen sehr engen Zeitrahmen bzw. sehr restriktive Entlohnungsbedingungen (Bezahlung nur bei vollständigen Interviews) bestimmt wird. Befragungsthemenspezifische Einstellungen, Überzeugungen und Erwartungshaltungen der Interviewer können einmal zu einer Veränderung des Antwortverhaltens der Befragten führen, da diese häufig schon auf sehr subtile Zeichen, welche die Einstellungen des Inter-

---

571 Vgl. ebenda, S. 118ff.

572 Ebenda, S. 29.

573 Vgl. auch Hutton, G. (1996), S. 7.

574 Siehe hierzu Kap. 3.3.6.

575 Vgl. hierzu und zum folgenden Reinecke, J. (1991), S. 30f. und S. 126ff.

viewers widerspiegeln, mit Antwortübereinstimmungen reagieren; zum anderen können sie aber auch die Erfassung und Kategorisierung nicht ganz eindeutiger Antworten beeinflussen.[576]

Um in der internationalen Marketingforschung derartige Ergebnisverzerrungen zu minimieren (ein völliger Ausschluß ist sicherlich nicht möglich), bedarf es mithin der Beachtung der folgenden vier Punkte:

- Erstens sollten die nationalen Feldarbeiten so geplant werden, daß die Befragungen ohne Zeitdruck durchgeführt werden können.
- Zweitens sollten Interviews, die aus vom Interviewer nicht zu vertretenden Gründen nicht abgeschlossen werden konnten, auch angemessen honoriert werden.
- Drittens sollten stichprobenartige Kontrollen der Art der Feldarbeit (Interviewdurchführung) und der Ergebnisse der Feldarbeit (Interviewfälschungen) vorgenommen und diese Kontrollen den Interviewern vorher zur Kenntnis gebracht werden.
- Viertens sollten in allen Ländern nur motivierte und (z.B. mit Hilfe von Rollenspielen) hinreichend geschulte Interviewer eingesetzt werden.[577]

Im Gegensatz zu Untersuchungen der kulturvergleichenden Psychologie, Soziologie, Politologie oder Anthropologie kann es jedoch bei einer internationalen Marketingforschung nicht Aufgabe des Auftraggebers bzw. Informationsinteressenten einer internationalen Befragung sein, in den einzelnen Ländern selbst geeignete Interviewer zu rekrutieren und diese dann umfassend zu schulen, geeignete Maßnahmen zur Minimierung von Drittpersoneneffekten zu treffen etc.

Die Feldarbeit wird hier vielmehr in aller Regel einem oder mehreren Marktforschungsinstituten übertragen (vgl. Kap. 4), so daß der Informationsinteressent weitgehend nur indirekt, d.h. über eine gezielte Auswahl und ein sorgfältiges Briefing geeigneter Institute[578], dafür Sorge tragen kann, daß eine Äquivalenz der nationalen Interviewbedingungen erreicht

---

576 Vgl. Friedrichs, J. (1990), S. 217.

577 Vgl. hierzu auch ebenda, S. 219.

578 Siehe hierzu Kap. 4.3.2.

wird. Direkte Einflußmöglichkeiten sind dann beispielsweise nur noch über die Mitwirkung an der Zeitplanung oder Kontrolle der nationalen Feldarbeiten gegeben.

3.3.6 Auswertung, Interpretation und Präsentation der Daten

Nach Durchführung der nationalen Feldarbeiten setzt sich der Prozeß der internationalen Marketingforschung mit der Kontrolle, Aufbereitung und Analyse der erhobenen Datenmaterialien fort, um dann schließlich nach einer Interpretation der Analyseergebnisse sowie einer Dokumentation und Präsentation des gesamten Forschungsprojektes seinen Abschluß zu finden (vgl. auch Abbildung 7).

3.3.6.1 Datenkontrolle

Die Kontrolle der in den einzelnen Ländern bei den Instituten eingegangenen Fragebögen hat von diesen unter Beachtung der gleichen Aspekte (Rücklaufquote, Interviewerfehler, Konsistenz, Vollständigkeit und Leserlichkeit der Eintragungen etc.) zu erfolgen, wie bei einer nationalen Marketingforschung.[579] Das gleiche gilt für die Maßnahmen, die eventuell aufgrund der dabei erzielten Ergebnisse zu ergreifen sind (Durchführung von Nachfaßaktionen, Aussonderung von Fragebögen etc.).

Um ein konsistentes Vorgehen in allen Ländern zu gewährleisten, empfiehlt es sich jedoch, daß das für die gesamte Untersuchung federführende Institut oder ersatzweise der Auftraggeber der Untersuchung den verschiedenen Instituten genaue Richtlinien vorgibt, wie die Kontrollen durchzuführen und wann welche Folgemaßnahmen zu treffen sind.

---

579 Vgl. hierzu und zum folgenden Douglas, S.P., Craig, C.S. (1983), S. 235.

3.3.6.2 Datenaufbereitung

Die Aufbereitung der erhobenen nationalen Daten beginnt mit einer Codierung der Fragebögeneintragungen, an die sich dann folgende weitere Schritte anschließen:

- Übertragung der Codierungen auf maschinenlesbare Datenträger,
- Grundauszählung und Tabellierung,
- eventuell Gewichtung und Komprimierung der Daten.[580]

Alle drei dieser der Codierung folgenden Aufbereitungsschritte weisen keine internationalen Besonderheiten auf, wenn man einmal davon absieht, daß festgelegt werden muß, ob diese Schritte zentral oder dezentral erfolgen sollen, und festgelegt werden sollte, wann welche Datengewichtung oder -komprimierung vorzunehmen ist. Wir wollen uns daher im folgenden vorrangig den Problemen und Möglichkeiten einer **internationalen Codierung** zuwenden. Dabei ist aber zwangsläufig auch der Frage nachzugehen, wann, von wem und wie die Responseübersetzungen sowie die der Codierung nachfolgenden Schritte der Datenaufbereitung getätigt werden sollten.

Allgemein versteht man unter einer Codierung die Zuordnung von Antworten zu mit Symbolen (gewöhnlicherweise Zahlen) versehenen Antwortkategorien.[581] Werden **geschlossene Fragen** gestellt, findet diese **Codierung** bereits **im Feld** statt *(field coding)*, d.h. sie wird von den Respondenten oder Interviewern vorgenommen.[582] Der erste Fall ist gegeben, wenn den Respondenten zusammen mit der Frage oder im Anschluß an diese eine Liste mit Antwortmöglichkeiten mit der Bitte vorgelegt wird, die jeweils zutreffende(n) Antwort(en) anzukreuzen. Der zweite Fall liegt vor, wenn die Respondenten auf eine Frage frei antworten und die Interviewer diese Antworten ihnen vorliegenden Antwortkategorien zuordnen (wobei dann die in Kap. 3.3.5.2 erwähnte Gefahr der Fehlcodierung besteht).

---

580 Siehe hierzu z.B. Hammann, P., Erichson, B. (1994), S. 195ff.; Hüttner, M. (1997), S. 211ff.

581 Vgl. Friedrichs, J. (1990), S. 93f.

582 Vgl. ebenda, S. 378; Owen, D. (1991), S. 323f.

Die Fragebögeneintragungen, die nach Abschluß der Feldarbeiten in den **Instituten** zu **codieren** sind *(office coding)*, sind folglich allein die Antworten, die auf **offene Fragen** gegeben wurden. Hierzu ist zunächst pro offener Frage eine Liste von mit Symbolen versehenen Antwortmöglichkeiten zu erstellen, die folgenden drei Anforderungen genügen müssen[583]:

1. Eindimensionalität,
2. Ausschließlichkeit und
3. Vollständigkeit.

Anschließend sind dann die einzelnen Antworten der Respondenten ihrem Sinngehalt und nicht ihrem Wortlaut gemäß diesen Antwortkategorien zuzuordnen.

Die besonderen Probleme, die Institutscodierungen bei einer internationalen Marketingforschung bereiten, bestehen nun darin, daß die Antworten, die auf eine offene Frage gegeben wurden, verschiedensprachig sind und bei mehreren Instituten in verschiedenen Ländern vorliegen, so daß auch ein spezifisches Vorgehen notwendig ist, um sicherzustellen, daß alle Antworten auf die gleiche Art und Weise codiert werden.

Prinzipiell gibt es **vier alternative Vorgehensweisen** zur Durchführung einer **internationalen Codierung**.[584] Der **ersten Alternative** liegt eine *ethnozentrische Orientierung* zugrunde, d.h. es wird unterstellt, daß die Antwortvarietät aller Respondenten der Antwortvarietät jener Respondenten entspricht, die im Land des federführenden Marktforschungsinstitutes befragt wurden. Folglich wird von diesem Institut ein Codeplan allein auf der Basis der im eigenen Land erhaltenen Antworten erstellt, der dann den Auslandsinstituten für ihre Codierungen als verbindlich vorgegeben wird – wobei ihnen allerdings auch erlaubt werden kann, Antwortkategorien hinzuzufügen, wenn sie dies als notwendig erachten.

Die ***Übersetzungen*** dieses Codeplans werden zumeist in Verfolgung von ***direkten*** Übersetzungen vorgenommen, und zwar entweder ***zentral*** von dem federführenden Marktforschungsinstitut oder ***dezentral*** von den ein-

583 Vgl. Friedrichs, J. (1990), S. 378.

584 Vgl. zum folgenden insbesondere Owen, D. (1991), S. 324ff.

zelnen Auslandsinstituten. Ebenso kann die Grundauszählung, Tabellierung, Gewichtung und Komprimierung der Daten nach Einsendung aller codierten Fragebögen zentral erfolgen oder Aufgabe der verschiedenen Auslandsinstitute bleiben.

Gegenüber den anderen, nachfolgend noch zu erläuternden Alternativen hat diese einmal den ***Vorteil***, daß die gesamte Datenaufbereitung schneller abgeschlossen werden kann - insbesondere dann, wenn die Feldarbeit im Land des federführenden Instituts vor den restlichen nationalen Feldarbeiten zum Abschluß gebracht wird. Zum anderen sind auch die Aufbereitungskosten bei dieser Alternative mit großer Wahrscheinlichkeit geringer als bei den anderen Alternativen.

Diese Vorteile machen jedoch nicht die gravierenden ***Nachteile*** wett, die aus der ethnozentrisch orientierten Kategorisierung der Antworten, der mangelnden Kontrollmöglichkeit der Codierungsvorgänge und (bei einer Dezentralisierung der entsprechenden Tätigkeiten) der mangelnden Kontrollmöglichkeit der Grundauszählung, Tabellierung, Gewichtung und Komprimierung der Daten resultieren. Darüber hinaus ist es bei einer Anwendung der Methode der direkten Übersetzung auch nicht möglich, die Qualität der Kategorienübersetzungen zu überprüfen.[585] Es wäre daher sinnvoller und wegen des begrenzten Umfanges der vorzunehmenden Übersetzungen auch nicht allzu zeit- und kostenaufwendig, hierbei nach der Methode der ***Rückübersetzung*** vorzugehen.

Bei der **zweiten Alternative** werden die in den verschiedenen Ländern erhaltenen Antworten zuerst bei den dortigen Instituten unter Anwendung der Methode der direkten Übersetzung in die Sprache des federführenden Marktforschungsinstitutes übersetzt. Danach werden die Übersetzungen diesem Institut zugestellt, das dann auf der Basis aller Antworten einen Codeplan erstellt und sämtliche Codierungen, Grundauszählungen, Tabellierungen etc. vornimmt. Ein solches Vorgehen erlaubt zwar eine bessere Kontrolle der Codier- und nachgelagerten Aufbereitungsvorgänge, ist aber wegen der umfangreichen Übersetzungen, die nur unter Anwendung der ***direkten*** Übersetzungsmethode zu bewältigen sind, nicht

---

585 Vgl. Bauer, E. (1989), S. 189.

nur zeit- und kostenaufwendiger, sondern auch anfälliger für inhaltliche Codierungsfehler als die erste Alternative.

Die **dritte Alternative** ist durch eine *polyzentrische Orientierung* gekennzeichnet, weil hier jedes nationale Institut seinen eigenen Codeplan erstellt und seine Fragebögeneintragungen selbst codiert, auszählt, tabelliert etc. Dies ist sicherlich die schnellste und kostengünstigste, gleichzeitig aber auch die am wenigsten zu empfehlende Vorgehensweise bei der Aufbereitung von Daten einer internationalen Marketingforschung. Denn "... anybody who has tried to add together and compare the results of surveys conducted by ... different agencies must honestly say it is very, very difficult"[586]. Grund dieser Schwierigkeiten ist die fehlende Harmonisierung der nationalen Antwortkategorisierungen.

Bei der **vierten** und letzten **Alternative**, der eine *regio-* bzw. *geozentrische Orientierung* zugrunde liegt, werden von den nationalen Instituten die ersten 50-100 Fragebögen, die eingegangen sind, an das federführende Marktforschungsinstitut geschickt, das dann auf der Basis der entsprechenden Eintragungen von einem internationalen Mitarbeiterteam ***harmonisierte nationalsprachliche Codepläne*** entwickeln läßt. Verfügt dieses Institut über genügend viele fremdsprachige Codierer, können auch die Codierungen und die daran anschließenden Datenaufbereitungsschritte zentral erfolgen. Ist dies nicht der Fall, sind diese Aufgaben dezentral zu erledigen.

Zieht man alleine den ***Zeit-*** und ***Kostenaufwand*** in Betracht, ist diese Vorgehensweise sicherlich nicht die beste der vier möglichen, "... because one has to wait until one has got the listings together from all of the countries in order to create this truly multinational code frame and, because there are several stages to it, there are cost penalties"[587]. Was jedoch die ***Qualität*** und (bei einer zentralisierten Durchführung aller Arbeitsschritte) die ***Kontrollmöglichkeiten*** der Datenaufbereitungen anbelangt, ist diese Alternative den drei anderen bei weitem überlegen. Daher sollte das für eine internationale Marketingforschung vorgesehene Zeit-

---

586 Owen, D. (1991), S. 326.

587 Ders., S. 327.

und Kostenbudget auch immer so bemessen sein, daß eine Realisierung dieser vierten Alternative möglich ist.

3.3.6.3 Datenanalyse und Interpretation der Analyseergebnisse

Auf die Methoden, Verfahren und Techniken der Datenanalyse soll im folgenden nicht eingegangen werden, da diese sich nicht grundsätzlich von denen unterscheiden, die auch in nationalen Untersuchungen angewendet werden.[588] Die Besonderheiten internationaler Datenanalysen liegen vielmehr

1. in der Zweistufigkeit des Analyseprozesses und
2. in der Eingebundenheit der zu analysierenden Phänomene in unterschiedliche Umweltsituationen.

Die Zweistufigkeit des Analyseprozesses ergibt sich daraus, daß eine **ländervergleichende Analyse** in aller Regel die Durchführung von vorgeschalteten **Länderanalysen** voraussetzt. Dies bedeutet, daß in einem ersten Analyseschritt zunächst einmal die einzelnen nationalen Datensätze analysiert und die dabei erzielten Ergebnisse interpretiert werden müssen *(within-country analysis)*, um dann darauf aufbauend untersuchen zu können, welche Unterschiede oder Gemeinsamkeiten zwischen den einzelnen Länder(teil)märkten bestehen *(across-country analysis)*.[589]

Die auf **einzelne Länder bezogenen Analysen** der ersten Stufe können sowohl **zentral** als auch (bei Vorgabe der einzusetzenden Methoden, Verfahren und Techniken) **dezentral** durchgeführt werden, während die **ländervergleichenden Analysen** der zweiten Stufe zwangsläufig eine **Zentralisation** bedingen. Eine Dezentralisierung der Länderanalysen hat zwar den Vorteil, daß die Analytiker über das notwendige Hintergrundwissen verfügen, um die ermittelten Analyseergebnisse der jeweiligen nationalen Umweltsituation entsprechend interpretieren zu können, doch

[588] Der hieran interessierte Leser sei auf die bereits mehrfach zitierten Lehrbücher zur Markt- bzw. Marketingforschung verwiesen.

[589] Vgl. auch Douglas, S.P., Craig, C.S. (1983), S. 239.

besteht dabei die Gefahr, daß sich diese Interpretationen zu stark oder ausschließlich an den nationalen Situationen orientieren und dadurch die Vergleichbarkeit beeinträchtigen.[590]

Es ist daher zielführender, zumindest die **Interpretationen der Ergebnisse** des **ersten** Analyseschrittes auch **zentral** vorzunehmen, und zwar von einer Gruppe von Experten, die über ein vielfältiges nationales und internationales Erfahrungswissen verfügen und somit dann auch für die Durchführung des zweiten Analyseschrittes prädestiniert sind.

3.3.6.4 Präsentation der Untersuchung

Mit der schriftlich und/oder mündlich vorgenommenen Präsentation der Untersuchung, bei der es darum geht, dem Auftraggeber zu dokumentieren, mit Hilfe welcher Methoden und Verfahren welche Erhebungs-, Auswertungs- und Interpretationsergebnisse zur Lösung des ihn beschäftigenden Marketing(entscheidungs)problems erzielt worden sind, findet der Prozeß der internationalen Marketingforschung seinen Abschluß.

Für die an der Untersuchung beteiligt gewesenen Marktforschungsinstitute ist dies häufig die wichtigste und kritischste, weil für die Untersuchungs- und Institutsbewertung und damit auch für eine eventuelle weitere Zusammenarbeit mit dem Auftraggeber entscheidende Phase des gesamten Prozesses. Denn das einzige, was die meisten der Manager des beauftragenden Unternehmens von einer oft Wochen oder gar Monate dauernden, koordinations- und organisationsintensiven internationalen Marketingforschungsuntersuchung mitbekommen und worauf sie dann folglich auch nur ihre Wertungen begründen können, ist dieser schriftlich und/oder mündlich vorgetragene Bericht.

Wenn dieser Bericht nun aber unklar, schludrig, ermüdend oder vermeintlich "abgehoben" formuliert worden ist bzw. vorgetragen wird, war somit alle Zeit und Mühe vergebens, die darauf verwandt worden ist, eine methodisch anspruchsvolle und saubere, ergebnisträchtige Untersuchung durchzuführen.

---

590 Vgl. auch Bielenski, H., Köhler, E. (1990), S. 15.

Diese für die Marktforschungsinstitute, aber auch für die Auftraggeber so wichtige Kommunikation am Ende des Forschungsprozesses wird überdies häufig noch dadurch erschwert, daß manche Linienmanager generelle Vorbehalte gegenüber Marktforschern und ihren Arbeits- und Kommunikationsweisen haben. Wie *Blankenship/Breen/Dutka*[591] ausführen, wird in diesem Zusammenhang oft die exzessive Länge vieler Berichte, die verbreitete Verwendung von unverständlichen Termini sowie das Äußern von untauglichen Handlungsempfehlungen beklagt.

Solche Kommunikationsprobleme sind jedoch nicht typisch für internationale Marketingforschungen, sondern können in gleicher Weise auch bei nationalen Marketingforschungen auftreten.[592] Daher können im Prinzip dann auch die gleichen Möglichkeiten zum Abbau der Vorbehalte und zur optimalen Präsentationsgestaltung genutzt werden wie bei einer nationalen Marketingforschung.[593]

Nur bei der Präsentation von internationalen Studien auftreten können dagegen zwei weitere Kommunikationsprobleme, nämlich

1. Kommunikationsprobleme, die aus einer Verschiedensprachigkeit und/oder Kulturverschiedenheit der Kommunikationspartner resultieren, und
2. Kommunikationsprobleme, die aus einer Verschiedensprachigkeit und/oder Kulturverschiedenheit mehrerer präsentierender Marktforschungsinstitute resultieren.

Obwohl die Relevanz des ersten Problems evident ist, liegen in der Literatur zur internationalen Marketingforschung u.W. bislang noch keine Untersuchungen über die Art und Weise seines Auftretens, seiner Handhabung, Vermeidung oder Minimierung vor.[594] Das zweite Problem kann

---

591 Vgl. Blankenship, A.B., Breen, G.E., Dutka, A. (1998), S. 255.

592 Siehe auch Lachmann, U. (1994), S. 30ff.

593 Siehe hierzu Kinnear, T.C., Taylor, J.R. (1996), S. 684ff.; Blankenship, A.B., Breen, G.E., Dutka, A. (1998), S. 255ff.; Marbeau, Y. (1998), S. 519ff.; Sudman, S., Blair, E.(1998), S. 582ff.

594 Vgl. auch Simmet-Blomberg, H. (1998), S. 412.

auftreten, wenn die auf einzelne Länder oder Länderregionen bezogenen Analysen dezentral durchgeführt worden sind und jedes "Analyseinstitut" bei der Präsentation seine Ergebnisse selbst vorträgt.

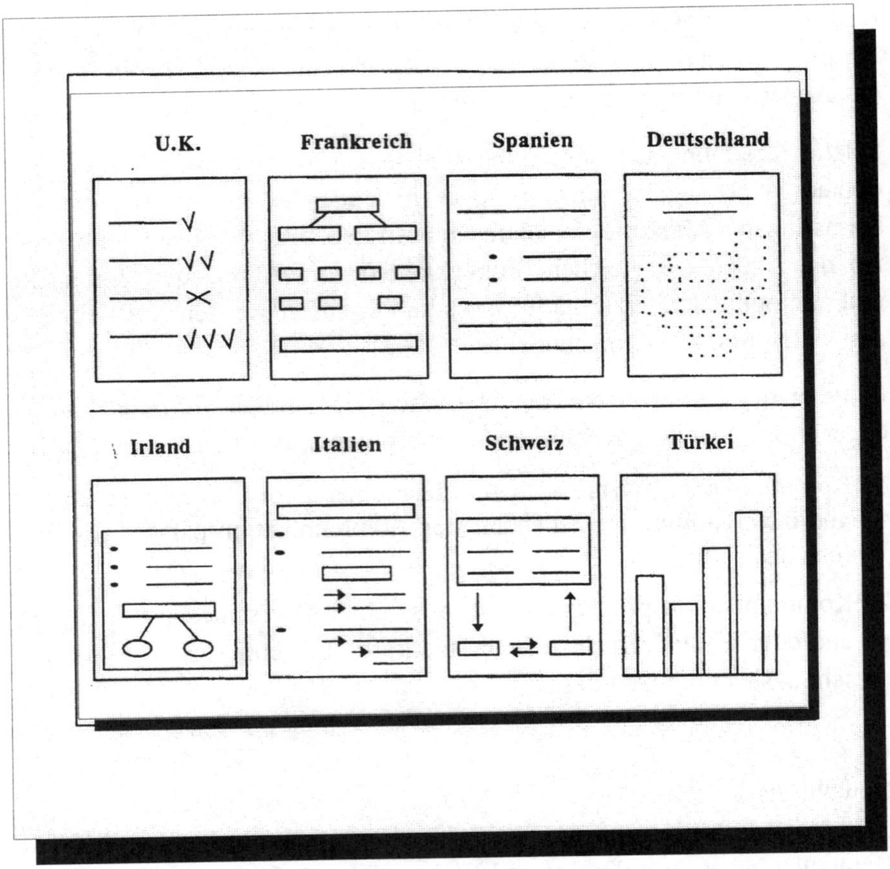

Abbildung 38: Erscheinungsbild landestypischer Präsentationscharts
Quelle: Reuter, U. (1991), S. 53

Hierbei kann nun der Fall eintreten, daß die schriftlichen oder mündlichen Darlegungen der einzelnen Institute sich (kultur- oder landesbedingt) in der äußeren Form (vgl. Abbildung 38), der Länge oder der inhaltlichen Strukturierung so stark unterscheiden, daß dem Auftraggeber die Vergleichbarkeit der Einzelergebnisse erschwert oder gar unmöglich gemacht wird. Um dem entgegenzuwirken, ist es daher notwendig, daß das bei der internationalen Studie federführende Institut entweder im voraus genaue diesbezügliche Vorgaben gibt oder vor der Präsentation bei dem Auftraggeber die einzelnen Institutsbeiträge zunächst einmal überprüft (z.B. im Rahmen einer internen Präsentation) und dann gegebenenfalls eine Vereinheitlichung veranlaßt.

4 Organisation der internationalen Marketingforschung

4.1 Entscheidungstatbestände und Entscheidungsalternativen einer organisatorischen Gestaltung der internationalen Marketingforschung

Bei der organisatorischen Gestaltung einer internationalen Marketingforschung ist von deren Informationsinteressenten zu klären, was von wem im Prozeßverlauf der Untersuchung

- entschieden und angeordnet werden soll (Problem der Zuteilung von Entscheidungskompetenzen) sowie
- ausgeführt werden soll (Problem der Zuteilung von Ausführungsaufgaben).

Betrachtet man zunächst einmal nur die **Zuteilung von Entscheidungskompetenzen**, so sind drei Realisierungsmöglichkeiten denkbar. Die beiden ersten bestehen darin, alle untersuchungsrelevanten Entscheidungen zentral oder dezentral in der Unternehmung zu treffen, in deren Informationsinteresse die internationale Marketingforschung durchgeführt wird. Eine dritte Möglichkeit ist dann in der unternehmungsexternen Delegation von Entscheidungskompetenzen gegeben, d.h. in der Delegation von Entscheidungskompetenzen an Marktforschungsinstitute.

Während sich die unternehmungsinterne und -externe Entscheidungsdelegation darin gleichen, daß bei beiden darüber befunden werden muß, welche Entscheidungen delegiert werden können und sollen, wirft die letztere ein zusätzliches Entscheidungsproblem auf, nämlich die Auswahl eines geeigneten (geeigneter) Marktforschungsinstitute(s), an das (die) bestimmte Entscheidungen delegiert werden sollen.

Auch die **Zuteilung der Ausführungsaufgaben** kann nur in Verfolgung von einer dieser drei Möglichkeiten realisiert werden, so daß sich aus der Kombination der je drei Ausprägungsvarianten beider organisatorischer Gestaltungsparameter insgesamt eigentlich neun verschiedene Organisationsformen einer internationalen Marketingforschung ergeben (vgl. Abbildung 39).

		Zuteilung der Entscheidungskompetenz		
		Zentralisation	Interne Delegation	Externe Delegation
Zuteilung der Ausführungsaufgaben	Zentralisation	Realisierbare, aber	Theoretische	Kombi-
	Interne Delegation	kaum (noch) realisierte Kombinationen		nationen
	Externe Delegation	"Zentralisierte" Organisation	"Dezentralisierte" Organisation	"Koordinierte" Organisation

Abbildung 39: Organisationsformen einer internationalen Marketingforschung

Von diesen neun Organisationsformen sind drei jedoch weitgehend theoretischer Natur und weitere drei von geringer (werdender) praktischer Bedeutung, weil viele Unternehmungen nicht bzw. bereits heute oder in absehbarer Zeit nicht mehr über die Kapazitäten verfügen, die notwendig sind, um die gesamte internationale Untersuchung in eigener Regie durchführen zu können.

Denn die Zeiten, wo einige Unternehmen (wie z.B. *M&M/Mars, Nestlé* oder *Reckitts*) über eine umfangreiche eigene Feldorganisation sowie bis zu hundert und mehr Köpfe zählende Marktforschungsabteilungen verfügten[595], sind zumindest in den Industrieländern lange vorbei. Seit Ende der achtziger bzw. Beginn der neunziger Jahre des letzten Jahrhunderts sind in diesen Ländern vielmehr immer mehr Unternehmen im Zuge des *"Outsourcing"* dazu übergegangen, ihre Marktforschungsabteilungen zu verkleinern oder gar gänzlich aufzulösen.

Vorreiter dieser Entwicklung waren US-amerikanische Unternehmen (wie z.B. *AT&T, Bristol/Myers-Squibb, Campbell Soup, Citibank, Clairol, Heinz Pet Foods, Marriott Corp,* und *M&M/Mars*), deren diesbezügliche Maßnahmen z.T. so drastisch waren, daß *Mark Landler* in der Zeitschrift *"Business Week"* von einem *"Bloodbath in Market Research"* sprach[596].

In letzter Zeit ist auch *Procter & Gamble*, eines der marktforscherisch aktivsten Unternehmen der Welt, dazu übergegangen, im Zuge einer organisatorischen Umstrukturierung (*"Organisation 2005"*) sowie einer Neudefinition und Neubewertung der unternehmungsintern zu erledigenden Marktforschungsaufgaben (die auch in der Umbenennung der "*Market Research Departments*" in "*Consumer & Market Knowledge Departments*", *CMK*, zum Ausdruck gebracht werden soll), die große Zahl von 850 Personen, die weltweit in solchen Departments tätig sind, drastisch zu reduzieren.[597] Beispielsweise soll im Stammhaus (Cincinnati) das zentrale CMK-Department von 140 auf 40 Mitarbeiter verkleinert und die Zahl der Mitarbeiter, die den drei für Europa, den Mittleren Osten und Afrika zuständigen und von Brüssel aus geführten "*Market Development Organisations*" zugeordnet sind, von 250 auf 90 gesenkt werden.[598]

---

595 Vgl. McDonald, C., King, S. (1996), S. 255.

596 Landler, M. (1991), S. 73f. Siehe auch Barnard, P. (1992), S. 24; Honomichl, J. (1993), S. 38.

597 Vgl. McElhatton, N. (1999a); ders. (1999b), S. 20ff.

598 Vgl. ebenda.

Gleiche Entwicklungen haben sich auch in deutschen und britischen Unternehmungen vollzogen, so daß heute selbst in manchen größeren Unternehmen dieser Länder entweder überhaupt keine Marktforschungsabteilungen mehr bestehen (z.B. bei *Heinz*, UK) oder die Marktforschungsaufgaben nur von einer einzigen Person wahrgenommen werden.[599]

Außerhalb der Industrieländer sind dagegen immer noch Unternehmen zu finden, deren Marktforschungsabteilungen sich selbst mit den größten Marktforschungsinstituten ihres Landes messen können. Als Beispiel für ein solches Unternehmen kann *Hindustan Lever Limited (HLL)* genannt werden, die indische Tochtergesellschaft von *Unilever*. Deren Marktforschungsabteilung umfaßt 65 Personen, die auf eine eigene Feldorganisation von 1.600 freien Mitarbeitern sowie auf ein in 43 Städten des Landes präsentes Panel von 50.000 Haushalten zurückgreifen und Studien jeglicher Art, von Produkt- und Copytests über Mediaanalysen bis hin zu Entwicklungsprognosen, durchführen können.[600]

Trotzdem werden nicht nur eigene Studien durchgeführt, sondern daneben auch noch Studien an Marktforschungsinstitute vergeben. *B.V. Pradeep*, Leiter der Marktforschungsabteilung von *HLL*, macht denn auch deutlich, daß "... our key criterion for doing things inhouse is to see how much we can really add value to what the research company can do. If we can do it better, we will, but if the research company can do it equally well, then we give it to them."[601]

Unternehmen in Industrieländern aber verbleiben somit nur drei Entscheidungsalternativen der organisatorischen Gestaltung einer internationalen Marketingforschung, die in der Literatur als **"zentralisierte Organisation"**, **"dezentralisierte Organisation"** bzw. **"koordinierte Organi-**

---

599 Vgl. McDonald, C., King, S. (1996), S. 255.

600 Vgl. Doctor, V. (2001a), S. 26.

601 Ebenda, S. 27.

sation" bezeichnet werden[602] und im folgenden etwas näher charakterisiert werden sollen.

4.2 Zentralisierte internationale Marketingforschung

4.2.1 Charakteristik

Eine zentralisierte internationale Marketingforschung ist dadurch gekennzeichnet, daß alle für die Untersuchung maßgeblichen **Anlage- und Auswertungsentscheidungen** an einer einzigen Stelle getroffen werden, nämlich in der Unternehmung bzw. internationalen Unternehmungszentrale, die an den Ergebnissen dieser Untersuchung interessiert ist.[603]

Von den **Ausführungsaufgaben** werden dagegen einzelne, abgegrenzte Bereiche, so insbesondere die Feldarbeit, Marktforschungsinstituten übertragen. Nicht delegiert und in jedem Falle von den Informationsinteressenten einer internationalen Marketingforschung selbst erledigt wird bei dieser Organisationsform jedoch die **Analyse** und **Interpretation** der erhobenen Daten.

Bei der Auswahl der Marktforschungsinstitute, die in eine internationale Untersuchung eingeschaltet werden sollen, muß unbedingt darauf geachtet werden, daß alle Institute willens und in der Lage sind, bei ihren Tätigkeiten zum einen die gesetzlich wie ethisch determinierten branchenbezogenen **Verhaltensnormen** zu befolgen und zum anderen allseits anerkannte branchenbezogene **Qualitätsstandards** einzuhalten. Dies festzustellen oder zu überprüfen, ist jedoch dann keine leichte Aufgabe, wenn

- ein Institut den Auswahlentscheidern unbekannt ist und/oder
- die Auswahlentscheider keine Marktforschungsspezialisten sind.

---

602 Vgl. Douglas, S.P., Craig, C.S. (1983), S. 42ff. In der kulturvergleichenden Politologie, Soziologie und Anthropologie sind dagegen die Bezeichnungen *"zentralisierte"*, *"disjunkte"* und *"integrierte Organisation"* gebräuchlich - siehe dazu z.B. Glaser, W.A. (1977), S. 404ff.; Niedermayer, O. (1997), S. 90ff.

603 Vgl. hierzu und zum folgenden Douglas, S.P., Craig, C.S. (1983), S. 44.

Beides ist heutzutage häufiger als früher der Fall, weil die Vergabe von Marktforschungsaufträgen in immer mehr Unternehmen nicht mehr durch Marktforschungsspezialisten, sondern durch Marktforschungslaien, nämlich durch die Mitarbeiter der Einkaufsabteilung erfolgt.[604] Wenn sich aber deren Auswahlentscheidungen in Verfolgung eines ethisch verantwortlichen, qualitätsorientierten Managements nicht alleine nur an den Preisen der Anbieter orientieren sollen, benötigen diese Marktforschungslaien irgendwelche Indikatoren, von denen sie auf die Einhaltung von Verhaltensnormen und Qualitätsstandards rückschließen können.

Als Indikator für die Beachtung und Einhaltung von **Verhaltensnormen** kann die Mitgliedschaft eines Marktforschungsinstitutes in einer Berufsvereinigung (in Deutschland beispielsweise dem *ADM - Arbeitskreis Deutscher Markt- und Sozialforschungsinstitute e.V.*; *www.adm-ev.org*) bzw. die Mitgliedschaft seiner führenden Mitarbeiter in einem Berufsverband (in Deutschland beispielsweise dem *BVM - Berufsverband Deutscher Markt- und Sozialforscher e.V.*; *www.bvm.org*) dienen, denn diese Interessenvertretungen haben z.T. schon vor Jahrzehnten für ihre Mitglieder verbindliche "*Codes of Conduct*" aufgestellt und im Verlaufe der Zeit fortgeschrieben, in denen niedergelegt ist, wie sich Institute und deren Mitarbeiter zu verhalten haben, damit das Vertrauen der Öffentlichkeit in die Markt- und Sozialforschung nicht beeinträchtigt sowie den branchenbezogenen gesetzlichen Vorschriften Rechnung getragen wird.

Der erste Kodex dieser Art wurde bereits im Jahre 1948 von der *ESOMAR* veröffentlicht[605] und gab damit anderen nationalen und internationalen Interessenverbänden den Anstoß, in der Folgezeit weitere Kodices dieser Art zu entwickeln. Zu erwähnen ist insbesondere der von der "*International Chamber of Commerce*" (*ICC*; *www.iccwbo.org*) aufgestellte Kodex. Im Jahre 1976 gelangten *ESOMAR* und *ICC* zu der Erkenntnis, daß ein einziger internationaler Kodex zweckdienlicher wäre als zwei unterschiedliche, und vereinten daher beide Kodices in dem gemeinsamen

604 Vgl. Bates, B.A. (2001), S. 10.

605 Vgl. hierzu und zum folgenden ESOMAR (1995c), S. 20.

"ICC/ESOMAR International Code of Marketing and Social Research Practice".

Dieser Kodex wurde infolge der zwischenzeitlich eingetretenen marktlichen, methodischen, sozialen und gesetzlichen Veränderungen in den Jahren 1986 und 1994 überarbeitet bzw. neu gefaßt und im Verlaufe der Jahre unverändert oder mit länderspezifischen Ergänzungen versehen von vielen nationalen Marktforschungsvereinigungen und -verbänden (so auch von *ADM* und *BVM*) übernommen und für ihre Mitglieder als verbindlich erklärt. Welche Vereinigungen oder Verbände im einzelnen dazu zählen, darüber geben das *"Directory 20.., Research Organisations (A-L)"* sowie die Website *www.esomar.nl/assocs/mr_associations.html* der *ESOMAR* Auskunft.

Da der *ICC/ESOMAR*-Kodex nur die Grundprinzipien darlegt, von denen sich diejenigen Einzelpersonen und Organisationen in ihrem Handeln leiten lassen sollen, die Marktforschung betreiben (oder nutzen), erfolgt von *ESOMAR* (z.T. in Zusammenarbeit mit anderen Interessenverbänden) eine weitergehende Spezifizierung in den sogen. *"Guidelines"*, die je nach Notwendigkeit oder Bedarf herausgegeben werden. Zur Zeit liegen beispielsweise folgende *"Guidelines"* vor:

- *Tape and Video-Recording and Client Observation of Interviews and Group Discussions*, Amsterdam 1996,
- *Pharmaceutical Research*, Amsterdam 1997 (erarbeitet in Zusammenarbeit mit der *European Pharmaceutical Marketing Research Association – EphMRA*, Bromley, UK),
- *Mystery Shopping*, Amsterdam 1999,
- *Guideline on Interviewing Children and Young People*, Amsterdam 1999,
- *Conducting Marketing and Opinion Research Using the Internet*, Amsterdam 2000 (gebilligt auch von der *ICC* und der *World Federation of Advertisers – WFA*, Brüssel; *www.wfa.be*),
- *Maintaining the Distinctions between Marketing Research and Direct Marketing*, 2., überarbeitete Auflage, Amsterdam 2001 (erarbeitet in Zusammenarbeit mit der *ICC*).

Die durch die Mitgliedschaft eines Marktforschungsinstitutes in einer anerkannten nationalen oder internationalen Berufsvereinigung bekundete

Befolgung der in ihrem "*Code of Conduct*" oder ihren "*Guidelines*" niedergelegten Handlungsanweisungen ist allerdings nur ein Indikator für die Beachtung von **Verhaltensnormen**, keineswegs aber zusätzlich auch ein Indikator für das Einhalten von **Qualitätsstandards**. Daher wurde seit dem Beginn der neunziger Jahre des letzten Jahrhunderts von den Nachfragern nach Marktforschungsdienstleistungen immer drängender die Forderung nach einem Nachweis der garantierten Einhaltung von Qualitätsstandards artikuliert.[606]

Einige dieser Nachfrager, und zwar insbesondere die als Nachfrager von Marktforschungsdienstleistungen auftretenden Einkaufsabteilungen der Unternehmungen, konkretisierten ihre Forderung in der Bedingung, daß jedes Marktforschungsinstitut, das mit ihnen zusammenarbeiten wolle, die ihnen geläufigen und auch für die anderen Lieferanten der Unternehmung verbindlichen *ISO*-Qualitätsnormen zu erfüllen habe, also folglich nach *ISO 9000 - 9004* zertifiziert sein müsse.

Dies hatte zur Folge, daß sich immer mehr Marktforschungsinstitute genötigt sahen, eine solche Zertifizierung vornehmen zu lassen, um mit solchen Nachfragern weiterhin "im Geschäft" bleiben zu können. Im Ergebnis zeigte sich, daß die *ISO 9000*-Zertifizierung bei den meisten Instituten zwar insofern eine Qualitätsverbesserung gebracht hatte, als dadurch eine höhere Standardisierung der Prozesse und eine bessere Vergleichbarkeit einzelner Studien eines Institutes erzielt werden konnte[607], eine Erhöhung des Qualitätsstandards der Tätigkeiten war damit aber nicht immer verbunden, da bei *ISO 9000* diese Standards vom jeweiligen Institut selbst gesetzt und nur auf ihre Einhaltung hin überprüft werden.[608]

Es ist daher möglich, daß ein Marktforschungsinstitut nach *ISO 9000* zertifiziert ist, trotzdem aber selbst die elementarsten Qualitätsstandards nicht einhält.[609] Dies jedoch ist ebenso unbefriedigend, wie die ebenfalls aus der Eigenfestsetzung der Qualitätsstandards resultierende einge-

---

606 Vgl. o.V. (1998b), S. 3.

607 Vgl. Bates, B.A. (2001), S. 10.

608 Vgl. o.V. (1998b), S. 3.

609 Vgl. ebenda.

schränkte Vergleichbarkeit der Studien verschiedener Institute.[610] Folglich haben bereits Mitte der neunziger Jahre einzelne nationale Marktforschungsverbände den Forderungen der Nachfrager von Marktforschungsdienstleistungen nach einem Nachweis der garantierten Einhaltung von Qualitätsstandards dadurch Rechnung zu tragen gesucht, daß sie für ihre Mitglieder verbindliche Qualitätsstandards höheren Niveaus entwickelten und auch deren Einhaltung überwachten.

Damit wurde insbesondere den Marktforschungsfachleuten unter den Nachfragern eine erste Auswahl unter den konkurrierenden Marktforschungsinstituten erleichtert. Zur endgültigen Auswahl bedarf es allerdings einiges mehr von seiten der Institute als die Befolgung solcher Verbandsstandards. So stellte denn auch *Dr. Susan Blackall*, die ehemalige Vize-Präsidentin von *Research International UK* zu Recht fest, daß "the standard is not recognised as an accolade because it has become a basic hygiene factor - you have to go beyond that to receive an accolade"[611].

In Großbritannien wurde beispielsweise auf der Basis eines Mitte der siebziger Jahre des vorigen Jahrhunderts auf Initiative der *MRS* eingeführten *"Interviewer Card Scheme" (ICS)* zunächst ein *"Interviewer Quality Control Scheme" (IQCS)* entwickelt, das hohe Qualitätsstandards für die Interviewerauswahl, -schulung und -überwachung setzte, deren Einhaltung bei den Instituten, die sich diesem *IQCS* durch Mitgliedschaft explizit unterwarfen, regelmäßig überwacht wurde.[612] Anfang der neunziger Jahre genügte dies einigen Klienten aber nicht mehr. Sie begannen Druck auf die Institute auszuüben, um sie zu einer zusätzlichen Qualitätszertifizierung zu bewegen.

Seit 1995 ist das *IQCS* daher nur noch ein Modul des umfassenderen *"Market Research Quality Standard"*, der von der *Market Research Quality Standards Association (MQRSA)*, einem Zusammenschluß von marktforschungsbezogenen britischen Berufs- und Unternehmensverbänden (zu dem u.a. auch die *BMRA*, *MRS* und die *AQR* gehören), entwik-

---

[610] Vgl. Bates, B.A. (2001), S. 10.

[611] Zitiert nach Etienne, S. (1999), S. 28.

[612] Vgl. Goodyear, J.R. (1989), S. 435f.; The Market Research Society (1998); S. 34f.

kelt und nach dem 1998 erfolgten Zusammenschluß von *AMSO* und *ABMRC* zur *BMRA* (*British Market Research Association*; *www.bmra.org.uk*) für alle *BMRA*-Mitglieder, die einen Jahresumsatz von über 1 Mio. £ erzielen, ab dem 01.01.2001 für absolut verbindlich erklärt worden ist.[613] Mittlerweile ist der *MQRSA*, wie der Standard genannt wird, sogar zum *British Standard (BS) 7911* geworden, dessen Einhaltung vom *British Standard Institute (BSI)* überwacht wird.

Die Befolgung von solchen nationalen Qualitätsstandards ist zwar ein besserer Ausweis für eine hohe Qualität der Tätigkeiten eines Marktforschungsinstitutes als eine Zertifizierung nach *ISO 9000* und damit auch ein besseres Kriterium für die Auswahl der in eine internationale Untersuchung einzubeziehenden Institute, ihre Heterogenität erschwert jedoch z.T. beträchtlich die Vergleichbarkeit von Studien verschiedener Institute aus unterschiedlichen Ländern.

Die 1992 gegründete *European Federation of Associations of Market Research Organisations* (*EFAMRO*; *www.efamro.org*), eine Vereinigung westeuropäischer Marktforschungsverbände, der Vertreter aus Belgien, Dänemark, Deutschland, Frankreich, Großbritannien, Italien, den Niederlanden, Schweden und Spanien angehören, hatte es sich daher u.a. zunächst einmal zur Aufgabe gemacht, für ihre Mitglieder einen einzigen gemeinsamen Qualitätsstandard zu entwickeln. Nach einer Analyse aller nationalen Standards wurde als Ergebnis dieser Bemühungen der *EFAMRO Market Research Quality Standard (EMRQS)* vorgelegt, der nicht dem kleinsten gemeinsamen Nenner aller nationalen Standards entspricht, sondern einen neuen Standard darstellt, der die "best practices" aller nationalen Standards beinhaltet.

Der *EMRQS* ist mittlerweile in Spanien und Frankreich zum nationalen Qualitätsstandard für die Marktforschung geworden.[614] In einigen anderen Ländern, so z.B. in Dänemark und Belgien, haben sich die nationalen Marktforschungsverbände diesen Standard zu eigen gemacht. Auch der *ADM* hat diesen Standard übernommen, ergänzt ihn aber noch durch einige andere, selbstentwickelte Qualitätsstandards. Darüber hinaus hat

---

613 Vgl. Jackson, P. (1995), S. 10; Etienne, S. (1999), S. 28; Bates, B.A. (2001), S. 10.

614 Vgl. hierzu und zum folgenden o.V. (2000b), S. 7; Bates, B.A. (2001), S. 11.

EFAMRO erreicht, daß das *Council of American Survey Research Organisations (CASRO; www.casro.org)* seinen Mitgliedern empfiehlt, bei Studien, die außerhalb der USA durchgeführt werden, diesem Standard gemäß vorzugehen, und daß die *Japan Marketing Research Association (JMRA; www.jmra-net.or.jp)* einen mit *EMRQS* kompatiblen Standard entwickelt hat. Kontakte, die zu einer weiteren internationalen Verbreitung des *EMRQS* führen können, wurden des weiteren mit der *American Research Foundation (ARF)* sowie mit Marktforschungsverbänden in Australien, Südafrika und Lateinamerika aufgenommen.

Die unterschiedlichen Vorteile beider Wege zur Befolgung und zum Nachweis von Qualitätsstandards der Marktforschung können genutzt und damit die internationalen Institutsauswahlentscheidungen maßgeblich erleichtert werden, wenn die 2001 mit der *International Standard Organization (ISO)* aufgenommenen Gespräche der *EFAMRO* Erfolg haben werden, die darauf abzielen, einen international akzeptierten Qualitätsstandard für die Marktforschung (dies könnte, muß aber nicht der *EMRQS* sein) in die *ISO 9000* aufzunehmen.[615]

4.2.2 Vor- und Nachteile

Eine derartige Organisationsform hat den Vorteil, daß durch sie am besten eine **Vergleichbarkeit** der nationalen Erhebungs- und Analyseergebnisse sichergestellt werden kann. Darüber hinaus eröffnet sie die am weitesten gehenden **Kontrollmöglichkeiten** und kann dazu beitragen, die **Gesamtkosten** der internationalen Untersuchung gering zu halten.[616]

Häufig sind aber die quantitativen oder qualitativen Kapazitäten der betrieblichen Marktforschung nicht groß genug, um breit angelegte oder komplexe internationale Marketingforschungen in dieser organisatorischen Gestaltung durchführen zu können. Sie ist daher in aller Regel eher für **kleinere** bzw. **einfach strukturierte internationale Untersuchungen** geeignet, wie z.B. für Ländergrobanalysen.

---

615 Vgl. Bates, B.A. (2001), S. 11.

616 Vgl. hierzu und zum folgenden Douglas, S.P., Craig, C.S. (1983), S. 44.

Überdies ist zu beachten, daß eine Entscheidungszentralisation einerseits zwar die besseren Voraussetzungen dafür schafft, daß eine internationale Vergleichbarkeit der Erhebungs- und Analyseergebnisse erzielt werden kann, andererseits bei einer ethnozentrischen Denkweise der Entscheidungsträger aber auch der Garant dafür ist, daß dieses Ziel nie erreicht wird.

4.3 Koordinierte internationale Marketingforschung

4.3.1 Charakteristik

Bei einer koordinierten internationalen Marketingforschung wird in der an den Untersuchungsergebnissen interessierten *Unternehmung* bzw. *internationalen Unternehmungszentrale* lediglich über die **Art**, den **Inhalt**, den **Umfang** und die **Zeitpunkte des Informationsbedarfs** entschieden, der durch die internationale Untersuchung gedeckt werden soll.[617] Aufgabe von *Marktforschungsinstituten* ist es dann, zunächst Vorschläge zu entwickeln und dem Unternehmungsmanagement zu präsentieren, wie diese Vorgaben erfüllt werden können, um nach Auswahl oder gemeinsamer Weiterentwicklung eines dieser Vorschläge schließlich **sämtliche Ausführungsaufgaben** bis hin zur Datenanalyse oder gar -interpretation zu übernehmen.[618]

Wie ein solcher Abstimmungsprozeß im einzelnen verlaufen kann, wird noch darzustellen sein. Zunächst wollen wir uns erst einmal der Frage zuwenden, welche Marktforschungsinstitute für eine koordinierte internationale Marketingforschung prinzipiell geeignet sind und nach welchen Gesichtspunkten man aus dem Kreis dieser Institute das für die jeweilige Untersuchung geeignetste auswählen kann oder sollte.

---

617 Vgl. Kap. 1.4.2.5.

618 Vgl. Douglas, S.P., Craig, C.S. (1983), S. 44.

4.3.2 Auswahl von Marktforschungsinstituten

4.3.2.1 Auswahlalternativen

Die externe Entscheidungs- und Aufgabendelegation kann bei der koordinierten internationalen Marketingforschung auf unterschiedliche Art und Weise vorgenommen werden.[619]

Erstens kann man **in jedem der Länder**, auf die sich die Untersuchung bezieht, ein **dort ansässiges Institut** auswählen und an diese Institute dann nur **national abgegrenzte Untersuchungsentscheidungen** und **-aufgaben** delegieren. Die Zahl und Zusammensetzung der Auswahlalternativen ist in diesem Fall folglich nicht nur von der Art der Untersuchung abhängig, sondern auch von den jeweiligen Ländern, die in die Untersuchung einbezogen werden sollen. Eine namentliche Erwähnung von potentiell geeigneten Marktforschungsinstituten ist daher an dieser Stelle weder sinnvoll noch möglich.

Eine solche Vorgehensweise hat zwar den Vorteil, daß man Institute auswählen kann, die mit den jeweiligen Landesgegebenheiten am besten vertraut sind und in ihren Ländern zur Spitzengruppe gehören, doch kommen diese Vorteile nur bei Studien zum Tragen, die sich lediglich auf ein oder zwei Länder beziehen. Bei Mehrländerstudien überwiegen hingegen die aus der Notwendigkeit, die verschiedenen Marktforschungsinstitute untereinander selbst abstimmen zu müssen, resultierenden Nachteile. So bemerkt denn auch *Berent*, daß "nothing ist more dangerous in multi-country research than to have to brief six or more different research companies, each of them with its own background of experience and its own way of working. It is quite possible that each of these organisations may interpret and execute the brief in a different way."[620]

Zweitens kann man die Entscheidungskompetenzen einem geeigneten **inländischen Institut** zuteilen, das auch die anlage-, analyse- und interpretationsbezogenen Ausführungsaufgaben erledigt, die **nationalen Feld-**

---

[619] Vgl. hierzu auch Downham, J. (1986), S. 648.

[620] Berent, P.H. (1975), S. 297.

arbeiten und (außer der Entwicklung von Codeplänen) eventuell auch die Datenaufbereitungen seinerseits aber von ihm ausgewählten **Auslandsinstituten** überträgt. Dies hat einmal den Vorteil, daß sämtliche Anlageplanungen, Analysen und Interpretationen zentral erfolgen und somit keine Abstimungsprobleme oder -fehler auftreten können. Zum anderen erschweren keine Sprachbarrieren die Kommunikation zwischen der auftraggebenden Unternehmung und dem auftragnehmenden Marktforschungsinstitut, und bei möglichen Unklarheiten, Schwierigkeiten oder Auseinandersetzungen hat die auftraggebende Unternehmung einen "greifbaren" Verantwortlichen im eigenen Land.[621]

Negativwirkungen hat eine derartige Vorgehensweise insbesondere dann, wenn

- die zentrale Planung, Analyse und Interpretation ohne die beratende Mitwirkung der Auslandsinstitute und/oder die Teilnahme von auslandserfahrenen Institutsmitarbeitern erfolgt oder
- die Feldarbeiten an weniger leistungsfähige Auslandsinstitute vergeben werden.

Die auftraggebende Unternehmung sollte daher u.a. auch darauf achten, daß das auftragnehmende inländische Institut

- von Personen getragen wird, die nicht nur die jeweiligen Landessprachen sprechen, sondern auch ein untersuchungsländerspezifisches Erfahrungswissen besitzen,
- die Feldarbeiten und eventuell auch die Datenaufbereitungen nur an solche Auslandsinstitute vergibt, die in dem untersuchungsrelevanten Bereich in ihren Ländern zu den leistungsstärksten zählen,
- diese Auslandsinstitute in die Planung, Analyse und Interpretation der internationalen Untersuchung einbezieht und
- die Feldarbeiten und sonstigen Aufgabenausführungen seiner ausländischen Sub-Kontraktoren kontrolliert.

Auswahlalternativen sind bei dieser Vorgehensweise somit all jene inländischen Marktforschungsinstitute, die über das notwendige methodische, sprachliche und landeskundliche Know-how verfügen sowie eine hinrei-

---

[621] Vgl. o.V. (1987), S. 69.

chend hohe quantitative Kapazität aufweisen, um eine internationale Untersuchung zentral planen, analysieren und interpretieren zu können.

Eine **dritte Möglichkeit** der externen Delegation von Entscheidungskompetenzen besteht darin, ein **inländisches Marktforschungsinstitut** mit der internationalen Untersuchung zu beauftragen, das

- selbst international tätig ist, d.h. im Ausland eigene Niederlassungen hat oder an Auslandsinstituten beteiligt ist,
- Niederlassung eines international tätigen ausländischen Marktforschungsinstitutes ist,
- mit feststehenden ausländischen Partnerinstituten zusammenarbeitet oder
- Mitglied eines internationalen Netzwerkes von Marktforschungsinstituten ist.

In der Regel können in allen vier Fällen auf Wunsch des Auftraggebers die Planungen, Analysen und Interpretationen zentral vom inländischen Institut vorgenommen werden, während den Auslandsinstituten dann wiederum nur die Feldarbeiten und Datenaufbereitungen verbleiben. Dies hat zur Folge, daß die gleichen Vorteile, wie sie bei der zweiten Delegationsmöglichkeit geschildert wurden, auch hier erzielt werden können. Die beiden ersten Realisationsformen dieser dritten Delegationsmöglichkeit garantieren darüber hinaus ein weitgehendes Vorliegen oder Befolgen der Punkte, denen bei einer Verwirklichung der vorherigen Delegationsmöglichkeit ein besonderes Augenmerk gewidmet werden muß.

Vorsicht und ein erhöhtes Ausmaß an Kontrolle ist dagegen geboten, wenn die letzten beiden Realisationsformen gewählt werden (müssen). Denn bilaterale Partnerschaften und internationale Netzwerke können eine sehr unterschiedliche Qualität der Zusammensetzung und Zusammenarbeit aufweisen.[622] So können bilaterale Partnerschaften oder internationale Netzwerke mit bzw. aus Instituten bestehen, die in ihren Ländern nicht zu den Spitzeninstituten zählen. Da aber die Stärke einer Partnerschaft oder eines Netzwerkes von seinem schwächsten Mitglied bestimmt wird, sind solche Verbindungen sehr kritisch zu betrachten.

---

622 Vgl. Berent, P.H. (1975), S. 296; Downham, J. (1986), S. 649.

Manche dieser Kooperationen haben "... standard international systems and research methods, international training and exchange of personel, tightly organized briefing and control methods across countries; others have relatively loose affiliation arrangements, changing membership, little direct personal contact, limited standardization in their approaches"[623], weil z.B. der in der Partnerschaft oder im Netzwerk erzielte Umsatzanteil so gering ist, daß es sich für die Mitglieder nicht lohnt, ihre Dienstleistungen oder Dienstleistungsprozesse international abzustimmen[624]. Zwar sind letztere Partnerschaften oder Netzwerke nicht notwendigerweise immer schlechter als die ersteren, sie sind in jedem Fall aber vorher genauer auf ihre jeweilige Eignung hin zu überprüfen und in ihrer Arbeit zu kontrollieren.

Aus der Sicht einer deutschen Unternehmung kommen bei Realisierung dieser dritten Delegationsmöglichkeit als Auftragnehmer einer internationalen Marketingforschung neben den in Netzwerken eingebundenen oder in bilateralen Partnerschaften stehenden Instituten (s. hierzu Kap. 3 und 5.2) beispielsweise folgende Marktforschungsinstitute in Frage:

GfK Gruppe (Nürnberg)

- Traditionsreichstes deutsches Marktforschungsinstitut (Gründungsjahr: 1934) mit nunmehr 22 (darunter 16 operativ tätigen) Tochterunternehmen und Beteiligungen in Deutschland sowie über 120 Tochterunternehmen oder Beteiligungen in fast 50 weiteren Ländern vertreten (www.gfk.de). Tätig in den vier Geschäftsfeldern *"Consumer-Tracking"*, *"Non-Food-Tracking"*, *"Medien"* und *"Ad Hoc Forschung"*. Seit Oktober 1999 mit ca. 30 % des Aktienkapitals[625] an der Wertpapierbörse in Frankfurt notiert (Aufnahme in den M-Dax im März 2000).
- In Nord-, Süd- und Westeuropa ist die *GfK* mit 59 Tochterunternehmen in 14 Ländern und in Zentral- und Osteuropa mit 14 Tochterunternehmen in 12 Ländern präsent. Wichtige Akquisitionen, Betei-

[623] Downham, J. (1986), S. 649.

[624] Vgl. Berent, P.H. (1975), S. 296.

[625] Die restlichen, nicht an der Börse gehandelten Aktien befinden im Besitz des *Vereins GfK-Nürnberg e. V.* (64 %) und von Führungskräften der AG (7 %).

ligungen oder Beteiligungsaufstockungen, die in diesen Regionen in den Jahren 2000 und 2001 durchgeführt wurden, waren: *ENIGMA* (D), *Prisma* (D), *Institut Sondages Lavialle* (F), *Market Analysis* (Griechenland), *Incoma Research* (Tschechien), *ProCon-GfK* (Türkei), *IBS Marketing Research Services* (Türkei), *Orange Interactive Research* (S), *Telecontrol* (CH), *bwv* (CH), *Martin Humblin Group* (UK), *Romtec-GfK* (UK), *Metris* (Portugal), *Intomart* (NL) und *Indicator Brazil* (Brasilien).

- In Asien und dem pazifischen Raum sind in 13 Ländern 17 Tochterunternehmen und Beteiligungen zu finden, unter anderem in Japan, Südkorea, der VR China, Indien, Indonesien, Australien und Neuseeland. Im Jahre 1999 wurde das erste außereuropäische Tochterunternehmen, das im Geschäftsfeld *"Ad Hoc Forschung"* tätig ist, in der VR China (mit Niederlassungen in Shanghai und Beijing) gegründet.
- Die Anfang des Jahres 2000 erfolgte Akquisition des US-amerikanischen Institutes *Custom Research Inc. (CRI)*, Minneapolis (1998 mit 30,2 Mio. US $ Umsatz die No. 31 der US-amerikanischen Institute) hat der Gruppe das dringend notwendig gewordene eigene Standbein in diesem Markt gebracht. Daneben wurden 2000/01 zwei Minderheitsbeteiligungen erworben, nämlich an *ISOSat.com*, einem im Bereich der ISO-Zertifizierung und des Total Quality Management tätigen Unternehmen, und an dem Database-Marketing-Spezialisten *Caribu Lake Software* (19.9 %).
- Joint Ventures und Allianzen mit anderen Marktforschungsinstituten sowie Kooperationen mit sogen. *"Preferred Partners"* setzten die *GfK* darüber hinaus in die Lage, weltweit Studien in ca. 90 Ländern durchzuführen. Langjährige Kooperationen werden beispielsweise mit *Taylor Nelson Sofres* (UK) im Bereich der Haushaltspanelforschung (*EuroPanel*), mit *Information Resources Inc.* (*IRI*, USA) im Bereich der Handelspanelforschung und mit *The NPD Group* (USA) im Bereich des *"Non-Food-Tracking"* unterhalten. Weitere Kooperationen bestehen mit *NPD* im Bereich von *ConsumerSCOPE*, dem bereits früher erläuterten Access-Panel, in den Geschäftsfeldern *"Consumer-Tracking"* und *"Ad-Hoc-Forschung"* sowie in Form des 2000 gegründeten 25/75-Joint Ventures *"Sporttracking Europe"*, durch das kontinuierlich die Entwicklung des Absatzes von Sportschuhen in 8 europäischen Ländern erfaßt werden soll. Mit *Taylor Nelson Sofres* wurde 2000 ebenfalls ein neues Joint Venture gegründet, nämlich

das in Tschechien beheimatete Institut *Czech Index*, dessen Aufgabe der Aufbau von kombinierten, standardisierten Datenbanken zum Einkaufsverhalten und Medienkonsum tschechischer Verbraucher ist. Geplant ist, nach und nach auch in den anderen Ländern Zentral- und Osteuropas solche Joint Ventures zu errichten.

Im Bereich der internationalen Werbeforschung arbeitet die *GfK* seit langem mit dem renommierten US-amerikanischen Institut *McCollum Spielman* zusammen.

In den süd- und zentralamerikanischen Ländern besteht eine Kooperation im Bereich der Ad-hoc-Forschung mit der argentinischen Institutsgruppe *Asecom*, die ihre Services in 16 Ländern dieser Region anbietet.

Die jüngsten Kooperationspartner sind die in Zypern ansässigen Institute *Cypronetwork Marketing Research (CMR)* und *MEMRB International* mit denen im Bereich der Ad-hoc-Forschung bzw. (in Form des 60/40-Joint Ventures *GfK-MEMRB Marketing Services Limited*) im Bereich des Non-Food-Tracking in den wichtigsten Ländern Nordafrikas sowie des Nahen und Mittleren Ostens zusammengearbeitet werden soll.

Eine wieder bessere Zukunft hat wohl, wie bereits geschildert, das im Jahre 1999 zum Zwecke einer europaweiten Internet-Reichweitenmessung zusammen mit dem damaligen US-amerikanischen Spezialinstitut *Media Metrix* und *Ipsos* (F) gegründete Joint-Venture-Institut *Media Metrix Europe*, in das *Media Metrix* die in den USA bewährte Meßtechnik einbrachte.[626]

- Panelgestützte Fernsehzuschauerforschung wird in sechs europäischen Ländern betrieben, wobei in Deutschland der mit der *Arbeitsgemeinschaft Fernsehforschung (AGF)* bestehende Vertrag Ende 1999 um weitere fünf Jahre verlängert wurde.
- Gemessen am Umsatz war die *GfK Gruppe* im Jahre 2000 mit weitem Abstand in Deutschland (wie schon seit Mitte der achtziger Jahre des letzten Jahrhunderts) das größte, in Europa das viertgrößte und weltweit das achtgrößte Marktforschungsinstitut (siehe auch Anhang E).

---

626 Vgl. Savage, M. (1999a), S. 10.

NFO Infratest (München)

- Vor 1998, während der Zeit der Selbständigkeit, unter dem Namen *Infratest Burke* mit ca. 900 Mitarbeitern und 35 Gesellschaften in Europa, Fernost und den USA über Jahre hinweg nach der *GfK* das zweitgrößte Marktforschungsinstitut in Deutschland und nicht nur europaweit, sondern auch weltweit immer unter den Top 10 der Institute zu finden.
- Nachdem Verkaufsverhandlungen mit der *WPP Group plc.* (London) scheiterten, die *Infratest Burke* ihrer *Kantar Group Ltd.* (siehe hierzu Kap. 5.2) einverleiben wollten, wurde *Infratest Burke* Ende des Jahres 1998 an *NFO Worldwide Inc.*, Greenwich (USA), verkauft, die vorher stark an einem Erwerb der *Ipsos Group* (F) interessiert waren.
- Mit dieser und anderen vorherigen Akquisitionen (siehe Kap. 5.2) hat sich die an der *New York Stock Exchange* notierte *NFO Worldwide Inc.* innerhalb weniger Jahre (unter Anhäufung beträchtlicher Schulden und damit dann auch der Folgewirkung, daß *NFO* nur ein Jahr später von der *Interpublic Group* "geschluckt" wurde)[627] von Rangplatz 19 auf einen der vorderen Rangplätze in der Welt verbessert (s. Abbildung 42).

ACNielsen (Frankfurt a.M.)

- Im Jahre 1954 gegründete Niederlassung der *ACNielsen Corp.*, Stamford (USA), *www.acnielsen.com*, dem in über 100 Ländern vertretenen, umsatzstärksten Marktforschungsinstitut der Welt (s. auch Abbildung 42), das Ende 2000 von der niederländischen Verlagsgruppe *VNU NV*, Haarlem, aufgekauft worden ist.
- Mit über 753 Mitarbeitern und einem Umsatz von 145,5 Mio. DM (2000), der zum Rangplatz vier unter den in Deutschland agierenden Instituten führte, bietet die deutsche Niederlassung die gesamte Produkt- und Servicepalette der *ACNielsen Services* an (www.acnielsen.de).

  Hierzu zählen:

---

627 Siehe hierzu auch Kap. 5.2.

- Consumer Panel Services auf Basis des 8.400 Haushalte umfassenden Haushaltspanels *ACNielsen Homescan* und des 4.500 Haushalte großen Subpanels *ACNielsen Homescan Single Source Panel*,
- Customized Research Services mit Handels- und Verbraucherbefragungen,
- Information Delivery Services,
- Media Measurement Services bei der *ACNielsen Werbeforschung S + P GmbH* (Hamburg),
- Merchandising Services,
- Modelling and Analytical Services,
- Retail Measurement Services auf der Basis von Tracking- und Scanningdaten.

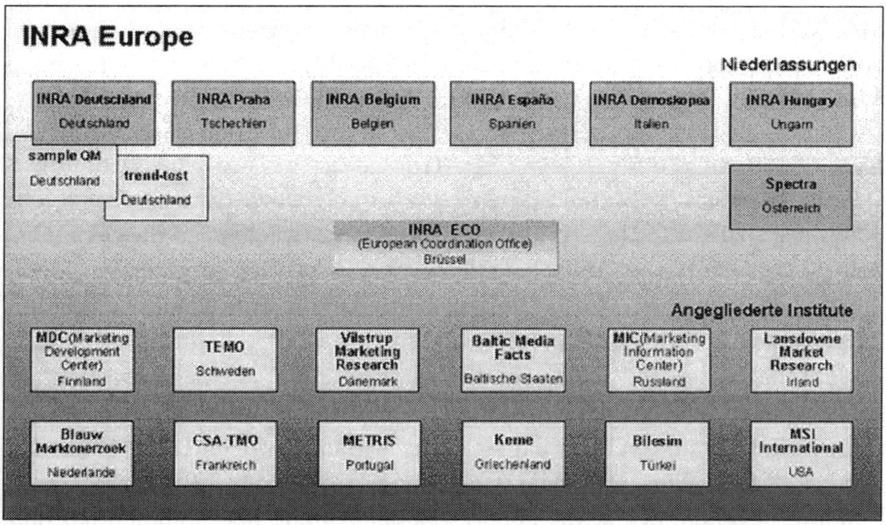

Abbildung 40: Struktur des Marktforschungsnetzwerkes INRA Europe
Quelle: www.inra.de, vom 18.12.2001

INRA Deutschland (Mölln)

- Im Jahre 1996 als Nachfolger des seit 1963 bestehenden *Sample Instituts* (Mölln) gegründet und seitdem der *Sample-Gruppe* zugehörig (*www.inra.de*), zu der das im Dezember 2001 in Liquidation gegangene Institut *INRA UK* nicht mehr zählt, das fünf Jahre zuvor unter dem Namen *Research & Auditing Services* gekauft worden war, um auch in dem wichtigen britischen Marktforschungsmarkt ein Standbein zu haben.

- *INRA Deutschland* war 2000 mit einem Umsatz von 55.9 Mio. DM das neuntgrößte Marktforschungsinstitut in Deutschland und nach der *GfK* das zweitgrößte in deutschem Besitz befindliche Institut. Es ist eingebunden in das im Jahre 2000 113,9 Mio. DM Umsatz erzielende Netzwerk *INRA Europe*, zu dem insgesamt 21 Institute in Europa und den USA zählen (s. Abbildung 40). Damit ist *INRA Europe* eines der führenden Marktforschungsnetzwerke in Europa.

Neben der *GfK Gruppe*, *NFO Infratest*, *ACNielsen* und *INRA Deutschland* kommen bei der Realisierung der dritten Delegationsmöglichkeit als Auftragnehmer einer internationalen Marketingforschung noch folgende Marktforschungsinstitute in Frage:

icon brand navigation group AG (Nürnberg) – 1993 von ehemaligen GfK-Mitarbeitern gegründet (*www.icon-brand-navigation.com)*, verzeichnete dieses Institut sehr schnell starke Umsatzzuwächse, so daß es innerhalb kürzester Zeit zur No. 5 in Deutschland werden konnte (vgl. auch Anhang E). Auch die von Beginn an betriebene internationale Geschäftstätigkeit wurde sehr rasch ausgeweitet. In deren Folge konnte *icon* bereits im Geschäftsjahr 1999/2000 über 7 operativ tätige Tochtergesellschaften in Europa und Nordamerika verfügen. Um dieses internationale Wachstum weiter voranzutreiben, hat sich *icon* Anfang 2001 unter das Dach des Werbe-, Marketing- und Marktforschungs-Konzerns *WPP Group plc.*, London, begeben, der etwas über 75 % der Anteile übernommen hat und *icon* (das in eine GmbH umgewandelt wird) auf dessen Wunsch nicht seiner Marktforschungsholding[628], sondern seiner *Branding & Identity Division* zuordnet, wo eine Zusammenarbeit mir der *Enterprise IG* angestrebt wird.

---

[628] Siehe hierzu Kap. 5.3.

TNS Emnid (Bielefeld) - deutsche Niederlassung von *Taylor Nelson Sofres* (*www.emnid.de*),

***IPSOS Deutschland* (Hamburg)** - deutsche Tochtergesellschaft der im Jahre 2000 weltweit neuntgrößten, französischen Institutsgruppe *Ipsos Group SA* (*www.ipsos.de*),

Research International (Hamburg) - deutsche Tochtergesellschaft des der *WPP Group* zugehörigen britischen Instituts *Research International* (*www.research-int.com*),

psyma group (Rückersdorf) - im Jahre 2000 zehntgrößtes Marktforschungsinstitut in Deutschland und unter diesen zehn das drittgrößte im deutschen Besitz befindliche Institut (*www.psyma.com*), zu dem die folgenden drei Töchter gehören:

- *psyma international marketing research GmbH* (internationale Pharmaforschung),
- *psyma GmbH* (nationale Pharmaforschung, Konsum- und Medienforschung),
- *psyma online research GmbH* (Marktforschung im und über das Internet).

Internationale Niederlassungen existieren zur Zeit an folgenden Standorten:

- *psyma International Inc.*, Philadelphia, USA,
- *psyma Latina S.A.*, Mexico City, Mexiko,
- *psyma BV*, Niederlande,
- *psyma Warschau*, Polen,
- *psyma Budapest*, Ungarn,
- *psyma & Mareco*, Prag, Tschechien,
- *psymareco*, Bratislava, Slowakei,
- *psyma Vilnius*, Litauen.

Darüber hinaus hält *psyma* Beteiligungen an den Instituten *Link +Partner, Consultic GmbH,* und *Marplan/Usuma.*

Eine **vierte und letzte Möglichkeit der externen Delegation von Entscheidungskompetenzen** besteht darin, ein im Inland nicht vertretenes **Auslandsinstitut** mit der internationalen Untersuchung zu beauftragen, das dann seinerseits die in den verschiedenen Ländern durchzuführenden Feldarbeiten und Datenaufbereitungen entweder teilweise oder komplett an Tochter-, Partner-, Netzwerk- oder andere ausgewählte Fremdinstitute vergibt.

Eine komplette Vergabe der Feldarbeiten ist beispielsweise bei einer Beauftragung von amerikanischen Marktforschungsinstituten zu erwarten, da "... no research agency in the US has its own field staff: all field interviewing is handled by local field companies in each city"[629]. Dies bedeutet, daß es in den USA bei breit angelegten persönlichen Befragungen nicht ungewöhnlich ist, wenn mehr als zwanzig verschiedene Feldorganisationen zur Datenerhebung eingesetzt werden.[630]

Die sich hieraus ergebenden Harmonisierungs- und Kontrollprobleme werden von den renommierten Instituten jedoch in aller Regel zufriedenstellend gelöst, so daß die Nach- und Vorteile der verschiedenen Realisierungsformen dieser Delegationsmöglichkeit denen der entsprechenden Realisierungsformen der vorherigen beiden Delegationsmöglichkeiten gleichen. Überdies haben sich einige US-amerikanische Feldorganisationen zu nationalen Netzwerken zusammengeschlossen und somit dazu beigetragen, die Harmonisierungs- und Kontrollprobleme zu verringern.

Insbesondere die britischen Marktforschungsinstitute (siehe Anhang E) haben über Jahre hinweg von einer Realisierung der vierten Delegationsmöglichkeit profitiert, weil sie

- einmal der fehlenden Sprachbarrieren wegen (britische Marktforscher meinen dagegen, ihrer überragenden methodischen Kenntnisse wegen) von amerikanischen Unternehmungen bevorzugt zur Koordination und Durchführung ihrer europäischen Marketingforschungen eingesetzt wurden[631],
- zum anderen aber auch ihres kolonialen Erbes wegen, das sie immer noch über gute Kontakte in bzw. Kenntnisse über verschiedene(n) Länder(n) Asiens und Afrikas verfügen läßt, häufig mit der Koordination und Durchführung von Studien, die in diesen Ländern durchzuführen waren, betraut wurden.[632]

---

629 Goldstein, F. (1994), S. 1.

630 Vgl. auch Banks, R. (1994), S. 3.

631 Vgl. McDonald, C., King, S. (1996), S. 55f.

632 Vgl. Goodyear, J.R. (1989), S. 436f.; McElhatton, N. (1994a), S. 12; Clemens, J. (1996), S.4.

Dies hatte schließlich dazu geführt, daß "... many of the major British research organisations can provide a wealth of experience and expertise not only in research in the United Kingdom market, but carrying out and coordinating research throughout Europe and throughout the developed and developing world"[633], so daß britische Institute auch für kontinentale Unternehmungen als Auftragnehmer von internationalen Marketingforschungen interessant wurden.

Seit einigen Jahren mehren sich allerdings die Zeichen, die darauf hindeuten, "... that the UK's patent on international co-ordination may be running out and that some reinvention may be required"[634] So war 1998 bei den *BMRA*-Instituten die Zuwachsrate der internationalen Forschungsumsätze erstmals geringer als die der nationalen Forschungsumsätze, während gleichzeitig die Zahl der Fälle anstieg, wo britische Institute trotz langjähriger Kundenbeziehungen ihre Koordinationsfunktion an deutsche Institute abgeben mußten.[635]

Diese Abschwächung der Bedeutung von britischen Marktforschungsinstituten für die Koordination und Durchführung von internationalen Studien, die sich trotz des wieder stärkeren Anstieges der Umsatzzuwachsraten solcher Studien in den Folgejahren fortsetzte[636], hat vor allem vier Gründe, nämlich

1. die zunehmende internationale Verbreitung des Englischen als Wirtschaftssprache, die es ermöglicht, in immer mehr Ländern der Erde Marktforscher zu finden, die dieser Sprache mächtig sind,
2. die durch Übernahmen oder Neugründungen gestiegene Präsenz US-amerikanischer Institute in Europa und anderen Teilen der Welt, die einen Einsatz (aus Sicht US-amerikanischer Auftraggeber) fremder Institute bei internationalen Studien zunehmend verzichtbar macht,
3. der Aufbau eines zumindest gleich hohen methodischen und organisatorischen Know-hows bei vielen nicht-britischen Instituten, und schließlich

---

633 Goodyear, J.R. (1989), S. 436.

634 McElhatton, N., Savage, M. (1999), S. 25.

635 Vgl. ebenda.

636 Vgl. hierzu und zum folgenden Gofton, K. (2000b), S. 6f.

4. die durch die Überbewertung des britischen Pfund Sterling und die hohen Miet- und Lohnkosten der meist in London angesiedelten Institute bedingten hohen Koordinations- und Untersuchungskosten.

Was die Erforschung der nordamerikanischen Märkte anbelangt, ist aus außeramerikanischer Sicht daher auch meist eine direkte Zusammenarbeit mit US-amerikanischen Instituten (siehe Anhang E) angeraten, während sich die in 9 Ländern vertretene *IBOPE Group*, Rio de Janeiro, zur Erforschung der süd- und mittelamerikanischen Märkte[637] und die in der Tabelle 27 angeführten Institute[638] zur Erforschung der südostasiatischen Märkte empfehlen, wobei anzumerken ist, daß Hongkong zu Gunsten von Shanghai seine ehemals führende Rolle als Sitz der die Marktforschung in der VR China koordinierenden Institute verloren hat.

VR China	**Japan**
• ACNielsen (China) • Central Viewer Survey and Consulting Centre • RI China • Asia Market Intelligence (AMI) China • Gallup Research • Taylor Nelson Sofres (China) • Lantian Marketing Research • East Marketing Research • X & L Marketing Service • All China Market Facts	• VideoResearch • Intage • Dentsu Research • ACNielsen • Nikkei Research • Survey Research Center • RI Japan • Nippon Research Center • Japan Statistics & Research • Research and Development
VR China – Hongkong	**Taiwan**
• ACNielsen • ACR –White Horse Partnership • AMI China • DN Acorn • RI China • Taylor Nelson Sofres Asia Pacific • Market Behaviour (NFO World Group) • The Research Pacific Group • International Research Assoc. (HK)	• ACNielsen • AMI Taiwan • INSIGHT Marketing Research & Consultancy • MBL Taiwan • Opinion Research Taiwan • ORC International • Right Choice Research International • Taylor Nelson Asia Pacific

[637] Vgl. auch Jagger, J. (1997), S. 5.

[638] Vgl. auch McElhatton, N. (1998b), S. 11.

Malaysia	Thailand
• ACNielsen • AMI Malaysia • Cental Force Malaysia • Market Behaviour (NFO World Group) • The Research Pacific Group • Taylor Nelson Sofres Asia Pacific	• Acorn Marketing and Research Consultants • AMI Thailand • CRAM Asia • Market Behaviour (NFO World Gr.) • Taylor Nelson Sofres Thailand
Vietnam	**Philippinen**
• ACNielsen • NFO Vietnam • Marketing Survey Research of Vietnam • Taylor Nelson Sofres (Vietnam)	• ACNielsen • AMI Philippines • Audits & Surveys Wordwide • FSA (Philippines) • PSRC – Research International • NFO-Trends • Taylor Nelson Sofres Philippines
Indien	**Australien**
• ACNielsen • Blackstone Market Facts India • Gallup MBA • Indian Market Research Bureau • Indica Research • NFO • ORG-MARG • Quantum • RI India • Taylor Nelson Sofres Mode	• ACNielsen • Brian Sweeny • Colmar Brunton • CMResearch (NFO World Group) • The Leading Edge • Millward Brown • Quadrant • RI Australia • Roy Morgan • Taylor Nelson Sofres

Tabelle 27: Die größten Marktforschungsinstitute in verschiedenen asiatisch-pazifischen Ländern

Aus außereuropäischer Sicht eignen sich für die Durchführung von Marktforschungsstudien in Europa neben den großen britischen und deutschen Instituten auch die in Tabelle 28 angeführten französischen, italienischen und spanischen Institute.

Frankreich	Italien
• Taylor Nelson Sofres • Ipsos • ACNielsen • Mediametrie • Research International • BVA • Nop-Gallup • GfK France • IFOP • NFO Infratest • Novaction Marketing Consultants • Sociovision • Groupe MV2	• ACNielsen • IMS HEALTH • Eurisko • Information Resources (IRI) • Gruppo GfK Italia • Ipsos-Explorer • Unicab • Databank • NFO Infratest • Doxa • AGB Italia • Abacus
Spanien	
• ACNielsen • Dympanel • Ipsos-Eco Consulting • Taylor Nelson Sofres • Millward Brown Alef	• GfK-EMER Marketing Research • Area Investigacion • Metra Seis • Research International • Demoscopia

Tabelle 28: Die größten französischen, italienischen und spanischen Marktforschungsinstitute

4.3.2.2 Auswahlkriterien

Wie im vorigen Kapitel ausgeführt wurde, verfügt der **Auftraggeber** einer internationalen Marketingforschung in Abhängigkeit von der Art und Weise, wie deren Koordination erfolgen soll, über ein mehr oder minder großes Ausmaß an **direkten** Einwirkungsmöglichkeiten auf die Auswahl aller an der internationalen Untersuchung letztlich beteiligten Institute.

Übernimmt er selbst die Koordinationsaufgabe, sind von ihm sämtliche (ausländischen) Institute auszuwählen, während bei einer Delegation dieser Aufgabe von ihm nur darüber zu entscheiden ist, an welches für die Untersuchung federführende in- oder ausländische Institut der Auftrag vergeben werden soll. Die Auswahl aller anderen Institute bleibt dann dessen Aufgabe – es sei denn, dieses Institut ist Mitglied einer internationalen Institutskette oder eines internationalen Netzwerkes, wodurch mit dessen Auswahl dann indirekt auch über die restlichen in die Untersuchung einzuschaltenden Institute entschieden wird.

Dieses unterschiedliche Ausmaß an direkten Einwirkungsmöglichkeiten auf die internationale Institutsauswahl hat zur Konsequenz, daß dementsprechend auch **unterschiedliche Kriterien zur Institutsauswahl** heranzuziehen sind. Verbleibt die Koordinationsaufgabe beim Auftraggeber, sind die relevanten Auswahlkriterien weitgehend mit denen identisch, die bei einer Auswahl inländischer Institute zum Zwecke einer inländischen Marketingforschung benutzt werden.

Hervorzuheben sind insbesondere folgende Auswahlkriterien[639]:

- Institutskenntnisse und -erfahrungen in den untersuchungsrelevanten Methoden und Produktmärkten,
- Kundenstruktur,
- Umsatzentwicklung der letzten Jahre,
- personelle und sachliche Ressourcen,
- Einhaltung von Qualitätsstandards bei der Datenerhebung und -aufbereitung,
- Wahrung der Vertraulichkeit,
- Kontrollmöglichkeiten seitens des Auftraggebers,
- Qualifikation, Erfahrung und Sprachkenntnisse der führenden Institutsmitarbeiter, insbesondere der für die Untersuchung verantwortlichen Mitarbeiter,
- Qualität und Preis des eingeholten Untersuchungsangebotes.

Wird die Koordinationsaufgabe dagegen einem Marktforschungsinstitut übertragen, ist dieser Katalog um folgende Auswahlkriterien zu ergänzen[640]:

- Institutskenntnisse und -erfahrungen in internationalen Untersuchungen,
- Häufigkeit der Durchführung internationaler Untersuchungen,
- bisherige Auftraggeber von internationalen Untersuchungen,
- Einbindung in einen internationalen Institutsverbund (als Teil einer internationalen Institutskette, Mitglied eines internationalen Netzwer-

---

639 Siehe hierzu auch Mayer, C.S. (1967), S. 135ff.; Bellenger, D.N., Bernhardt, K.L., Goldstucker, J.L. (1976), S. 50f.; Marsh, C. (1976); Barnard, P. (1982), S. 55; ESOMAR (1992), S. 2ff.; Berekoven, L., Eckert, W., Ellenrieder, P. (2001), S. 40.

640 Vgl. auch Downham, J. (1986), S. 650f.

kes oder in Form einer bilateralen Zusammenarbeit mit ausländischen Partnerinstituten),

- Art und Qualität der Zusammenarbeit in diesem internationalen Institutsverbund.

Zu beachten ist, daß beide Kriterienkataloge keine erschöpfenden Auflistungen darstellen, sondern lediglich einige Hinweise auf besonders relevante Beurteilungsgesichtspunkte geben sollen. Ausführlichere Kriterienkataloge finden sich z.B. bei *Mayer* und *Marsh*.[641]

4.3.3 Untersuchungsablauf

Nehmen wir die Realisierung der gebräuchlichsten Form einer **koordinierten** internationalen Marketingforschung an, d.h. daß ein **inländisches Marktforschungsinstitut** mit der **Federführung** der internationalen Untersuchung betraut wird, welches dann seinerseits verschiedene **ausländische Institute** (die derselben Institutsgruppe angehören, in einem Netzwerk oder partnerschaftlich mit dem inländischen Institut verbunden sind bzw. ad hoc von diesem ausgewählt wurden) zur **Datenerhebung** und evtl. auch zur Datenaufbereitung einsetzt, so läuft eine solche Untersuchung typischerweise wie in der Abbildung 41 dargestellt ab.[642]

In einem ersten Schritt werden von dem prospektiven Auftraggeber der internationalen Untersuchung einige als potentiell zur Federführung geeignet eingeschätzte Marktforschungsinstitute zu einem **Briefing** eingeladen, bei dem ihnen verschiedene Informationen übermittelt werden, die sie in die Lage versetzen sollen, ein fundiertes Untersuchungsangebot zu entwickeln. Wie *Barnard* ausführt, ist das Spektrum "... of client briefing approaches ... far wider than normally encountered with national studies"[643].

---

641 Siehe Mayer, C.S. (1967), S. 135ff.; Marsh, C. (1976).

642 Vgl. hierzu und zum folgenden Barnard, P. (1982), S. 55ff.; Rathmann, H. (1990), S. 88ff.

643 Barnard, P. (1982), S. 56.

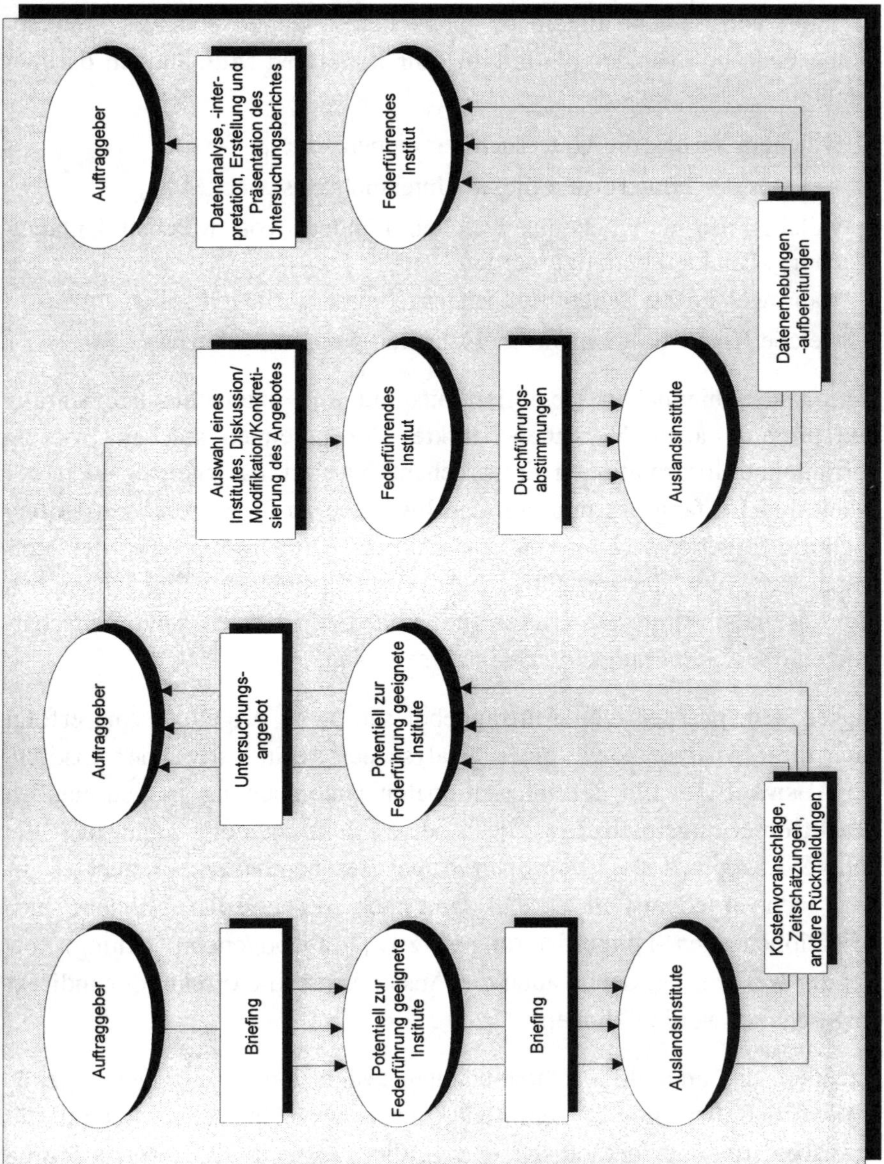

Abbildung 41: Ablauf einer koordinierten internationalen Marketingforschung
Quelle: in Anlehnung an Barnard, P., 1982, S. 55ff.

Es kann von bewußt allgemein gehaltenen Angaben über die Untersuchungsziele und -länder bis hin zu sehr konkreten Mitteilungen darüber reichen,

- welchem Zweck die Untersuchung dienen soll,
- welches der Hintergrund dieses Untersuchungszweckes ist,
- welche Informationen aus welchen Ländern von welchen Untersuchungsobjekten benötigt werden,
- wann welche Zwischen- und Endergebnisse vorliegen sollen sowie
- welche Kostenlimits nicht überschritten werden dürfen.

Dem unterschiedlichen Detailliertheitsgrad und unterschiedlich starken und umfangreichen Vorgabencharakter der in einem solchen Briefing vermittelten Informationen entsprechend variiert naturgemäß auch der Inhalt und Umfang des nun von den Instituten zu formulierenden **Untersuchungsangebotes** sowie das Ausmaß des Bedürfnisses bzw. der Notwendigkeit, vor der endgültigen Angebotsformulierung zunächst noch die Auslandsinstitute zu briefen und von ihnen Kosten- und Zeitschätzungen oder Gestaltungsvorschläge einzuholen.

Liegen dem prospektiven Auftraggeber sämtliche Angebote vor, erfolgt nach ihrer Analyse sowie einer Analyse der dahinterstehenden Institute die **Auswahl des** mit der internationalen Untersuchung zu betrauenden **Marktforschungsinstitutes**. Diese Auswahlentscheidung kann auch die völlige Akzeptanz des jeweiligen Angebotes beinhalten, braucht es jedoch nicht in jedem Fall, so daß dann noch Angebotsdiskussionen, -modifikationen oder -konkretisierungen (z.B. Fragebogenentwicklung) notwendig werden, bei denen auch die Auslandsinstitute direkt oder indirekt eingeschaltet werden können.

Nachdem das endgültige Untersuchungsdesign vom Auftraggeber gebilligt worden ist, obliegt dem federführenden inländischen Institut die Aufgabe, für eine methodisch und zeitlich abgestimmte **internationale Datenerhebung und -aufbereitung** zu sorgen, die danach von den Auslandsinstituten erhaltenen Datensätze zu **analysieren**, die Analyseergebnisse zu **interpretieren**, einen Untersuchungsbericht zu erstellen und diesen dann schließlich dem Auftraggeber zu **präsentieren**.

4.3.4 Vor- und Nachteile

Koordinierte internationale Marketingforschungen haben einmal den **Vorteil**, daß die betrieblichen Marktforscher bzw. die Marketingentscheidungsträger von den beträchtlichen Planungs- und Ausführungsaufgaben sowie bei den meisten Realisierungsformen auch von den Koordinierungsaufgaben, die bei internationalen Untersuchungen zu bewältigen sind, entlastet werden. Insbesondere dieser Aspekt ist es wohl, der dazu geführt hat, daß die "koordinierte Organisation" zur vorherrschenden Organisationsform der internationalen Marketingforschung geworden ist - woran sich angesichts des immer noch zu verzeichnenden Trends zur Verkleinerung oder gänzlichen Auflösung von betrieblichen Marktforschungsabteilungen in der Zukunft sicherlich auch nichts ändern wird.

Zum anderen kann auf diese Weise spezielles methodisches, organisatorisches und landeskundliches Know-how genutzt werden, über das eine betriebliche Marktforschung in der Regel nicht verfügt. Drittens schließlich ist hier die Gefahr, eine ethnozentrisch geprägte Untersuchung durchzuführen, relativ gering, insbesondere dann, wenn die Auslandsinstitute in einem verstärkten Maße in die Planungen einbezogen werden.

Diesen Vorteilen stehen allerdings einige **Nachteile** gegenüber, die vor allem, wie bereits vorstehend geschildert wurde, in der (externen) Delegation von Entscheidungskompetenzen und der Einschränkung der direkten Kontrollmöglichkeiten begründet liegen. So betonen denn auch *Hibbert/Liu*, daß "... the greatest hazard in fragmenting a multi-country research project between a number of local research agencies is that management has no way of knowing whether the differences that have emerged are genuine differences, or whether they are merely the result of differences between the research approaches, or the research capabilities, of the local market research agencies"[644]

[644] Hibbert, E., Liu, J. (1996), S. 59.

4.4 Dezentralisierte internationale Marketingforschung[645]

4.4.1 Charakteristik

Eine dezentralisierte internationale Marketingforschung zeichnet sich dadurch aus, daß die **internationale Unternehmungszentrale** (das "Stammhaus") nur die **Zielsetzungen** der internationalen Marketingforschung festlegt, während die **Gestaltung** und das **Management des Forschungsprozesses** den einzelnen **Auslandsniederlassungen** überlassen bleibt. Dies bedeutet, daß das jeweilige lokale Management in seinem Land sowohl für die Anlageplanung und Datenerhebung als auch für die Datenanalyse und -interpretation verantwortlich ist und nach Abschluß seiner Untersuchung deren Ergebnisse der Unternehmungszentrale in Form eines Untersuchungsberichtes zu präsentieren hat.

4.4.2 Vor- und Nachteile

Diese Organisationsform hat zweifellos den **Vorteil**, daß die verschiedenen nationalen Untersuchungen in optimaler Weise den unterschiedlichen Umweltbedingungen gemäß gestaltet, durchgeführt, analysiert und interpretiert werden können. Hierin sowie in dem relativ großen Freiheitsspielraum, der den Auslandsniederlassungen bei der Untersuchungsplanung und -durchführung eingeräumt wird, liegt allerdings auch ein **möglicher Nachteil** dieser Organisationsform, weil beide Faktoren zu einer mangelnden Vergleichbarkeit der Erhebungs- und Analyseergebnisse führen können.

Diese Gefahr der unzulänglichen oder ganz fehlenden Beachtung des Vergleichbarkeitspostulates kann zwar durch eine **Standardisierung bestimmter Prozeßschritte** (z.B. der Codierungen) oder durch die Abhaltung von **internationalen** oder **länderregionalen Koordinationstreffen** bzw. die **Bildung von Koordinationskomitees** verringert, aber nicht

---

645 Vgl. zum folgenden Douglas, S.P., Craig, C.S. (1983), S. 45f.

gänzlich gebannt werden. Letztere Maßnahmen führen überdies zu einer Verlängerung und Verteuerung des gesamten Untersuchungsprozesses.

Aus all dem folgt, daß eine **dezentralisierte** internationale Marketingforschung mehr dazu geeignet erscheint, zur Lösung von **operativen** internationalen Marketingproblemen beizutragen.[646]

646 Vgl. auch Mayr, R. (1990), S. 118.

5 Zukunftsperspektiven der internationalen Marketingforschung

5.1 Entwicklung des Gesamtmarktes für internationale Marketingforschung

Gesicherte Daten über die Höhe, Struktur und Entwicklung der weltweit für Marketingforschungszwecke getätigten Ausgaben liegen nicht vor und damit auch keine Angaben über den Anteil, der auf internationale Studien entfällt. Die einzigen Zahlenwerte, die es hierüber gibt, stammen von der *ESOMAR*, die schon seit über einem Jahrzehnt versucht, umfassende quantitative Informationen über die nationalen und internationalen Marktforschungsmärkte zu gewinnen. Publiziert werden die dabei erhaltenen Ergebnisse in den bereits bekannten *"Annual Studies on the Market Research Industry"*.

Obwohl die Art und Weise, wie diese Daten zusammengetragen und aufbereitet werden, zu mancherlei Kritik Anlaß gibt[647] und es sich bei ihnen nur um Schätzwerte für die gesamte Höhe, Struktur und Entwicklung der (internationalen) Marketingforschung handeln kann, wollen wir (wie schon in früheren Kapiteln) im folgenden auf einige von ihnen eingehen, weil sie durchaus geeignet sind, Größenrelationen und Entwicklungstendenzen dieses Marktes deutlich zu machen.

Den *ESOMAR*-Daten verschiedener Studien[648] zufolge, ist der **Umsatz im Weltmarkt für Marktforschung** trotz der in vielen Länden zu verzeichnenden wirtschaftlichen Schwierigkeiten im Zeitraum von 1996 – 2000 mit beträchtlichen jährlichen Zuwachsraten, nämlich mit Zuwachsraten von 18 %, 10,1 %, 13,9 % und 20,3 %, von 8.843 Mrd. € auf 16.543 Mrd. € angestiegen. Dies läßt erkennen, daß die Marktforschungsbranche im Laufe der Zeit konjunkturellen Entwicklungen gegenüber unempfindlicher geworden ist. Der Hauptgrund dafür ist wohl darin zu sehen, daß sich Unternehmen gerade in wirtschaftlich schwieri-

---

647 Vgl. auch Honomichl, J. (1998a), S. 28.

648 Vgl. ESOMAR (1998c); dies. (1999); dies. (2000); Samuels, J. (2001a).

gen Zeiten keinen Fehlschlag bei einer Produktneueinführung leisten können und daher gezwungen sind, dieses Fehlschlagrisiko durch vermehrte und intensivere Marktforschungsuntersuchungen einzugrenzen.

Wenig geändert hat sich in diesen fünf Jahren an der **regionalen Umsatzverteilung**, die im Jahre 2000 so aussah, daß 39 % des Weltmarktumsatzes auf die USA, 36 % auf die EU, 14 % auf die asiatisch-pazifischen Länder und 5 % auf die zentral- und südamerikanischen Länder entfiel.[649] Die regionale Umsatzkonzentration wird noch deutlicher, wenn man eine länderbezogene ABC-Analyse durchführt. Denn diese zeigt, daß in den 5 sogen. A-Ländern (USA, Großbritannien, Deutschland, Japan, Frankreich) 72 % der Weltmarktumsätze getätigt werden, und sie zusammen mit den 20 sogen. B-Ländern 95 % der Weltmarktumsätze auf sich vereinen.

Betrachtet man die **Struktur der Auftraggeber** von Marktforschungsstudien, so überwiegt in drei der A-Länder die Umsatzbedeutung industrieller Auftraggeber (USA 54 %, Deutschland 55 %, Frankreich 65 %), in den beiden anderen dagegen die der nicht-industriellen Auftraggeber (Japan 58 %, Großbritannien 59 %).[650] Im gesamten Weltmarkt für Marktforschung haben beide Arten von Auftraggeber in etwa die gleiche Umsatzbedeutung. Wichtige nicht-industrielle Auftraggeber sind vor allem Fernseh- und Rundfunksender, Media- und Werbeagenturen sowie Telekommunikationsunternehmen und staatliche Stellen.

Die **Umsatzbedeutung der internationalen Marketingforschung** läßt sich aus den Daten der *"ESOMAR Annual Study on the Market Research Industry 2000"*, der bislang letzten Studie dieser Art, nur sehr eingeschränkt herauslesen und zu der früherer oder anderer Studien in Beziehung setzen. Dies ist einmal dadurch begründet, daß diese Studie für die US-amerikanischen Institute, die in dem umsatzstärksten Marktforschungsmarkt der Welt agieren, keine internationalen Marktforschungsumsätze ausweist und eine auf den gesamten Weltmarkt bezogene Aussage über die Umsatzbedeutung der internationalen Marketingforschung

---

649 Vgl. hierzu und zum folgenden Samuels, J. (2001a), S. 22.

650 Vgl. hierzu und zum folgenden ders. (2001b), S. 28.

des großen Gewichtes des US-amerikanischen Marktes wegen somit Spekulation bleiben muß.

Zum anderen wird nicht verdeutlicht, welche Definition von internationaler Marketingforschung dieser Studie zugrunde liegt bzw. ob alle Datenlieferanten der Studie (d.h. alle nationalen Marktforschungsverbände) von derselben Definition ausgegangen sind. Solange darüber aber keine Klarheit geschaffen worden ist, müssen hinter den Ergebnissen dreier Vergleiche, die möglich und interessant wären, zunächst einmal einige große Fragezeichen gesetzt werden, nämlich hinter den Ergebnissen

- des Vergleiches von einzelnen Länderdaten dieser Studie,
- des Vergleiches von Daten dieser Studie mit Daten aus früheren Studien und
- des Vergleiches von Daten dieser Studie mit Daten aus anderen Studien.

Denn "internationale Marketingforschung" läßt sich auf zweierlei Weise definieren und zur nationalen Marketingforschung abgrenzen – einmal aus einer *Institutsperspektive* und zum anderen aus einer *Auftraggeberperspektive* heraus. Bei ersterer Definition zählen mithin nur die im Ausland (im Auftrag in- oder ausländischer Auftraggeber) durchgeführten Studien zur internationalen Marketingforschung, während bei letzterer auch die im Inland im Auftrag ausländischer Auftraggeber durchgeführten Studien einer internationalen Marketingforschung zuzurechnen sind.

Es darf wohl davon ausgegangen werden, daß der 2000er-Studie der *ESOMAR* die zweite Definition von internationaler Marketingforschung, die auch die von uns bislang und weiterhin vertretene ist, zugrunde liegt, da dies bei den beiden vorangegangenen *"Annual Studies"* so auch der Fall war. Wenn wir ferner unterstellen, daß alle Datenlieferanten dieser und der beiden vorherigen Studien ihren Angaben diese zweite Definition von internationaler Marketingforschung zugrunde gelegt haben, sind somit Vergleiche der ersten Art und Vergleiche der zweiten der oben angeführten Arten bis zum Jahr 1998 zulässig.

Nicht zulässig sind dagegen Vergleiche von Daten aus der 2000er-, 1999er- oder 1998er-Studie mit entsprechenden Daten aus anderen Quellen, beispielsweise aus den auch jährlich publizierten beiden Studien

"Honomichl Top 50" und *"Honomichl Global Top 25"*, denen die erste Definition von internationaler Marketingforschung zugrunde liegt.

Ein Vergleich der Daten der 1999er-Studie mit denen der 1998er-Studie zeigt z.B., daß sich innerhalb dieses einen Jahres in Europa die mit internationalen Marktforschungsstudien getätigten Umsätze von 1.256 Mio. € auf 1.515 Mio. € und damit um beachtliche 20,6 % erhöht hatten. Dies bedeutete, daß auch der Umsatzanteil der internationalen Marketingforschung von 24,1 % auf ca. 26 % anstieg. Etwa ¾ aller Umsätze wurden in diesen beiden Jahren in nur drei Ländern erzielt, nämlich in Deutschland (1998: 34 %; 1999: 34,9 %), Großbritannien (31,5 % bzw. 29 %) und Frankreich (9 % bzw. 11 %).

Diese Dominanz der drei Länder ist sicherlich auf drei Faktoren zurückzuführen, nämlich

- auf die starke internationale Bedeutung dort ansässiger Marktforschungsinstitute (vor allem *GfK*, *Ipsos*, *Taylor Nelson Sofres*),
- auf die hohe Attraktivität dieser Länder als Absatzmärkte für ausländische Anbieter und
- auf das hohe Ausmaß an Auslandsmarktaktivitäten der dort ansässigen Unternehmen.

Umsätze nach Herkunft	**1997**	**1998**	**1999**	**2000**
a) in Deutschland erzielt	69 %	64 %	60 %	52 %
- durch in Deutschl. ansässige Auftraggeber	59 %	55%	51 %	45 %
- durch im Ausland ansässige Auftraggeber	10 %	9 %	9 %	7 %
b) im Ausland erzielt	31 %	36 %	40 %	48 %
- durch in Deutschl. ansässige Auftraggeber	4 %	4 %	4 %	3 %
- durch im Ausland ansässige Auftraggeber	27 %	32 %	36 %	45 %
Insgesamt in Mio. DM	1.335	1.522	1.675	1.829

Tabelle 29: Umsätze der Mitglieder des ADM in den Jahren 1997 – 2000
Quelle: Context (2001-6), S. A

Den bereits seit Jahren hohen, trotzdem aber immer noch stetig anwachsenden Stellenwert, den die internationale Marketingforschung für deutsche Marktforschungsinstitute hat, verdeutlichen auch die in der obigen Tabelle 29 aufgelisteten Umsatzdaten der Mitgliederinstitute des *ADM*.

5.2 Entwicklungen auf der Nachfrageseite des Marktes für internationale Marketingforschung

Angesichts des fortschreitenden Prozesses der Internationalisierung von Märkten und Marken[651] ist zu erwarten, daß nicht nur bei den größeren, bereits seit Jahren und Jahrzehnten international tätigen Produktherstellern und Dienstleistungsanbietern, sondern auch bei vielen mittelständischen Unternehmungen der Bedarf nach internationalen Marketingforschungen weiter anwachsen wird. So führt denn auch *Rathmann* aus, daß es "... gerade die innovativen mittelgroßen Betriebe (sind), die momentan zu den Instituten kommen und Informationen haben möchten, mit denen sie Entscheidungen über Auslandsgeschäfte untermauern können"[652].

Zum anderen wird die Entwicklung anhalten, daß immer mehr Unternehmungen einen immer größeren Teil der Marketingforschungsaufgaben an Marktforschungsinstitute vergeben, weil im Zuge der auch in Zukunft aktuell bleibenden Outsourcing-Bestrebungen die betrieblichen Marktforschungsabteilungen weiter verkleinert oder ganz aufgelöst werden.[653] Zusammen werden beide Entwicklungen dazu führen, daß die **Nachfrage nach internationalen Marketingforschungen** mengen- und wertmäßig **stark ansteigen** wird.

Dokumentiert wird dieser Trend nicht nur in den obigen Umsatzdaten der *ADM*-Mitgliederinstitute (s. Tabelle 29), sondern auch in den Daten der jährlichen Reports der *BMRA (British Market Research Association)*[654], die deutlich machen, daß bei den Mitgliedern dieser Vereinigung britischer Marktforschungsinstitute in den letzten Jahren die mit interna-

---

651 Vgl. z.B. Kelz, A. (1989); Weinberg, P. (1992), S. 257; Meffert, H., Bolz, J. (1998), S. 15ff.

652 Rathmann, H. (1990), S. 93.

653 Vgl. Kap. 4.1.

654 Vor dem im Jahre 1998 erfolgten Zusammenschluß der "Association of Market Survey Organisations" (AMSO) mit der "Association of British Market Research Companies" (ABMRC) zur "British Market Research Association" (BMRA) wurden die Reports von der AMSO publiziert.

tionalen Studien erzielten Umsätze stetig angestiegen sind.[655] Gleiche Entwicklungen sind bei den US-amerikanischen *CASRO*-Instituten zu verzeichnen.[656]

Europaweite Untersuchungen werden gegenüber **nationalen Einzelstudien** weiter an Bedeutung gewinnen. Nachfrager solcher Untersuchungen werden neben den in Europa ansässigen oder bereits vertretenen Unternehmungen zunehmend mehr auch hier bislang noch nicht agierende außereuropäische, insbesondere US-amerikanische und südostasiatische Unternehmungen sein, die von den beträchtlichen Marktpotentialen des *EU-Binnenmarktes* angelockt werden.[657] Da Mehrländerstudien in der Regel nur einem Institut übertragen werden, ergeben sich aus diesem Trend für die deutschen Marktforschungsinstitute sowohl Marktchancen als auch Marktrisiken - je nachdem, inwieweit es ihnen gelingt, sich gegenüber ihrer ausländischen, d.h. insbesondere britischen Konkurrenz bei der Auftragsakquisition durchzusetzen.

Ein wachsender Anteil dieser europaweiten Marketingforschungen wird die Form von **Tracking-Studien** haben, weil sich erstens für immer mehr Unternehmen die Notwendigkeit ergeben wird, solche Studien grenzüberschreitend durchzuführen, und zweitens das Bedürfnis größer werden wird, verschiedene Marktgrößen kontinuierlich zu erfassen und zu analysieren.[658]

Schon heute beziehen sich Tracking-Studien auf eine Reihe unterschiedlicher Analysegrößen, von denen insbesondere folgende zu nennen sind[659]:

- Werbewirkung,
- operative Effizienz (z.B. Transaktionsgeschwindigkeit, Servicequalität),
- Markenwert,

---

[655] Vgl. AMSO (1996); dies. (1997); dies. (1998); McElhatton, N. (1999d), S. 29; McElhatton, N. (2000f), S. 23; Savage, M. (2001b), S. 27.

[656] Vgl. o.V. (1997b); Honomichl, J. (1998a), S. 29; ders. (2001a).

[657] Vgl. auch Rathmann, H. (1990), S. 94.

[658] Vgl. Barnard, P. (1992), S. 27; Jung, H. (1997), S. 44.

[659] Vgl. Barnard, P. (1992), S. 27.

- Unternehmungsimage,
- Markenkäufe/-verwendungen,
- Produktqualität,
- Markenimage,
- Kundenzufriedenheit.

Es ist zu erwarten, daß vor allem **internationale Werbewirkungs-, Markenwert- und Kundenzufriedenheits-Studien** weiter an Bedeutung gewinnen werden. Insbesondere die Umsätze der letzteren Art von Studien sind bereits in den vergangenen Jahren beträchtlich angestiegen. Dies zeigen einmal die Ergebnisse der dritten *ARF/AMA Research Industry Trends Study*, nach denen zwischen 1995 und 1997 in folgenden Forschungsbereichen folgende Umsatzzuwächse zu verzeichnen gewesen waren[660]:

- Customer satisfaction: + 33 %
- New product forecasting: + 27 %
- Pricing research: + 14 %
- Name/package research: + 11 %
- Brand/advertising tracking: + 7 %

Zum anderen wird die gestiegene Bedeutung von Kundenzufriedenheitsstudien auch durch die Daten der jährlich durchgeführten US-CSM[661]- und EU-CSM-Panelerhebungen[662] von *Inside Research* verdeutlicht (s. Tabelle 30). Überdies lassen diese Daten aber auch die Vermutung zu, daß dieser Bedeutungszuwachs zumindest mittelfristig noch weiter anhalten wird.

Bei der Durchführung solcher Kundenzufriedenheits-Studien werden die Institutsklienten zunehmend mehr darauf Wert legen, daß international die gleichen, (aus ihrer Sicht) bewährten Methoden und Verfahren einge-

---

660 Vgl. o.V. (1998a), S. 13.

661 Akronym für "Customer Satisfaction Measurement".

662 Das US-Panel umfaßt 16 und das EU-Panel 9 Institute oder Netzwerke, die *Inside Research* über ihre in den USA bzw. in den 15 Ländern der EU sowie in Norwegen und der Schweiz getätigten CSM-Umsätze berichten.

setzt werden.[663] So betonen denn auch *McNeil/Grimes*, daß " to date, the wish for individual country units to have their own 'tailor made' customer satisfaction research programme, has outweighed the cost benefits of the multi-country approach, but we are beginning to see larger companies move in the direction of a more international approach to save time and money and to allow a better international overview of performance"[664].

Jahr	US-CSM-Umsätze (Mio. US $)	Veränderung zum Vorjahr (%)	EU-CSM-Umsätze (Mio. ECU)	Veränderung zum Vorjahr (%)
2001	461,9	2,8	173.1	8.5
2000	449,4	11.4	159.5	19.2
1999	403,3	12.3	133.8	0.5
1998	358,9	15.7	133.1	10.4
1997	310,3	19.8	121.4	7.4
1996	259,1	21.5	112.3	29.5
1995	213,3	15.5	86.7	8.8
1994	184.7	12.3	79.7	29.7
1993	164,5	8.0	61.9	
1992	152,3	28.6		
1991	118,4	28.1		
1990	92,4			

Tabelle 30: CSM-Umsatzentwicklung eines US-Panels und eines EU-Panels von Marktforschungsinstituten und -netzwerken
Quelle: Inside Research (2001-4), S. 2, und (2002-2), S. 1

Zu den international bedeutenden ***"branded products"*** bzw. ***"branded services"***, d.h. weitgehend standardisierten Markendienstleistungen der Marktforschung, auf dem Gebiet der Kundenzufriedenheitsmessung zählen z.B. folgende Institutsangebote:

- *Loyalty^{Plus} (GfK)*,
- *Satisfactor Plus (Ipsos)*,

---

663 Vgl. auch Banks, R. (1997), S. 9.

664 McNeil, R., Grimes, J. (2000), S. 9.

- *CustomerDynamics* (*Millward Brown*),
- *NOP Automotive Customer Satisfaction* (*NOP Group*),
- *SMART SM* (*Research International*),
- *FoQus2* (*Taylor Nelson Sofres*).

Auch bei anderen Arten von internationalen Marktforschungsstudien, beispielsweise bei Werbepretests, Preistests, Produkttests, Image-, Markenwert- und Positionierungsstudien oder Testmarktsimulationen, wird die Verwendung entsprechender *"branded products"* zunehmen, obwohl es (insbesondere außerhalb der USA) immer noch eine relativ große Gruppe von Marketingmanagern zu geben scheint, die den Einsatz von standardisierten Marktforschungsmethoden ablehnen und einzelfallspezifische Lösungen präferieren. Eine im November 1999 durchgeführte Befragung von 100 britischen Marketingleitern hat beispielsweise ergeben, daß ein Drittel der Respondenten das Statement *"Branded research techniques are increasingly likely to be our preference over ad hoc solutions"* bejahte, ein anderes Drittel das Statement verneinte und das restliche Drittel ein neutrales Votum abgab.[665]

Für die Ablehnung von *"branded products"* werden vor allem zwei Gründe angeführt. Zum einen wird häufig die Meinung geäußert, die eigenen Marketingforschungsprobleme seien so spezifisch, daß sie mit Standardverfahren nicht gelöst werden können, und zum anderen findet man kein Verständnis dafür, daß diese Standardlösungen nahezu genauso teuer wie einzelfallspezifische Lösungen sind und daher schon nach wenigen problembezogenen Modifizierungen die Kostenhöhe solcher Lösungen erreicht wird. Stellvertretend für diejenigen Marketingverantwortlichen, die dem Einsatz von *"branded products"* sehr reserviert gegenüberstehen, sei *Susan Rogers*, *Global Marketing Services Director* bei *ICI Paints* (GB), zitiert, die in einem Interview ihre Einschätzung von *"branded products"* in folgenden Worten zum Ausdruck brachte: "They never quite fit. You have to modify, make minor changes, add more questions etc. and that always adds to the costs. I prefer to develop

---

[665] Vgl. Savage, M., McElhatton, N., Cervi, B., Phillips, D. (2000).

our own tailor-made approaches, answering the questions and issues with which we are specifically concerned."[666]

Die Befürworter von *"branded products"*, die im internationalen Einsatz im übrigen sehr häufig national bzw. länderregional differenziert werden, billigen dagegen den folgenden Vorteilen solcher Marktforschungsangebote eine höhere Wertigkeit zu[667]:

- Nutzung bewährter, ausgereifter Instrumente,
- Ermöglichung von *zwischenzeitlichen* Ergebnisvergleichen,
- Ermöglichung von *geographischen* (d.h. länderbezogenen) Ergebnisvergleichen,
- Ermöglichung von *innerbetrieblichen* Ergebnisvergleichen (falls auch für andere Produkte eines Unternehmens die gleichen Studien durchgeführt werden).

Wenn die Ergebnisse aller Studien, die ein Marktforschungsinstitut unter Einsatz eines *"branded products"* durchführt, in einer Datenbank gespeichert werden, liegen bei diesem Institut somit nach einiger Zeit hunderte oder gar tausende von Fallstudien zu unterschiedlichen Produkten und Produktkategorien vor, die für datenbankgestützte Analysen der folgenden Art genutzt werden können:

- Vergleich der Ergebnisse einer Produktstudie mit dem durchschnittlichen Ergebnis aller Produktstudien der gleichen Produktkategorie (Branchenrelativierung der Studienergebnisse),
- branchenbezogene oder branchenübergreifende Wirkungsanalysen (z.B. Analysen zur Werbewirkung, Werbeeffizienz oder Markenführung).

Die wachsende Akzeptanz von *"branded products"*, die angesichts dieser Vorteile bei den Marketingmanagern zu erwarten ist, wird zweierlei zur Folge haben: zum einen wird sich die (per Lizenzvergabe, Institutsakquisitionen oder -neugründungen erfolgende) internationale Verbreitung von *"branded products"* verstärken, zum anderen wird sich aber

---

666 o.V. (2001b), S. 16.

667 Vgl. hierzu auch Gofton, K. (2000a), S. 24ff.

auch der internationale Wettbewerb zwischen den im Markt befindlichen "branded products" verschärfen.[668]

Allerdings bleibt abzuwarten, wie sich die vermehrt bei Unternehmen zu beobachtende Dezentralisierung von die internationale Marketingforschung betreffenden Entscheidungskompetenzen auf den internationalen Einsatz ein und desselben *"branded product"* auswirken wird. Denn nachdem *Procter & Gamble* im Jahre 1999 im Rahmen seiner grundlegenden organisatorischen Umstrukturierung (*"Organisation 2005"*) hierzu übergegangen war[669], folgten bereits ein Jahr später *Coca-Cola*, *American Express* und *Frito Lay*, die Snack-Food-Division von *Pepsi Co*, diesem Beispiel.[670]

Was immer auch die Gründe für ein solches Vorgehen sein mögen (einige Insider der anglo-amerikanischen Marktforschungsszene sprechen von dem Versuch, Kosten einzusparen, andere dagegen von einer prinzipiellen Neuorientierung des internationalen Marketing dieser Unternehmen)[671], "... clients and agencies argue that the trend has mixed blessings"[672]. Erwartet wird kein Rückgang des Volumens, aber eine Beeinträchtigung der Effizienz der internationalen Marketingforschungstätigkeit.

Letztlich wird sich auch auf dem Gebiet der internationalen Marketingforschung der in der nationalen Marketingforschung bereits seit Jahren zu verzeichnende Trend zur **Bevorzugung spezialisierter Marktforschungsinstitute** einstellen und verstärken, wobei die Spezialisierung

- länder(regionen)bezogen (z.B. Nordamerika- oder Europaspezialist),
- methodenbezogen (z.B. Tracking- oder Produkttestspezialist),
- produkt-/servicemarktbezogen (z.B. Automobil- oder Reisemarktspezialist) oder

[668] Vgl. hierzu Kap. 5.3.

[669] Siehe hierzu Kap. 4.1.

[670] Vgl. McElhatton, N. (2000c), S.6; ders. (2000d), S. 10; ders. (2000e), S. 12.

[671] Vgl. ders. (2000e), S. 12.

[672] Ebenda.

- marketingproblembezogen (z.B. Werbe- oder Distributionsforschungsspezialist)

sein kann.[673]

Darüber hinaus werden immer mehr Unternehmen dem Beispiel der Markenartikelhersteller folgen und darauf drängen, international nur noch mit einer Marktforschungsorganisation zusammenzuarbeiten.[674] Dies hat, wie im nachfolgenden Kapitel verdeutlicht werden wird, zur Folge, daß die großen Institute einerseits spezialisierte operative Subeinheiten bilden oder akquirieren und andererseits ihre geographische Präsenz durch Neugründungen, Joint Ventures oder Akquisitionen weiter ausdehnen, d.h. immer größer und globaler werden. Die kleineren und mittelgroßen Institute, die meist spezialisierte Institute sind, werden dagegen in immer rascherer Reihenfolge aufgekauft werden oder sich genötigt sehen, Zuflucht in Netzwerken zu finden.

5.3 Entwicklungen auf der Angebotsseite des Marktes für internationale Marketingforschung

Auf der Angebotsseite des Marktes für internationale Marketingforschung wird sich der seit den achtziger Jahren[675] des letzten Jahrhunderts zu beobachtende Prozeß der Konzentration, Vernetzung und Internationalisierung der Marktforschungsinstitute im ersten Jahrzehnt des neuen Millenniums weiter fortsetzen. Ferner ist davon auszugehen, daß sich die Konkurrenz mit und um *"branded products"*, die gleichfalls in den achtziger Jahren ihre Ursprünge hat, weiter verschärfen wird.

---

673 Vgl. Barnard, P. (1992), S. 24; o.V. (1992), S. 8.

674 o.V. (1999b), S. 27

675 Siehe Goodyear, J.R. (1989), S. 33ff.; Barnard, P. (1992), S. 24f.

5.3.1 Konzentration, Vernetzung und Wachstum der Marktforschungsinstitute

Die zunehmende **Konzentration** der Marktforschungsinstitute zeigt sich darin, daß bereits zu Beginn der neunziger Jahre 50 % der weltweit getätigten Marktforschungsumsätze auf nur 20 Marktforschungsinstitute entfielen und von diesen 50 Prozent wiederum die Hälfte auf die beiden US-amerikanischen Mega-Institute *ACNielsen* und *IMS International*[676], die (nach mehrmaligen Umstrukturierungen) seit 1997/98 zunächst in Form von drei selbständigen, börsennotierten Unternehmen (*ACNielsen Corp., IMS Health Inc.* und *Nielsen Media Research*) am Markt agierten.

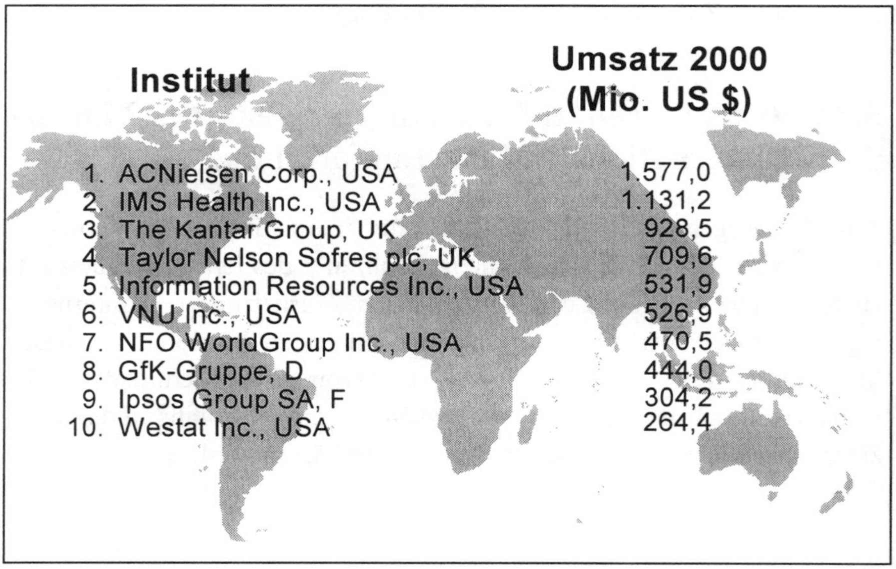

Institut	Umsatz 2000 (Mio. US $)
1. ACNielsen Corp., USA	1.577,0
2. IMS Health Inc., USA	1.131,2
3. The Kantar Group, UK	928,5
4. Taylor Nelson Sofres plc, UK	709,6
5. Information Resources Inc., USA	531,9
6. VNU Inc., USA	526,9
7. NFO WorldGroup Inc., USA	470,5
8. GfK-Gruppe, D	444,0
9. Ipsos Group SA, F	304,2
10. Westat Inc., USA	264,4

Abbildung 42: Die weltweit zehn größten Marktforschungsinstitute im Jahre 2000

Quelle: Honomichl, J. (2001b), S. H3

676 Vgl. Barnard, P. (1992), S. 25.

Zehn Jahre später, im Jahre 2000, vereinigten schon alleine die 10 größten Institute (vgl. Abbildung 42) 45,3 % aller weltweiten Marktforschungsumsätze auf sich, während die 20 bzw. 25 größten Institute (s. Anhang E) eine Prozentzahl von 56 bzw. 58 erreichten, wobei *ACNielsen* und *IMS Health* zwar ihre dominante Stellung behielten, gleichwohl aber gegenüber einigen Hauptkonkurrenten an Boden verloren hatten. Dies bedeutet, daß sich die restlichen 42 % aller Umsätze auf nicht weniger als 1.000 Institute verteilen, die es schätzungsweise weltweit neben den 25 größten Instituten noch gibt.[677]

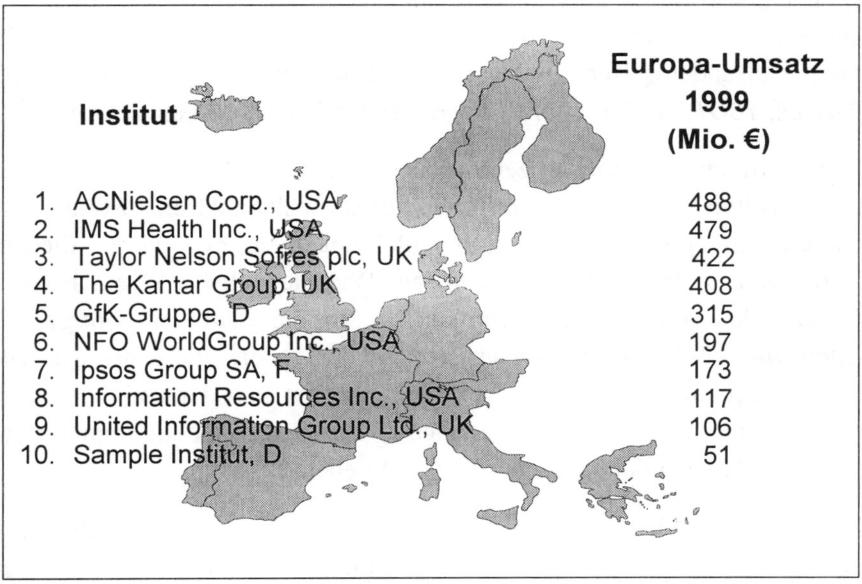

Institut	Europa-Umsatz 1999 (Mio. €)
1. ACNielsen Corp., USA	488
2. IMS Health Inc., USA	479
3. Taylor Nelson Sofres plc, UK	422
4. The Kantar Group, UK	408
5. GfK-Gruppe, D	315
6. NFO WorldGroup Inc., USA	197
7. Ipsos Group SA, F	173
8. Information Resources Inc., USA	117
9. United Information Group Ltd., UK	106
10. Sample Institut, D	51

Abbildung 43: Die zehn größten Marktforschungsinstitute in Europa im Jahre 1999

Quelle: ESOMAR (2000), S. 12

[677] Vgl. Honomichl, J. (1998a), S. 29; ders. (1999a), S. H4; Gold, L.N. (2001b), S. 6.

Eine gleichgeartete Umsatzkonzentration ist auch im europäischen Marktforschungsmarkt zu verzeichnen. Die 10 größten Institute (vgl. Abbildung 43) konnten hier im Jahre 1997 ca. 46 % und zwei Jahre später 48 % aller europaweit angefallenen Marktforschungsumsätze für sich reklamieren[678], während sich dieser Anteil im Jahre 1992 noch auf ca. 44 % belief[679].

Auch in Südostasien sind die Tage der kleinen, nur im nationalen Geschäft tätigen Institute gezählt. Nach Ansicht von *John Smurthwaite (Taylor Nelson Sofres AsiaPacific)* werden in wenigen Jahren die großen, weltweit operierenden Institute 85-90 % aller in dieser Region zu machenden Marktforschungsumsätze an sich ziehen.[680] In Südkorea beispielsweise lag dieser Anteil im Jahre 1998 bereits bei über 50 %.[681] Ein nicht viel anderes Bild ergibt sich in Mittel- und Südamerika, wo *AC-Nielsen, IBOPE* und *Research International* den Markt beherrschen.[682]

Diese erhöhten Umsatzkonzentrationen sind vor allem auf die zahlreichen Institutsakquisitionen, Joint Ventures, spektakulären Institutsfusionen und strategischen Institutsgruppenbildungen zurückzuführen, die sich in den letzten Jahren vollzogen haben. Wie die Tabelle 31 am Beispiel US-amerikanischer Institute verdeutlicht, ist die Zahl der ***"Mergers & Acquisitions"-Transaktionen*** im Verlauf der ersten acht Jahre des letzten Dezenniums sprunghaft angestiegen und hat sich dann in den letzten beiden Jahren zwar wieder verringert, ist aber trotzdem immer noch über dem Niveau der Jahre vor 1997 geblieben.

Dies bedeutet, daß in den neunziger Jahren des vorigen Jahrhunderts über ein Drittel mehr Institutsaufkäufe und -fusionen stattgefunden haben, an denen ein US-amerikanisches Institut beteiligt war, als in den achtziger Jahren (mit insgesamt 88 M&A-Transaktionen). Im Vergleich

---

678 Vgl. ESOMAR (1998c), S. 28 und 50; dies. (2000), S. 12.

679 Vgl. ESOMAR (1993), S. 3 und 27.

680 Vgl. o.V. (1999a), S. 8.

681 Vgl. Richardson, D. (1999), S. 10.

682 Vgl. Jagger, J. (1997), S. 5.

zu den siebziger und sechziger Jahren betrug das Verhältnis sogar jeweils 6 : 1.[683]

Jahr	Anzahl [1]	Motive			
		Ausweitung des Leistungs-spektrums	Markt-anteils-vergröße-rung	Inter-nationali-sierung	verschie-dene
1990	6	1	2	2	2
1991	8	3	1	-	4
1992	9	3	2	3	1
1993	7	1	-	6	-
1994	25	12	7	9	1
1995	16	5	9	1	1
1996	11	3	4	3	2
1997	27	14	6	9	-
1998	41	23	10	9	1
1999	30	21	5	5	1
2000	27	17	5	7	2
Σ	207	-	-	-	-
Σ^2	223	103	51	54	15
Anteil [2]	*100 %*	*44 %*	*22 %*	*25 %*	*9 %*

1 = Erfaßt wurden nur Mehrheitsbeteiligungen; ohne Feldorganisationen.
2 = Summe der Motivnennungen (Mehrfachnennungen waren möglich).

Tabelle 31: Anzahl und Motive von M&A - Transaktionen US-amerikanischer Marktforschungsinstitute in den Jahren 1990-1999

Quelle: Inside Research (2001-6), S. 2

Setzt man die Zahl der US-amerikanischen M&A-Transaktionen in Beziehung zur Gesamtzahl der weltweit getätigten M&A-Transaktionen, so betrug dieses Verhältnis in den Jahren 1990 - 1996 noch 82/112 oder ca. 73 %. Auch in den folgenden Jahren waren an den weltweiten M&A-

683 Vgl. Gold, L.N. (1999), S. 4f.

Transaktionen in der Mehrheit US-amerikanische Akteure beteiligt. Dies lassen die Prozentzahlen für 1997, 1998 und 1999 erkennen, die 69 (27/39), 73 (41/56) und 54 (30/55) betragen.[684] Allerdings machen diese Zahlen und erste diesbezügliche Auswertungen für das Jahr 2000 auch deutlich, daß in jüngster Zeit zunehmend mehr M&A-Transaktionen ohne Einbeziehung eines US-amerikanischen Partners durchgeführt werden.

Das ***Hauptmotiv*** der US-amerikanischen Transaktionen (s. Tabelle 31) lag in dem Bestreben, durch den damit verbundenen Erwerb von Know-how oder die Erschließung neuer Kundengruppen das eigene Leistungsspektrum auszuweiten. Eine bezogen auf die Zahl der Transaktionen geringere, aber bezogen auf die Wertgröße der Transaktionen größere Bedeutung (2/3 aller Transaktionsaufwendungen waren hierin begründet) hatte das Motiv der (erstmaligen oder weitergehenden) Internationalisierung der Institutstätigkeit. Drittwichtigstes Motiv war schließlich die Vergrößerung des Marktanteils und damit auch der Marktbedeutung oder Marktmacht. Andere, in der Rubrik "verschiedene" zusammengefaßte, in den späten neunziger Jahren aber unbedeutend gewordene Motive sind z.B. Management-Buyouts oder Akquisitionen durch Institutsklienten.

Die beiden bis dahin ***größten M&A-Transaktionen*** aller Zeiten sind um die Jahrtausendwende herum durchgeführt worden (s. Tabelle 32). In beiden Fällen war das Akquisitionsobjekt ein *Nielsen*-Institut, nämlich 1999 das auf die Durchführung von Fernsehzuschauerforschungen in den USA und Kanada sowie (in einem Joint Venture mit *NetRatings*) auf die Erhebung von Internet-Ratings spezialisierte Institut ***Nielsen Media Research (NMR)*** sowie 2001 das seit Jahren umsatzstärkste Institut der Welt, ***ACNielsen Corp.***, und das akquirierende Unternehmen die niederländische Mediengruppe ***Verenigde Nederlandse Uitgeversbedrijven NV (VNU;*** *www.vnu.com)*, Haarlem, die vor diesen Akquisitionen lediglich am Rande, z.B. über ihre Beteiligung an dem indischen Marktforschungsinstitut *ORG-MARG Research Ltd.* (Bombay), auf dem Gebiet der Marktforschung tätig war.

---

684 Vgl. hierzu und zum folgenden o.V. (2000c), S. 12.

Käufer	Aufgekauftes Institut	Kaufsumme / -wert	Jahr
1. VNU (NL)	Nielsen Media Research (USA)	2,70 Mrd. US $	1999
2. VNU (NL)	ACNielsen (USA)	2,30 Mrd. US $	2001
3. Dun & Bradstreet (USA)	IMS Health (USA)	1,61 Mrd. US $	1988
4. Dun & Bradstreet (USA)	ACNielsen (USA)	1,30 Mrd. US $	1984
5. Interpublic Group (USA)	NFO (USA)	580 Mio. US $	1999
6. Aegis Group (UK)	Market Facts (USA)	297 Mio. US $	1999
7. Taylor Nelson AGB (UK)	Sofres (F)	202 Mio. US $	1997
8. NFO (USA)	Infratest Burke (D)	151 Mio. US $	1998
9. Omnicom Group (USA)	M/A/R/C (USA)	100 Mio. US $	1999
10. Aegis Group (USA)	AMI (Hongkong)	90 Mio. US $	2000
11. TN Sofres (UK)	CMR (USA)	88 Mio. US $	2000
NOP World (UK)	Roper Starch Worldwide (USA)	88 Mio. US $	2001
12. ACNielsen (USA)	SRG (Hongkong)	85 Mio. US $	1994

Tabelle 32: Die größten M&A-Transaktionen
Quelle: McElhatton, N. (1999c), S. 6; Pressemitteilungen

Finanziert wurden diese enormen Investitionen in Höhe von insgesamt 5 Mrd. US $ (denen Ende 1997 der auch schon 2,1 Mrd. US $ erfordernde Kauf des "Gelbe Seiten"-Verlages *ITT World Directories* voranging) durch den Verkauf von in- und ausländischen Unternehmensbereichen und Tochtergesellschaften, beispielsweise durch den Verkauf der *Consumer Information Group*, die in sieben Ländern 250 Magazine publiziert, zum Preis von 1,25 Mrd. € an den finnischen Medienkonzern *Sanoma WSOY* und den (allerdings durch die *Federal Trade Commission* der USA zusammen mit der Genehmigung der *NMR*-Akquisition verlangten)[685] Verkauf des in den USA ansässigen Institutes *Competitive Media Reporting (CMR)* zum Preis von 88 Mio. US $ an *Taylor Nelson Sofres*.

Mit diesen beiden und einigen anderen Akquisitionen (beispielsweise dem Erwerb der restlichen Anteile an *ORG-MARG Research Ltd.*) ist *VNU* im Jahre 2001 zum weltweit größten Anbieter (Weltmarktanteil ca.

---

[685] Diese Auflage wurde dadurch begründet, daß *VNU* durch die Übernahme von *NMR* auch in den Besitz von *MonitorPlus*, einem direkten Konkurrenten von *CMR*, gelangt wäre.

20 %) von Daten zum Einkaufs-, Konsum-, TV-Nutzungs- und Internetnutzungsverhalten geworden.[686] Nach der Mitte 2001 abgeschlossenen organisatorischen Neuordnung gliedert sich VNU nun in drei Unternehmensbereiche, nämlich in den Unternehmensbereich *Media Measurement & Information* (dem u.a. *ACNielsen Media International*, *ACNielsen eRatings.com, ACNielsen EDI*, *Nielsen Media Research*, *NetRatings* und die *National Research Group* zugeordnet sind), den Unternehmensbereich *Marketing Information* (der u.a. die verbleibenden Teile von *ACNielsen*, das Database-Unternehmen *Claritas*, *Spectra Marketing Systems* und *Trade Dimensions* umfaßt) sowie den Unternehmensbereich *Business Media*.

Zu gravierenden Veränderungen auf der Angebotsseite der internationalen Marketingforschung haben auch die M&A-Transaktionen beigetragen, an denen *NFO* (USA) - zunächst auf der Käuferseite, dann schließlich auf der Verkäuferseite - beteiligt war. *NFO (National Family Opinion) Research Inc.* wurde 1946 in Toledo, Ohio, gegründet und verblieb die folgenden 25 Jahre über im Besitz der Familie des Firmengründers *Howard Trumbull*. Danach ging das Institut mehrfach in andere Hände über, um schließlich im Jahr 1991 von einer Gruppe von Investoren aufgekauft zu werden, an deren Spitze *William E. Lipner* stand, der Enkel des Firmengründers und seitherige Chairman und CEO von *NFO*.

Zwei Jahre später wurde *NFO*, dessen Firmensitz mittlerweile nach Greenwich, CT, verlegt worden war, in eine Aktiengesellschaft umgewandelt (Handelsplatz: New York Stock Exchange) und damit die finanziellen Möglichkeiten für die Verfolgung einer nun auch erstmalig über die Landesgrenzen hinausgehenden aggressiven Expansionsstrategie geschaffen, die sich darin äußerte, daß in den folgenden sieben Jahren weltweit 35 Marktforschungsinstitute akquiriert wurden und ein jährliches Umsatzwachstum von 35 % erzielt werden konnte. Zu den erworbenen Instituten zählten beispielsweise *Plog Research* (USA), *Mi-*

---

[686] Dem in der Abbildung 52 an sechster Stelle der im Jahre 2000 weltweit umsatzstärksten Marktforschungsinstitute angeführten Institut *VNU Inc.* (USA) sind lediglich die Umsätze von *Nielsen Media Research* und *NetRatings* zugerechnet worden. Nicht erfaßt wurden die Umsätze der amerikanischen *Institute National Research Group, Retail Entertainment Information Services* und *PERQ/HCI* sowie des indischen Institutes *ORG-MARG*.

gliara/Kaplan Ass. (USA), *The MBL Group plc.* (GB), *Ross-Cooper-Lund* (USA), *MarketMind Technologies* (Australien), *CF Group Inc.* (Kanada) und *City Research Group* (GB).

Die spektakulärste und mit 151 Mio. US $ teuerste Akquisition (siehe auch Tabelle 32), die von *NFO* vorgenommen wurde, war jedoch die 1998 vollzogene Übernahme von *Infratest Burke*[687] (D), das 1997 nach der *GfK* das zweitgrößte Marktforschungsinstitut in Deutschland und weltweit die No. 8 der umsatzstärksten Institute war, während *NFO*, das sich mittlerweile in *NFO Worldwide Inc.* umbenannt hatte, im gleichen Jahr nur den Rangplatz 9 einnehmen konnte (nach den Rangplätzen 16 und 17 in den beiden Vorjahren).

NFO konnte durch diese Akquisition zwar seine Gesamtumsatzzahlen mehr als verdoppeln und die *GfK* vom sechsten Weltrangplatz verdrängen, geriet aber bereits ein Jahr später infolge seiner zu aggressiv betriebenen Expansionsstrategie sowie der Auswirkungen der Asienkrise und rückläufiger Aufträge für Finanzmarktforschungen[688] in solch große finanzielle Schwierigkeiten, daß Verkaufsverhandlungen aufgenommen werden mußten.[689] Nachdem weder das zuvor kontaktierte Institut *Taylor Nelson Sofres* (GB) noch die *WPP Group* (GB) bereit waren, den geforderten hohen Preis von 580 Mio. US $ zu zahlen, fand sich Ende des Jahres 1999 schließlich mit der ***Interpublic Group of Companies Inc.*** (***IPG***, New York), einem um Werbeagenturen (*McCann Erickson*, *Lowe*) herum aufgebauten Marketing-Services-Konglomerat, ein ebenso zahlungswilliger wie -kräftiger Käufer.

Das in ***NFO WorldGroup Inc.*** (*www.nfor.com*) umbenannte Institut wurde 2001 dem Unternehmensbereich *Advanced Marketing Services (AMS)* zugeordnet, der nach einer grundlegenden Umstrukturierung von *IPG* an die Stelle des bisherigen Bereiches *Allied Communication Group*

---

687 Die *Infratest Burke AG* befand sich seit dem Jahre 1995 zu 60 % im Besitz der *Harald Quandt Gruppe* (Bad Homburg) sowie zu je 20 % im Besitz der Familiengesellschafterin *Lena-Renate Ernst*, der Frau des Firmengründers, und der Mitglieder des Vorstandes.

688 Hiervon war vor allem das weltweit operierende Finanzmarktforschungsinstitut *PSI Global* betroffen, das aus den 1994, 1996 bzw. 1998 akquirierten Instituten *Payment Systems Inc.*, *The Spectrum Group* und *City Research Group* gebildet worden war.

689 Vgl. McElhatton, N. (2000a), S. 6; ders. (2000b), S. 12.

trat[690] – eine Umstrukturierung, die notwendig wurde, nachdem Anfang des Jahres die Konkurrenzagentur *True North*, Chicago, aufgekauft werden konnte und *IPG* damit vom bisherigen Platz 3 im weltweiten Gross-Income-Ranking der Werbeagenturen an der *Omnicom Group* und *WPP* vorbei auf Platz 1 vorgestoßen war.

Die *Interpublic Group of Companies* (*www.interpublic.com*) verspricht sich offensichtlich mit dieser und der Anfang des Jahres 2000 durch ihr Tochterunternehmen *DraftWorldwide* (Spezialist für Direkt-Marketing und Sales Promotions) vorgenommenen Akquisition des Londoner Instituts *HPI Research Group* eine ähnlich positive Entwicklung wie die der *WPP Group*, die ebenfalls ein Marketing-Services-Konglomerat ist, das unter der Leitung von *Martin Sorrell* über Jahre hinweg den Marktforschungsbereich ausgeweitet und sich damit Hauptwachstumsfelder erschlossen hat.

Dieses Nachahmen der Vorgehensweise von *WPP* ist insofern kurios, als sich *WPP* seinerseits wohl an der Vorgehensweise von *McCann-Erickson*, der Muttergesellschaft der *IPG*, orientiert hat, die Mitte der fünfziger Jahre des letzten Jahrhunderts erkannte, daß man sich nicht darauf beschränken sollte, den Kunden nur Werbedienstleistungen anzubieten, sondern daß es sinnvoll wäre, darüber hinaus auch noch Marketing-Services jeglicher anderer Art zu offerieren, wie z.B. Public-Relations-, Sales-Promotion- und Marktforschungs-Services. Folglich wurden in rascher Folge eine Vielzahl von Marketing-Services-Unternehmen gegründet, so auch eine Marktforschungsinstitutskette namens *Marplan*, die der besseren Steuerung wegen zusammen mit *McCann-Erickson* dann der 1956 gegründeten Holding *Interpublic Group of Companies* unterstellt wurde. Interne Querelen führten jedoch dazu, daß sich *IPG* nach einigen Jahren von der Institutskette *Marplan* trennte, von der heute nur noch drei Institute gleichen Namens in Offenbach (D), London (GB) und Sao Paulo (Brasilien) übrig geblieben sind.

---

[690] Neben *NFO WorldGroup* ist dem Unternehmensbereich *AMS* u.a. auch noch die weltweite No. 1 im PR-Bereich *Weber Shandwick International* zugeordnet worden. Die drei anderen Unternehmensbereiche sind die *McCann-Erickson Worldgroup*, *FCB Group* und *The Partnership*.

Es ist daher verständlich, daß *John Dooner*, CEO von *IPG*, in einem Interview diese "*WPP*-Orientierung" abstreitet und sagt: "I don't want to necessarily agree we did it because they did it. We did it because the time was right."[691]

Ähnlich wie die von der *IPG* vorgenommenen Akquisitionen von Marktforschungsinstituten sind auch die von der *Aegis Group* (GB) und der *Omnicom Group* (USA) vollzogenen Institutsaufkäufe zu werten. Denn beide Rivalen der *Interpublic Group of Companies* und der *WPP Group* (*Aegis* mit der weltweit drittgrößten Mediaagentur *Carat*; *Omnicom* mit den Werbeagenturen *TBWA Worldwide*, *BBDO Worldwide* und *DDB Worldwide* sowie dem Direkt-Marketing-Giganten *WWAV Rap Collins*) haben wohl offensichtlich auch damit begonnen, "doing a Sorrell"[692].

So hat die ***Aegis Group*** (*www.aegisplc.com*) im Jahre 1999 zunächst das renommierte US-amerikanische Institut *Market Facts* (gegen Konkurrenzangebote von *Taylor Nelson Sofres* und der *WPP Group*), im Jahre 2000 *Asia Market Intelligence Ltd. (AMI)*, eines der größten asiatischen Marktforschungsinstitute mit Sitz in Hongkong und Niederlassungen in der VR China, Taiwan, Südkorea, Singapur, Thailand, Malaysia, Indonesien und den Philippinen, und zu Beginn des Jahres 2001 mit *Pegram Walters* (GB) schließlich auch ein in Europa tätiges Institut erworben. Daß weitere Akquisitionen zu erwarten waren, konnte man einmal den Worten von *Doug Flynn*, CEO von *Aegis*, entnehmen, der diesen Zukauf wie folgt kommentierte: "It is another step towards our goal of building a global market research network"[693]. Zum anderen konnte man dies aber auch aus dem beträchtlichen Erfolgsbeitrag schlußfolgern, den schon die ersten beiden Akquisitionen für die gesamte Unternehmensgruppe erzielen konten.[694]

Folglich war es dann auch keine Überraschung, daß noch im Jahr 2001 weitere Akquisitionen erfolgten, nämlich die von *MEMRB Custom Research* (Zypern), *Demoscopie* (F), dem *Bureau for Internet and Tele-*

---

691 Zitiert nach Savage, M. (2001a), S. 24.

692 McElhatton, N. (1999d), S. 31.

693 Zitiert nach Park, C. (2001a), S. 7.

694 Vgl. dies. (2000b), S. 17.

phone Interviewing (D) und *Market Fact Inc.* (Japan), und zu Beginn des Jahres 2002 die Kette der Zukäufe mir dem Erwerb von *Market&More* fortgesetzt wurde, einem zwei Jahre zuvor aus der Fusion von *Food & Market* (NL) und *Apel & Wegner* (D) entstandenen Institut, das in Deutschland, den Niederlanden, Belgien und Frankreich tätig ist. Gesteuert werden die weiterhin unter ihrem eingeführten Namen operierenden Institute von ***Aegis Research***, einem neu geschaffenen Koordinierungsinstitut mit Sitz in Hongkong.

Die ***Omnicom Group*** (USA, *www.omnicomgroup.com*) hat sich bislang dagegen mit der Ende 1999 erfolgten Akquisition von *M/A/R/C Research* (USA, *www.marcresearch.com*) begnügt und ihr Zukaufinteresse offensichtlich mehr auf Database-Unternehmen gerichtet.

Etwas anders zu werten als die Vorgehensweisen von *IPG*, *Aegis* und *Omnicom* sind hingegen die bereits erwähnten Übernahmen von *Nielsen Media Research (NMR)* und *ACNielsen* durch *VNU*. Denn wie *David Jenkins*, CEO von *Kantar*, hierzu bemerkte, "one could argue that something like VNU buying NMR is a business information group buying another sort of business information"[695]. Gleiches gilt wohl auch für die Marktforschungsinstituts-Akquisitionen der ***United Business Media plc.*** (GB, *www.unm.com*), die (vor allem unter ihrem bis Mitte 2001 gültigen Namen *United News & Media plc.*) zunächst zu Beginn der neunziger Jahre des letzten Jahrhunderts das 1957 gegründete britische Institut *NOP (National Opinion Polls)* erwarben, um dann in den folgenden Jahren weitere, kleinere Institute zu übernehmen, die dem Unternehmensbereich *NOP Information Group* (ab 1999: *United Information Group*) zugeordnet wurden.

Größere Akquisitionen erfolgten 1999 mit *Audits & Surveys Worldwide* (USA) und 2001 mit *Roper Starch Worldwide*[696] (*RSW*, USA, siehe Ab-

---

[695] Zitiert nach McElhatton, N. (1999d), S. 30.

[696] *RSW*, eines der ältesten Marktforschungsinstitute der Welt, hatte seinerseits noch kurz vor der eigenen Übernahme *Allison-Fisher International Inc.* (USA) und im Jahr zuvor *Parker Tanner International* (GB) und *Langer Associates* (USA) aufgekauft. Im Jahre 1998 war bereits die *Response Analysis Corp.* (USA) in den Besitz von *RSW* gelangt. *RSW* konnte dadurch 1999 vom 25. Rangplatz unter den globalen Top 25-Instituten auf den 20. Rangplatz vorrücken und diesen Rangplatz auch im Jahr 2000 verteidigen.

bildung 55), die beide im gleichen Jahr zu dem neuen Institut *RoperASW* verschmolzen und dem Unternehmensbereich ***NOP World*** (*www. nop-world.com*), der früheren *United Information Group*, zugeordnet wurden. Zu diesem Unternehmensbereich zählen neben *RoperASW* (USA, *www.roperasw.com*) noch *Market Measures Interactive L.P.* (USA, *www.mmi-research.com*), Strategic Marketing Corporation (USA, *www.smcresearch.com*), *Allison-Fisher International* (USA) und *Mediamark Research Inc.* (USA, *www.mediamark.com*) noch die *NOP Research Group* (GB, *www.nop.co.uk*).

Die bereits mehrfach erwähnte, 1985 gegründete ***WPP (Wires and Plastic Products) Group plc.*** (GB, *www.wpp.com*), die unter ihrem Dach zur Zeit mehr als 80 Unternehmen beherbergt, darunter die Werbeagenturen *J. Walter Thompson (JWT)*, *Ogilvy & Mather* sowie *Young & Rubicam*, kam erstmalig 1987 infolge der Übernahme von *JWT* in den Besitz von Marktforschungsinstituten, nämlich in den der Institute der *MRB Group* (GB, mit *BMRB* als Schlüsselinstitut). Zwei Jahre später führte die Akquisition von *Ogilvy & Mather* dazu, daß eine in 29 Ländern tätige Institutskette in die Hände von *Martin Sorrell*, dem CEO der *WPP Group*, fiel, die 1986 von *Unilever* an *Ogilvy & Mather* verkauft worden war, nämlich *Research International* (GB). Im gleichen Jahr wurde schließlich auch noch das Institut *Millward Brown* (GB) und in den Folgejahren eine Vielzahl weiterer in- und ausländischer Institute erworben.

Die meisten dieser Institute sind ***The Kantar Group Ltd.*** (***TKG***, Fairfield, Conn., *www.kantargroup.com*) zugeordnet worden, die 1993 als Subholding der *WPP Group plc.* (London) gegründet worden ist und das Informations- und Beratungsgeschäft der Gruppe bündeln soll. Gegenwärtig sind dies die folgenden unabhängig voneinander, häufig sogar untereinander im Wettbewerb agierenden Institute:

- *Research International Group Ltd. (RI, www.research-int.com)*, London (mit Dependancen in über 50 Ländern).
- *Millward Brown (MB, www.millwardbrown.com)*, Naperville, Ill. (mit Dependancen in 30 Ländern und Lizenznehmern der eigenen *"branded products"* in weiteren 19 Ländern).
- Als unabhängige Division von *Millward Brown* agiert seit 2001 das 1998 gegründete Institut *Kantar Media Research (KMR, www.*

kantarmedia.com), New York, das für die Durchführung, Koordination und Entwicklung der von den eigenen (insbesondere *BMRB International*) oder *TKG* assoziierten Instituten (z.B. *IBOPE Media Information* und *AGB Italia*) durchgeführten Mediaforschungen zuständig ist. Wichtige Dienstleistungsangebote von *KMR* sind die in ca. 30 Ländern durchgeführten Fernsehzuschauermessungen und die in ca. 36 Ländern durchgeführten *TGI-Surveys*, auf die im folgenden noch kurz einzugehen sein wird.

- *Goldfarb Consultants (www.goldfarbconsultants.com)*, Kanada (mit 22 Niederlassungen in acht Ländern).
- *IMRB International (www.imrbint.com),* Indien (mit Aktivitäten in Indien, der Golf-Region, Südafrika, Singapur und Hongkong).

Zur Durchführung von harmonisierten europaweiten Studien hat das faktisch *KMR* nachgeordnete Institut *BMRB International (www.bmrb.co.uk*, London) mit *Euroquest MRB* (*www.euroquestmrb.com*) ein Netzwerk von zur Zeit 12 teils unabhängigen, teils zur eigenen Gruppe gehörenden Marktforschungsinstituten errichtet, das von dem Londoner Büro aus gesteuert wird. Über eine langjährige Erfahrung verfügt dieses Institut bei der Durchführung von Single-Source-Studien, d.h. von Studien, bei denen bei ein und denselben Untersuchungseinheiten (Einzelpersonen oder Haushalten) sowohl das Mediennutzungs- als auch das Produkt- und Markenverwendungsverhalten sowie häufig auch Einstellungsdaten erhoben werden.

Für die erwachsene Bevölkerung Großbritanniens repräsentative Single-Source-Studien werden z.B. unter dem Namen *"TGI" (Target Group Index)* seit 1968 und für die sozial höherstehende Bevölkerung (d.h. der Sozialschichtungskategorie "AB" zugehörige Personen) repräsentative Studien unter dem Namen *AB TGI* bzw. *TGI-PREMIER* sowie für die über 50-jährige Bevölkerung repräsentative Studien unter dem Namen *TGI-GOLD* seit 1987 im ein- bzw. zweijährigen Turnus durchgeführt.[697] Seit 1993 werden unter dem Namen *"Youth TGI"* solche Studien auch für die 7–19-Jährigen vorgenommen.

---

697 Vgl. McDonald, C. (1995), S. 107ff.

Den jeweiligen nationalen Besonderheiten angepaßte *TGI*-Studien werden von eigenen Auslandstöchtern, zu diesem Zweck gegründeten Joint Ventures und lizenznehmenden Fremdinstituten auch in immer mehr anderen Ländern durchgeführt, wodurch für internationale Marketingentscheidungsträger ein ständig breiter werdender Fundus miteinander vergleichbarer Markt- und Mediadaten geschaffen wird. Zur Zeit erstreckt sich die weltweite Verbreitung von *TGI*-Studien (*www.tgisurveys.com*) auf 36 Länder, darunter 20 europäische Länder, die USA und 10 zentral- und südamerikanische Länder, Saudi Arabien, Kasachstan, die VR China, Indien und Japan. Mit dem 1999 gestarteten *TGI-Europe*, der die Länder Deutschland, Italien, Frankreich, Spanien (mit je 10.000 Befragten) sowie Großbritannien (mit 25.000 Befragten) abdeckt, ist erstmals ein international angelegter, die unmittelbare Vergleichbarkeit der nationalen Datensätze gewährleistender *TGI* durchgeführt worden.

Von den in jüngster Zeit vorgenommenen Akquisitionen der *WPP Group* bzw. *Kantar Group* besonders zu erwähnen sind insbesondere die folgenden:

- Die im November 2001 erfolgte Übernahme der Medienagentur *Tempus Group plc.* (GB, *www.tempusgroup.com*) durch die *WPP Group*, wodurch die Gruppe zwar in den Besitz der von *Tempus* wenige Monate vorher aufgekauften Marktforschungsinstitute *International Creative Marketing* (Japan) und *Added Value* (GB, *www.added-value.com*), im weltweiten Mediaagentur-Ranking aber nicht über den Rangplatz 2 hinaus kam.
- Die Anfang 2001 von der *WPP Group* vollzogene Akquisition der *icon brand navigation Group AG* (D), die im Jahr 2000 auf Rangplatz 34 der weltweit umsatzstärksten Institute geführt wurde. *Icon* wird nicht *TKG*, sondern dem Unternehmensbereich *"Branding & Idendity"* zugeordnet (wie beispielsweise auch *BPRI*).
- Der im gleichen Zeitraum von *TKG* vorgenommene Aufkauf *der Ziment Group* (USA), der dem Aufbau einer globalen *"Healthcare Research Division"* dienen soll.
- Die Anfang des Jahres 2000 von *RI* getätigte Übernahme von *SIFO Research & Consulting* (Schweden), 1999 die No. 24 der weltweit umsatzstärksten Institute.

Die vorangegangenen Ausführungen lassen deutlich werden, daß der ***internationale Marktforschungsmarkt*** auf der ***Anbieterseite*** eine deutliche ***Zweiteilung*** aufweist. Auf der einen Seite gibt es die ***Marktforschungsinstitute***, die sich ***im Besitz von Werbe- und Mediagruppen*** befinden. Wie aufgezeigt wurde, ist deren Zahl und Umsatzbedeutung in den letzten Jahren sprunghaft angewachsen, so daß im Jahre 2000 bereits vier der ersten zehn und insgesamt acht der globalen Top 25-Institute zu dieser Anbieterkategorie zählten (s. Anhang E). Auf der anderen Seite stehen die ***traditionellen, "reinen" Marktforschungsinstitute***, wie z.B. *Taylor Nelson Sofres*, die *GfK* und *Ipsos*.

Die meisten dieser traditionellen Marktforschungsinstitute sind allerdings keine von Inhabern geführte, im Privatbesitz befindliche Institute mehr, sondern von Managern geführte, börsennotierte Institute, weil sonst die Finanzdecke zu kurz wäre, um mit den gruppengebundenen Instituten bei der Internationalisierung, Methodenanwendung (z.B. Installation eines Internet-Panels oder Durchführung einer metergestützten Mediaforschung) und Methodenweiterentwicklung mithalten zu können.

Vorreiter beim Gang an die Börse war das englische Institut *Taylor Nelson AGB*, das diesen Schritt bereits im Jahre 1986 vollzog und dadurch in der Lage war, in der Folgezeit durch Akquisitionen rasch wachsen und im Jahre 1997 die zunächst als Merger dargestellte spektakuläre Akquisition von *Sofres* (F) durchführen zu können. Spektakulär war diese Akquisition einmal wegen des sehr hohen Kaufpreises von 202 Mio. US $ (siehe Abbildung 55) und zum anderen deswegen, weil das größere der beiden Institute von dem kleineren übernommen wurde (*Sofres* war im Jahre 1996 weltweit die No. 6 aller Institute, *Taylor Nelson AGB* dagegen nur die No. 15).

Das nach dieser Übernahme neu gebildete Institut ***Taylor Nelson Sofres plc.*** (London) stieß sogleich auf den vierten Weltrangplatz vor und konnte diesen Platz bis in die Gegenwart hinein u.a. auch durch weitere größere und kleinere Akquisitionen verteidigen. So belief sich allein in den beiden Jahren 2000 und 2001 die Zahl der Akquisitionen auf 20, unter ihnen die von *CMR* (USA), der elftgrößten Akquisition aller Zeiten (s. Abbildung 55), aber auch die von kleinen Spezialinstituten, wie z.B. von *Theatrical Entertainment Services (TES)*, *Wallace Marx* und *Sponsorship Information Services* (*SiS*).

Im Jahre 1999 sahen sich die ***GfK*** (D) und ***Ipsos*** (F) durch die Akquisitionsaktivitäten der Konkurrenten dazu genötigt, aber auch durch die positiven Erfahrungen, die *Taylor Nelson Sofres* gemacht hatte, darin bestärkt, nun auch ihrerseits an die Börse zu gehen. Beide Institute waren danach in der Lage, rund um den Globus eine Reihe von mittelgroßen Instituten zu übernehmen oder sich an solchen Instituten zu beteiligen und dadurch ihre Umsatz- und Gewinnzahlen kräftig anzuheben. Weitere Börsengänge von Top 25-Instituten sind erfolgt durch die ***Opinion Research Corporation*** (1993; 2001 Wechsel von der *AMEX* zur *NASDAQ*), ***Harris Interactive Inc.*** (1999), ***INTAGE Inc.*** (2001) und ***Dentsu Research Inc.*** (2001).

Auch das auf internetbasierte Marktforschung spezialisierte Institut *Harris Interactive Inc.* (*HI*, Rochester, NY; *www.harrisinteractive.com*), das im Jahre 2000 erstmalig in den Kreis der globalen Top 25 vorstoßen konnte, hat die durch den Börsengang verbesserten Finanzierungsmöglichkeiten offensichtlich nicht nur zu internen Kapazitätserweiterungen, sondern auch zu Akquisitionen genutzt[698], die dazu führen werden, daß *HI* im Jahr 2001 um einige Plätze in der Liste der Top 25 nach oben klettern wird. Erworben wurden die Institute *Total Research Corp.* (2000 die No. 22 der amerikanischen Top 50-Institute), *Yankelovich Custom Research Group* (USA), *M&A Create* (Japan) und *Market Research Services Ltd.* (*MRSL*; GB).

Von den umsatzstärksten Top 25-Instituten der Welt sind zur Zeit lediglich fünf nicht an der Börse notiert, sondern im privaten Besitz, nämlich *The NPD Group Inc.* (USA, *www.npd.com*), *J.D. Power and Associates* (USA, *www.jdpa.com*), *IBOPE Group* (Brasilien, *www.ibope.com.br*) und *Westat Inc.* (USA, *www.westat.com*).

Angesichts all dieser Entwicklungen werden sich mittlere und kleinere Marktforschungsinstitute stärker als bisher dazu genötigt sehen, untereinander funktionierende **internationale Netzwerke** zu knüpfen[699], in von größeren Instituten initiierte und/oder geführte Netzwerke einzusteigen oder mit starken Auslandsinstituten **bilaterale Partnerschaften** einzugehen, wenn sie nicht Gefahr laufen wollen, von dem Markt der internationalen Marketingforschung ausgeschlossen zu werden oder interna-

698 Vgl. hierzu auch Kap. 3.2.1.1.

699 Vgl. auch Schlund, W. (1994), S. 62f.

tionale Marktforschung lediglich in der Funktion einer nationalen Feldorganisation betreiben zu müssen. So bemerkt denn auch *Robert Philpott*, Managing Director bei *AMI Malaysia*, unter Bezugnahme auf die bereits zu Beginn dieses Kapitels skizzierte Entwicklung in Südostasien, daß "a regional network is now considered a basic requirement for those hoping to play an influential role in research in the region"[700].

Neben *Euroline, Euroquest, INRA Europe, LATINPANEL, SOCIOVISION INTERNATIONAL* und *QUALIS INTERNATIONAL,* auf die schon an früheren Stellen eingegangen wurde, gibt es heute bereits folgende internationale Netzwerke von unabhängigen Marktforschungsinstituten:

- ***Gallup International Association (GIA)*** - seit über 1947 bestehendes und in über 50 Ländern mit nur je einem Institut präsentes Netzwerk von sowohl größeren als auch mittleren Marktforschungsinstituten (nicht zu verwechseln mit dem auch international vertretenen Marktforschungsinstitut *The Gallup Organization*, Princeton, N.J., USA; *www.gallup.com*), die teilweise unabhängig sind, teilweise aber auch zu einer Institutsgruppe gehören können (wie z.B. im Falle der *Taylor Nelson Sofres Gruppe*, die zur Zeit mit 14 Instituten in der *GIA* vertreten ist). Sitz des Generalsekretariats ist London (*www.gallup-international.com*).

- ***WalkerInformation Global Network*** - ein von *Walker Information* (SA) gegründetes und geführtes Netzwerk von 2 (in den USA und Kanada angesiedelten) *Walker*-Instituten und mehr als 20 unabhängigen Partnerinstituten, die in insgesamt 75 Ländern *CSM* - Programme (Kunden- und Mitarbeiterzufriedenheitsstudien) anbieten (*www. walkerinfo.com/globalnetwork/*). Größere *CSM* - Lizenznehmer sind in diesem Netzwerk *AMI*, Hongkong (für Südostasien), *MEMRB International*, Nicosia (für den Mittleren Osten, Nordafrika, Zypern, den Balkan und die Staaten der ehemaligen GUS), und *BMRB*, London (für verschiedene europäische Länder).

- ***Research International Qualitatif*** - von *Research International UK*, London (*www.research-int.com*), geführtes Netzwerk von Tochtergesellschaften und assoziierten Mitgliedsinstituten in 45 Ländern Europas (deutsches Mitglied: *Research International GmbH,* Hamburg),

---

[700] Zitiert nach o.V. (1999a), S. 8.

Nord- und Südamerikas, des Mittleren Ostens, Afrikas, Asiens und des pazifischen Raumes. Weltweit größter Anbieter von qualitativen Marketingforschungsuntersuchungen.

- ***RISC*** - im Jahre 1978 gegründetes Netzwerk von in weltweit 35 Ländern angesiedelten Tochtergesellschaften, Joint Ventures und Lizenznehmern der *RISC S.A., International Research Institute on Social Change, Nyon* (Schweiz), das sich auf die Erfassung und Analyse von sozio-kulturellen Veränderungen spezialisiert hat.

- ***IriS (International Research InstituteS)*** - vor mehr als zehn Jahren erfolgter Zusammenschluß von 24 europäischen, asiatischen, nord-, mittel- und südamerikanischen Marktforschungsinstituten mittlerer Größe (mit den deutschen Instituten *MW Research*, Hamburg, und *IMAS International*, München) zur Ermöglichung von quantitativen und qualitativen internationalen Studien. Sitz des Zentralbüros ist Adligenswil, Schweiz (*www.iris-net.org*).

- ***EuroNet*** - ein von *Scantal International* (London) im Jahre 1990 initiierter und geleiteter Zusammenschluß von zur Zeit 16 kleineren und mittleren Marktforschungsinstituten aus Belgien, Brasilien, Dänemark, Deutschland (*AMR-Advanced Market Research GmbH*, Düsseldorf), Finnland, Frankreich, Großbritannien, Italien, den Niederlanden, Norwegen, Österreich, Schweden, der Schweiz, Spanien, Ungarn und den USA (*www.eu-ro.net*).

- ***Global Market Research*** - im Jahre 1986 ins Leben gerufener Zusammenschluß von zur Zeit 25 kleineren und mittleren Marktforschungsinstituten aus Argentinien, Australien, Belgien, Brasilien, Bulgarien, Deutschland (*PM & Partner Marketing Consulting GmbH*, Frankfurt a.M.; *Confield Research GmbH*, Essen), Finnland, Frankreich, Griechenland, Großbritannien, Italien, Kanada, Kroatien, dem Libanon, den Niederlanden, Polen, Rumänien, Rußland, Schweden, Spanien, Südkorea, der Türkei und den USA. Als Unternehmen registriert in London (*www.agmr.com*).

- ***Intersearch*** - im Jahre 1993 erfolgter Zusammenschluß von 19 kleineren und mittleren weitgehend qualitativ ausgerichteten Marktforschungsinstituten aus Belgien, Brasilien, Deutschland (*Ernest Dichter Institut*, Frankfurt a.M.; *IFAK*, Taunusstein), Frankreich, Großbritannien, Italien, den Niederlanden (Koordinationsinstitut für internationale Studien: *Analyse Research & Strategy*, Amstelveen),

Österreich, Portugal, der Schweiz, Schweden, Spanien und den USA (*www.IntersearchNetwork.com*).

- ***The Research Alliance*** – im Jahre 1993 gegründetes Netzwerk von mittleren Marktforschungsinstituten aus Argentinien, Deutschland (*Partner Research*, Hamburg), Finnland, Frankreich, Griechenland, Großbritannien (Sekretariat: *c/o Marketing Sciences Ltd.*, Winchester), Italien, den Niederlanden, Polen, Schweden, Spanien, Ungarn und den USA.
- ***NEXUS - The Total Quality Research Group*** – Netzwerk von kleinen und mittleren Marktforschungsinstituten aus Deutschland (*Institut für Marktforschung - Apel & Wegner OHG*, Wiesbaden), Frankreich, Großbritannien, Italien, den Niederlanden, Spanien, der Türkei, den USA und Zypern.
- ***ERA - European Research Agencies*** – Zusammenschluß von mittleren europäischen Marktforschungsinstituten zur Durchführung von harmonisierten europaweiten Werbepre- und -posttests. Deutsches Mitglied dieses Netzwerkes ist *Compagnon Marktforschungs-Institut*, Stuttgart (*www.compagnon.de*).
- ***EMRA - The Euro-Asian Marketing Research Association*** – ein 1999 von *British-American Tobacco (BAT)*, dem Hauptauftraggeber aller Institute, initiierter Zusammenschluß von 11 kleineren Marktforschungsinstituten aus Armenien, Aserbaidschan, Bulgarien, Georgien, Ungarn, der Ukraine, Usbekistan, Kasachstan, Kirgisien, Rußland und WeißRußland zur Durchführung von harmonisierten Marktforschungsstudien sowie von halbjährlichen, auch für andere Auftraggeber offenen Omnibusuntersuchungen in dieser Region.

Als weitere, relativ kleine Netzwerke können genannt werden:

- ***A.R.N.I. - Automotive Research Network***,
- ***EUROPASS RESEARCH*** (deutsches Mitglied: *PMF Plan Marktforschungs GmbH*, Frankfurt a.M., *www.pmfplan.com*),
- ***European Sensory Network (E.S.N.)***,
- ***Global Dynamics*** (1998 von ehemaligen Mitgliedern des Netzwerkes *The Research Alliance* gegründet; deutsches Mitglied: *ISM Global Dynamics*, Kronberg / Taunus),
- ***GMI - Group M International*** (deutsches Mitglied: Kompass GmbH, Neu-Isenburg),
- ***HRP - Healthcare Research Partners***,

- ***Medi-World Network,***
- ***NQN, Nordic Qualitative Network*** und
- ***Union Research - International Network.***

Wachstumsbezogener Rangplatz im Vergleich der Jahre '95 - '00	'94 - '99	Institut	Umsatzwachstum (%)	Umsatzbezogener Rangplatz im Jahr 2000
1	2	Taylor Nelson Sofres plc. (GB)	580,5	4
2	1	NFO WorldGroup Inc. (USA)	553,6	7
3	-	Harris Interactive Inc. (USA)	387,0	24
4	4	IBOPE Group (Brasilien)	281,3	23
5	8	Aegis Research (GB)	259,4	12
6	10	J.D. Power and Associates (USA)	243,2	19
7	15	Ipsos Group S.A. (F)	202,3	9
8	9	Opinion Research Corp. (USA)	181,0	17
9	7	Total Research Corp. (USA)	148,3	29
10	12	MORPACE International Inc. (USA)	141,3	25
11	11	Roper Starch Worldwide Inc. (USA)	134,6	20
12	13	The Kantar Group (GB)	123,3	3
13	16	Westat Inc. (USA)*	113,2	10
14	-	Wirthlin Worldwide (USA)	108,5	31
15	21	GfK AG (D)	106,4	8
16	14	NOP World (GB)	99,3	11
17	20	The NPD Group Inc. (USA)	91,5	16
18	18	VNU Inc. (USA)	85,9	6
		Durchschnittliches Wachstum	***79,6***	
19	6	Sample Institut (D)	69,0	28
20	22	Burke Inc. (USA)*	67,6	30
21	19	Arbitron Inc. (USA)	64,9	13
22	24	INTAGE Inc. (Japan)*	43,9	18
23	23	Maritz Research (USA)	40,5	15
24	28	Dentsu Research (Japan)*	40,4	22
25	17	IMS Health Inc. (USA)	38,2	2
26	27	Nikkei Research Inc. (Japan)*	35,8	27
27	29	Video Reseach Ltd. (Japan)	34,3	14
28	25	Information Resources Inc. (USA)	33,0	5
29	30	Abt Associates Inc. (USA)*	27,9	26
30	26	ACNielsen Corp. (USA)	22,6	1

* = Keine M&A-Aktivitäten im Zeitraum 1995 - 2000

Tabelle 33: Die wachstumsstärksten Top 30-Institute der Welt
Quelle: Inside Research (2001-9), S. 9

Schaut man sich die Rangliste der großen Marktforschungsinstitute an, die in den Jahren 1996 - 2000 bzw. 1995 - 1999 das stärkste Umsatzwachstum verzeichnen konnten (siehe Tabelle 33), so wird einmal deutlich, daß die M&A-Aktivitäten bei den meisten Instituten der dominante Bedingungsfaktor des Wachstums war. Denn mit Ausnahme von *Westat* befinden sich alle diejenigen Institute, die in diesen Jahren keine derartigen Aktivitäten getätigt hatten, im hinteren Feld der wachstumsstärksten Top 30-Institute.

Zum anderen fällt auf, daß die beiden umsatzstärksten Institute auf hinteren Rangplätzen zu finden sind, während sich auf den vorderen Rangplätzen viele Institute aus den hinteren Reihen der umsatzstarken Top 25-Institute befinden. Hierin wird der zu Beginn dieses Kapitel erwähnte Tatbestand noch einmal deutlich, daß *ACNielsen* und *IMS Health* zwar weiterhin die beiden umsatzstärksten Institute der Welt sind, ihr Abstand zu den nächsten Instituten aber kleiner geworden ist.

Drittens läßt sich erkennen, daß insbesondere Allround-Institute ihre Umsatzzahlen überdurchschnittlich steigern konnten, da mit *Harris Interactive Inc.* (internetgestützte Marktforschung), der *IBOPE Group* (Panel- und Mediaforschung) und *J.D. Power and Associates* (CSM) lediglich drei Spezialinstitute unter den Top 10 vertreten sind.

Viertens ist es schließlich sehr aufschlußreich, daß alle vier der großen japanischen Marktforschungsinstitute, nämlich *INTAGE Inc.* (die frühere *Marketing Intelligence Corp.*, *www.intage.co.jp*), *Dentsu Research* (*www.dentsu.com*), *Nikkei Research Inc.* (*www.nikkei-r.co.jp*) und *Video Research Ltd.* (*www.videor.co.jp*) zu den wachstumsschwächeren der Top 30-Institute zu zählen sind. Dies ist sicherlich einmal Folge der in diesen Jahren von keinem der Institute getätigten M&A-Aktivitäten, zum anderen aber auch Resultat ihrer weitgehenden Konzentration auf eine nationale Geschäftstätigkeit. Hierauf wird im übernächsten Kapitel noch einmal zurückzukommen sein.

Bei den vorangegangenen Fünf-Jahres-Vergleichen der Umsatzentwicklungen hatten sich die Institute *NFO WorldGroup Inc.* ('94-'99 mit 643 %), *Taylor Nelson Sofres plc.* ('93-'98 mit 480 %), wiederum *NFO*

WorldGroup Inc. ('92-'97 mit 255 %) und *Ipsos Group S.A.* ('91-'96 mit 450 %) als wachstumsstärkste herausgestellt.[701]

5.3.2 Konkurrenz mit und um "branded products"

Die bereits im Kapitel 5.2 angesprochene wachsende Bedeutung von **"branded products"** in der internationalen Marketingforschung, die während der achtziger Jahre des letzten Jahrhunderts einsetzte und sich sicherlich auch in den nächsten Jahren weiter fortsetzen wird, ist zwar vor allem durch die entsprechende Nachfrage der Institutsklienten bedingt, gleichwohl haben solche Dienstleistungsangebote aber über die mit ihnen mögliche bessere Befriedigung der Nachfragerwünsche hinaus für die Institute noch eine Reihe weiterer Vorteile, die insbesondere ihre Ertragssituation und das Marketing ihres Dienstleistungsangebotes betreffen, nämlich

1. die Erzielung von höheren Gewinnmargen als bei einzelfallspezifischen Problemlösungen,
2. die Erreichung von höheren Aufmerksamkeits- und Erinnerungswirkungen bei den Nachfragern,
3. die Heraushebung aus einem proliferativen, unüberschaubaren Angebot und
4. die Abgrenzung gegenüber den Konkurrenzangeboten.[702]

In einer sehr konkurrenzintensiven Dienstleistungsbranche wie die der (internationalen) Marketingforschung ist es äußerst schwierig, neue Klienten zu gewinnen, wenn man als quasi No-name-Produkte nur die üblichen Forschungsmethoden zu offerieren in der Lage ist. Wenn dagegen auf ein *"branded product"* verwiesen werden kann, welches das Interesse des potentiellen Klienten weckt, hat man bereits mehr als einen Fuß in die Tür des Klienten bekommen. Dies machen auch die folgenden Ausführungen von *Simon Neate-Stidson* (*Saatchi & Saatchi*) deutlich: "If I want to buy advertising tracking, I know about 20 companies I can go to. But as far as I'm concerned, they are all the same – there's no reason

[701] Siehe Inside Research (2001-9), S. 9.

[702] Vgl. hierzu auch Gofton, K. (2000a), S. 24f.

to buy one over the other. If one company can make sure that I know what they stand for, then they 're obviously going to be better placed amongst the others."[703]

Dieser evident hohe Stellenwert, den *"branded products"* im Verlaufe der letzten Jahre bereits bekommen haben und aller Voraussicht nach noch weiter ausbauen werden, hat insbesondere bei den international tätigen Marktforschungsinstituten zu einem verschärften Konkurrenzkampf ***mit*** und ***um*** solche *"branded products"* geführt.

Der verschärfte Konkurrenzkampf ***mit*** *"branded products"* äußert sich in der vermehrten Entwicklung und verstärkten internationalen werblichen Herausstellung von solchen Dienstleistungsangeboten. So wird z.B. berichtet, daß *Taylor Nelson Sofres* im Durchschnitt der letzten beiden Jahre nahezu jeden Monat ein neues *"branded product"* auf den Markt gebracht hat und *Millward Brown* und *NOP World* dem kaum nachstehen.[704] Insgesamt gesehen, ergießt sich schon seit einigen Jahren ein nicht versiegender Sturzbach neuer *"branded products"* auf den Markt, in dessen Folge der Wettbewerbsdruck auf die Institute spürbar zugenommen hat.

Zielsetzung der solche Dienstleistungsprodukte anbietenden Institute muß es daher sein, diesem Wettbewerbsdruck zu entkommen, indem versucht wird, das eigene Produkt international so rasch wie möglich auf vielen nationalen Marktforschungsmärkten durchzusetzen, vielleicht sogar mit ihm einen internationalen Marktstandard zu setzen. Kleineren Instituten bleibt hierzu nur eine Möglichkeit, nämlich die schnelle und international breite Vergabe von Lizenzen an größere Marktforschungsinstitute oder Institutsketten. Einen solchen Weg haben z.B. die Institute *BASES Worldwide*, *Buy©Systems International*, *MarketMindTechnologies*, *Stochastic International* und *Research Survey* mit ihren *"branded products" BASES*, *Buy©Test*, *MarketMind*, *Stochastic Reaction Monitor* bzw. *Conversion Model* beschritten, auf die weiter unten noch einmal einzugehen sein wird.

---

703 Zitiert nach Garcia, S. (2001), S. 27.

704 Vgl. Gofton, K. (2000a), S. 24.

Mittlere Institute versuchen gleichfalls, ihre *"branded products"* über eine gezielte Lizenzvergabe international durchzusetzen, haben daneben aber auch die (allerdings beschränkte) Möglichkeit, dazu ihre Auslandstöchter einzusetzen, während größere Institute in aller Regel auf eine Lizenzvergabe verzichten und über ihre Auslandsniederlassungen, Joint Ventures und akquirierten Auslandsinstitute eine internationale Verbreitung zu erreichen trachten. Jedes von der *Aegis Group* akquirierte und *Aegis Research* zugeordnete Institut (*MF, AMI, PW, MEMRB* und *Market Fact*) partizipiert beispielsweise nicht nur an den Kundenkontakten, sondern auch an den *"branded products"* der anderen gruppenzugehörigen Institute (z.B. an dem Marken- und Werbetracking-Tool *BrandVision* von *Market Facts* und dem TV-Zuschauerforschungs-Tool *m2m* von *Pegram Walters*).

Hat sich ein *"branded product"* einmal international etabliert und ist damit zu einer Weltmarke geworden, kann es für das betreffende Institut zu einem wichtigen Umsatzträger werden. So generiert z.B. alleine *NFO TRI*M*, ein Kundenbindungs- und Stakeholder-Management-Tool, das durch die Akquisition von *Infratest Burke* in den Besitz der *NFO World-Group* gelangt ist, 15 % der weltweiten Umsätze dieser Institutsgruppe; und zum anhaltenden Erfolg der *Kantar Group* haben sicherlich auch die starken *"branded products"* von *Research International* und *Millward Brown* beigetragen.

Im einzelnen handelt es sich bei ihnen u.a. um das Testmarktsimulationsprogramm *Micro-Test*, das nach *Bases* weltweit erfolgreichste Programm dieser Art, das Markenpositionierungsprogramm *Locator*, das Preisoptimierungsprogramm *BPTO*, das Werbepretestprogramm *PubliTest*, das Werbetrackingprogramm *TRACE* und das Kundenzufriedenheitsmeßprogramm *SMART* von *Research International* sowie das sehr erfolgreiche Werbetrackingprogramm *ATP-Advanced Tracking Program*, das gleichfalls weit verbreitete Werbepretestprogramm *LINK* und das Markenwertmeßprogramm *BrandDynamics* von *Millward Brown*.

So vorteilhaft globale *"branded products"* für ihre Anbieter auch sind, so nachteilhaft sind sie andererseits für nur national agierende Marktforschungsinstitute, da sie in internationalen Studien, die unter Einsatz solcher Dienstleistungsprodukte durchgeführt werden, entweder überhaupt nicht oder nur als Feldorganisationen eingesetzt werden.

Der verschärfte Konkurrenzkampf **um** *"branded products"* dokumentiert sich darin, daß sich die Zahl der Fälle erhöht, in denen große Marktforschungsinstitute erfolgreiche *"branded products"* akquirieren und zu ihrem eigenen exklusiven Angebot machen, indem sie die rechteinnehabenden Institute aufkaufen und deren Lizenznehmern den Vertrag aufkündigen.

Wohl zu den ersten dieser Marktforschungsinstitute zählte ***ACNielsen*** (seit 2001 der *VNU* zugehörig), das 1998 das Institut *BASES Worldwide* aufkaufte, von dem Mitte der siebziger Jahre des letzten Jahrhunderts ***BASES*** (*www.bases.com*) entwickelt und in den Folgejahren vor allem per Lizenzvergabe zum weltweit verbreitetsten Testmarktsimulationsverfahren gemacht worden war. In Europa wurde *BASES* nahezu zwei Jahrzehnte lang von *Infratest Burke* (D) eingesetzt, dem aber seit der Eingliederung in die *NFO WorldGroup* (und der darauffolgenden Umbenennung in *NFO Infratest*) nur noch die Durchführung der Feldarbeit bei europäischen *BASES*-Studien verblieben ist.

Im gleichen Jahr wurden auch von *NFO Worldwide*, der heutigen ***NFO WorldGroup***, zwei derartige Akquisitionen vorgenommen, nämlich

1. die von *MarketMind Technologies* (Australien), dem Entwickler und Lizenzgeber des sehr erfolgreichen Markentrackingprogramms ***MarketMind***, sowie von *Ross Cooper Lund*, dem alleinigen Lizenznehmer von *MarketMind* für die USA, und
2. die von *Stochastic International* (Australien), dem Entwickler des ***Stochastic Reaction Monitor (SRM)***, einem der drei weltweit führenden Markentrackingprogramme.

   Beide Institute wurden daraufhin von *NFO Worldwide* zusammengelegt.

Durch den Eigentümerwechsel bei dem Lizenzgeber von *MarketMind* war vorübergehend die delikate Situation entstanden, daß sich große Weltmarktkonkurrenten plötzlich in einer Lizenzpartnerschaft miteinander verbunden sahen. Denn *Taylor Nelson Sofres* hatte zu dieser Zeit noch die *MarketMind*-Lizenz für Europa und Asien inne. Es war daher alles andere als überraschend, daß *NFO* bereits acht Monate nach der

Akquisition von *MarketMind* im November 1998 die dementsprechende Lizenz (vertraglich abgesichert) von *Taylor Nelson Sofres* wieder zurückforderte. Die asiatische Lizenz wird seitdem von *NFO MBL India* (Hyderabad), dem indischen Teil der im Jahre 1997 aufgekauften *MBL Group* (GB), und die europäische Lizenz von der *NFO WorldGroup* (GB) wahrgenommen.

Drei Jahre später, in der ersten Hälfte des Jahres 2001, hat ***Taylor Nelson Sofres*** (GB) das in London ansässige Institut *BUY©Systems International (BSI)* aufgekauft, welches das ursprünglich in den USA entwikkelte Werbepretestverfahren ***BUY©Test*** seit 1984 über verschiedene Lizenznehmer in zuletzt vierzig Ländern und über 8.500 Einzeluntersuchungen zum Einsatz gebracht hat. *Taylor Nelson Sofres* hat dadurch die Möglichkeit bekommen, dieses Testverfahren nicht nur wie vorher schon in Asien, sondern weltweit alleine anzubieten. Ob diese Möglichkeit völlig oder nur zum Teil ausgeschöpft wird, d.h. ob bei allen oder nur einigen der bisherigen Lizenznehmer, zu denen u.a. *INRA Deutschland* gehört, der Lizenzvertrag aufgekündigt bzw. bei Auslaufen nicht verlängert wird, bleibt zum jetzigen Zeitpunkt noch unklar. Gleichzeitig hat *Taylor Nelson Sofres* auch die weltweiten Rechte an dem Konzepttest- und -entwicklungstool ***CHOICE©Systems*** erworben.

Etwa zur gleichen Zeit hat *Taylor Nelson Sofres* zusammen mit dem südafrikanischen Institut *Research Surveys* ein 75/25-Joint Venture namens *The Customer Equity Company* gegründet, dessen Aufgabe es sein soll, das ***Conversion Model***, ein weltweit überaus erfolgreiches Marktforschungstool zur Messung der Kundenbindung an eine Marke, zu vermarkten. Die Eigentumsrechte an diesem 1989 von dem Institutsgründer *Butch Rice* und dem später hinzugestoßenen Mitarbeiter *Jan Hofmeyr* entwickelten *"branded product"* verbleiben jedoch bei *Research Surveys*.

Durch diesen indirekten Zugriff hat sich *Taylor Nelson Sofres* die Möglichkeit geschaffen, das *Conversion Model*, für das eine EU-Lizenz bereits seit 1993 genutzt wurde, weltweit exklusiv anzubieten. Bisherige wichtige Lizenznehmer waren *Market Facts* für die USA und Kanada, *AMI* für Asien, *MEMRB* für Osteuropa und den Mittleren Osten sowie *ORG-MARG* für Indien und Südostasien. Obwohl *Hofmeyr*, der CEO des Joint Venture, betont, daß "their licenses will be honoured"[705], kann man sich angesichts der Zuordnung dieser Institute zu den Konkurrenzgrup-

[705] Zitiert nach o.V. (2001c), S. 11.

pen *Aegis* und *VNU* das weitere Vorgehen von *Taylor Nelson Sofres* unschwer vorstellen.

Vorerst letztes Institut, das einen Anbieter namhafter *"branded products"* aufgekauft hat, ist *Ipsos* (F, *www.canalipsos.com*), das im Herbst des Jahres 2001 das gleichfalls französische Institut *Novaction Marketing Consultants* in seinen Besitz gebracht hat. *Novaction* verfügt über insgesamt sieben, bereits in über 55 Ländern und 50.000 Studien eingesetzte *"branded products"* (nämlich *Designor, Scan Detector, Brand Health Check, Perceptor, Usage Perceptor, Price Aid* und *Brand Stretch*), von denen wohl das Testmarktsimulations-Tool *Designor* das bekannteste sein dürfte.

5.3.3 Internationalisierung der Geschäftstätigkeit der Marktforschungsinstitute

Die stetig gewachsene Bedeutung der internationalen Geschäftstätigkeit für die umsatzstärksten Top 25-Marktforschungsinstitute der Welt verdeutlichen die Veränderungen zweier Institutsmerkmale, die im Rahmen der seit 1995 jährlich durchgeführten Untersuchung *"Honomichl Global Top 25"*[706] erhoben worden sind. Das eine dieser Merkmale ist die Zahl der Länder, in denen ein Institut institutionell vertreten ist, und das andere Merkmal, der Prozentsatz des Umsatzes, den es außerhalb seines Heimatlandes erzielt hat.

Von wenigen Ausnahmen abgesehen, weisen die Ausprägungen beider Merkmale bei den Top 25-Instituten seit 1995 eine ständige Steigerung auf. So ist die Zahl der institutionell abgedeckten Länder zwischen 1995 und 2000 bei der *ACNielsen Corp.* von 61 auf 80, bei *Taylor Nelson Sofres plc.* von 7 auf 41, bei der *NFO World Group Inc.* von 4 auf 38 und bei der *Ipsos Group S.A.* von 10 auf 24 angestiegen. Geringere Zuwächse hatten beispielsweise *Information Resources Inc.* mit einer Steigerung von 13 auf 17 und die *GfK* mit einer Steigerung von 32 auf 34 zu verzeichnen.

---

[706] Die Publikation dieser Untersuchungen erfolgt in Form von Beilagen zu den *"Marketing News"* der *American Marketing Association*.

Nur zwei Institute waren im Jahr 2000 ausschließlich in ihrem Heimatmarkt präsent, nämlich *Westat Inc.* (USA) und *Video Research Ltd.* (Japan). Während dies ein Jahr später bei *Westat* immer noch der Fall war, hatte *Video Research* 2001 mit dem Eintritt in den taiwanesischen und thailändischen Markt erstmalig eine internationale Geschäftstätigkeit aufgenommen.

Im Durchschnitt der Top 25-Institute ist der Prozentanteil der im Ausland erzielten Umsätze von ca. 45 auf knapp 50 angestiegen. Stellt man in Rechnung, daß damit nur der aus Institutsperspektive definierte internationale Marketingforschungsumsatz erfaßt worden ist[707], dann kann man feststellen, daß die weltweit größten Marktforschungsinstitute im Durchschnitt über die Hälfte ihres Umsatzes mit internationalen Untersuchungen erzielen.

Besonders stark im internationalen Geschäft engagiert sind unter diesen die *Ipsos Group* mit einem Prozentanteil von 78,3, *Taylor Nelson Sofres* mit einem Prozentanteil von 75,4 und *The Kantar Group* mit einem Prozentanteil von 71,4 im Jahre 2000. Hohe Werte weisen in diesem Jahr aber auch *ACNielsen* (67 %), *IMS Health* (62,5 %), die *GfK* (62,4 %), die *NFO WorldGroup* (62,4 %) und *NOP World* (60 %) auf, während alle anderen Institute nur unterdurchschnittliche Umsatzanteile, *Westat* und *Video Research* sogar solche von Null und *VNU Inc.*, *Arbitron*, *INTAGE Inc.*, *Dentsu Research* und *Harris Interactive* solche von nahe Null erzielt haben.

Der Bedeutungsanstieg, den internationale Untersuchungen bei den meisten der großen Marktforschungsinstitute erfahren haben, wird daher noch deutlicher, wenn man nicht die Veränderungen des durchschnittlichen internationalen Umsatzanteilswertes aller Top 25-Institute, sondern die Veränderungen dieses Wertes bei einzelnen Instituten betrachtet. So kam die *GfK* beispielsweise im Jahr 1990 nur auf einen Anteilswert von 18 %, zehn Jahre später betrug dieser dann aber schon, wie bereits oben dargestellt, nahezu 63 %.

---

[707] Siehe hierzu Kap. 5.1.

Der dadurch dokumentierte erhöhte Stellenwert von internationalen Untersuchungen, der auch bei mittleren Instituten zu verzeichnen ist, wird die Notwendigkeit begründen, auch bei diesen nicht nur **mehrsprachige**, sondern auch **multinationale Mitarbeiterstäbe** aufzubauen.[708] Dies kann entweder durch die Einstellung von ausländischen Mitarbeitern oder durch den Austausch von Mitarbeitern innerhalb eines internationalen Netzwerkes bzw. einer internationalen Institutsgruppe geschehen. Egal, welcher dieser beiden Wege auch immer beschritten wird, es ergeben sich in jedem Fall neue bzw. größere Herausforderungen für das Institutsmanagement als bei einer ausschließlich oder überwiegend national ausgerichteten Geschäftstätigkeit, denn "managing the needs and talents of multicultural workplaces can be a delicate balancing act"[709].

Eine breitere und z.T. höhere Qualifikation der Institutsmitarbeiter wird auch durch die zunehmende Verlagerung von Marketingforschungsaufgaben von den Unternehmungen auf die Marktforschungsinstitute bedingt, in deren Folge "clients are increasingly demanding the delivery of knowledge, rather than the delivery of data or even information", wie *David Jenkins*, CEO of *The Kantar Group*, betont.[710] Denn eine fundierte Analyse und Interpretation von internationalen Datensätzen erfordert neben einer guten Methodenkenntnis auch ein profundes Marketingverständnis sowie ein mehr als elementares Wissen über fremde Länder und Kulturen.

Mitarbeiter und Stellenbewerber, die solche Qualifikationen aufweisen, sind jedoch so rar, daß sich die Institute zunehmend mehr in einen *"war for talents"*, wie *Jenkins* sich ausdrückt[711], begeben müssen. Er teilt daher auch nicht die Einschätzung anderer Institutschefs, wie z.B. die von *Phyllis Macfarlane* (*NOP World*)[712], daß in Zukunft der Wettbewerb zwischen den Instituten vor allem über den Preis ausgetragen werden wird, und er hält auch nicht eine technische Führungsposition (z.B. bei der

---

708 Vgl. auch Rathmann, H. (1990), S. 98.

709 Sunderland, K. (2001), S. 11.

710 Zitiert nach Gofton, K. (2002), S. 6.

711 Siehe ebenda.

712 Siehe ebenda.

Nutzung des Internet) als ausschlaggebend für den Erfolg eines Institutes, sondern es ist seiner Meinung nach einzig und alleine wichtig, aus diesem "Krieg um die Talente" siegreich hervorzugehen und "getting enough people into research to meet changing client needs"[713].

---

713 Ebenda.

Anhang

A. Sprachlich homogene und heterogene Länder

Zahl der Sprachen in Ländern mit nur einer Amtssprache		Zahl der Sprachen in Ländern mit mehreren Amtssprachen*	
Asien			
Armenien 2	Malediven 2	Afghanistan (2) 3	
Aserbaidschan 4	Mongolei 3	Indien (19) >200	
Bangladesch 6	Myanmar 2	Kirgisistan (2) 2	
Bhutan 5	Nepal 5	Singapur (4) 6	
Brunei 4	Pakistan 7	Sri Lanka (2) 4	
China, V.R. 56	Philippinen 988		
Georgien 2	Südkorea 3		
Indonesien 176	Tadschikistan 3		
Japan 1	Taiwan 13		
Kambodscha 4	Thailand 4		
Kasachstan 2	Turkmenistan 2		
Nordkorea 3	Usbekistan 2		
Laos 4	Vietnam 4		
Malaysia 5			
Afrika			
Äquatorialguinea 6	Kongo, Rep. 7	Burundi (2) 3	
Äthiopien 7	Liberia 5	Dschibuti (2) 4	
Angola 6	Mali 7	Eritrea (2) 2	
Benin 61	Mauretanien 5	Komoren (2) 3	
Botsuana 2	Mauritius 9	Lesotho (2) 2	
Burkina Faso 6	Mosambik 5	Madagaskar (2) 3	
Elfenbeinküste 7	Namibia 7	Malawi (2) 7	
Gabun 3	Niger 6	Ruanda (3) 4	
Gambia 25	Nigeria 14	Senegal (2) 9	
Ghana 75	Sahara 3	Seychellen (3) 3	
Guinea 3	Sambia 7	Südafrika (11) 13	
Guinea-Bissau 3	Sierra Leone 6	Tansania (2) 4	
Kamerun 10	Simbabwe 4	Togo (3) 8	
Kap Verde 2	Somalia 3	Tschad (2) 6	
Kenia 35	Sudan 104	Uganda (2) 10	
Kongo, Dem. Rep. 400	Swasiland 3	Zentralafrikanische Republik (2) 4	

Europa			
Albanien 3 Bulgarien 2 Dänemark 2 Estland 2 Frankreich 8 Griechenland 3 Großbritannien 6 Island 1 Jugoslawien 4 Kroatien 2 Lettland 2 Liechtenstein 1 Litauen 4	Mazedonien 3 Moldau 4 Monaco 4 Norwegen 2 Polen 4 Portugal 1 Rumänien 1 Rußland 1 Schweden 3 Slowenien 4 Tschechien 4 Ukraine 2 Ungarn 6	Belgien (3) 3 Bosnien-Herzego- wina (3) 3 Deutschland (2) 5 Finnland (2) 4 Irland (2) 2 Italien (4) 10 Luxemburg (3) 3 Malta (2) 3 Niederlande (2) 2 Österreich (4) 7 Schweiz (4) 4 Slowakei (2) 3	Spanien (4) 5 Weißrussland (2) 2 Zypern (2) 3
Mittel- und Süd-Amerika			
Antigua/Barbuda 2 Argentinien 1** Bahamas 2 Barbados 2 Belize 7 Brasilien 1** Chile 1** Costa Rica 3 Dominica 3 Dominikanische Republik 1 Ecuador 1** El Salvador 2** Grenada 3	Guatemala 24 Guayana 3** Honduras 2** Jamaika 2 Kolumbien 1** Kuba 1 Mexiko 27 Nicaragua 2** Panama 2** Suriname 6 Trinidad und To- bago 6 Uruguay 1 Venezuela 1**	Bolivien (3) 4 Haiti (2) 2 Paraguay (2) 2 Peru (3) 3	
Nord-Amerika			
		Kanada (2) 2** USA (2) 2	
Nord-Afrika, Naher und Mittlerer Osten			
Ägypten 5 Algerien 3 Bahrain 1 Irak 2 Iran 8 Jemen 2 Jordanien 3 Katar 4 Kuwait 2 Libanon 5	Libyen 5 Marokko 4 Oman 5 Saudi-Arabien 2 Syrien 3 Tunesien 3 Türkei 3 Vereinigte Arabi- sche Emirate 5	Israel (2) 3	

Ozeanien			
Australien 1** Marshallinseln 1** Mikronesien 10 Salomonen 82 Tonga 2		Fidschi (2) 3 Kiribati (2) 2 Nauru (2) 2** Neuseeland (2) 2 Palau (2) 6	Papua-Neuguinea (3) 742 Samoa (2) 2 Tuvalu (2) 2 Vanuatu (3) 113

*= die in Klammern gesetzten Zahlen beziehen sich auf die Zahl der Amtssprachen, die z.T. auch nur eine regionale Bedeutung haben können.
** = ohne Idiome der Ureinwohner.

Quelle: Der Fischer Weltalmanach 2002, Frankfurt a.M. 2001

B. Analphabetismusquoten in verschiedenen Ländern der Welt

Land	Bezugsjahr	Insgesamt*	Männer	Frauen
Asien				
Afghanistan	2000	63,7	49,0	79,2
Bangladesch	2000	59,2	48,3	70,5
Bhutan	2000	52,7	38,9	66,4
China, V.R.	2000	15,0	7,7	22,6
– Hongkong	2000	6,6	3,5	10,0
Indien	2000	44,4	31,4	57,9
Indonesien	2000	13,0	8,1	17,9
Laos	2000	38,2	26,4	49,5
Myanmar	2000	15,3	11,0	19,4
Pakistan	2000	56,7	42,4	72,2
Philippinen	2000	4,6	4,5	4,8
Singapur	2000	7,6	3,6	11,5
Sri Lanka	2000	8,4	5,5	11,1
Südkorea	2000	2,2	0,8	3,6
Tadschikistan	2000	0,8	0,4	1,1
Thailand	2000	4,4	2,8	6,0
Afrika				
Äthiopien	2000	61,3	56,1	66,6
Benin	2000	62,5	47,8	76,4
Burkina Faso	2000	77,0	66,8	86,9
Burundi	2000	51,9	43,7	59,5
Elfenbeinküste	2000	53,2	45,4	61,5
Ghana	2000	29,8	20,5	38,8
Guinea	2000	58,9	44,9	73,0
Kenia	2000	17,5	11,0	24,0
Kongo	2000	19,3	12,5	25,6
Liberia	2000	46,6	30,1	63,2
Mali	2000	59,7	52,1	66,8
Mosambik	2000	56,2	40,1	71,6
Niger	2000	84,3	76,5	91,7
Nigeria	2000	35,9	27,7	43,8
Senegal	2000	62,7	52,8	72,4
Sudan	2000	42,9	31,7	54,0
Tansania	2000	24,8	15,9	33,4
Uganda	2000	32,7	22,3	42,9
Europa				
Bulgarien	2000	1,5	0,9	2,0
Griechenland	2000	2,8	1,4	4,0

Italien	2000	1,5	1,1	1,9
Kroatien	2000	1,7	0,6	2,7
Portugal	2000	7,8	5,2	10,0
Rumänien	2000	1,8	0,9	2,7
Rußland	2000	0,6	0,2	0,8
Spanien	2000	2,3	1,4	3,2
Ungarn	2000	0,6	0,5	0,7
Mittel- und Süd-Amerika				
Argentinien	2000	3,1	3,1	3,1
Bolivien	2000	14,4	7,9	20,6
Brasilien	2000	14,7	14,9	14,6
Chile	2000	4,3	4,1	4,5
Costa Rica	2000	4,4	4,5	4,3
Dominikanische Republik	2000	16,2	16,0	16,3
Ecuador	2000	8,1	6,4	9,8
El Salvador	2000	21,3	18,4	23,9
Haiti	2000	51,4	49,0	53,5
Honduras	2000	27,8	27,5	28,0
Jamaika	2000	13,3	17,5	9,3
Kolumbien	2000	8,2	8,2	8,2
Mexiko	2000	9,0	6,9	10,9
Nicaragua	2000	35,7	35,8	35,6
Panama	2000	8,1	7,4	8,7
Paraguay	2000	6,7	5,6	7,8
Peru	2000	10,1	5,3	14,6
Nord-Afrika, Naher und Mittlerer Osten				
Ägypten	2000	44,7	33,4	56,3
Algerien	2000	36,7	24,9	48,7
Bahrain	2000	12,4	9,0	17,3
Iran	2000	23,1	16,3	30,0
Israel	2000	3,9	2,1	5,7
Jemen	2000	53,8	32,6	75,0
Jordanien	2000	10,2	5,1	15,6
Kuweit	2000	17,7	15,7	20,1
Libanon	2000	13,9	7,7	19,6
Marokko	2000	51,1	38,1	64,0
Türkei	2000	14,8	6,4	23,3
Tunesien	2000	29,2	18,6	39,9
Ozeanien				
Fidschi	2000	7,1	5,0	9,1
Papua-Neuguinea	2000	24,0	16,3	32,3

* = Schätzungen der *UNESCO* für die Bevölkerung im Alter von 15 und mehr Jahren.

Quelle: Statistisches Bundesamt (Hrsg.): Statistisches Jahrbuch 2001. Für das Ausland, Wiesbaden 2001

C. Zahl und Quote der Telefonhauptanschlüsse in verschiedenen Ländern der Welt

Land	Bezugsjahr	Gesamtzahl der Telefonhauptanschlüsse in Tsd.	Telefonhauptanschlüsse je 100 Einwohner
Asien			
Afghanistan	1998	29	0,1
Armenien	1998	556	15,7
Aserbaidschan	1998	680	8,9
Bangladesch	1998	378	0,3
Bhutan	1998	10	1,6
Brunei	1998	78	24,7
China, V.R.	1998	87.421	7,0
– Hongkong	1998	3.729	55,8
Georgien	1998	629	11,6
Indien	1998	21.594	2,2
Indonesien	1998	5.572	2,7
Japan	1998	62.550	49,5
Kambodscha	1998	20	0,2
Kasachstan	1998	1.775	10,9
Nordkorea	1998	1.100	4,7
Kirgisistan	1998	355	7,6
Laos	1998	28	0,6
Malaysia	1998	4.384	20,2
Malediven	1998	20	7,3
Mongolei	1998	96	3,8
Myanmar	1998	229	0,5
Nepal	1998	208	0,9
Pakistan	1998	2.756	2,1
Philippinen	1998	2.512	3,4
Singapur	1996	1.778	56,2
Sri Lanka	1996	524	2,8
Südkorea	1998	20.089	43,3
Tadschikistan	1998	221	3,7
Thailand	1998	5.038	8,4
Turkmenistan	1998	354	8,2
Usbekistan	1998	1.537	6,5
Vietnam	1998	2.000	2,6
Afrika			
Äquatorialguinea	1998	6	1,3
Äthiopien	1998	164	0,3
Angola	1998	72	0,6

Benin	1998	38	0,7
Botswana	1998	102	6,5
Burkina Faso	1998	41	0,4
Burundi	1998	18	0,3
Dschibuti	1998	8	1,3
Elfenbeinküste	1998	170	1,2
Eritrea	1998	24	0,7
Gabun	1998	39	3,3
Gambia	1998	26	2,1
Ghana	1998	144	0,8
Guinea	1998	37	0,5
Guinea-Bissau	1998	8	0,7
Kamerun	1998	94	0,7
Kap Verde	1998	40	9,8
Kenia	1998	288	1,0
Komoren	1998	6	1,0
Kongo, Dem. Rep.	1998	20	0,0
Kongo, Rep.	1998	22	0,8
Lesotho	1998	20	1,0
Liberia	1998	7	0,2
Madagaskar	1998	47	0,3
Malawi	1998	37	0,4
Mali	1998	27	0,3
Mauretanien	1998	15	0,6
Mauritius	1998	245	21,4
Mosambik	1998	75	0,4
Namibia	1998	106	6,4
Niger	1998	18	0,2
Nigeria	1998	407	0,4
Réunion	1998	243	35,6
Ruanda	1998	11	0,2
Sambia	1998	78	0,9
Senegal	1998	140	1,6
Seychellen	1998	19	24,8
Sierra Leone	1998	17	0,4
Simbabwe	1998	237	2,1
Somalia	1998	15	0,2
Sudan	1998	162	0,6
Südafrika	1998	5.075	12,5
Swasiland	1998	29	3,1
Tansania	1998	122	0,4
Togo	1998	31	0,7
Tschad	1998	9	0,1
Uganda	1998	57	0,3
Zentralafrikanische Republik	1998	10	0,3

Europa			
Albanien	1998	116	3,1
Belgien	1998	5.073	50,0
Bulgarien	1998	2.742	32,9
Bosnien-Herzegowina	1998	333	9,1
Dänemark	1998	3.496	66,0
Deutschland	1998	46.660	56,9
Estland	1998	499	34,4
Finnland	1998	2.842	55,1
Frankreich	1998	34.099	57,1
Griechenland	1998	5.536	52,2
Großbritannien	1998	32.829	55,7
Irland	1998	1.600	43,5
Island	1998	178	64,7
Italien	1998	25.986	45,3
Jugoslawien	1998	2.319	21,8
Kroatien	1998	1.558	34,8
Lettland	1998	741	30,2
Liechtenstein	1996	20	64,2
Litauen	1998	1.110	30,0
Luxemburg	1998	293	69,2
Malta	1998	192	49,9
Monaco	1998	33	99,1
Mazedonien	1998	439	22,0
Moldau	1998	657	15,0
Niederlande	1998	9.337	59,3
Norwegen	1998	2.935	66,0
Österreich	1998	3.997	49,1
Polen	1998	8.812	22,8
Portugal	1998	4.117	41,4
Rumänien	1998	3.599	16,0
Rußland	1998	29.031	19,7
Schweden	1998	5.965	67,4
Schweiz	1998	4.803	67,4
Slowakei	1998	1.539	28,6
Slowenien	1998	757	38,0
Spanien	1998	16.289	41,4
Tschechien	1998	3.741	36,4
Ukraine	1998	9.698	19,1
Ungarn	1998	3.423	33,6
Weißrussland	1998	2.490	24,3
Zypern	1998	405	54,5
Mittel- und Süd-Amerika			
Antigua und Barbuda	1998	34	46,8
Argentinien	1998	7.132	19,7
Bahamas	1998	106	35,8
Barbados	1998	113	42,2

Belize	1998	32	13,8
Bermudas	1998	54	84,0
Bolivien	1998	452	5,7
Brasilien	1998	19.987	12,1
Chile	1998	3.046	20,6
Costa Rica	1998	660	17,2
Dominica	1998	20	26,5
Dominikanische Rep.	1998	764	9,3
Ecuador	1998	991	8,1
El Salvador	1998	483	8,0
Grenada	1998	27	29,8
Guadeloupe	1998	197	44,5
Guatemala	1998	517	4,8
Guayana	1998	60	7,1
Haiti	1998	65	0,8
Honduras	1998	250	4,0
Jamaika	1998	470	18,5
Kolumbien	1998	6.367	16,1
Kuba	1998	388	3,5
Martinique	1998	172	44,3
Mexiko	1998	9.927	10,4
Nicaragua	1998	140	3,0
Panama	1998	419	15,1
Paraguay	1998	289	5,5
Peru	1998	1.555	6,3
Puerto Rico	1998	1.262	32,7
Suriname	1998	67	16,3
Trinidad und Tobago	1998	264	20,6
Uruguay	1998	824	25,0
Venezuela	1996	2.712	11,7
Nord-Amerika			
Kanada	1998	19.206	63,5
USA	1998	179.822	66,1
Nord-Afrika, Naher und Mittlerer Osten			
Ägypten	1998	3.972	6,0
Algerien	1998	1.477	4,9
Bahrain	1998	158	24,6
Irak	1998	675	3,1
Iran	1998	7.355	11,2
Israel	1998	2.819	47,1
Jemen	1998	250	1,5
Jordanien	1998	511	8,3
Katar	1998	151	26,0
Kuwait	1998	427	23,6
Libanon	1998	620	19,4
Libyen	1998	500	9,1
Marokko	1998	1.393	5,0

Oman	1998	220	9,2
Saudi-Arabien	1998	2.878	14,3
Syrien	1998	1.463	9,5
Tunesien	1998	752	8,1
Türkei	1998	16.960	25,4
Vereinigte Arabische Emirate	1998	915	38,9
Ozeanien			
Australien	1998	9.844	52,6
Fidschi	1998	77	9,8
Kiribati	1998	3	3,4
Neuseeland	1998	1.868	49,1
Marshallinseln	1998	4	6,2
Mikronesien	1998	9	8,0
Nauru	1998	2	15,0
Papua-Neuguinea	1996	47	1,1
Salomonen	1998	8	1,9
Samoa	1998	8	4,9
Tonga	1996	8	7,9
Vanuatu	1998	5	2,8

Quelle: United Nations (Hrsg.): Statistical Yearbook 1998, 45. Aufl., New York 2001

D. Für internationale Sekundärforschungen nutzbare Datenbanken

1. Datenbanken des Hosts "GENIOS Wirtschaftsdatenbanken"

ACRORG	Internationales Verzeichnis von Abkürzungen und Akronymen
ADN	ddp Nachrichtenagentur
AFP	Deutscher Nachrichtendienst der Agence France Presse
ANF	BfAI - Auslandsanfragen
AUS	BfAI - Auslandsausschreibungen
BAMP	Business & Management Practices
BDI	Die Deutsche Industrie - Made in Germany
BIBLIO	Bibliodata
BNI	Business & Industry
BUB	Bank & Börse - Ungarn
BUSI	Business Datenbank
BW	Business Week
CHFIN	SwissFin Schweizerische Finanzdatenbank
CHINA40	China Economics & Demographics by Top 40 Cities
CHINAFE	China's Foreign Economic Statistics
CHINAMS	China Monthly Statistics
CWI	Contemporary Women's Issues
DESK	DESK research - Quellen-Lexikon der Marktforschung
DIWW	Deutsches Institut für Wirtschaftsforschung "Wochenberichte"
DPA	Deutsche Presse Agentur - Europadienst
DPAIWI	dpa-afx InternetNews
DPAWIF	dap-afx ProFeed
ECN	The Economist
ECON	ECONIS - Literaturinformationen aus Wirtschaft und Wissenschaft
EJ	Europa Journal
EMA	Emerging Markets Asien
EMO	Emerging Markets Osteuropa
EURODB	Eurostatistik (Eurostatistics)
FAKT	FAKT - Markt- und Wirtschaftsinformationen in Tabellen und Übersichtsartikeln
FUTURES	OECD Futures Studies Information Base
GLOB	S-GLOBO - Länderberichte
HB	Handelsblatt
HOP	Hoppenstedt Austria - Firmenprofile

HOPU	Hoppenstedt Ungarn – Firmenprofile
HWWA	Datenbank für Wirtschaftspraxis
IFO	ifo-Literatur-Datenbank
IFOL	ifo Osteuropa-Dokumentation
IIC	International Review of Industrial Property and Copyright Law
IMS	ims - Automotive Update Weekly
IPR	Info-Prod Research
ITCI	International Trade and Competitiveness Indicators
KSV	Kreditschutzverband von 1870 – Österreich
KSVCZ	Kreditschutzverband von 1870 – Tschechien
KSVHUN	Kreditschutzverband von 1870 – Ungarn
KSVPL	Kreditschutzverband von 1870 – Polen
LINDA	Industrie-Indizes
LPI	Lebensmittel Praxis International
MA	m + a Messe-Planer
MAER	BfAI – Märkte im Ausland
MAF	M&A Firmendatenbank
MAININD	Main Industrial Indicators
MALAND	Munziger Länder-Archiv
MAR	M&A Review, Mergers and Acquisitions
MEI	Main Economic Indicators and Leading Indicators and Business Surveys
MID	Motor-Informations-Dienst
MJMIS	MJ Marketing Intelligence Service
MMA	Management and Marketing Abstracts
MONEWS	Moscow News
ORE	Orient
OST	Emerging Markets Osteuropa
PRO	BfAI – Projektfrühinformationen
PSSI	Industrial Structure Statistics
PUBE	OECD Economic Outlook
PUIIA	Indicators of Industrial Activity
SDAD	Schweizerische Depeschenagentur
SHZ	HandelsZeitung
STATLIB	StatLibrary – GENIOS Statistikbibliothek
SUB	Ausschreibungsdienst – Subreport
SVC	Schweizerischer Verband Creditreform – Firmenprofile
SZ	Süddeutsche Zeitung
TW	TextilWirtschaft
UNIDO	Industriestatistik-Datenbank
VCA	Creditreform Austria – Firmenprofile
VWD	Vereinigte Wirtschaftsdienste
WBI	Internationaler Biographischer Index
WHO	WHO´S WHO Edition European Business and Industry

WHOF	WHO'S WHO Edition European Business and Industry – Companies
WLW	Wer liefert was?
WSJE	The Wall Street Journal Europe
WW	WirtschaftsWoche

Quelle: GENIOS Datenbank Beschreibungen, 04/00, GENIOS Wirtschaftsdatenbanken, Düsseldorf

2. Datenbanken des Hosts "Knight-Ridder Information"

Datenbank	Anbieter	Kurzbeschreibung
1. Marktforschungsstudien (komplett):		
764	DIALOG	BCC-Reports zu folgenden Bereichen: Kunststoffe, Medizin, Rohstoffe, Verpackung, Nahrungsmittel, keramische, optische und elektronische Produkte, Entsorgung
770	DIALOG	Reports der Beverage Marketing Company über den Getränkemarkt
CIRE	DataStar	Corporate Intelligence on UK and European Retailing (insgesamt mehr als 70 Reports)
DMON	DataStar, DIALOG	Datamonitor Market Research (unterschiedliche Bereiche in ca. 60 Ländern)
753	DIALOG	Datapro Reports and Analysis (bzgl. Computer, Telekommunikation, Informationssysteme, Netzwerke u.ä.)
768	DIALOG	EIU Market Research (breites Spektrum von Studien über europäische und asiatische Märkte)
766	DIALOG	FIND/SVP Market Research Reports (FIND/SVP Market Intelligence Reports, Packaged Facts Market Reports, Specialists in Business Information Market Profiles)
FSMR	DataStar, DIALOG	Frost & Sullivan Market Intelligence, Frost & Sullivan Market Research (weltweite Marktstudien und Branchenanalysen)
MBDE	DataStar	Market & Business Development (Studien über die britischen B-to-B-Märkte)
MKTL	DataStar	MarketLine International Market Research Reports (weltweite Studien über einen breiten Bereich von Marktsektoren)
MOJO	DataStar	Euromonitor Journals (nationale, pan- und internationale Marktstudien)

MONI	DataStar	Euromonitor Market Direction (Studien über 77 Konsumgüter- und Dienstleistungssektoren in Frankreich, Italien, Deutschland Spanien, GB, USA und Japan)
MSIR	DataStar	MSI Reports (Studien hauptsächlich über britische Märkte)
PTSP-IAC PROMT	DataStar	Euromonitor Market Reports (internationale Konsumgütermarktanalysen)
TFGI	DataStar, DIALOG	Freedonia Market Research (Studien, Reports und Unternehmensprofile bezogen auf verschiedene Industriesektoren)
2. Marktforschungsstudien (Teilresultate, Quellenverweise mit Abstracts):		
196	DIALOG	FINDEX (weltweites Verzeichnis aller kommerziell angebotenen Marktforschungsstudien, -reports und -umfragen)
FOIM	DataStar, DIALOG	Foodline: International Food Market Data (bibliographische Hinweise und ausgewählte Daten über den weltweiten Nahrungsmittel- und Getränkemarkt)
FAKT	DataStar	German and European Market Statistics (aktuelle statistische Informationen über Märkte und Branchen)
IMRI	DataStar	International Market Research Information (Verzeichnis angebotener Marktforschungsstudien und veröffentlichter Umfragen)
MKSE	DataStar	Marketsearch: International Directory of Published Market Research (weist mehr als 20.000 Studien auf, die weltweit von 680 Organisationen erstellt wurden)
503	DIALOG	Nielsen Market Statistics/Canada (US-amerikanische und kanadische POS-Daten aus Lebensmittelgeschäften, Apotheken und "mass merchandise outlets")
3. Länderinformationen:		
FTEE	DataStar	FT Reports: Eastern Europe (Nachrichten und Kommentare zur politischen und wirtschaftlichen Entwicklung in den Ländern Osteuropas)
102	DIALOG	American Statistics Index (Verzeichnis der statistischen Regierungspublikationen mit Abstracts)
748	DIALOG	Asia-Pacific Business Journals (Artikel der wichtigsten Zeitschriften)
728	DIALOG	Asia-Pacific News (Artikel der wichtigsten Wirtschaftszeitungen und Zeitschriften)
BNSA, BNSD	DataStar	Baltic News Service (Informationen über die baltischen Staaten und die GUS)
FSRI	DataStar	Country Report Service (147 Länderreports mit Risikobewertungen)
DRTE	DataStar	DRT European Business Reports (Inf. über die EU und deren Mitgliedsländer)
627	DIALOG	EIU: Country Analysis (Länderreports über mehr als 180 Länder)
628	DIALOG	EIU: Country Risk and Forecasts (Bewertung der Kreditwürdigkeit von mehr als 90 Ländern, ökonomische und politische Trends in 58 Ländern)

617	DIALOG	South American Business Information (Abstracts von Beiträgen in wichtigen Wirtschaftszeitungen und -zeitschriften von Argentinien, Brasilien, Chile, Paraguay und Uruguay)
4. Brancheninformationen:		
AINS, AIND	DataStar	Automotive Information and News Service (Informationen vor allem über die westeuropäische Automobilindustrie, zunehmend auch über die der USA und Japans)
BBUS	DataStar, DIALOG	BioBusiness (Informationen über die wirtschaftliche Verwertung von Ergebnissen der biologischen und biomedizinischen Forschung)
CBNB	DataStar	Chemical Business NewsBase (weltweite Informationen über die chemische Industrie)
MAST	DataStar	Databank Market Structure and Trends in Italy (Informationen über mehr als 200 italienische Industrie- und Dienstleistungssektoren)
FTNV	DataStar	FT Reports: Energy and Environment (weltweite Informationen über die Energie- und Umweltmärkte)
FTIN	DataStar	FT Reports: Industry (Nachrichten und Kommentare über Markt- und Produktentwicklungen in der pharmazeutischen und biotechnischen Industrie)
MIRA	DataStar	Motor Industry Research (Verzeichnis relevanter Veröffentlichungen)
5. Unternehmensinformationen:		
758	DIALOG	Asia-Pacific Directory (erfaßt Unternehmen aus China, Indien, Südkorea und Taiwan)
116	DIALOG	Brands and Their Companies (weltweites Verzeichnis von 340.000 Produktnamen und deren Besitzern)
Eure	DataStar	ABC EUROPE: European Export Industry (Informationen über 150.000 europäische und 10.000 US-amerikanische Unternehmen)
BIDB	DataStar	Business & Industry (Veröffentlichungen von 600 der wichtigsten Wirtschaftspublikationen aus 30 Ländern über Unternehmen, Branchen, Märkte und Produkte)
533	DIALOG	Canadian Business Directory (Verzeichnis kanadischer Unternehmen, Berater, staatlicher Stellen, Ausbildungsstätten)
CSCO	DataStar	Chem. Sources Company Directory (Informationen über 3.000 Zulieferunternehmen der chemischen Industrie in 80 Ländern)
DNCA	DataStar, DIALOG	Dun & Bradstreet Canada (Informationen über kanadische Unternehmen)
515	DIALOG	D&B-Dun's Electronic Business Directory (Informationen über US-Unternehmen)
519	DIALOG	D&B-Dun's Financial Records Plus (Analysen von US-Unternehmen)
516	DIALOG	Dun's Market Identifiers (Informationen über US-Unternehmen und staatliche Stellen)

521	DIALOG	D&B-European Dun's Market Identifiers (Informationen über Unternehmen in 50 europäischen Ländern einschl. Osteuropa und die Staaten der ehemaligen Sowjetunion)
518	DIALOG	D&B-International Dun's Market Identifiers (Informationen über mehr als 4,7 Mio. Unternehmen in ca. 200 Ländern - außer den USA und Kanada)
513	DIALOG	Directory of Corporate Affiliations (Unternehmensprofile und -verbindungen von weltweit über 114.000 Unternehmen)
592, 593, 594, 585, 591, 584, 590	DIALOG	Kompass Asia/Pacific, ...Central/Eastern Europe, ...Canada, ...Middle East/Africa/Mediterranean, ...UK, ...USA, ...Western Europe (Unternehmensinformationen)
556, 557	DIALOG	Moody's Corporate News - USA / ... International (Informationen über 13.000 US- bzw. 3.900 Unternehmen in 100 Ländern)
502	DIALOG, DataStar	Teikoku Databank: Japanese Companies (Informationen über 220.000 Unternehmen)

Quelle: Knight-Ridder Information

3. Datenbanken des Hosts "WEFA"

AB	U.S. Forecast
ABL	U.S. Forecast
ADOT	IMF Direction of Trade
AGR	Agriculture - U.S.
ANIA	OECD Annual National Accounts
ASIA	Asia Forecast
ASM	Annual Survey of Manufactures (US)
AUTONEWS	Historical detail for supply and demand for U.S., Canadian and import passenger cars and trucks as collected by Automotive News
BAL	IEA Energy Balances
BCD	Business Conditions Digest (US)
BES	IEA Basic Energy Statistics
BOP	IMF Balance of Payments
CAB	Canadian Forecast
CANAG	Agricultur - Canadian
CANSIMS	Canadian Socio-Economic (CANSIM ™)

CBOARD	Coverage of economic data compiled by the Conference Board (US)
DEPT	World Debt Tables
DCPEBASE	Developing Economies Annual Forecast
EEUROPE	Eastern Europe
EMARKET	Emerging Markets
ENLT	Energy Forecast
FEX	Foreign Exchange Forecast
FOREX	Foreign Exchange
FRINFO	France: Main Economic Indicators
FRMEI	French Macro-Economic (BDM)
GERFIN	German and International Financial - Daily
GLOBE	Bank for International Settlements
HHINC	Household Age & Income (US)
IAMBASE	Industry Activity Monitor (IAM)
IFS	IMF International Financial Statistics
IIA	OECD Indicators of Industrial Activity
INTLINE	Historical macroeconomic data for several countries
INTMODA	Developed Economies Annual and Quarterly Forecast
INTMODQ	Developed Economies Annual and Quarterly Forecast
IP	Cost Planning Forecast
KRFIN	Knight-Ridder Financial
LATIN	Latin America Forecast
LATINH	Central and Latin America
MABASE	Market Access (US)
MATRAN	Market Access (US)
MDOT	IMF Direction of Trade
MEAFR	Middle East and Africa Forecast
MEI	OECD Main Economic Indicators
NIPA	National Income and Product Accounts (US)
NRIEM	Historical macroeconomic, financial and industry data for Japan
NRIEF	Historical macroeconomic, financial and industry data for Japan
NRIEI	Historical macroeconomic, financial and industry data for Japan
PPIR	Producer Price Index by Industry (US)
REGCON	Housing and Construction - MSA and State
REGFIN	Financial - MSA and State
RMAC	Macroeconomic - State (U.S. total, the 50 States, and the District of Columbia)
RUSSIA	Russia Historical Series
TELECO	French and International Economic Indicators from REXECODE
UCLT	Utility Cost Forecast

UKCBI	CBI: Quarterly Industrial Trends Survey (UK)
UKCSO	United Kingdom (Central Statistical Office)
UKFT	Finacial Times Currency and Share Index
USIS	Iron and Steel (US)
US	U.S. General Macroeconomic Indicators
WASD	Agriculture Supply and Disposition - World
WPI	Producer Price Index by Commodity (US)
WWLTBASE	Developed Economies Long-Term Forecast

Quelle: Data Reference Guide, WEFA Inc., Eddystone, Penn., August 1997

E. Die größten Marktforschungsinstitute

1. Die weltweit 25 größten Marktforschungsinstitute

Institut***	Globaler Umsatz* 2000 (in Mio. $)	Veränderung gegenüber 1999** (in %)
1. *ACNielsen Corp.*, USA (80)	1.577,0	+ 2,1
2. *IMS Health Inc.*, USA (74)	1.131,2	+ 9,1
3. *The Kantar Group*, GB (59)	928,5	+ 17,5
4. *Taylor Nelson Sofres plc*, GB (41)	709,6	+ 8,5
5. *Information Resources Inc.*, USA (17)	531,9	– 2,8
6. *VNU Inc.*, USA (21)	526,9	+ 15,5
7. *NFO WorldGroup Inc.*, USA (38)	470,5	+ 2,9
8. *GfK Group*, D (34)	444,0	+ 9,1
9. *Ipsos Group SA*, F (24)	304,2	+ 13,0
10. *Westat Inc.*, USA (1)	264,4	+ 9,3
11. *NOP World*, GB (6)	246,1	+ 8,0
12. *Aegis Research*, GB (12)	232,2	+ 11,2
13. *Arbitron Inc.*, USA (2)	206,8	+ 8,8
14. *Video Research Ltd.*, Japan (2)	174,3	+ 7,7
15. *Maritz Research*, USA (4)	172,0	– 1,3
16. *The NPD Group Inc.*, USA (13)	164,3	+ 14,6
17. *Opinion Research Corp.*, USA (8)	123,9	+ 10,6
18. *INTAGE Inc.*, Japan (2)	119,3	+ 6,8
19. *J.D. Power and Associates*, USA (5)	104,0	+ 11,9
20. *Roper Starch Worldwide Inc.*, USA (2)	73,9	+ 12,0
21. *Jupiter Media Metrix Inc.*, USA (16)	69,1	+ 152,6
22. *Dentsu Research Inc.*, Japan (1)	67,6	+ 8,0
23. *IBOPE Group*, Brasilien (12)	60,7	+ 30,8
24. *Harris Interactive Inc.*, USA (3)	56,0	+ 50,8

25. *MORPACE International*, USA (3)	54,3	+	22,3
Gesamtumsatz	8.812,7	+	8,7

* Reiner Marktforschungsumsatz – der Gesamtumsatz mancher Institute ist bedeutend höher.

** Ohne Berücksichtigung von Umsatzerhöhungen oder Umsatzschmälerungen, die durch Akquisitionen bzw. Desinvestitionen bedingt sind. Berechnung auf der Basis der Landeswährungen.

*** Der hinter jedem Institutsnamen in Klammern angeführte Zahlenwert verdeutlicht die Zahl der Länder, in denen dieses Institut institutionell vertreten ist.

Quelle: Honomichl, J. (2001b), S. H3

2. Die 50 größten deutschen Marktforschungsinstitute

Institut	Umsatz 2001 (in Mio. DM)	Veränderung gegenüber 2000 (in %)
1. *GfK-Gruppe**, Nürnberg	1.036,6	+ 12,8
2. *NFO Infratest Gruppe**, München	500,5	+ 19,7
3. *ACNielsen*, Frankfurt	153,0	+ 5,2
4. *INRA Gruppe Deutschland**, Mölln	121,9	+ 7,0
5. *Icon*, Nürnberg	90,0	0,0
6. *TNS Emnid***, Bielefeld	84,0	+ 15,1
7. *Ipsos Deutschland**, Hamburg	64,0	– 0,8
8. *Research International*, Hamburg	59,0	+ 3,5
9. *Psyma Group*, Rückersdorf	26,0	+ 9,2
10. *Foerster & Thelen*, Bochum	20,8	+ 6,7
11. *Millward Brown*, Frankfurt	20,5	+ 13,9
12. *Krämer Marktforschung*, Münster	18,0	+ 1,1
13. *Gewiplan**, Frankfurt	18,0	0,0
14. *Roland Berger*, München	17,0	+ 13,3
15. *Produkt + Markt*, Wallenhorst	17,0	+ 9,7
16. *Ifak*, Taunusstein	16,8	+ 6,3
17. *IfD*, Allensbach	16,5	0,0
18. *forsa*, Berlin	16,1	+ 8,8
19. *BBE*, Köln	16,0	+ 5,3
20. *LDB Löffler*, Berlin	15,1	+ 4,1
21. *Kleffmann Gruppe International**, Lüdinghausen	15,0	+ 100,0
22. *Kehrmann*, Hamburg	14,6	– 8,8
23. *Beyen Marktforschung*, Düsseldorf	14,5	...
24. *GDP-Gruppe**, Hamburg	14,3	+ 18,2
25. *H.T.P Concept*, München	14,0	+ 35,9
26. *Rheingold*, Köln	13,5	+ 9,8
27. *Market & More*, Wiesbaden	13,0	+ 13,0
28. *Intermarket/RSG***, Düsseldorf	12,2	0,0
29. *GIM*, Heidelberg	12,0	+ 20,0
30. *Consodata*, München	11,4	...
31. *Enigma*, Wiesbaden	11,2	0,0
32. *NFO TPI Testpanel*, Wetzlar	11,0	+ 26,4
33. *Infas*, Bonn	10,5	+ 1,9
34. *Sinus Sociovision*, Heidelberg	10,5	0,0
35. *Dichter*, Frankfurt/Zürich	10,2	+ 4,1
36. *Konzept & Analyse*, Nürnberg	10,1	+ 4,1
37. *Psychonomics*, Köln	10,0	+ 72,4
38. *Impulse*, Heidelberg	10,0	+ 11,1
39. *Phone Research*, Hamburg	10,0	+ 11,1
40. *Imagin*, Eppstein	10,0	...

41. *Marplan*, Offenbach	9,7	+	5,4
42. *Basis Kontakt*, Hamburg	9,7	+	2,5
43. *MW Research*, Hamburg/Frankfurt	9,5	-	6,9
44. *Gelszus Marktforschung*, Hamburg	9,4	+	4,4
45. *Müller Goldfarb*, Hamburg	8,5	-	1,2
46. *Opinion*, Nürnberg	8,4	+	5,0
47. *Link & Partner*, Frankfurt	7,9	-	10,2
48. *M-S Teststudios*, Nürnberg	7,5	+	7,1
49. *Infratest Dimap*, Berlin	7,5	+	25,0
50. *Schmiedl MF*, München/Berlin	7,0	+	12,9
Umsatz aller 50 Institute***	2.649,9	+	12,1

* Gruppen-/Konzern-Umsatz
** Umsatzschätzung
*** entspricht ca. 88 % der Umsätze aller deutschen Institute; nicht aufgeführt ist das vorher immer an 4. Stelle rangierende Institut *IMS Health*

Quelle: Context, Folge 01/02, S. 2 ff.

3. Die 50 größten britischen Marktforschungsinstitute (BMRA-Mitgliedsinstitute)

Institut	Umsatz 2000 (in Tsd. £)	Veränderung gegenüber 1999 (in %)
1. *Taylor Nelson Sofres plc*	110.148	+ 8,4
2. *NOP Research Group Ltd*	68.149	– 3,0
3. *Research International Ltd*	64.724	+ 7,2
4. *Millward Brown International plc*	64.510	+ 10,5
5. *NFO WorldGroup*	43.391	+ 14,1
6. *BMRB International*	39.522	+ 9,9
7. *Ipsos-RSL Ltd*	39.336	+ 14,6
8. *Information Resources*	30.922	+ 25,1
9. *MORI*	26.942	+ 26,9
10. *Maritz TRBI*	24.824	+ 3,2
11. *Martin Hamblin Group*	17.175	+ 7,3
12. *GfK Marketing Services*	15.850	– 9,9
13. *ISIS Research plc*	12.247	+ 35,7
14. *ORC International*	11.192	+ 17,3
15. *Added Value Ltd*	11.062	+ 13,2
16. *Hall & Partners Europe Ltd*	8.895	+ 23,1
17. *Hauck Research Services Ltd*	8.868	+ 13,0
18. *Davies Riley-Smith Maclay*	7.498	– 3,7
19. *Simon Godfrey Associates Ltd*	7.278	– 11,7
20. *Promar International Ltd*	7.039	– 4,8
21. *Business & Market Research Ltd*	6.425	+ 16,5
22. *Market Research Solutions Ltd*	6.400	+ 7,6
23. *Marketing Sciences Ltd*	6.291	+ 17,2
24. *The New Fieldwork Company Ltd*	4.903	+ 7,2
25. *Pegram Walters Group*	4.834	+ 14,7
26. *FDS International Ltd*	4.732	– 4,1
27. *BMG (Bostock Marketing Group)*	4.399	+ 23,1
28. *Business Developm. Res. Consult.*	4.328	+ 18,4
29. *Quaestor Res. & Marketing Strat.*	4.098	+ 36,5
30. *RDSI* (incl. *Field Initiatives*)	4.089	+ 14,7
31. *MORPACE Ltd*	3.912	+ 9,2
32. *NMR Food & Drink Res. Worldwide*	3.900	+ 28,6
33. *Survey & Marketing Services Ltd*	3.650	– 8,2
34. *Research in Focus Ltd*	3.512	+ 41,7
35. *IFF Research Ltd*	3.323	+ 27,3
36. *Sadeq Wynberg Research Ltd*	3.201	n/a
37. *DVL Smith Group*	3.197	+ 4,3
38. *Roper Starch Worldwide*	3.090	+ 43,7
39. *Facts International*	3.005	+ 8,0
40. *Maven Management Ltd.*	2.895	+ 108,4

41.	*Retail Marketing In-Store Services*	2.703	- 9,3
42.	*ESA Market Research Ltd*	2.685	+ 19,4
43.	*International Research Ass. (UK)*	2.367	n/a
44.	*Infocorp Ltd*	2.302	+ 21,8
45.	*ase London*	2.300	- 57,3
46.	*Market Measures*	2.167	+ 26,2
47.	*Accent Marketing & Research Ltd*	2.098	+ 30,1
48.	*FML (Field Management Ltd)*	1.956	n/a
49.	*Context Research International Ltd*	1.871	+ 15,9
50.	*Kudos Research Ltd*	1.836	+ 14,7
	Umsatz aller (213) *BMRA*-Mitglieder*	783.000	+ 9,35

* Letzte Quartalszahlen des Jahres 2000, die nach Schätzungen der *British Market Research Association* (*BMRA*) ca. 95 % der Gesamtumsätze aller Mitgliedsinstitute (zu denen neben einigen anderen Instituten insbesondere auch das Institut *ACNielsen* nicht zählt) erfassen.

Die Gesamtsumme aller in Großbritannien getätigten Marktforschungsumsätze wird für das Jahr 2000 auf 1 Mrd. £ veranschlagt.

Quelle: Research, No. 420, May 2001, S. 28-29

4. Die 50 größten US-amerikanischen Marktforschungsinstitute (CASRO-Mitgliedsinstitute)

Institut***	Umsatz* 2000 (in Mio $)	Veränderung gegenüber 1999** (in %)
1. *ACNielsen Corp.* (67)	1.577,0	+ 2,1
2. *IMS Health Inc.* (62,5)	1.131,2	+ 9,1
3. *Information Resources Inc.* (25)	531,9	– 2,8
4. *VNU Inc.* (2,6)	526,9	+ 15,5
5. *NFO WorldGroup* (62,4)	470,5	+ 2,9
6. *The Kantar Group* (14,7)	270,0	+ 9,4
7. *Westat Inc.* (0)	264,4	+ 9,3
8. *Arbitron Inc.* (3,4)	206,8	+ 8,8
9. *Market Facts Inc.* (17,6)	190,3	+ 11,2
10. *Maritz Marketing Research,* (31,5)	172,0	– 1,3
11. *The NPD Group Inc.* (17)	164,3	+ 14,6
12. *Taylor Nelson Sofres USA* (14,9)	155,7	+ 10,3
13. *United Information Group USA* (5)	139,0	+ 17,0
14. *Opinion Research Corp.* (28,9)	123,9	+ 10,6
15. *J.D. Power and Associates* (15,4)	104,0	+ 11,9
16. *Ipsos-ASI Inc.* (54,4)	78,8	+ 4,8
17. *Roper Starch Worldwide Inc.* (14,3)	73,9	+ 12,0
18. *Jupiter Media Metrix Inc.* (15)	69,1	+ 152,6
19. *Harris Interactive Inc.* (5,4)	56,0	+ 50,8
20. *MORPACE International Inc.* (26,1)	54,3	+ 22,3
21. *Abt Associates Inc.* (14,1)	53,7	+ 5,7
22. *Total Research Corp.* (38,5)	51,9	+ 2,3
23. *Burke Inc.* (29,2)	48,6	– 0,4
24. *Wirthlin Worldwide* (18,4)	46,5	+ 25,1
25. *C&R Research Services Inc.* (0)	46,2	+ 20,5
26. *Lieberman Res. Worldwide* (11,5)	39,2	+ 25,6
27. *Market Strategies Inc.* (5,6)	35,2	+ 6,3
28. *M/A/R/C Research* (6,4)	31,4	– 19,1
29. *Yankelovich Partners Inc.* (0)	30,2	+ 16,6
30. *Custom Research Inc.* (4,9)	29,8	+ 5,7
31. *ICR/Int'l Communications Res.* (3)	28,6	+ 13,0
32. *Elrick & Lavidge Marketing Res.* (0)	27,9	+ 2,6
33. *Walker Information* (21,5)	26,0	– 10,7
34. *RDA Group Inc.* (23,6)	24,5	+ 6,5
35. *Lieberman Research Group* (3)	21,6	+ 18,0

36. *The Ziment Group* (4,3)	20,8	+ 30,8
37. *Marketing and Planning Syst.* (38,3)	19,6	+ 7,7
38. *National Research Corp.* (0)	18,3	+ 0,5
39. *Directions Research Inc.* (0)	17,5	+ 11,1
40. *Schulman, Ronca & Bucuvalas* (12)	17,3	+ 2,4
41. *Data Development Corp.* (4)	15,8	- 15,1
42. *Greenfield Consulting Group* (3,3)	15,4	+ 19,2
43. *Market Probe Inc.* (36,3)	15,4	+ 7,2
44. *The B/R/S Group Inc.* (19,6)	15,3	+ 13,3
45. *Questar* (0)	15,2	+ 8,6
46. *Greenfield Online Inc.* (0,9)	14,9	+ 104,1
47. *The PreTesting Co. Inc.* (6)	14,9	+ 4,4
48. *Cheskin* (26,4)	14,8	- 1,3
49. *Marketing Analysts Inc.* (3,5)	14,1	+ 8,5
50. *Savitz Research Cos.* (0)	13,8	+ 6,2
Umsatz der 50 größten *CASRO*-Institute	7.144,7	+ 7,4
Umsatz weiterer 131 *CASRO*-Institute	597,3	+ 17,2
Gesamtumsatz	7.742,0	+ 8,1

* Reiner Marktforschungsumsatz - der Gesamtumsatz mancher Institute ist bedeutend höher.

** Ohne Berücksichtigung von Umsatzerhöhungen oder Umsatzschmälerungen, die durch Akquisitionen bzw. Desinvestitionen bedingt sind.

*** Der hinter jedem Institutsnamen in Klammern angeführte Zahlenwert verdeutlicht den Prozentsatz des Marktforschungsumsatzes, der von diesem Institut außerhalb der USA erzielt worden ist.

CASRO = Council of American Survey Research Organizations

Quelle: Honomichl, J. (2001a), S. H4

Register

Literaturverzeichnis

Abel, S. (1996): Finding the elusive young through co-operative parents, in: ResearchPlus, February, S. 8-9.

ADM (Hrsg.) (2001): Standards zur Qualitätssicherung für Online-Befragungen, Farnkfurt a.M.

Ahsen, A. v., Czenskowsky, T. (Hrsg.) (1996): Marketing und Marktforschung, Hamburg.

Albrecht, J. (1990): Invarianz, Äquivalenz, Adäquatheit, in: Arntz, R., Thome, G. (Hrsg.): Übersetzungswissenschaft, Tübingen, S. 71-81.

Aldridge, D. (1983): Fieldwork in the Developing World, in: MRS Newsletter, No. 205, S. 22-25.

Allvine, F.C. (Hrsg.) (1972): AMA Combined Proceedings, 1971 Spring and Fall Conferences, Chicago.

Almond, G.A., Verba, S. (1963): The Civic Culture, Princeton, N.J.

AMSO (1996): Annual Report 1996, London.

AMSO (1997): Annual Report 1997, London.

AMSO (1998): Annual Report 1998, London.

Andritzky, K. (1976): Vier Hypothesen bei der Anwendung der Rating-Methode in der Wirtschafts- und Sozialpsychologie, in: Jahrbuch der Absatz- und Verbrauchsforschung, Nr. 3, S. 291-306.

Angelmar, R., Pras, B. (1978): Verbal Rating Scales for Multinational Research, in: European Research, Vol. 6, March, S. 62-67.

Appel, M., Barker, B., Wendt, L., Mitchell, R. (1996): EMS, The Way Ahead, in: ARF/ESOMAR (Hrsg.): Worldwide Electronic and Broadcast Audience Research Symposium, San Francisco (USA) 21st - 24th April 1966, Amsterdam, S. 427-436.

ARF (Hrsg.) (1996a): Global Research: The Critical Component for International Success, Second ARF Global Research Workshop, Transcript Proceedings, New York.

ARF (Hrsg.) (1996b): Draft Technical Specification, ARF Harmonization Committee, Meter Sample Section, Draft 1.6, New York.

ARF/ESOMAR (Hrsg.) (1996): Worldwide Electronic and Broadcast Audience Research Symposium, San Francisco (USA) 21st - 24th April 1996, Amsterdam.

Armstrong, J.S., Lusk, E.J. (1987): Return postage in mail surveys: A meta analysis, in: Public Opinion Quarterly, Vol. 51, S. 233-248.

Arndt, R. (2001): Konzept- und Produkttests im Internet, in: Theobald, A., Dreyer, M., Starsetzki, T. (Hrsg.): Online-Marktforschung, Wiesbaden, S. 291-301.

Arntz, R., Thome, G. (Hrsg.) (1990): Übersetzungswissenschaft, Tübingen.

Auerbach, H., Meissner, H.G. (1995): Controlling im internationalen Marketing-Management, in: Hermanns, A., Wißmeier, U.K. (Hrsg.): Internationales Marketing-Management, München, S. 281-308.

Ayal, I., Hornik, J. (1984): Foreign source effects and response behaviour in cross national mail surveys, Working Paper No. 843/84, Universität Tel Aviv.

Ayal, I., Zif, J. (1979): Market Expansion Strategies in Multinational Marketing, in: Journal of Marketing, Vol. 43, No. 2, S. 84-94.

Bachmann, J.G., O´Malley, P.M. (1984): Yea-Saying, Nay-Saying, and Going to Extremes: Black-White Differences in Response Styles, in: Public Opinion Quarterly, Vol. 48, S. 491-509.

Backhaus, K., Büschken, J., Voeth, M. (1996): Internationales Marketing, Stuttgart.

Baim, J. (1991): Response rates: A multinational perspective, in: Marketing and Research Today, Vol. 19, No. 2, S. 114-119.

Baker, M.J., Saren, M. (Hrsg.) (1980): Marketing into the Eigthies, Proceedings of E.A. for A.R. in Marketing.

Balderjahn, I., Mennicken, C., Vernette, E. (Hrsg.) (1998): New Developments and Approaches in Consumer Behaviour Research, Stuttgart/Houndsmill/London.

Balve, J. (1998): Vielseitiges Angebot an Marktinformation, in: HORIZONT 20/98, S. 28 u. 30.

Banks, R. (1994): Oh, say, can you see ... the client runs free, in: ResearchPlus, June, S. 3.

Banks, R. (1997): A multi-cultural approach for multinational managements, in: ResearchPlus, March, S. 8-9.

Barnard, N. (1990): What can you do with tracking studies and what are their limitations?, in: Admap, Vol. 26, No. 4, S. 21-26.

Barnard, P. (1982): Conducting and co-ordinating multicountry quantitative studies across Europe, in: Journal of the Market Research Society, Vol. 24, No. 1, S. 46-64.

Barnard, P. (1992): New directions in world research - main global trends in its supply, methods, use and users, in: Admap, October, S. 22-31.

Bartos, R. (1989): International demographic data? Incomparable!, in: Marketing and Research Today, Vol. 17, No. 4, S. 205-212.

Bates, B.A. (1990): Harmonisation of demographics in the new Europe, in: Admap, Vol. 26, No. 7, S. 25-29.

Bates, B.A. (2001): ISO across the world!, in: Research World, Vol. 9, No. 8, S. 10-11.

Bauer, E. (1976): Markt-Segmentierung als Marketing-Strategie, Berlin.

Bauer, E. (1977): Markt-Segmentierung, Stuttgart.

Bauer, E. (1980): Repräsentanzprobleme nationaler telephonischer Ad-hoc-Befragungen und ihre Lösungsmöglichkeiten, in: Jahrbuch der Absatz- und Verbrauchsforschung, 26. Jg., Nr. 2, S. 173-199.

Bauer, E. (1981): Produkttests in der Marketingforschung, Göttingen.

Bauer, E. (1982a): Kennzahlen zur Planung und Evaluation von Zufallsstichprobenbefragungen, I. Eine Situationsbeschreibung, in: Jahrbuch der Absatz- und Verbrauchsforschung, 28. Jg., Nr. 2, S. 91-111.

Bauer, E. (1982b): Kennzahlen zur Planung und Evaluation von Zufallsstichprobenbefragungen, II. Ein Standardisierungsvorschlag, in: Jahrbuch der Absatz- und Verbrauchsforschung, 28. Jg., Nr. 3, S. 213-240.

Bauer, E. (1985): Individualisierung der Nachfrage oder "Globalisierung" der Märkte?, in: Markenartikel, 47. Jg., H. 4, S. 144-146.

Bauer, E. (1989): Übersetzungsprobleme und Übersetzungsmethoden bei einer multinationalen Marketingforschung, in: Jahrbuch der Absatz- und Verbrauchsforschung, 35. Jg., Nr. 2, S. 174-205.

Bauer, E. (1994): Markt-Segmentierung im internationalen Marketing, in: Schiemenz, B., Wurl, H.-J. (Hrsg.): Internationales Management, Wiesbaden, S. 209-233.

Bauer, E. (1995): Produkttests, in: Tietz, B., Köhler, R., Zentes, J. (Hrsg.): Handwörterbuch des Marketing, 2. Aufl., Stuttgart, Sp. 2151-2160.

Bauer, E. (1996): Fernsehzuschauerforschung in Europa, in: Ahsen, A. v., Czenskowsky, T. (Hrsg.): Marketing und Marktforschung, Hamburg, S. 129-144.

Bauer, E. (2000): Market Segmentation in International Marketing, in: Dahiya, S.B. (Hrsg.): The Current State of Business Disciplines, Vol. 6, Marketing, Rohtak (Indien), S. 2795-2814.

Bauer, E. (2001): Die Erforschung der Absatzmärkte von TV-Sendern, in: Tscheulin, D.K., Helmig, B. (Hrsg.): Branchenspezifisches Marketing, Wiesbaden, S. 749-773.

Baumgartner, H., Steenkamp, J.-B.E.M. (2001): Response Styles in Marketing Research: A Cross-National Investigation, in: Journal of Marketing Research, Vol. 38, No. 2, S. 143-156.

Bausch, T. (1990): Stichprobenverfahren in der Marktforschung, München.

Becker, J. (1994): Vom Massenmarketing über das Segment-Marketing zum kundenindividuellen Marketing (Customized Marketing), in: Tomczak, T., Belz, Chr. (Hrsg.): Kundennähe realisieren, St. Gallen, S. 15-30.

Becker, J. (1998): Marketing-Konzeption. Grundlagen des strategischen und operativen Marketing-Managements, 6. Aufl., München.

Behrens, G. (1983): Magnitudeskalierung, in: Forschungsgruppe Konsum und Verhalten (Hrsg.): Innovative Marktforschung, Würzburg, S. 125-137.

Bellenger, D.N., Bernhardt, K.L., Goldstucker, J.L. (1976): Qualitative Research in Marketing, Chicago.

Berekoven, L. (1985): Internationales Marketing, 2. Aufl., Herne/ Berlin.

Berekoven, L., Eckert, W., Ellenrieder, P. (2001): Marktforschung, 9. Aufl., Wiesbaden.

Berent, P.H. (1975): International Research is different, in: Mazze, E.M. (Hrsg.): Marketing in turbulent times, and Marketing: The challenges and the opportunities, AMA Combined Proceedings, Chicago, S. 293-297.

Berg-Schlosser, D., Müller-Rommel, F. (Hrsg.) (1997): Vergleichende Politikwissenschaft, 3. Aufl., Opladen.

Berkman, R., Hammond-Tooke, A. (2001): Finding Market Research on the Web, 2. Aufl., Rockville, MD.

Berndt, R., Fantapié Altobelli, C., Sander, M. (1997): Internationale Marketing-Politik, Berlin/Heidelberg.

Berrien, F.K. (1967): Methodological and Related Problems in Cross-Cultural Research, in: International Journal of Psychology, Vol. 2, No. 1, S. 33-43.

Berrien, F.K. (1968): Cross-Cultural Equivalence of Personality Measures, in: Journal of Social Psychology, Vol. 75, S. 3-9.

Berry, J.W. (1980): Introduction to Handbook of Cross-Cultural Psychology, in: Triandis, H.C., Berry, J.W. (Hrsg.): Handbook of Cross-Cultural Psychology, Vol. 2, Boston, S. 1-28.

Bhalla, G., Lin, L.Y.S. (1987): Cross-Cultural Marketing Research: A Discussion of Equivalence Issues and Measurement Strategies, in: Psychology & Marketing, Vol. 4, No. 4, S. 275-285.

Bielenski, H., Köhler, E. (1990): New Forms of Work: An Example of New Challenges for Social Research in the Public Sector in Europe after 1992, in: ZUMA-Nachrichten, Nr. 27, S. 9-16.

Bilkey, W.J. (1978): At Attempted Integration of the Literatur on the Export Behaviour of Firms, in: Journal of International Business Studies, Vol. 9, No. 1, S. 33-46.

Blankenship, A.B., Breen, G.E., Dutka, A. (1998): State of the Art Marketing Research, 2. Aufl., Chicago.

Blödorn, N. (1994): Internationales Controlling: Die ergebnisorientierte Steuerung von Geschäftsbereichen einer multinationalen Unternehmung, in: Schoppe, S.G. (Hrsg.): Kompendium der Internationalen Betriebswirtschaftslehre, 3. Aufl., München/Wien, S. 325-393.

Blyth, B. (2000): Data Protection Envelopes Europe, in: Research Guide to Europe, a supplement of Research magazine, May, S. 10-11.

Böcker, F. (1988): Marketing-Kontrolle, Stuttgart.

Böhler, H. (1992): Marktforschung, 2. Aufl., Stuttgart u.a.

Boesch, E.E., Eckensberger, L.H. (1969): Methodische Probleme des interkulturellen Vergleichs, in: Graumann, C.F. (Hrsg.): Sozialpsychologie, 1. Halbbd., Göttingen, S. 515-566.

Boddewyn, J. (Hrsg.) (1969): Comparative Management and Marketing, Glenview, Ill.

Bogner, W. (1996): Die Validität von Online-Befragungen, in: Planung & Analyse, Nr. 6, S. 9-12.

Boni, M. (1994): Datenbanken in Wirtschafts- und Sozialwissenschaften: elektronische Fachinformation für Studium und Berufspraxis, München.

Boucher, J.D., Carlson, G.E. (1980)**:** Recognition of Social Expression in Three Cultures, in: Journal of Cross-Cultural Psychology, Vol. 11, No. 3, S. 263-280.

Bowles, T. (1989): Data collection in the United Kingdom, in: Journal of the Market Research Society, Vol. 31, No. 4, S. 467-476.

Breit, J. (1991): Die Marktselektionsentscheidung im Rahmen der unternehmerischen Internationalisierung, Wien.

Brennan, M., Hoek, J., Astridge, C. (1991): The effects of monetary incentives on the response rate and cost-effectiveness of a mail survey, in: Journal of the Market Research Society, Vol. 33, No. 3, S. 229-241.

Brislin, R.W. (1970): Back-Translation for Cross-Cultural-Research, in: Journal of Cross-Cultural Psychology, No. 3, S. 185-216.

Brislin, R.W. (1976): Introduction, in: ders. (Hrsg.): Translation: Applications and Research, New York, S. 1-43.

Brislin, R.W. (Hrsg.) (1976): Translation: Applications and Research, New York.

Brislin, R.W. (1980): Translation and Content Analysis of Oral and Written Materials, in: Triandis, H.C., Berry, J.W. (Hrsg.): Handbook of Cross-Cultural Psychology, Vol. 2, Boston, S. 389-444.

Brislin, R.W. (1986): The Wording and Translation of Research Instruments, in: Lonner, W.J., Berry, J.W. (Hrsg.): Field Methods in Cross Cultural Research, Beverly Hills, Ca., S. 137-164.

Brislin, R.W., Lonner, W.J., Thorndike, R.M. (1973): Cross-Cultural Research Methods, New York u.a.

Brög, W., Möllenstedt, U. (1976): Untersuchungen bei ausländischen Arbeitnehmern als eine besondere Form der multinationalen Befragung, in: Interview und Analyse, Nr. 9, S. 212-221.

Bruhn, M. (Hrsg.) (1994): Handbuch Markenartikel, Bd.1, Stuttgart.

Bulmer, M. (1983): Sampling, in: Bulmer, M., Warwick, D.P. (Hrsg.): Social Research in Developing Countries, Chichester u.a., S. 91-99.

Bulmer, M., Warwick, D.P. (1983): Data Collection, in: dies. (Hrsg.): Social Research in Developing Countries, Chichester u.a., S. 145-160.

Bulmer, M., Warwick, D.P. (Hrsg.) (1983): Social Research in Developing Countries, Chichester u.a.

Burns, A.C., Bush, R.F. (1995): Marketing Research, Englewood Cliffs, N.J.

Bush, A.J., Hair, J.F. (1985): An Assessment of the Mall Intercept as a Data Collection Method, in : Journal of Marketing Research, Vol. 12, No. 2, S. 158-167.

BVM - Berufsverband Deutscher Markt- und Sozialforscher (Hrsg.) (1998): Marktforschung im magischen Viereck: Unternehmen, Wettbewerb, Handel, Konsumenten, Vorträge zur Markt- und Sozialforschung - Schriftenreihe 15/16, Offenbach.

Calder, B.J. (1977): Focus Groups and the Nature of Qualitative Marketing Research, in: Journal of Marketing Research, Vol. 14, No. 3, S. 353-364.

Casley, D.J., Lury, D.A. (1981): Data Collection in Developing Countries, Oxford.

Cateora, P.R. (1997): International Marketing, 9. Aufl., Chicago u.a.

Cavusgil, S.T., Das, A. (1997): Methodological Issues in Empirical Cross-Cultural Research: A Survey of the Management Literature and a Framework, in: Management International Review, Vol. 37, No. 1, S. 71-96.

Choudhry, Y.A. (1986): Pitfalls in International Marketing Research: Are You Speaking French Like A Spanish Cow?, in: Akron Business and Economic Review, Vol. 17, No. 4, S. 18-28.

Chun, K.-T., Campbell, J.B., Yoo, J.H. (1974): Extreme Response Style in Cross-Cultural Research, in: Journal of Cross-Cultural Psychology, Vol. 5, No. 4, S. 465-480.

Churchill, G.A. (1991): Marketing Research, 5. Aufl., Chicago u.a.

Clemens, J. (1996): Some dos and don'ts of pan-European research, in: ResearchPlus, November, S. 4-5.

Cobanoglu, C., Warde, B., Moreo, P.J. (2001): A Comparison of Mail, Fax and Web-based Survey Methods, in: International Journal of Market Research, Vol. 43, No. 4, S. 441-452.

Comley, P. (1996): The Use of the Internet as a Data Collection Method, file: ///CI/NETSCAPE/ESOMAR. HTM, 18.12.96, 8 Seiten.

Comley, P. (2001a): Monitoring the Online Media World, www.virtual-surveys.com/papers/online_media.htm, vom 008.05.01, 2 Seiten.

Comley, P. (2001b): Pop-up Surveys. What works, what doesn't work and what will work in the future, www.virtualsurveys.com/papers/popup_paper.htm, vom 08.05.01, 5 Seiten.

Comley, P. (2001c): How to do ... Online Research, www.virtual-surveyscom/papers/howto.htm, vom 08.05.01, 2 Seiten.

Context (2001-6), Informationsdienst, Folge 6, Nettetal.

Context (2001-12), Informationsdienst, Folge 12, Nettetal.

Cook, T.D., Reichardt, C.S. (Hrsg.) (1979): Qualitative and Quantitative Methods in Evaluation Research, Beverly Hills, Ca., S. 7-32.

Cooper, P. (1989): Comparison between the UK and US: the qualitative dimension, in: Journal of the Market Research Society, Vol. 31, No. 4, S. 509-525.

Craig, C.S., Douglas, S.P. (2000): International Marketing Research, 2. Aufl., Chichester.

Cranswick, G. (1995): Is European media research possible?, in: Admap, Vol. 30, No. 7, S. 35-38.

Czinkota, M.R. (1988): International Marketing, New York.

Czinkota, M.R., Ronkainen, I.A., Tarrant, J.J. (1995): The Global Marketing Imperative, Lincolnwood, Ill.

Dahiya, S.B. (Hrsg.) (2000): The Current State of Business Disciplines, Vol. 6, Marketing, Rohtak (Indien).

Dahringer, L.D., Mühlbacher, H. (1991): International Marketing - A Global Perspective, Reading, Ma.

Daley, L., Jiambaboo, J., Sundem, G.L., Kondo, Y. (1985): Attitudes toward financial control systems in the United States and Japan, in: Journal of International Business Studies, Vol. 16, Fall, S. 91-110.

Das, P., Baker, S. (1996): Just give your new-tech answer on self-completion disk, in: ResearchPlus, Oct., S. 6.

Davison, A.J., Grab, E. (1992): The contributions of advertising testing to the development of effective international advertising: the Kit-kat case study, in: Proceedings of the ESOMAR Congress Madrid 1992, Amsterdam, S. 377-395.

Dawson, S., Dickinson, D. (1988): Conducting International Mail Surveys: The Effect of Incentives on Response Rates with an Industry Population, in: Journal of International Business Studies, Vol. 19, Fall, S. 491-496.

Dederichs, M.R. (1994): Zahlen-Trickser, in: Stern, Nr. 16, S. 116.

Denny, M. (1996): How the omnibus hit the fast track - and now, hold very tight ..., in: ResearchPlus, Febr., S. 4-5.

Denny, M., Galvin, L. (1993): Improved quality at the touch of a button. The use of computers for data collection, in: Proceedings of The Market Research Society Conference, London, S. 121-126.

Denny, M., Wright, I. (1999): Global data comes home, in: Research, No. 399, S. 38-39.

DePaulo, P.J., Weitzer, R. (1994): Interactive phone technology delivers survey data quickly, in: Marketing News, Vol. 28, No. 12, S. H33-H34.

Dichtl, E., Issing, O. (Hrsg.) (1984): Export als Herausforderung für die deutsche Wirtschaft, Köln.

Dickson, J.P., MacLachlan, D.L. (1996): Fax Surveys: Return Patterns and Comparison with Mail Surveys, in: Journal of Marketing Research, Vol. 33, No. 1, S. 108-113.

Doctor, V. (1999): Research opens passage to India, in : Research, No. 399, S. 24-25.

Doctor, V. (2001a): Levering the Market, in: Research, No. 423, S. 26-27.

Doctor, V. (2001b): Think globally, act locally, in: Research, No. 425, S. 29-31.

Dodd, J. (1998): Market Research on the Internet - Threat or Opportunity?, in: Marketing and Research Today, Vol. 26, No. 1, S. 60-66.

Dommeyer, C.J., Moriarty, E. (2000): Comparing two forms of an e-mail survey: embedded vs. attached, in: International Journal of Market Research, Vol. 42, No. 1, S. 39-50.

Douglas, S.P., Craig, C.S. (1983): International Marketing Research, Englewood Cliffs, N.J.

Douglas, S.P., Craig, C.S. (1984): Establishing equivalence in comparative consumer research, in: Kaynak, E., Savitt, R. (Hrsg.): Comparative Marketing Systems, New York, S. 93-113.

Douglas, S.P., Craig, C.S. (1995): Global Marketing Strategy, New York u.a.

Douglas, S.P., Craig, C.S., Keegan, W.J. (1982): Approaches to Assessing International Marketing Opportunities for Small- and Medium-Sized Companies, in: Columbia Journal of World Business, Vol. 17, No. 3, S. 26-32.

Douglas, S.P., Shoemaker, R. (1981): Item non-response in cross-national attitude surveys, in: European Research, Vol. 9, July, S. 124-132.

Downham, J. (1986): International market research, in: Worcester, R.M., Downham, J. (Hrsg.): Consumer Market Research Handbook, 3. Aufl., Amsterdam, S. 629-654.

Dülfer, E. (1985): Die Auswirkungen der Internationalisierung auf Führung und Organisationsstruktur mittelständischer Unternehmen, in: Betriebswirtschaftliche Forschung und Praxis, 37. Jg., H. 6, S. 493-514.

Dülfer, E. (1989): Umweltbeziehung der international tätigen Unternehmung, in: Macharzina, K., Welge, M.K. (Hrsg.): Handwörterbuch Export und Internationale Unternehmung, Stuttgart, Sp. 2096-2111.

Dülfer, E. (2001): Internationales Management in unterschiedlichen Kulturbereichen, 6. Aufl., München/Wien.

Dunn, S.W. (1974): Problems of Cross-Cultural Research, in: Ferber, R. (Hrsg.): Handbook of Marketing Research, New York, S. 4/360-4/371.

Ebensberger, H. (1986): Internationale Wirtschaftszweig- und Gütersystematiken und ihre Harmonisierung, in: Wirtschaft und Statistik, H. 2, S. 79-96.

EBU - European Broadcasting Union (Hrsg.) (1999): Globale Richtlinien für die Messung der Fernsehnutzung, Genf.

Eckensberger, L.H. (1970): Methoden der kulturvergleichenden Psychologie, Saarbrücken.

Ehling, M., Heyde, C. von der, Hoffmeyer-Zlotnik, J.H.P., Quitt, H. (1992): Eine deutsche Standarddemographie, in: ZUMA Nachrichten, 16. Jg., Nr. 31, S. 29-46.

Ehling, M., Hoffmeyer-Zlotnik, J.H.P., Lieser, H. (1988): Merkmale einer allgemeinen Standarddemographie, H. 4 der Schriftenreihe Ausgewählte Arbeitsunterlagen zur Bundesstatistik, hrsg. vom Statistischen Bundesamt, Wiesbaden.

Eichner, K., Habermehl, W. (1981): Predicting response rates to mailed questionnaires, in: American Sociological Review, Vol. 46, S. 361-363.

Einsporn, T. (Hrsg.) (1996): Wirtschaftsfaktor Information. Eine Praxishilfe zur Nutzung von Datenbanken und Datennetzen für innovative Unternehmen, Köln.

Eisinger, R.A., Janicki, W.P., Stevenson, R.L., Thompson, W.L. (1974): Increasing Returns in International Mail Surveys, in: Public Opinion Quarterly, Vol. 38, S. 124-130.

Ekman, P. (1973): Cross-Cultural Studies of Facial Expression, in: ders. (Hrsg.): Darwin and Facial Expression, New York, S. 169-222.

Ekman, P. (Hrsg.) (1973): Darwin and Facial Expression, New York.

Elder, J.W. (1976): Comparative Cross-National Methodology, in: Annual Reviews of Sociology, Vol. 2, S. 209-230.

Elias, P., Birch, M. (1991): Harmonisation of Occupational Classifications, in: Royal Statistical Society (Hrsg.): The Standardisation of Statistical Information across Europe for Governments and Industry, Conference Proceedings, London.

Elliott, K., Christopher, M. (1973): Research methods in marketing, London u.a.

Ervin, S. (1964): Language and TAT Content in French-English Bilinguals, in: Journal of Abnormal and Social Psychology, S. 500-507.

ESOMAR Working Party (1990): Harmonization of demographics: A new questionnaire, in: Marketing and Research Today, Vol. 18, No. 3, S. 176-178.

ESOMAR (Hrsg.) (1991): Marketing in the New Europe, Amsterdam.

ESOMAR (1992): Selecting a research agency, Amsterdam.

ESOMAR (1993): ESOMAR Annual Market Study on Market Statistics 1992, Amsterdam.

ESOMAR (1995a): 1995 Report on radio and television audience measurement in Europe, Amsterdam.

ESOMAR (1995b): ESOMAR Prices Study 1994, Amsterdam.

ESOMAR (1995c): ICC/ESOMAR International Code of Marketing and Social Research Practice, 3rd Revision, Amsterdam.

ESOMAR (1996a): ESOMAR Market Research Industry Turnover. Trend Report 1990-1994, Amsterdam.

ESOMAR (1996b): ESOMAR Annual Study on the Market Research Industry 1995, Amsterdam.

ESOMAR (1996c): Readership measurement in Europe, 1996 Report on newspaper and magazine readership measurement in Europe, Amsterdam.

ESOMAR (1997a): ESOMAR Annual Study on the Market Research Industry 1996, Amsterdam.

ESOMAR (1997b): 1997 Report on Radio Audience Measurement in Europe, Amsterdam.

ESOMAR (1998a): ESOMAR 1997 Prices Study, Amsterdam.

ESOMAR (1998b): Standard Demographic Classification: A System of International Socio-Economic Classification of Respondents to Survey Research, Amsterdam.

ESOMAR (1998c): ESOMAR Annual Study on the Market Research Industry 1997, Amsterdam.

ESOMAR (1999): ESOMAR Annual Study on the Market Research Industry 1998, Amsterdam.

ESOMAR (2000): ESOMAR Annual Study on the Market Research Industry 1999, Amsterdam.

ESOMAR (2001): ESOMAR Annual Study on the Market Research Industry 2000, Amsterdam.

Etienne, S. (1999): Qualified Success Story, in: Research, No. 396, S. 28-29.

Eurochambres (1997): International Services of Chambers of Commerce and Industry in the EU, Brüssel.

FAST (2000): FAST Principles of Online Media Audience Measurement, www.fastinfo.org/measurement/pages/index.cgi/audiencemeasurement, vom 21.02.00, 20 Seiten.

Ferber, R. (Hrsg.) (1974): Handbook of Marketing Research, New York.

Fern, E.F. (1982): The Use of Focus Groups for Idea Generation: The Effects of Group Size, Acquaintanceship, and Moderator on Response Quantity and Quality, in: Journal of Marketing Research, Vol. 14, No. 1, S. 1-13.

Fletcher, K., Wheeler, C. (1989): Market Intelligence for International Markets, in: Marketing Intelligence and Planning, Vol. 7, No. 5/6, S. 30-34.

Flick, U., et al. (Hrsg.) (1995): Handbuch Qualitativer Sozialforschung, München/Weinheim.

Foreman, J., Collins, M. (1991): The viability of random digit dialing in the UK, in: Journal of the Market Research Society, Vol. 33, No. 3, S. 219-227.

Forges, C. (1991): A circle of housewives as appraisers of innovations and product improvement in quick frozen foods, in: Marketing and Research Today, Vol. 19, No. 3, S. 152-159.

Forschungsgruppe Konsum und Verhalten (Hrsg.) (1983): Innovative Marktforschung, Würzburg.

Frey, F.W. (1963): Surveying peasant attitudes in Turkey, in: Public Opinion Quarterly, Vol. 27, S. 335-355.

Frey, F.W. (1970): Cross-Cultural Research in Political Science, in: Holt, R.T., Turner, J.E. (Hrsg.): The Methodology of Comparative Research, New York, S. 173-294.

Frey, J.H., Kunz, G., Lüschen, G. (1990): Telefonumfragen in der Sozialforschung, Opladen.

Friedrichs, J. (1990): Methoden empirischer Sozialforschung, 14. Aufl., Opladen.

Frijda, N., Jahoda, G. (1966): On the Scope and Methods of Cross-Cultural Research, in: International Journal of Psychology, Vol. 1, No. 2, S. 109-127.

Frydrych, T. (1994): Hi-tech help towards high quality results, in: ResearchPlus, June, S. 14.

Fuß, J., Meyer, W., Stern, H. (1989): Praxis der Auslandsmarkterkundung, Heidelberg.

Gane, R. (1993): A world of peoplemeters. Global TV audience measurement systems in the 1990s, in: Admap, Febr., S. 25-30.

Garcia, S. (2001): Brand out from the crowd, in: Research, No. 424, S. 27-28.

Garz, D., Kraimer, K. (1991): Qualitativ-empirische Sozialforschung. Konzepte, Methoden, Analysen, Opladen.

Gehring, K. (1993): Anlageprobleme einer multinationalen Marketingforschung - dargestellt am Beispiel des European Beverage Monitor, Diplomarbeit, Universität Oldenburg.

Gill, J. (2000): Managing the capture of individuals viewing within a peoplemeter service, in: International journal of Market Research, Vol. 42, No. 4, S. 431-438.

Glaser, W.A. (1977): The Process of Cross-National Survey Research, in: Szalai, A., Petrella, R. (Hrsg.): Cross-National Comparative Survey Research, Oxford u.a., S. 403-435.

Görts, T. (2001): Gruppendiskussionen - Ein Vergleich von Online- und Offline-Focus-Groups, in: Theobald, A., Dreyer, M., Starsetzki, T. (Hrsg.): Online-Marktforschung, Wiesbaden, S. 149-164.

Götte, A., Kümmerlein, K. (1996): Der Einsatz von Multimedia in der Marktforschung, in: Planung & Analyse, Nr. 6, S. 36-41.

Gofton, K. (2000a): Battle of the brands, in: Research, No. 405, S. 24-26.

Gofton, K. (2000b): Britannia rules no more?, in: Research Guide to Europe, a supplement to Research magazine, May, S. 6-7.

Gofton, K. (2002): Price competition and the need for talent, in: Research World, Vol. 10, No. 1, S. 4-6.

Gold, L.N. (1999): Us mergers and acquisitions surge, in: ESOMAR News Brief, Vol. 7, No. 5, S. 4-5.

Gold, L.N. (2001a): Industry News, in: Research World, Vol. 9, No. 11, S. 22.

Gold, L.N. (2001b): The world's top global research firms grow, in: ESOMAR: ESOMAR Annual Study on the Market Research Industry 2000, Amsterdam, S. 6-8.

Goldstein, F. (1994): The land of opportunity beckons yet, in: ResearchPlus, June, S. 1.

Goodyear, J.R. (1989): The structure of the British market research industry, in: Journal of the Market Research Society, Vol. 31, No. 4, S. 427-437.

Goodyear, M. (1982): Qualitative research in developing countries, in: Journal of the Market Research Society, Vol. 24, No. 2, S. 86-96.

Goyder, J.C. (1982): Factors affecting response rates to mailed questionnaires, in: American Sociological Review, Vol. 47, S. 550-553.

Grabner, U. (1993): Jenseits der Beurteilung. Eine Tool-Box europäischer Forscher zur Messung von Verbrauchererwartungen, in: Planung & Analyse, Nr. 1, S. 42-46.

Graumann, C.F. (Hrsg.) (1969): Sozialpsychologie, 1. Halbbd., Göttingen.

Graumann, S. (1997): In Search of Online Market Data. Conducting Desk Research Studies with the Help of the Internet - Experiences from International Case Studies, Manuskript eines Vortrages, gehalten auf dem Worldwide Internet Seminar vom 28.-30.01.1998 in Paris.

Green, A. (1990): Agency-fronted and funded research: the wave of the future, in: Admap, Jul./Aug., S. 32-35.

Green, A. (1997): Media research in the Asia Pacific region, in: Admap, Vol. 32, No. 2, S. 46-49.

Green, R.T., White, P.D. (1976): Methodological Considerations in Cross-National Consumer Research, in: Journal of International Business Studies, Vol. 7, No. 2, S. 81-87.

Groves, L. (1994): Principles of International Marketing Research, Oxford.

Häder, S. (1994): Auswahlverfahren bei Telefonumfragen, ZUMA-Arbeitsbericht Nr. 94/03, Mannheim.

Häder, S. (1997): Überlegungen zu einem Stichprobendesign für Telefonumfragen in Deutschland, in: ZUMA-Nachrichten 41, S. 7-18.

Hagenhoff, W., Pfleiderer, R. (1998): Neue Methoden in der Online-Forschung, in: Planung & Analyse, Nr. 1, S. 26-30.

Hahn, G.M., Epple, M.C. (2001): Online-Focusgroups als neues Element im Methodenportfolio qualitativer Marktforschung, in: Planung & Analyse, Nr. 2, S. 48-52.

Hammann, P., Erichson, B. (1994): Marktforschung, 3. Aufl., Stuttgart.

Hammann, P., Lohrberg, W. (1986): Beschaffungsmarketing, Stuttgart.

Harkness, J.A. (Hrsg.) (1998): Cross-Cultural Survey Equivalence, ZUMA-Nachrichten Spezial, No. 3, Mannheim.

Harpas, I. (1996): International Management Survey Research, in: Punnett, B.J., Shenkar, O. (Hrsg.): Handbook for International Management Research, Cambridge, Ma., S. 37-62.

Harzing, A.-W. (2000): Cross-National Industrial Mail Surveys. Why Do Response Rates Differ between Countries?, in: Industrial Marketing Management, Vol. 29, S. 243-254.

Hasselberg, F. (1991): Strategische Kontrolle von Gesamtunternehmensstrategien, in: Die Unternehmung, 45. Jg., Nr. 1, S. 16-31.

Hauser, H., Schanz, K.-U. (1995): Das neue GATT: die Welthandelsordnung nach Abschluß der Uruguay-Runde, 2. Aufl., München/ Wien.

Havermans, J. (2001): Speed fuels m-research, in: Research World, Vol. 9, No. 4, S.10-13.

Hehl, K. (1994): Informationsgrundlagen der Europäischen Markenforschung, in: Bruhn, M. (Hrsg.): Handbuch Markenartikel, Bd. 1, Stuttgart, S. 413-429.

Hein, D., Klose, A. (1990): Conducting Consumer Research in the Caribbean, in: Journal of International Marketing and Marketing Research, Vol. 15, No. 2, S. 73-79.

Hermanns, A. (1995): Aufgaben des internationalen Marketing-Managements, in: Hermanns, A., Wißmeier, U.K. (Hrsg.): Internationales Marketing-Management, München, S. 23-68.

Hermanns, A., Flegel, V. (Hrsg.) (1992): Handbuch des Electronic Marketing: Funktionen und Anwendungen der Informations- und Kommunikationstechnik im Marketing, München.

Hermanns, A., Wißmeyer, U.K. (Hrsg.) (1995): Internationales Marketing-Management, München.

Hernandez, S.A., Kaufman, C.J. (1990): Marketing Research in Hispanic Barrios: A Guide to Survey Research, in: Marketing Research, Vol. 2, No. 1, S. 11-27.

Hibbert, E. (1993): Researching international markets - How can we ensure validity of results?, in: Marketing and Research Today, Vol. 21, No. 4, S. 222-228.

Hibbert, E., Liu, J. (1996): International Market Research. A Financial Perspective, Oxford.

Hoepner, G. (1994): Computereinsatz bei Befragungen, Wiesbaden.

Hoffmeyer-Zlotnik, J.H.P., Ehling, M. (1991): Demographische Standards für Deutschland. Ein Instrumentenentwurf, in: ZUMA Nachrichten, 15. Jg., Nr. 28, S. 29-40.

Hoffmeyer-Zlotnik, J.H.P., Hartmann, P.H. (1991): Merkmale einer allgemeinen Standarddemographie für Mikrozensen und Empirische Sozialforschung, in: Planung & Analyse, Nr. 7, S. 266-271.

Hoffmeyer-Zlotnik, J.H.P., Warner, U. (1998): Die Messung von Einkommen im nationalen und internationalen Vergleich, in: ZUMA-Nachrichten, 22. Jg., Nr. 42, S. 30-65.

Holt, R.T., Turner, J.E. (Hrsg.) (1970): The Methodology of Comparative Research, New York.

Holtzman, W. (1980): Projective techniques, in: Triandis, H.C., Berry, J.W. (Hrsg.): Handbook of Cross-Cultural Psychology, Vol. 2, Boston, S. 245-278.

Holzmüller, H.H. (1986a): Grenzüberschreitende Konsumentenforschung, in: Marketing ZFP, 8. Jg., H. 1, S. 45-54.

Holzmüller, H.H. (1986b): Zur Strukturierung der grenzüberschreitenden Konsumentenforschung und spezifischen Methodenproblemen in der Datengewinnung, in: Jahrbuch der Absatz- und Verbrauchsforschung, 38. Jg., Nr. 1, S. 42-70.

Holzmüller, H.H. (1989): Konsumentenforschung, interkulturelle, in: Macharzina, K., Welge, M.K: (Hrsg.): Handwörterbuch Export und Internationale Unternehmung, Stuttgart, Sp. 1143-1157.

Holzmüller, H.H. (1995): Konzeptionelle und methodische Probleme in der interkulturellen Management- und Marketingforschung, Stuttgart.

Honomichl, J. (1993): Wissen schafft Macht. Zur Zukunft der Marktforschung in Großunternehmen, in: Planung & Analyse, Nr. 2, S. 38-43.

Honomichl, J. (1998a): Research in the USA, in: Research, No. 384, S. 28-29.

Honomichl, J. (1998b): Research growth knows no bounderies, in: ders. (1998c): Honomichl Global Top 25, Pull-Out section, Marketing News, Vol. 32, No. 17, S. H2.

Honomichl, J. (1999a): International research companies consolidate revenues further in '98, in: ders. (1999b): Honomichl Global Top 25, Pull-Out Section, Marketing News, Vol. 33, No. 17, S. H1-H23.

Honomichl, J. (1999b): Honomichl Global Top 25, Pull-Out Section, Marketing News, Vol. 33, No. 17, S. H1-H23.

Honomichl, J. (2001a): 2001 Honomichl Top 50, Special Section in the June 4, 2001 issue of Marketing News, Chicago.

Honomichl, J. (2001b): Honomichl Global Top 25, Special Section in the Aug. 13, 2001 issue of Marketing News, Chicago.

Hünerberg, R. (1994): Internationales Marketing, Landsberg/Lech.

Hüttner, M. (1997): Grundzüge der Marktforschung, 5. Aufl., München/Wien.

Hutton, G. (1996): If you board the Asian 'bus, better mind your language, in: ResearchPlus, Febr., S. 7 u. 9.

Huysman, B. (1998): Telephone research in Asia - can you do it?, in: ESOMAR News Brief, No. 10, S. 30-31.

Inside Research (2001-1), Vol. 12, No. 1, Barrington, Ill.

Inside Research (2001-2), Vol. 12, No. 2, Barrington, Ill.

Inside Research (2001-6), Vol. 12, No. 6, Barrington, Ill.

Inside Research (2001-9), Vol. 12, No. 9, Barrington, Ill.

Inside Research (2002-1), Vol. 13, No. 1, Barrington, Ill.

Inside Research (2002-2), Vol. 13, No. 2, Barrington, Ill.

Jackson, P. (1995): Quality research to get a new Standard, in: Research, No. 350, S. 10.

Jagger, J. (1997): Stability, growth and enormous potential make the Latins hot, in: ResearchPlus, May, S. 4-5.

Jain, S.C. (1993): International Marketing Management, 4. Aufl., Belmont, Ca.

Jain, S.C. (1996): International Marketing Management, 5. Aufl., Cincinnati, Ohio.

Jarvis, I. (1996): Global Markets, Local Customers, in: ARF (Hrsg.): The Critical Component for International Success, Second ARF Global Research Workshop, Transcript Proceedings, New York, S. 71-86.

Jaufmann, D., Kistler, E. (1988): Un-Möglichkeiten ´eines nationalen und internationalen´ Vergleichs demoskopischer Daten - Einige Erfahrungen bei und Einsichten aus der Suche nach dem "technikfeindlichen Deutschen", in: ZA-Information 22, S. 45-62.

Jaufmann, D., Kistler, E., Jänsch, G. (1989): Jugend und Technik: Wandel der Einstellungen im internationalen Vergleich, Frankfurt a.M./New York.

Jobber, D. (1995): Principles and Practice of Marketing, London u.a.

Jobber, D., Saunders, J. (1988): An Experimental Investigation into Cross-National Mail Survey Response Rates, in: Journal of International Business Studies, Vol. 19, Fall, S. 483-489.

Johanson, J., Vahlne, J. (1979): The Internationalisation Process of the Firm - a Model of Knowledge Development and Increasing Foreign Market Commitments, in: Journal of International Business Studies, Vol. 8, No. 1, S. 23-32.

Johnson, T.P. (1998): Approaches to Equivalence in Cross-Cultural and Cross-National Survey Research, in: Harkness, J.A. (Hrsg.): Cross-Cultural Survey Equivalence, ZUMA-Nachrichten Spezial, No. 3, Mannheim, S. 1-40.

Johnston, A. (1999): Welcome to the Wired World, in: Research, No. 406, S. 22-25.

Jones, E.L. (1963): The Courtesy Bias in South-East Asian Surveys, in: International Social Science Journal, Vol. 15, No. 1, S. 70-76.

Jung, H. (1997): Vor der Weltwährung, in: Absatzwirtschaft, Nr. 2, S. 42-45.

Kale, S.H., Sudharshan, D. (1987): A Strategic Approach to International Segmentation, in: International Marketing Review, Vol. 4, No. 2, S. 60-70.

Kanuk, L., Berenson, C. (1975): Mail Surveys and Response Rates: A Literature Review, in: Journal of Marketing Research, Vol. 12, No. 4, S. 440-453.

Karake, Z.A. (1990): International Market Analysis Through Electronic Databases, in: Moran, R.T. (Hrsg.): Global Business Management in the 1990s, Washington, S. 462-466.

Kasari, H.J. (1993): European radio audiences, in: Admap, Febr., S. 39-40.

Kastin, K.S. (1995): Marktforschung mit einfachen Mitteln, München.

Kaynak, E., Savitt, R. (Hrsg.) (1984): Comparative Marketing Systems, New York.

Keegan, W.J (1980): Multinational Marketing Management, 2. Aufl., Englewood Cliffs, N.J.

Keegan, W.J. (1995): Global Marketing Management, 5. Aufl., Englewood Cliffs, N.J.

Keeler, L. (1995): Cyber Marketing, New York.

Keillor, B., Owens, D., Pettijohn, C. (2001): A cross-cultural/cross-national study of influencing factors and socially desirable response biases, in: International Journal of Market Research, Vol. 43, Quarter 1, S. 63-84.

Keller, E.v. (1982): Management in fremden Kulturen, Bern/Stuttgart.

Kelz, A. (1989): Die Weltmarke, Idstein.

Kennessy, V. (1961): Die Exportmarktforschung, Winterthur.

Keown, C.F. (1985): Foreign Mail Surveys: Response Rates using Monetary Incentives, in: Journal of International Business Studies, Vol. 16, Fall, S. 151-153.

Kepper, G. (1994): Qualitative Marktforschung. Methoden, Einsatzmöglichkeiten und Beurteilungskriterien, Wiesbaden.

Kinnear, T.C., Taylor, J.R. (1996): Marketing Research. An Applied Approach, 5. Aufl., New York u.a.

Kiregyera, B. (1982): On Sampling Frames in African Censuses and Surveys, in: The Statistician, Vol. 31, No. 2, S. 153-167.

Klose, A. (1991): A commercial and industrial mail survey in the Caribbean: A multi-country comparison, in: Journal of the Market Research Society, Vol. 33, No. 4, S. 343-353.

Knapp, F. (2000): Produkt- und Konzepttests im Internet, in: Planung & Analyse, Nr. 5, S. 62-65.

Kobayashi, K. (2001): The Market Research Industry in Japan, in: Research World, Vol. 9, No. 10, S. 4-6.

Koch, M., Weidner, C. (1997): Wie finde ich Markt-, Marketing- und Unternehmensinformationen über Japan?, Japan Zentrum der Philipps-Universität Marburg, Reihe Information & Dokumentation, Nr. 7.

Köhler, R., Hüttemann, H. (1989): Marktauswahl im internationalen Marketing, in: Macharzina, K., Welge, M.K. (Hrsg.): Handwörterbuch Export und Internationale Unternehmung, Stuttgart, Sp. 1428-1440.

König, R. (Hrsg.) (1964): Soziologie, 5. Aufl., Frankfurt a.M.

König, R. (Hrsg.) (1967): Handbuch der empirischen Sozialforschung, Bd. I, 2. Aufl., Stuttgart.

Koschnik, W.J. (1993): Silberstreif am Euromedia-Horizont?, in: Planung & Analyse, Nr. 1, S. 11-16.

Kracmar, J.Z. (1971): Marketing Research in the Developing Countries, New York u.a.

Kramer, S. (1991): Europäische Life-Style-Analysen zur Verhaltensprognose von Konsumenten, Hamburg.

Kreutzer, R. (1990): Global Marketing – Konzeption eines länderübergreifenden Marketing, Wiesbaden.

Kroeber-Riel, W., Weinberg, P. (1996): Konsumentenverhalten, 6. Aufl., München.

Kulhavy, E. (1981): Internationales Marketing, Linz.

Kulhavy, E. (1989): Informationsbedarf für internationale Marketingentscheidungen, in: Macharzina, K., Welge, M.K. (Hrsg.): Handwörterbuch Export und Internationale Unternehmung, Stuttgart, Sp. 831-841.

Kumar, V. (2000): International Marketing Research, Upper Saddle River, N.J.

Lachmann, U. (1994): Die Kommunikationsmauer, in: Tomczak, T., Reinecke, S. (Hrsg.): Marktforschung, St. Gallen, S. 30-41.

Lamb, C.W. (1975): Domestic Applications of Comparative Marketing Analysis, in: European Journal of Marketing, Vol. 9, No. 2, S. 167-172.

Lambert, W.E., Havelka, J., Grosby, G. (1958): The Influence of Language-Acquisition Contexts on Bilingualism, in: Journal of Abnormal and Social Psychology, S. 239-244.

Lambin, J.-J. (1987): Grundlagen und Methoden strategischen Marketings, Hamburg u.a.

Lampe, F. (1998): Unternehmenserfolg im Internet, 2. Aufl., Braunschweig/Wiesbaden.

Landler, M. (1991): The Bloodbath in Market Research, in: Business Week, Febr., S. 73-74.

Landwehr, R. (1989): Auswirkungen des europäischen Binnenmarktes auf die Kommunikation international tätiger Unternehmen, in: Planung & Analyse, Nr. 9, S. 325-327.

Lee, B., Wong, A. (1998): International Research. An Introduction to Marketing Research in China, www.chinaemr.com/enews1.htm, v. 11.02.1998, 4 Seiten.

Lee, W.Y., Brasch, J.J. (1978): The Adoption of Export as an Innovative Strategy, in: Journal of International Business Studies, Vol. 9, No. 1, S. 85-93.

Leonidou, L.C., Rossides, N.J. (1995): Marketing Research in the Gulf States: A Practical Appraisal, in: Journal of the Market Research Society, Vol. 37, No. 4, S. 455-467.

Lescher, J.F. (1995): Online Market Research, Reading, Ma.

Liander, B. (Hrsg.) (1967): Comparative Analysis for International Marketing, Boston.

Liefeld, J.P. (1988): Response Effects in Computer-Administered Questioning, in: Journal of Marketing Research, Vol. 25, No. 4, S. 405-409.

Link, U. (1993): Die Schätzung von Welt- und Euromärkten. Das Beispiel des Kosmetikmarktes, in: Planung & Analyse, Nr. 2, S. 60-63.

Lohrberg, W. (1978): Grundprobleme der Beschaffungsmarktforschung, Bochum.

Lonner, W.J., Berry, J.W. (1986): Sampling and Surveying, in: dies. (Hrsg.): Field Methods in Cross Cultural Research, Beverly Hills, Ca., S. 85-110.

Lonner, W.J., Berry, J.W. (Hrsg.) (1986): Field Methods in Cross Cultural Research, Beverly Hills, Ca.

Lüttinger, P., König, W. (1988): Die Entwicklung einer international vergleichbaren Klassifikation für Bildungssysteme, in: ZUMA-Nachrichten, Nr. 22, S. 1-14.

Lysaker, R.L. (1989): Data collection methods in the US, in: Journal of the Market Research Society, Vol. 31, No. 4, S. 477-488.

Marcharzina, M., Oesterle, M.-J. (1995): Organisation des internationalen Marketing-Managements, in: Hermanns, A., Wißmeier, U. K. (Hrsg.): Internationales Marketing-Management, München, S. 309-338.

Macharzina, K., Oesterle, M.-J. (Hrsg.) (1997): Handbuch Internationales Management, Wiesbaden.

Magaziner, I.C., Reich, R.B. (1985): International Strategies, in: Wortzel, H.V., Wortzel, L.H.: (Hrsg.): Strategic Management of Multinational Corporations: The Essentials, New York u.a., S. 4-8.

Malhotra, N.K. (1991): Administration of Questionnaires for Collecting Quantitative Data in International Marketing Research, in: Journal of Global Marketing, Vol. 4, No. 2, S. 63-92.

Malhotra, N.K., Agarwal, J., Peterson, M. (1996): Methodological issues in cross-cultural marketing research. A state-of-the-art review, in: International Marketing Review, Vol. 13, No. 5, S. 7-43.

Marbeau, Y. (1990): Towards a pan-European economic status scale, in: Marketing and Research Today, Vol. 18, No. 3, S. 180-184.

Marbeau, Y. (1992): Harmonisation of demographics in Europe 1991: The state of the art, in: Marketing and Research Today, Vol. 20, No. 1, S. 33-40.

Marbeau, Y. (1998): Communication of research results, in: McDonald, C., Vangelder, P. (Hrsg.): ESOMAR Handbook of Market and Opinion Research, 4. Aufl., Amsterdam, S. 519-552.

Marsh, C. (1976): Guidelines for Commissioning an Interview Survey from a Research Company, Survey Unit, Social Science Research Council, London.

Mayer, C.S. (1967): Evaluating the Quality of Marketing Research Contractors, in: Journal of Marketing Research, Vol. 4, No. 2, S. 134-141.

Mayer, C.S. (1978a): Multinational Marketing Research: The Magnifying Glass of Methodological Problems, in: European Research, March, S. 77-84.

Mayer, C.S. (1978b): The Lessons of Multinational Marketing Research, in: Business Horizons, Vol. 21, No. 6, S. 7-13.

Mayr, R. (1990): Anforderungen des Global Marketing an die Marktforschung aus der Sicht eines Praktikers, in: Schub von Bossiazky, G. (Hrsg.): Wissen und Entscheiden, BVM-Schriftenreihe 17/18, Offenbach, S. 99-122.

Mazze, E.M. (Hrsg.) (1975): Marketing in turbulent times, and marketing: The challenges and the opportunities, AMA Combined Proceedings, Chicago.

McConnell, J.D. (1972): The Economics of Behavioral Factors on the Multi-National Corporation, in: Allvine, F.C. (Hrsg.): AMA Combined Proceedings, 1971 Spring and Fall Conferences, Chicago, S. 262-266.

McDonald, C. (1995): The Target Group Index - TGI, in: McDonald, C., Monkman, M. (Hrsg.): The MRG Guide to Media Research, o.O., S. 107-118.

McDonald, C. (2000): Tracking Advertising and Monitoring Brands, Henley-on-Thames.

McDonald, C., King, S. (1996): Sampling the Universe, Henley-on-Thames.

McDonald, C., Monkman, M. (Hrsg.) (1995): The MRG Guide to Media Research, o.O.

McDonald, C., Vangelder, P. (Hrsg.) (1998): ESOMAR Handbook of Market and Opinion Research, Amsterdam.

McDonald, S. (1998): Online Media Measurement - a three legged stool or three card Monte?, in: Informed, Special Issue, ARF, New York.

McElhatton, N. (1994a): AMSO shows the good times rolling again, in: Research, No. 335, S. 12-13.

McElhatton, N. (1998a): The Channel bridge that spans the world, in: Research, No. 380, S. 14-16.

McElhatton, N. (1998b): Will Asia's ailing tigers now draw blood?, in: Research, No. 381, S. 10-11.

McElhatton, N. (1998c): PETV unveil new research, in: Research, No. 384, S. 12.

McElhatton, N. (1999a): P&G remodals global MR, in: Research, No. 394, S. 4.

McElhatton, N. (1999b): The sleeping giant wakes, in: Research, No. 394, S. 20-22.

McElhatton, N. (1999c): VNU seeks move into MR, in: Research, No. 400, S. 6.

McElhatton, N. (1999d): MR at the Consolidation Crossroad, in: Research, No. 402, S. 30-31.

McElhatton, N. (2000a): Ad giant devours NFO ..., in: Research, No. 405, S. 6.

McElhatton, N. (2000b): NFO goes in January sale, in: Research, No. 405, S. 13.

McElhatton, N. (2000c): Job go in Coke shake-up, in: Research, No. 406, S. 6.

McElhatton, N. (2000d): AMEX, Frito Lay rejig MR, in: Research, No. 406, S. 10.

McElhatton, N. (2000e): Global buyers: a dying breed, in: Research, No. 406, S. 12.

McElhatton, N. (2000f): End of British boom?, in: Research, No. 410, S. 20-25.

McElhatton, N., Savage, M. (1999): Under pressure, in: Research, No. 397, S. 24-27.

McNeil, R., Grimes, J. (2000): Trends in international customer satisfaction research, in: Research World, Vol. 8, No. 2, S. 8-11.

Meffert, H. (1988): Voraussetzungen und Implikationen von Globalisierungsstrategien, in: ders. (Hrsg.): Strategische Unternehmensführung und Marketing, Wiesbaden, S. 266-288.

Meffert, H. (Hrsg.) (1988): Strategische Unternehmensführung und Marketing, Wiesbaden.

Meffert, H. (1989): Marketingstrategien, globale, in: Macharzina, K., Welge, M.K. (Hrsg.): Handwörterbuch Export und Internationale Unternehmung, Stuttgart, Sp. 1412-1427.

Meffert, H. (1992): Marketingforschung und Käuferverhalten, 2. Aufl., Wiesbaden.

Meffert, H. (1994): Marketing-Management, Wiesbaden.

Meffert, H., Althans, J. (1982): Internationales Marketing, Stuttgart u.a.

Meffert, H., Bolz, J. (1998): Internationales Marketing-Management, 3. Aufl., Stuttgart/Berlin/Köln.

Meffert, H., Pues, C. (1997): Timingstrategien des internationalen Markteintritts, in: Macharzina, K., Oesterle, M.-J. (Hrsg.): Handbuch Internationales Management, Wiesbaden, S. 253-266.

Meissner, H.G. (1981): Außenhandels-Marketing, Stuttgart.

Meissner, H.G. (1995): Strategisches Internationales Marketing, 2. Aufl., München/Wien.

Menneer, P. (1995): European radio audiences, in: Admap, Vol. 30, No. 2, S. 20-24.

Menneer, P., Samuels, G. (1998): Harmonisation of global television and radio audience measurements, in: McDonald, C., Vangelder, P. (Hrsg.): ESOMAR Handbook of Market and Opinion Research, 4. Aufl., Amsterdam, S. 843-851.

Merz, J., Schmies, C., Wildner, R. (1993a): Bestimmung des Einflusses der Werbequalität auf den Marktanteil, in: Jahrbuch der Absatz- und Verbrauchsforschung, 39. Jg., Nr. 2, S. 176-191.

Merz, J., Schmies, C., Wildner, R. (1993b): Der Beitrag der Werbequalität zum Markterfolg. Das Ad*Vantage-Modell, in: Planung & Analyse, Nr. 3, S. 28-34.

Mesdag, M. van (1985): The Frontiers of Choice, in : Marketing vom 10.10.1985.

Meurer, C. (1993): Strategisches internationales Marketing für Dienstleistungen: dargestellt am Beispiel des Management-Consulting, Frankfurt a.M. u.a.

Meyer, M. (1987): Die Beurteilung von Länderrisiken der internationalen Unternehmung, Berlin/München.

Mintu, A.T., Calantone, R.J., Gassenheimer, J.B. (1993): International Mail Surveys: Some Guidelines for Marketing Researchers, in: Journal of International Consumer Marketing, Vol. 5, No. 1, S. 69-83.

Mitchell, D. (1983): International research – Fieldwork in developed countries, in: MRS Newsletter, No. 204, S. 30-32.

Mitchell, R.E. (1965): Survey materials collected in the developing countries: sampling, measurement and interviewing obstacles to intra- and inter-national comparisons, in: International Social Science Journal, Vol. 17, No. 4, S. 665-685.

Mittelstaedt, R.A. (1971): Semantic Properties of Selected Evaluative Adjectives: Other Evidence, in: Journal of Marketing Research, Vol. 8, No. 2, S. 236-237.

Moran, R.T. (Hrsg.) (1990): Global Business Management in the 1990s, Washington.

Mülder, W., Weis, H.C. (1996): Computerintegriertes Marketing, Ludwigshafen.

Müller, W. (1997): Vergleichende Sozialstrukturforschung, in: Berg-Schlosser, D., Müller-Rommel, F. (Hrsg.): Vergleichende Politikwissenschaft, 3. Aufl., Opladen, S. 121-139.

Murphy, J., Morgan, A. (1993): The Royal Road to Service Quality in Banking, in: Admap, January, S. 106-109.

Murry, J.P., Lastovicka, J.L., Bhalla, G. (1989): Demographic and Lifestyle Selection Error in Mall-Intercept Data, in: Journal of Advertising Research, Vol. 29, No. 1, S. 46-52.

Myers, J.H., Warner, W.G. (1968): Semantic Properties of Selected Evaluation Adjectives, in: Journal of Marketing Research, No. 4, S. 409-412.

Mytton, G. (1998): Turn on, tune in – and get measured by your watch, in: Research, June, S. 32-33.

Naroll, R. (1973): Cross-cultural sampling, in: Naroll, R., Cohen, R. (Hrsg.): A Handbook of Method in Cultural Anthropology, New York/London, S. 889-926.

Naroll, R., Cohen, R. (Hrsg.) (1973): A Handbook of Method in Cultural Anthropology, New York/London.

Nath, R. (1969): A Methodological Review of Cross-Cultural Management Research, in: Boddewyn, J. (Hrsg.): Comparative Management and Marketing, Glenview, Ill. S. 195-223.

Nederhof, A.J. (1985): A comparison of European and North American response patterns in mail surveys, in: Journal of the Market Research Society, Vol. 27, No. 1, S. 55-63.

Nemmers, E.E., Myers, J.H. (1966): Business Research, New York.

Niedermayer, O. (1997): Vergleichende Umfrageforschung: Probleme und Perspektiven, in: Berg-Schlosser, D., Müller-Rommel, F. (Hrsg.): Vergleichende Politikwissenschaft, 3. Aufl., Opladen, S. 89-102.

Nieschlag, R., Dichtl, E., Hörschgen, H. (1997): Marketing, 18. Aufl., Berlin.

Nowell, C., Stanley, L.R. (1991): Length-Biased Sampling in Mall Intercept Surveys, in: Journal of Marketing Research, Vol. 18, No. 4, S. 475-479.

Ohmae, K. (1985): Die Macht der Triade. Die neue Form des weltweiten Wettbewerbs, Wiesbaden.

Oppermann, M. (1995): E-mail Surveys – Potentials and Pitfalls, in: Marketing Research, Vol. 7, No. 3, S. 29-33.

o.V. (1984): An ESOMAR working group report. A step forward in international research: harmonization of demographics for easier international comparisons, in: European Research, Vol. 12, No. 4, S. 182-189.

o.V. (1987): Wer bietet Mafo-Service in Europa?, in: Absatzwirtschaft, 30. Jg., H. 1, S. 68-77.

o.V. (1992): The evolving needs of the international research buyer, in: MRS Newsletter, Jul., S. 8-9.

o.V. (1997a): Der Weg zu Wirtschaftsinformationen im Datenwirrwarr des Internets, in: Frankfurter Allgemeine Zeitung vom 18.11.1997, S. 21.

o.V. (1997b): Medien beleben Geschäft der Marktforschung, in: Frankfurter Allgemeine Zeitung vom 23.04.97, S. 21.

o.V. (1998a): ARF/AMA Joint Study on Research Industry Trends, in: ESOMAR News Brief, Vol. 6, No. 5, S. 12-13.

o.V. (1998b): Quality standards in market research, in: ESOMAR News brief, Vol. 6, No. 10, S. 3-5.

o.V. (1999a): Return to Asia Pacific, in: ESOMAR News Brief, Vol. 7, No. 1, S. 4-9.

o.V. (1999b): Neue Tendenzen in der Marktforschung, in: Frankfurter Allgemeine Zeitung vom 26.05.1999, S. 27.

o.V. (1999c): The online future of research, in: ESOMAR NewsBrief, No. 11, S. 3-5.

o.V. (2000a): Progress in China MR regulations, in: Research World, Vol. 8, No. 11, S. 8-9.

o.V. (2000b): Quality Standards, in: Research World, Vol. 8, No. 5, S. 6-9.

o.V. (2000c): Year in Review, in: Marketing News, Vol. 34, Dec. 4, S. 12.

o.V. (2001a): Merits of web focus groups, in: Research, No. 422, S. 24.

o.V. (2001b): ICI Paints. Global marketing for paints: Listening to research, in: Research World, Vol. 9, No. 7, S. 14-16.

o.V. (2001c): TNS takes control of Conversion Model firm, in: Research, No. 417, S. 11.

Owen, D. (1991)**:** Every decoding is another encoding, in: Journal of the Market Research Society, Vol. 33, No. 4, S. 321-333.

Parameswaran, R., Yaprak, A. (1987): A Cross-National Comparison of Consumer Research Measures, in: Journal of International Business Studies, Vol. 18, Spring, S. 35-49.

Pareek, U., Rao, T.V. (1980)**:** Cross-cultural surveys and interviewing, in: Triandis, H.C., Berry, J.W. (Hrsg.): Handbook of Cross-Cultural Psychology, Vol. 2, Methodology, Boston, S. 127-180.

Park, C. (2000): Wireless Wonders, in: Research, No. 411, S. 14.

Park, C. (2001a): Pegram Walters joins Aegis, in: Research, No. 418, S. 7.

Park, C. (2001b): An appetite for MR, in: Research, No. 418, S. 17.

Patzer, G.L. (1995): Using Secondary Data in Marketing Research, Westport, Ct./London.

Penrose, E.T. (1959): The Theory of the Growth of the Firm, Oxford.

Perlitz, M. (1997): Internationales Management, 3. Aufl., Stuttgart.

Perlmutter, H.V. (1969): The Tortuous Evolution of the Multinational Corporation, in: Columbia Journal of World Business, Vol. 4, No. 1, S. 9-18.

Perrott, N. (1998): Will you be an Ostrich or a Champagner?, in: Research, No. 385, S. 50-51.

Pincott, G., Branthwaite, A. (2000): Nothing New Under the Sun?, in: International Journal of Market Research, Vol. 42, No. 2, S. 137-155.

Pine, B.J. (1993): Maßgeschneiderte Massenfertigung: Neue Dimensionen im Wettbewerb, Wien.

Plummer, J.T. (1977): Consumer focus in Cross-national research, in: Journal of Advertising, S. 5-15.

Polte, V. (1994): Die statistische Güterklassifikation in Verbindung mit den Wirtschaftszweigen in der Europäischen Wirtschaftsgemeinschaft, in: Wirtschaft und Statistik, H. 2, S. 89-97.

Potempa, T., Franke, P., Osowski, W., Schmidt, M.-E. (2000): Informationen finden im Internet. Leitfaden für die gezielte Online-Recherche, 2. Aufl., München.

Pras, B. (1976): Échelles d´intervalle a supports sémantique, in: Revue Francaise du Marketing, Cahier 61, Mars/Avril, S. 87-95.

Price, J. (2001): Latin America Outlook, in: Research World, Vol. 9, No. 3, S. 4-7.

Przeworski, A., Teune, H. (1973): Equivalence in Cross-National Research, in: Warwick, D.P., Osherson, S. (Hrsg.): Comparative Research Methods, Englewood Cliffs, N.J., S. 119-137.

Punnett, B.J., Shenkar, O. (Hrsg.) (1996): Handbook for International Management Research, Cambridge, Ma.

Quatresooz, J., Vancraeynest, D. (1992): Using the ESOMAR harmonised demographics: External and internal validation of the results of the EUROBAROMETER test, in: Marketing and Research Today, Vol. 20, No. 1, S. 41-50.

Raffée, H., Kreutzer, R. (1986): Organisatorische Verankerung als Erfolgsbedingung eines globalen Marketing, in : Thexis, 3. Jg., S. 10-21.

Raffée, H., Segler, K. (1984): Marketingstrategien im Export, in: Dichtl, E., Issing, O. (Hrsg.): Export als Herausforderung für die deutsche Wirtschaft, Köln, S. 277-307.

Rathmann, H. (1990): Erfahrungen mit europaweiten Marktforschungsstudien, in: Schub von Bossiazky, G. (Hrsg.): Wissen und Entscheiden, BVM-Schriftenreihe 17/18, Offenbach, S. 73-98.

Reichardt, C.S., Cook, T.D. (1979): Beyond Qualitative Versus Quantitative Methods, in: Cook, T.D., Reichardt, C.S. (Hrsg.): Qualitative and Quantitative Methods in Evaluation Research, Beverly Hills/ London, S. 7-32.

Reinecke, J. (1991): Interviewer- und Befragtenverhalten, Opladen.

Rettig, R., Hoyer, W.H. u.a. (1979): Struktur und Verteilung des Vermögens in Großbritannien, Italien und Frankreich. Möglichkeiten und Grenzen eines Vergleichs, Köln.

Reuter, U. (1991): Auf der Suche nach dem Common Ground im neuen Europa: Neue Approaches der interkulturellen qualitativen Forschung, in: ESOMAR (Hrsg.): Marketing in the New Europe, Amsterdam, S. 47-66.

Richardson, D. (1999): Korea, in: ESOMAR News Brief, Vol. 7, No. 1, S. 10.

Rippel, K. (1962): Markt- und Meinungsforschung im Export, Tübingen.

Røhme, N. (1985): A worldwide overview of national restrictions on the conduct and release of public opinion polls, in: European Research, Vol. 13, No. 1, S. 30-37.

Røhme, N., Veldman, T. (1983): Harmonization of demographics, in: Journal of the Market Research Society, Vol. 25, No. 1, S. 1-17.

Royal Statistical Society (Hrsg.) (1991): The Standardisation of Statistical Information across Europe for Governments and Industry, Conference Proceedings, London.

RSL – Research Services Ltd. (1995): Summary of Current Readership Research, Survey Practices in 36 Countries, London.

Salcher, E.F. (1995): Psychologische Marktforschung, 2. Aufl., Berlin/New York.

Salzberger, T. (1999): Interkulturelle Marktforschung. Methoden zur Überprüfung der Datenäquivalenz, Wien.

Salzberger, T., Sinkovics, R.R., Schlegelmilch, B.B. (2001): Die Bedeutung der Datenäquivalenz in der internationalen Marketing- und Konsumentenforschung, in: Jahrbuch der Absatz- und Verbrauchsforschung, 47. Jg., Nr. 2, S. 190-209.

Samuels, J. (2001a): Market research up 4% to US$ 15,232 million, in: Research World, Vol. 9, No. 8, S. 22-26.

Samuels, J. (2001b): Sources of revenue, in: Research World, Vol. 9, No. 9, S. 28-29.

Samuels, J. (2001c): Research Methodologies, in: Research World, Vol. 9, No. 10, S. 13-15.

Sandmaier, W. (1990): Informationsvorsprung mit Online-Datenbanken, Frankfurt a.M.

Savage, M. (1999a): Joint venture for internet research, in: Research, No. 396, S. 10.

Savage, M. (1999b): Breaking down the great wall, in: Research, No. 401, S. 14.

Savage, M. (2000): Eastern promise, in: Research, No. 410, S. 15.

Savage, M. (2001a): Top dog, in: Research, No. 419, S. 24-25.

Savage, M. (2001b): Soft landing for UK business, in: Research, No. 420, S. 27-29.

Savage, M. (2001c): Mobile MR Back on Saale, in: Research, No. 425, S. 9.

Savage, M. (2001d): NetRating to swallow rival, in: Research, No. 426, S. 10.

Savage, M., McElhatton, N., Cervi, B., Phillips, D. (2000): The Survey, in: Research, No. 404, o.S.

Scheuch, E.K. (1967): Das Interview in der Sozialforschung, in: König, R. (Hrsg.): Handbuch der empirischen Sozialforschung, Bd. I, 2. Aufl., Stuttgart, S. 136-196.

Schiemenz, B., Wurl, H.-J. (Hrsg.) (1994): Internationales Management, Wiesbaden.

Schillinger, M. (1988): New qualitative research, in: BVM–Berufsverband Deutscher Markt- und Sozialforscher (Hrsg.): Marktforschung im magischen Viereck: Unternehmen, Wettbewerb, Handel, Konsumenten, Vorträge zur Markt- und Sozialforschung - Schriftenreihe 15/16, Offenbach, S. 369-389.

Schlegelmilch, B.B., Diamantopoulos, A. (1991): Prenotification and mail survey response rates: a quantitative integration of the literature, in: Journal of the Market Research Society, Vol. 33, No. 3, S. 243-255.

Schlund, W. (1994): International flexibel agieren, in: Planung & Analyse, Nr. 6, S. 62-63.

Schmitz, M. (1996): Information-Broking und -Retrieval, München.

Schneid, M. (1995a): Einsatz computergestützter Befragungssysteme in Südamerika, Nahost, Asien, Afrika und Australien (Eine Fax-Umfrage), ZUMA-Arbeitsbericht Nr. 95/03, Mannheim.

Schneid, M. (1995b): Disk-By-Mail. Eine Alternative zur schriftlichen Befragung?, ZUMA-Arbeitsbericht Nr. 95/03, Mannheim.

Schneider, D.J.G. (1992): Datenbankgestützte Marktselektion für Internationalisierungsstrategien, in: Hermanns, A., Flegel, V. (Hrsg.): Handbuch des Electronic Marketing: Funktionen und Anwendungen der Informations- und Kommunikationstechnik im Marketing, München, S. 357-382.

Schneider, D.J.G., Müller, R.W. (1989): Datenbankgestützte Marktselektion - Eine methodische Basis für Internationalisierungsstrategien, Stuttgart.

Schoppe, S.G. (Hrsg.) (1994): Kompendium der Internationalen Betriebswirtschaftslehre, 3. Aufl., München/Wien.

Schopphoven, I. (1991): Marktforschung für das internationale Marketing, in: Jahrbuch der Absatz- und Verbrauchsforschung, 37. Jg., Nr. 1, S. 28-47.

Schöttle, K.M. (1990): Informationen zum Nachschlagen, in: ders. (Hrsg.): Jahrbuch Marketing, 5. Ausg., Wiesbaden, S. 163-501.

Schöttle, K.M. (Hrsg.) (1990): Jahrbuch Marketing, 5. Ausg., Wiesbaden.

Schreyögg, G., Steinmann, H. (1985): Strategische Kontrolle, in: Zeitschrift für betriebswirtschaftliche Forschung, 37. Jg., Nr. 5, S. 391-410.

Schub von Bossiazky, G. (Hrsg.) (1990): Wissen und Entscheiden, BVM-Schriftenreihe 17/18, Offenbach.

Schub von Bossiazky, G. (1992): Psychologische Marketingforschung, München.

Schüle, U. (1996): Zwischen Plan und Markt. Erforschung von Investitionsgütermärkten in China, in: Jahrbuch der Absatz- und Verbrauchsforschung, 42. Jg., Nr. 2, S. 55-66.

Schurawitzki, R. (1980): Probleme des internationalen Vergleichs von Statistiken über Forschung und experimentelle Entwicklung, in: Zeitschrift für Wissensforschung, H. 1, Bd. 2, S. 447-459.

Sechrest, L., Fay, T.L., Zaidi, S.M.H. (1972): Problems of Translation in Cross-Cultural Research, in: Journal of Cross-Cultural Psychology, Vol. 3, No. 1, S. 41-56.

Segall, M.H., Campbell, D.T., Herskovits, M.J. (1966): The Influence of Culture on Visual Perception, Indianapolis/New York.

Seringhaus, R. (1986/87): The Role of Information Assistance in Small Firms´ Export Involvement, in: International Small Business Journal, Vol. 5, No. 2, S. 26-36.

Sethi, S.P., Holton, R.H. (1969): Comparative Analysis for International Marketing, Bertil Liander, ed., Boston, Mass.: Allyn & Bacon, Inc., 1967, in: Journal of Marketing Research, Vol. 6, No. 4, New Books in Review, S. 502-503.

Shaw, R. (1995): Other Press Surveys, in: McDonald, C., Monkman, M. (Hrsg.): The MRG Guide to Media Research, o.O., S. 99-106.

Sicinski, A. (1970): "Don´t Know" Answers in Cross-National Surveys, in: Public Opinion Quarterly, Vol. 34, S. 126-129.

Simmet-Blomberg, H. (1995): Auslandsmarktforschung, in: Tietz, B., Köhler, R., Zentes, J. (Hrsg.): Handwörterbuch des Marketing, 2. Aufl., Stuttgart, Sp. 107-118.

Simmet-Blomberg, H. (1998): Interkulturelle Marktforschung im europäischen Transformationsprozeß, Stuttgart.

Sinkovics, R., Salzberger, T., Holzmüller, H.H. (1998): Assessing Measurement Equivalence in Cross-National Consumer Behaviour Research: Principles, Relevance and Application Issues, in: Balderjahn, I., Mennicken, C., Vernette, E. (Hrsg.): New Developments and Approaches in Consumer Behaviour Research, Stuttgart/Houndsmill/London, S. 269-288.

Sonet, T. (1994): See the USA, through the looking glass, in: ResearchPlus, June, S. 6-7.

Sood, J. (1980): The Importance of Market Information to Small Business Firms Marketing Internationally, in: Baker, M.J., Saren, M. (Hrsg.): Marketing into the Eighties, Proceedings of E.A. for A.R. in Marketing, S. 545-555.

Stanton, J.L., Chandran, R., Hernandez, S.A. (1982): Marketing research problems in Latin America, in: Journal of the Market Research Society, Vol. 24, No. 2, S. 124-139.

Staud, J.L. (1993): Fachinformationen Online - Ein Überblick über Online-Datenbanken unter besonderer Berücksichtigung von Wirtschaftsinformationen, Berlin u.a.

Steffens, S., Thürbach, R.-P. (1984): Drum prüfe, wer ins Ausland geht, in: Absatzwirtschaft, 27. Jg., Nr. 8, S. 46-48.

Steinmann, H., Schreyögg, G. (1993): Management: Grundlagen der Unternehmensführung, 3. Aufl., Wiesbaden.

Stewart, D.W. (1984): Secondary Research, Beverly Hills u.a.

Stewart, D.W., Kamins, M.A. (1993): Secondary Research: Information Sources and Methods, 2. Aufl., Newbury Park, Ca., u.a.

Stoffels, J. (1989): Der elektronische Minimarkttest, Wiesbaden.

Störtzbach, B. (1987): Volkszählungen im internationalen Vergleich, in: Wirtschaft und Statistik, H. 3, S. 207-218.

Stout, R.G., Dalvi, N. (1989): Improving the effectiveness of multi-country consumer tracking, in: Journal of the Market Research Society, Vol. 31, No. 4, S. 545-550.

Strauss, A. (1994): Grundlagen qualitativer Sozialforschung, München.

Strauss, M.A. (1969): Phenomenal identity and conceptual equivalence of measurement in cross-national comparative research, in: Journal of Marriage and the Family, Vol. 31, S. 233-239.

Sudman, S., Blair, E. (1998): Marketing Research. A Problem-Solving Approach, Boston u.a.

Sunderland, K. (2001): Asian recreuitment scene set to stabilize, in: Research World, Vol. 9, No. 10, S. 10-11.

Syfret, T. (2001): Television Peoplemeters in Europe, Henley-on-Thames.

Sykes, W. (1990): Validity and reliability in qualitative market research: a review of the literature, in: Journal of the Market Research Society, Vol. 32, No. 3, S. 289-328.

Szalai, A., Petrella, R. (Hrsg.) (1977): Cross-National Comparative Survey Research, Oxford u.a.

Taylor, H. (2000): The Very Different Methods Used to Conduct Telephone Surveys of the Public, www.harrisinteractive.com, vom 30.10. 2000, 18 Seiten.

Templeton, J.F. (1988): Focus Groups, Chicago.

Terpstra, V. (1983): International Marketing, 3. Aufl., Chicago u.a.

Terpstra, V., Sarathy, R. (1991): International Marketing, 5. Aufl., Orlando, Fl.

Terpstra, V., Sarathy, R. (1994): International Marketing, 6. Aufl., Fort Worth, Tx., u.a.

The Market Research Society (1994): Yearbook 1994, London.

The Market Research Society (1998): Orgs Book 97-98, London.

Theobald, A. (2000): Determinanten des Online-Research, in: Planung & Analyse, Nr. 5, S. 72-76.

Theobald, A., Dreyer, M., Starsetzki, T. (Hrsg.) (2001): Online-Marktforschung. Theoretische Grundlagen und praktische Erfahrungen, Wiesbaden.

Thielbeer, S. (1998): Die Rätsel um die Zahlen der Chinesischen Wirtschaftsstatistik, in: Frankfurter Allgemeine Zeitung vom 29. Juni 1998, S. 20.

Thomas, J. (1992): Is Europe accountable? – Potholes on the road to common media standards, in: Admap, Jan., S. 55-56.

Tietz, B. (1989): Marktforschung, internationale, in: Macharzina, K., Welge, M.K. (Hrsg.): Handwörterbuch Export und Internationale Unternehmung, Stuttgart, Sp. 1453-1468.

Tietz, B., Köhler, R., Zentes, J. (Hrsg.) (1995): Handwörterbuch des Marketing, 2. Aufl., Stuttgart.

Tomczak, T., Belz, Chr. (Hrsg.) (1994): Kundennähe realisieren, St. Gallen.

Tomczak, T., Reinecke, S. (Hrsg.) (1994): Marktforschung, St. Gallen.

Toyne, B., Walters, P.G.P. (1993): Global Marketing Management: A Strategic Perspective, 2. Aufl., Needham Heights, MA.

Triandis, H.C., Berry, J.W. (Hrsg.) (1980): Handbook of Cross-Cultural Psychology, Vol. 2, Boston.

Tscheulin, D.K., Helmig, B. (Hrsg.) (2001): Branchenspezifisches Marketing, Wiesbaden.

Usunier, J.-C. (2000): Marketing Across Cultures, 3. Aufl., Harlow.

Vallier, I. (Hrsg.) (1971): Comparative Methods in Sociology, Berkeley u.a.

Vangelder, P. (1998): Looking at Latin America, in: ESOMAR News Brief, No. 6, S. 3-7.

Vangelder, P. (2001): Online Research. Talking to Nicky Perrott, in: Research World, Vol. 9, No. 4, S. 20-21.

Verba, S. (1971): Cross-National Survey Research: The Problem of Credibility, in: Vallier, I. (Hrsg.): Comparative Methods in Sociology, Berkeley u.a., S. 309-356.

Verlag Das Beste GmbH (Hrsg.) (1991a): Executive Summary, Reader´s Digest Eurodata, Stuttgart u.a.

Verlag Das Beste GmbH (Hrsg.) (1991b): Reader´s Digest Eurodata, Stuttgart u.a.

Vijver, F. van de, Leung, K. (1997): Methods and Data Analysis for Cross-Cultural Research, Thousand Oaks, Cal.

Walldorf, E.G. (1987): Auslandsmarketing. Theorie und Praxis des Auslandsgeschäfts, Wiesbaden.

Warwick, D.P., Osherson, S. (1973): Comparative Analysis in the Social Sciences, in: dies. (Hrsg.): Comparative Research Methods, Englewood Cliffs, N.J., S. 3-41.

Warwick, D.P., Osherson, S. (Hrsg.) (1973): Comparative Research Methods, Englewood Cliffs, N.J.

Webb, N. (1983): International omnibus surveys, in: MRS Newsletters, No. 206, S. 20-22.

Weber-Schäfer, U. (1995): Die Nachfrage und das Angebot von externen Informationen zu Unternehmensstrategien in einem Online-Informationssystem: entscheidungsinterne Analyse am Beispiel des europäischen Binnenmarktes, Anforderungen und Konzepte, Frankfurt a.M. u.a.

Webster, L.L. (1966): Comparability in Multi-Country Surveys, in: Journal of Advertising Research, Vol. 6, No. 4, S. 14-18.

Weinberg, P. (1992): Euro-Brands, Erlebnisstrategien auf europäischen Konsumgütermärkten, in: Marketing ZFP, 9. Jg., H. 4, S. 257-260.

Weis, H.C., Steinmetz, P. (1998): Marktforschung, 3. Aufl., Ludwigshafen.

Welge, M.K. (1989): Organisationsstrukturen, differenzierte und integrierte, in: Macharzina, K., Welge, M.K. (Hrsg.): Handwörterbuch Export und Internationale Unternehmung, Stuttgart, Sp. 1590-1602.

Werner, O., Campbell, D.T. (1973): Translating, Working Through Interpreters, and the Problem of Decentering, in: Naroll, R., Cohen, R. (Hrsg.): A Handbook of Method in Cultural Anthropology, New York/London, S. 398-420.

Whitelock, J.M. (1987): Global Marketing and the Case for International Product Standardisation, in: European Journal of Marketing, Vol. 21, No. 9, S. 32-44.

Wich, D.J. (1989): Die Vergleichbarkeit von Befragungen im Rahmen der internationalen Komsumentenforschung, Hamburg.

Widmaier, U. (1997): Vergleichende Aggregatdatenanalyse: Probleme und Perspektiven, in: Berg-Schlosser, D., Müller-Rommel, F. (Hrsg.): Vergleichende Politikwissenschaft, 3. Aufl., Opladen, S. 103-118.

Wiegand, E. (2001): The Impact of Data Protection Laws on Marketing and Opinion Research, in: Research World, Vol. 9, No. 6, S. 16-17.

Wilkes, M.W. (1977): Farbe kann verkaufen, in: Marketing Journal, Nr. 2, S. 111-114.

Will, C. (1997): Neue Medien - Neue Marktforschung. Zum Einsatz von Neuen Medien in der Marktforschung, in: Marktforschung & Management, Nr. 5, S. 208-212.

Will, C., Daburger, J. (1996): Interaktive Befragungen. Eine Alternative zu klassischen Marktforschungserhebungen, in: Planung & Analyse, Nr. 6, S. 22-23.

Williams, S.C. (1996): Executive Insights: Researching Markets in Japan - A Methodological Case Study, in: Journal of International Marketing, Vol. 4, No. 2, S. 87-93.

Wilson, V. (2001): Data Protection Minefields Ahead, in: Research, No. 424, S. 16-17.

Wilss, W. (1977): Übersetzungswissenschaft, Stuttgart.

Wind, Y., Douglas, S.P. (1982): Comparative Consumer Research: The Next Frontier?, in: Management Decisions, Vol. 20, No. 4, S. 24-35.

Wind, Y., Douglas, S.P., Perlmutter, H.V. (1973): Guidelines for Developing International Marketing Strategies, in: Journal of Marketing, Vol. 37, No. 2, S. 14-23.

Wißmeier, U.K. (1992): Strategien im internationalen Marketing, Wiesbaden.

Worcester, R.M., Downham, J. (Hrsg.) (1986): Consumer Market Research Handbook, 3. Aufl., Amsterdam.

Wortzel, H.V., Wortzel, L.H. (Hrsg.) (1985): Strategic Management of Multinational Corporations: The Essentials, New York u.a.

Wührer, G.A. (1989): Marktforschungsinstitute in der Europäischen Gemeinschaft - Eine internationale Branchenanalyse, Forschungsbericht, Institut für Wirtschaftswissenschaften der Universität Klagenfurt.

Zentes, J. (1989): Marketinginstrumente, in: Macharzina, K., Welge, M.K. (Hrsg.): Handwörterbuch Export und Internationale Unternehmung, Stuttgart, Sp. 1395-1412.

Verzeichnis der Firmen-, Personen- und Produktnamen

Stichwortverzeichnis